Pius XII. und die Judenrazzia in Rom

Klaus Kühlwein

Klaus Kühlwein

Pius XII. und die Judenrazzia in Rom

Ungekürzte, 2. Auflage
Mit allen Anmerkungen und Quellenbelegen

Mit zahlreichen Abbildungen
und einem Dokumentenanhang

Die Deutsche Nationalbibliothek verzeichnet diese Publikation
in der Deutschen Nationalbibliografie: detaillierte bibliografische
Daten sind im Internet über http://dnb.dnb.de abrufbar.

2., aktualisierte und erweiterte Auflage / Okt. 13
Druck und Verlag: epubli GmbH, Berlin 2013

ISBN 978-3-8442-7035-8
www.epubli.de

Zum Gedenken
an den 70. Jahrestag der Verhaftung und Deportation
von 1016 Juden Roms

INHALT

Zur zweiten Auflage

Diese zweite Auflage der Studie über die Judenrazzia in Rom ist eine aktualisierte und erweiterte Fassung der Erstauflage vom 24. Juli 2013.

Papst Franziskus hat am 11. und 16. Oktober 2013 der Deportation der Juden Roms vor siebzig Jahren erinnert und Zeichen der Versöhnung geschenkt. Im überarbeiteten Epilog werden diese Gesten gewürdigt.

Im Anhang sind einige weitere Dokumente und Zeugenaussagen (Faksimile) aufgenommen, die den Ablauf der Razzia am 16. Okt. 1943 betreffen.

An wenigen Stellen im Text bzw. in den Anmerkungen sind kleine Aktualisierungen eingeflossen.

Prolog

* * *

15./16. Oktober 1943

Bei Sonnenuntergang am Freitag, den 15. Oktober 1943, feiern die Juden Roms wie gewöhnlich in ihren Häusern den Beginn des Sabbats. Es ist ein besonderer Sabbat, der dritte Tag des einwöchigen Laubhüttenfestes Sukkot im Jahre 5703 jüdischer Zeitrechnung. Ein paar Stunden später wird nichts mehr so sein wie zuvor. Der erprobte SS-Kommandoführer Theodor Dannecker wird mit seinen Männern ausschwärmen und die Juden der Ewigen Stadt ergreifen.

Im alten Ghetto Roms leben immer noch die meisten Juden. Seit Jahrhunderten liegt der Bezirk unverändert im Herzen der Ewigen Stadt, nahe der Tiberinsel. Das Ghetto erstreckt sich einige Straßenzüge tiberaufwärts hinter dem altrömischen Theater des Marcellus. Erst 1870 wurden die Mauern um das Judenviertel endgültig niedergerissen. Seitdem sind auch Römer und Zuwanderer nicht-jüdischer Herkunft hierher gezogen.

Gegenüber der Theaterruine des Marcellus und dem uralten Portico der Octavia steht die prächtige Synagoge. Sie wurde 1904 direkt an die Uferstraße gebaut. Ein paar Schritte entfernt liegt die Tiberinsel, über deren Brücken man zum Stadtteil Trastevere gelangt. Dort leben traditionell auch viele Juden. Auf der Ostseite des Tibers war ihr erstes Siedlungsgebiet, das ihnen zugewiesen wurde.

An dem Freitagabend eilt eine ärmlich gekleidete Frau von Trastevere herüber und fängt in den Gassen des Ghettos an zu schreien. Viele Familien haben in ihren Wohnungen gerade die Sabbatkerzen angezündet und versammeln sich zur Andacht. Einige strecken neugierig die Köpfe aus den Fenstern. Andere gehen gleich hinaus auf die Straße, um nachzuschauen, was los sei. Rasch ist die Frau von Neugierigen umringt. Viele kennen sie gut. Es ist Signora Celeste. Man hält sie für wunderlich, ein bisschen meschugge eben und für skandalsüchtig.

Signora Celeste ruft und jammert laut: Die Deutschen kommen und nehmen viele Juden mit! In Trastevere hatte sie heute Abend von der Frau eines Carabinieri, wo sie in Diensten steht, von einer langen Judenliste erfahren. Alle auf dieser Liste sollen von den Deutschen weggeschafft werden. Celeste verlor keine Zeit. Sie rannte an diesem regnerisch kalten Oktoberabend sofort auf die andere Tiberseite, um alle zu warnen.

Niemand glaubt Celeste die Hiobsnachricht. Hat sie vergessen, dass die Juden erst vor zwei Wochen durch Gold ausgelöst worden sind?

Signora Celeste hört nicht auf zu rufen und zu jammern: „So glaubt mir doch! Seht zu, dass ihr von hier weg kommt. ... Ich sage die Wahrheit! Das schwör' ich beim Haupt meiner Kinder!" Schließlich droht sie, dass alle es bereuen werden, wenn sie jetzt nicht fliehen. Es hilft nichts. Celeste resigniert und klagt, dass sie einer reichen Frau bestimmt glauben würden. Aber weil sie arm sei, nichts habe und in Lumpen herumlaufe, höre man nicht auf sie.[1]

Der jüdische Journalist und Überlebende der Razzia, Giacomo Debenedetti, hat diese kleine Episode im Herbst 1944 recherchiert, als Rom von den Alliierten befreit war. Einige, die er befragte, gaben Celeste recht. Einer reichen Signora hätte man eher geglaubt. Verdrossen merkt Debenedetti an: „Doch an jenem Abend stiegen sie wieder hinauf in ihre Wohnungen, setzten sich wieder um den Tisch zum Abendbrot und besprachen miteinander die seltsame Geschichte."[2]

Gegen Mitternacht schrecken viele Menschen in den Straßen und Gassen des Ghettos erneut hoch. Sie sind schon alle schlafen gegangen. Doch vereinzelte Schüsse und das laute Grölen von Männern treibt sie aus den Betten. Nur Wenige wagen sich ans Fenster und riskieren einen Blick. Kugeln pfeifen durch die Luft oder prallen gegen die Hauswand. Sind das betrunkene deutsche Soldaten? Oder sind es italienische Schwarzhemden, die sich einen Spaß daraus machen, Juden zu erschrecken? Niemand weiß es. Das Schießen will nicht aufhören. Zuweilen schwillt es an, dann ebbt es wieder ab. Erst nach etwa drei Stunden kehrt endgültig Ruhe ein.

Bald regt sich wieder Leben im Ghetto. Zahlreiche Menschen stehen früh auf, um Lebensmittel zu organisieren oder die wöchentliche Ration an Tabak zu ergattern, die nur samstags ausgegeben wird. Sie werden die ersten sein, die Danneckers Männern in die Arme laufen. Leise und unbemerkt sind SS-Soldaten ins Ghetto eingedrungen und haben strategisch Position bezogen.

Zwei Kilometer flussaufwärts auf der anderen Tiberseite liegt der Vatikan. Papst Pius XII. ist anwesend. Wegen der angespannten Lage in Italien im Sommer 1943 hat er den Apostolischen Palast in den letzten Monaten nicht mehr verlassen.

Wie gewöhnlich geht Pius in dieser Nacht sehr spät zu Bett. Erst gegen zwei Uhr wird er das Licht löschen. Als er nach Mitternacht noch am Schreibtisch sitzt, um letzte Vorlagen zu bearbeiten, kann er die Schüsse von der anderen Tiberseite hören. Sein Arbeitszimmerfester im obersten Stock des Apostolischen Palastes zeigt genau in Richtung Judenghetto. Pius hat keinen Grund, besonders beunruhigt zu sein. Kleine nächtliche Scharmützel wurden in den vergangenen Wochen häufiger ausgetragen. Doch diesmal will das Schießen nicht aufhören. Bisher haben die deutschen Soldaten Partisanenaktionen rasch abgewehrt. Warum dauert es heute Nacht so lange?

Um sechs Uhr steht Papst Pius wieder auf. Bevor er die Frühmesse in der Privatkapelle hält, segnet er seine Stadt am offenen Fenster – so wie immer. Über Rom zieht die Dämmerung herauf. Im Ghetto und überall in der Stadt hat die groß angelegte Judenrazzia bereits begonnen. Pius kann den Lärm von Lastwagen hören, die zu verschiedenen Einsatzorten fahren.

An diesem Morgen des 16. Oktober ahnt Papst Pius noch nicht, was die nächsten drei Tage ihm abverlangen werden. Todeshäscher sind in die Ewige Stadt eingedrungen und fesseln die jüdische Gemeinde. Muss er sich jetzt offen vor die Juden seiner Stadt stellen? Soll er in die Razzia eingreifen, sie stoppen und die bereits Gefangenen retten? Seit wenigen Wochen hatte Hitler die Macht in Rom. Aber wie groß ist sie? Kann er den Diktator aufhalten?

Einleitung

Pius XII. – Judenretter?

Die Frage, was Papst Pius XII. unternommen hat, um Juden vor dem Zugriff der Schergen Hitlers zu retten, ist die Frage aller Fragen im Streit um diesen Papst. Sie ist sensibel wie ein offen liegender Nerv. Die moralische Integrität von Pius XII. und die des Papsttums schlechthin stehen auf dem Spiel.

Kein Geringerer als Papst Benedikt XVI. rückte die Frage nach der konkreten Rettung von Juden in das Zentrum des Streits um Pius XII. Es sei doch entscheidend, was Pius getan habe und zu tun versucht habe, so Benedikt in seinem Interviewbuch *Licht der Welt* vom Herbst 2010. Im selben Satz fährt Benedikt fort und zollt seinem Vorgänger höchstes Lob: „… dann muss man, glaube ich, wirklich anerkennen, dass er einer der großen Gerechten war, der so viele Juden gerettet hat wie kein anderer."3

Pius XII. einer der großen Gerechten dieser Welt und erfolgreicher Judenretter ohnegleichen? Ein historisches Wort!

Papst Benedikt äußerte die erstaunlich deutliche Anerkennung ein halbes Jahr nach seinem Dekret zum "heroischen Tugendgrad" Pius XII. Mit diesem Dekret fand ein über vierzigjähriges Verfahren zur Seligsprechung Eugenio Pacellis – so der Taufname Pius XII. – vorläufig seinen Höhepunkt und Abschluss. Im Herbst 1965 war zur Eröffnung der letzten Session des 2. Vatikanischen Konzils von Papst Paul VI. der Untersuchungsprozess zum Ruf der Heiligkeit bei Pius XII., wie es amtlich heißt, angekündigt worden. Und im Mai 2007 votierte die Plenarversammlung der Kongregation für Heiligsprechungen einstimmig für den heroischen Tugendgrad Eugenio Pacellis. Das Votum wurde dem Papst zur Bestätigung vorgelegt.

Benedikt ließ sich zweieinhalb Jahre Zeit mit seiner alles entscheidenden Unterschrift. Das hat für Verwirrung und Spekulationen gesorgt. Üblicherweise lässt das päpstliche Ja einer solch klaren Vorlage nicht lange auf sich warten. Warum Benedikt bis Ende 2009 zögerte, erklärte er selbst im oben genannten Interviewbuch. Er habe seine Unterschrift zunächst nicht gegeben, weil er sich „wirklich Gewissheit" verschaffen wollte. Dazu habe er eine geraffte Durchsicht der noch unveröffentlichten Aktenbestände von 1939 bis 1958 angeordnet. Im Ergebnis konnte das Positive über Pius XII. bestätigt werden, das Negative dagegen nicht, so Benedikt.[4]

Streitpunkt „Schweigen"

Das Negative, das Papst Benedikt erwähnt, ist sattsam bekannt. Im Mittelpunkt steht der Vorwurf des Schweigens Pius XII. zum Völkermord am europäischen Judentum. Obwohl Pius darüber schon früh Hinweise erhalten habe, hätte er bewusst geschwiegen. Rolf Hochhuth, der mit seinem provokanten Theaterstück DER STELLVERTRETER (1963) die Kritiklawine losgetreten hat, kam zu einem vernichtenden Urteil. Dieses Schweigen des Papstes und die entsprechende Passivität seien verbrecherisch gewesen. Bis heute hält Hochhuth an seinem harschen Urteil fest.[5]

Nach einem halben Jahrhundert teils leidenschaftlicher Debatte hat die fachhistorische und populär-mediale Auseinadersetzung zum »Schweigen« Pius XII. noch kein versöhnliches Ende gefunden. Der Historiker Thomas Brechenmacher nennt dies eine „erstaunliche Tatsache". Er sieht das vor allem darin begründet, „dass mit der Frage nach dem Schweigen die Ungewissheit berührt wird, ob die Kirche tatsächlich alles ihr Aufgegebene und in ihrer Macht Stehende unternommen hat, um das Schicksal der Juden zu mildern oder gar zum Besseren zu wenden. Und mit ebendieser Ungewissheit verbindet sich noch der weitergehende Verdacht, der lange wirkende kirchliche Judenhass oder Antisemitismus habe den Holocaust wenn nicht ermöglicht, so doch zumindest mit vorbereitet."[6]

Jüngst hat der renommierte jüdischstämmige Historiker und Holocaustforscher Saul Friedländer das Schweigen und die Passivität Pius XII. erneut verurteilt. Im längeren aktuellen Nachwort zur Neuausgabe seines Klassikers Pius XII. und das Dritte Reich bestätigt und vertieft er seine Kritikpunkte aus der Sicht neuerer Quellen. Papst Pius habe sich aus politischem Kalkül passiv verhalten gegenüber der Kriegsführung und Judenvernichtung Nazi-Deutschlands.[7] Am Schluss seines Nachwortes stellt Friedländer resümierend die Gretchenfrage: Nach welchem Maßstab handelt der Papst politisch und mithin die katholische Kirche? Wenn der Maßstab abwägende „Zweckrationalität" sei, dann könne man angesichts der Risiken im Krieg die Entscheidungen Pius XII. zur schweigenden und vorsichtigen Passivität „vielleicht für vernünftig halten". Doch wenn die Kirche nach eigener Aussage eine moralische Position vertrete und besonders in Zeiten der Krise moralisches Zeugnis zu geben habe, dann müsse Pius XII. „selbstverständlich anders beurteilt werden."[8]

Friedländer und Brechenmacher legen ihre Finger in eine Wunde der Pius-Debatte, die nicht verheilen will. Es handelt sich um die Fragen, aus welchen Gründen Papst Pius seine schweigende Passivität rechtfertigen konnte und ob er durch „Unterlassen" eine Mitschuld trug am Menschheitsverbrechen des NS-Judengenozids.

Der schwere Vorwurf des Judenhasses oder eines wie immer gearteten Antisemitismus bei Pius XII. wurde inzwischen von der Forschung plausibel widerlegt. Bei der Frage nach den Gründen des Schweigens gibt es zwar noch keinen Konsens, aber eine breit akzeptierte These. Brechenmacher fasst sie so zusammen:[9] Pius XII. „klopfte ... seine Entscheidungen sorgsam daraufhin ab, welche Folgen sie für die Betroffenen hatten und ob sie das Ziel der carità universale gefährdeten." Mit anderen Worten, Pius achtete sorgfältig darauf, dass seine Politik gegenüber Berlin nicht das zerstörte, was er eigentlich erreichen bzw. schützen wollte: das Liebesgebot Jesu befolgen und zum Wirken bringen.

Zugespitzt auf den Holocaust heißt das: Mit einem flammenden Appell gegen die Judendeportationen und NS-Judenpolitik hätte Pius XII. harte Vergeltungsaktionen gegen Katholiken und Juden provoziert.[10] Unter dem Strich hätte er dann weder etwas erreicht, noch die schützen können, die er schützen musste. Das Beste, was Papst Pius habe tun können, war die Vermeidung einer offenen Konfrontation zwischen dem Vatikan und Berlin. Das hieß: keine unbedachte Diplomatie, keine unnötige Provokation, schon gar keinen Bruch der Beziehung. Nur so hätte Pius XII. Schlimmeres verhüten und im Hintergrund durch verdeckte Diplomatie Juden retten können.

Diese Argumentation ist mittlerweile vom Vatikan als offizielle Linie anerkannt. Papst Benedikt formulierte es in seinem Interviewbuch knapp folgendermaßen: „Ich glaube, dass er gesehen hat, welche Folgen ein offener Protest haben würde. Er hat darunter, das wissen wir, persönlich sehr gelitten. Er wusste, er müsste eigentlich sprechen, und doch hat es ihm die Situation verboten."[11] Papst Benedikt stellt deutlich fest: Eigentlich hätte

Pius XII. protestieren und seine Stimme gegen die Judenvernichtung erheben müssen. Das habe er sehr genau gewusst und diese Pflicht auch dringlich gefühlt. Allein die konkrete Situation in der Kriegszeit mit den voraussichtlich schlimmen Folgen habe ihn gezwungen zu schweigen.

Auf Anhieb ist die moralische Argumentation, verantwortlich auf die Folgen seines Handelns zu achten und schlimme Übel zu vermeiden, gut nachvollziehbar, geradezu selbstverständlich. Doch bei kritischer Betrachtung drängen sich Fragen auf. Im Falle Pius XII. heißt das: Welche Folgen genau waren nach einer Intervention aus Berlin zu erwarten? Für wen und in welchem Ausmaß? Unabhängig davon gilt es auch die Frage grundsätzlich zu klären, ob die zu erwarteten Folgen tatsächlich ein offenes Wort und mutiges Eingreifen „notwendig" verboten haben? Die Antwort entscheidet maßgeblich, wie das Verhalten Pius XII. zu beurteilen ist. Die traditionelle kirchliche Morallehre anerkennt beides: die verantwortliche Folgenabwägung einer Handlung und das bedingungslose Eintreten zur Rettung von Leben sowie das kompromisslose Bewahren von Werten.[12]

Judenaktion in Rom

Für den Versuch, die Zurückhaltung Pius XII. historisch und ethisch zu erhellen, bietet sich ein Ereignis an, das die ganze Problematik um Papst Pius verdichtet. Es handelt sich um die Besetzung Roms durch deutsche Truppen im September 1943 und der rasch darauf folgenden Judenrazzia in der Stadt. Zum ersten Mal nach vier langen Kriegsjahren war Papst Pius unmittelbar in den Machtbereich Hitlers geraten. Er musste mit der Besetzung des Vatikans und seiner Verschleppung rechnen. Vor allem aber war die NS-Judenverfolgung in seiner eigenen Bischofsstadt angekommen. Pius musste hinnehmen, dass die Juden „unter seinen Fenstern" von der SS festgenommen wurden – wie sich NS-Vatikanbotschafter Ernst von Weizsäcker ausdrückte – und dass man sie mit unbekanntem Ziel deportierte.

Hitler hatte die Razzia der jüdischen Gemeinde Roms persönlich befohlen. Dem Diktator war klar, dass er den Stellvertreter Christi damit aufs Äußerste herausforderte. Von alters her sehen es die Päpste als ihre Pflicht, die Juden Roms vor Gewalt zu schützen. Konnte Pius XII. eine Judenrazzia in seiner Bischofsstadt zulassen? Hitler legte es darauf an. In den vergangenen vier Kriegsjahren hatte Papst Pius eine direkte Konfrontation mit Berlin sorgsam vermieden. Er führte den vatikanischen Kurs „unparteilich", wie er es ausdrückte. Konnte und durfte er jetzt noch seine zurückhaltende Diplomatie fortführen? Bislang hatte Pius wiederholten Bitten, doch öffentlich für die Juden einzutreten, stets als inopportun zurückgewiesen. Die Folgen eines Protestes waren für ihn unkalkulierbar.

Am Tag de Razzia wurde Pius XII. vor eine neue Situation gestellt. Binnen Stunden überrollten die dramatischen Ereignisse seine diplomatische Grundposition. Jetzt stand er nicht mehr nur vor der Frage: schweigen oder reden, sondern retten oder nicht retten.

Eine in den letzten Jahren rasant aufgestiegene These lautet: Pius XII. hat während der Razzia mit Umsicht und mutiger Entschlossenheit den allergrößten Teil der Juden Roms vor dem Zugriff der SS gerettet und hat ihnen rasch Zuflucht in Klöstern und anderen kirchlichen Häusern gewährt.[13]

Seit dem Ende des Seligsprechungsprozesses (2007) und den Feierlichkeiten zum fünfzigsten Todestag Pius XII. (2008) wird diese Judenrettung auch vom Vatikan offensiv kommuniziert. Sie wurde vom Päpstlichen Geschichtskomitee in die internationale Pius-Ausstellung (2008/09) in Rom, München, Berlin und New York eingearbeitet und durch einen aufwändig gedrehten internationalen Film-Zweiteiler („Sotto il cielo di Roma") eindringlich in Szene gesetzt. Dieser Film ist 2009 unter kirchlicher Federführung und vatikanischer Unterstützung an Originalschauplätzen entstanden. Benedikt XVI. und hohe Kurienvertreter wohnten der Uraufführung des Werks am 9. April 2010 in der Sommerresidenz Castel Gandolfo bei. In seiner Ansprache danach lobte Papst Benedikt den Film als historisch und theologisch wichtigen Beitrag zu seinem Vorgänger Pius XII.[14]

Sowohl die Pius-Ausstellung als auch der Pius-Film haben unter Historikern und in den Medien ein kontroverses Echo ausgelöst. Überwiegend ablehnend reagierten Vertreter aus dem Judentum – in vorderster Reihe die jüdische Gemeinde zu Rom.[15] Die SS-Razzia am 16. Oktober 1943 ist dort immer noch ein Trauma. Es will nicht ausheilen. Kritiker bezweifeln die korrekte historische Darstellung der Ereignisse. Genährt werden die Zweifel durch die unverhohlene und holzschnittartige Präsentation der Rolle Pius XII. als Judenretter. Sie passt so gar nicht in das sattsam bekannte, ausgesprochen vorsichtige Verhalten von Papst Pius während der bisherigen Kriegsjahre. Genährt werden die Zweifel aber auch durch die bislang wenig erforschten Umstände rund um die Razzia und dem Zeitpunkt der Zufluchtgewährung flüchtiger Juden in Klöstern.

Was geschah?

Obwohl die römische Judenrazzia vor den Augen eines in der Stadt amtierenden Papstes historisch sehr bedeutsam ist, wurde ihre Erforschung bislang vernachlässigt. Nur ausschnittweise sind einzelne Vorgänge und Reaktionen näher beleuchtet. Das liegt vor allem daran, dass die Razzia selbst ein zeitlich eng begrenztes Ereignis war und sie sich im Halbschatten angebahnt hatte. Die Quellenlage zu den direkt und indirekt Beteiligten, den Opfern und Rettern, den Tätern vor Ort und am Schreibtisch, den Mitwissern, Mitläufern und Gegnern der Razzia ist sehr unübersichtlich. Aussagen, Dokumente und Zeitzeugnisse sind weit gestreut und wurden bislang nur vereinzelt zusammengestellt.

Mit Abstrichen ist die Dokumentenlage zu Pius XII. bzw. zu seinem Staatssekretariat als gut zu bewerten. Zwar sind die Akten des Pontifikats Pius XII. noch nicht zugänglich, aber in der gesondert herausgegebenen vatikanischen Aktenedition ADSS (11 Bände) zur Kriegszeit wurde der Herbst 1943 relativ dicht belegt. Problematisch ist, dass wichtige Informationen nur in kurzen Fußnoten auftauchen und zuweilen auf nicht edierte Dokumente verwiesen wird. Eines davon ist ein schriftlicher Hilferuf aus der jüdischen Gemeinde Roms an Pius XII. persönlich. Die Herausgeber von ADSS konnten sich nicht entschließen dieses so brisante wie bedeutsame Dokument zu veröffentlichen. Der Brief liegt noch unter Verschluss im Archiv des vatikanischen Staatssekretariats. Mit freundlicher Unterstützung ist es mir für diese Studie gelungen, eine Kopie des Brandbriefes zu erhalten. Seine Auswertung wirft Licht auf das Verhaltens Pius XII. während der Razzia.

Die Quellen zu den politischen, militärischen und zivilen Vorgängen sind noch nicht oder nur wenig systematisch zusammengestellt. Am weitesten fortgeschritten ist man beim Resümee über die Opfer der Razzia und bei den zivilen Zeugen. Zu nennen sind erstrangig die Nachforschungen des *Centro di Documentazione Ebraica Contemporanea* (CDEC) in Mailand, vor allem mit der zweiten Auflage des „Buch der Erinnerung" (Il libro della

Memoria) von Liliana Picciotto Fargion und die neuere Zeugenstudie von Marcello Pezzetti. Zu nennen ist auch die Archivstudie der jüdischen Gemeinde Roms von 2006 (*Roma, 16 ottobre 1943*). Sie enthält viele soziologische Daten zu den Opfern und eine Interviewsammlung Überlebender.

Am schwierigsten ist es, die Vorgänge auf der politischen und militärischen Ebene zu durchschauen. Sie glichen einem Ränkespiel, in dem selten jemand genau wusste, was andere dachten oder taten. Fündig wird man in der Aktenedition des Auswärtigen Amtes, im politischen Archiv desselben, in den Weizsäcker-Papieren, in diversen biographischen Erinnerungen und in Abhörprotokollen des alliierten Geheimdienstes.

Zur Rekonstruktion der streng militärischen Vorgänge sind wichtige und aufschlussreiche Belege noch nicht veröffentlicht oder schwer zugänglich. Das betrifft vor allem staatsanwaltliche und gerichtliche NS-Verfahren, in denen Beteiligte an der Judenrazzia in Rom aussagten oder angeklagt waren. Sie sind auf Bundes- und Landesarchive verteilt. Von größerer Bedeutung sind die Verfahren gegen den einstigen römischen SS-Sicherheitschef Herbert Kappler und seine Aussage zum Eichmann-Prozess, das komplexe Dortmunder Ermittlungsverfahren zu Judendeportationen in Italien und das Berliner Verfahren gegen ehemalige Angehörige des Reichssicherheitshauptamtes.

Für die vorliegenden Studie wurde den vielfältigen Quellen nachgegangen und ihre Aussagen zusammengeführt.[16] Nur aus der Gesamtsicht sind die Ereignisse im Vorfeld und während der Judenrazzia rekonstruierbar. Das gilt auch für die Rolle von Papst Pius. Nach einer hinreichend gesicherten Rekonstruktion kann die Frage aller Frage beantwortet werden, ob und gegebenenfalls wie oder wann Pius XII. Juden rettete oder nicht rettete.

Entschieden?

Papst Benedikt XVI. hat mit seinen klaren Aussagen und seiner Bestätigung des *heroischen Tugendgrades* bei Eugenio Pacelli den Streit um Pius XII. für die Kirche positiv entschieden. Papst Pius gilt offiziell als verehrungswürdig. Weitere prozessuale Untersuchungen gibt es nicht mehr. Zur abschließenden Seligsprechung muss Papst Franziskus nur noch ein "Wunder" auf Fürsprache Eugenio Pacellis anerkennen. Papst Benedikt Emeritus kann nicht mehr in das Verfahren eingreifen.

Der amtliche Schlussstrich mag gewisse Ruhe in die innerkirchliche Diskussion bringen, doch er schafft das Problem nicht aus der Welt. Dieses „Problem" ist die historische Wahrheit. Die Ereignisse rund um die SS-Razzia in Rom zeigen ein anderes Bild als offiziell deklariert.

Pius XII. (Eugenio Pacelli) seit dem 2. März 1939 auf dem päpstlichen Thron.

Mein Blickwinkel

Ich bin mir bewusst, dass der Anspruch auf „historische Wahrheit" aus erkenntnistheoretischer Perspektive problematisch ist. „Wahrheiten" werden aus einem breiten Strom vernetzter Ereignisse geschöpft, kritischer gesagt: konstruiert, und sie sind gefärbt. (Re)konstruierte Wahrheiten spiegeln immer auch ihren Autor wider. Selbst wer sehr sorgfältig neutrale und objektive Forschungen betreibt, kann seine Haut nicht abstreifen.

Beim Schreiben des Buches habe ich gar nicht erst versucht, meine persönliche Einstellung außen vor zu lassen. Die Art der Darstellung verfolgt das Ziel, meine Position so klar wie möglich vorzutragen. Der Leser soll nicht durch die Blume angesprochen werden und raten müssen, was der Autor dazu „denkt".

Ich verstehe meine Wertungen einzelner historischer Fakten als Angebote. Der Leser entscheidet, welchen Standpunkt er einnehmen und welche Schlussfolgerungen er ziehen möchte.

1. Roms neuer Herr

* * *

Frieden?

Am Donnerstagvormittag, den 9. September 1943, herrschte in Rom helle Aufregung. Überall steckten die Menschen ihre Köpfe zusammen. Furcht spiegelte sich in den Gesichtern. Viele trauten sich an diesem Morgen kaum aus der Wohnung. Doch der Hunger nach Brot, Gemüse oder Mehl und der noch größere Hunger nach den allerneuesten Nachrichten trieb zahlreiche Römer wenigstens kurzzeitig hinaus auf die Straße, auf die Piazza oder in eine Bar. Nur dort konnte man erfahren, was in der Stadt los war. Wie im Lauffeuer verbreitete sich nur eine Nachricht: Die Deutschen kommen! Soldaten der Wehrmacht dringen gewaltsam in die Ewige Stadt ein! Konnte das stimmen?

Einige schüttelten ungläubig den Kopf. Andere versuchten sich damit zu beruhigen, dass es die Amerikaner seien, die jetzt anrückten, um Rom endgültig zu befreien. Doch diese Hoffnung schmolz von Minute zu Minute. Von Ferne donnerten Granateinschläge, und schweres Maschinengewehrfeuer hallte über die Dächer. Schossen die Amerikaner und die eigenen italienischen Soldaten in der Stadt etwa aufeinander? Hatte nicht erst gestern Abend der Regierungschef Marschall Pietro Badoglio über Radio einen Waffenstillstand mit den Alliierten bekannt gegeben? Und nun das?

Der verkündete Waffenstillstand hatte die Römer und die anderen Italiener wie ein Blitz aus heiterem Himmel getroffen. Staunend waren die Menschen an den Radioapparaten am Abend zuvor den Worten ihres knapp 72-jährigen Marschalls Badoglio gefolgt. Es sollte Frieden geben, nach drei langen Kriegsjahren! Diese gute Nachricht war kaum zu glauben. Bis zu diesem Tag war man mit Deutschland verbündet gewesen und hatte gemeinsam mit der Wehrmacht gekämpft: auf dem Balkan, in Griechenland, in Russland, in Nordafrika und vor allem jüngst in Sizilien. Dass der unbeliebt gewordene Duce Benito Mussolini Ende Juli abgesetzt und verhaftet worden war, hatte am Krieg nichts geändert. Sein Nachfolger, Marschall Badoglio, beschwor weiterhin Waffenbruderschaft mit Deutschland. Italien werde weiterkämpfen, bis zum Sieg.

Doch nun das! Von einem Tag auf den anderen erklärte der greise Marschall, dass Italien die Waffen strecken werde. In Rom und im ganzen Land atmeten unzählige Menschen auf. Endlich! Kein Blutvergießen mehr. Frieden! Jedoch eine bange Frage blieb: Wird Hitler Italien aufgeben und sich hinter die Alpen zurückziehen? Wird es jetzt Krieg geben mit dem Reich?

Am nächsten Morgen schon verflog jede Hoffnung auf Frieden. Hitler setzte seine Truppen in Marsch. In Rom warteten tausende italienische Soldaten in den Kasernen; außerdem gab es viele bewaffnete Carabinieri. Zahlenmäßig waren sie den anrückenden Deutschen überlegen. Niemand wusste, wie der Kampf ausgehen würde.

Die Regierung von Marschall Badoglio hatte auf eine schnelle Einnahme Roms durch die Alliierten gehofft. Während der Kapitulationsverhandlungen hatte man geglaubt von Dwight Eisenhower, der die alliierten Truppen in Europa befehligte, darüber eine bindende Zusage erhalten zu haben. Tatsächlich gab es den ausgearbeiteten Plan, dass die 82. Luftlandedivsion unter General Matthew Ridgway überraschend auf den Flugplätzen rund um Rom landen und die Stadt nehmen sollte, bevor die Deutschen es taten. Gleichzeitig sollten starke Verbände in Cittavecchia an Land gehen und einen Keil treiben zwischen die deutschen Divisionen im Norden Italiens unter Feldmarschall Rommel und denen im Süden unter Feldmarschall Kesselring.[1]

Dieser Plan konnte nur gelingen, wenn man sich völlig einig war, wenn man rasch handeln konnte und keine große Störung durch deutsche Truppen zu erwarten war.

Die Verhandlungen zwischen der italienischen Delegation und den Alliierten erwiesen sich als ausgesprochen schwierig. Sie waren von Misstrauen und taktischen Manövern gezeichnet. Als die Italiener mit immer neuen Vorschlägen und Ansprüchen den Abschluss verzögerten, lagen bei Eisenhower Anfang September die Nerven blank. Insgeheim wurde der Waffenstillstand am 3. September besiegelt, doch über den Zeitpunkt seiner Bekanntgabe war man uneins. Eisenhower drängte, aber Marschall Badoglio setzte auf Zeit. Ihm war Mitte September am liebsten. Schließlich war Eisenhower dem nicht enden wollenden Hin und Her überdrüssig und entschloss sich eigenmächtig die Kapitulation Italiens bekannt zu geben.[2]

Am Mittwochabend des 8. September, um 18.30 Uhr, verkündete Eisenhower in Tunis, dass die italienische Regierung um Waffenstillstand gebeten habe und bereit sei, sich allen Bedingungen zu unterwerfen. Als Oberbefehlshaber in Europa habe er daraufhin den Waffenstillstand gewährt. Die Feindseligkeiten zwischen den bewaffneten italienischen Verbänden und den Alliierten würden ab sofort eingestellt, und Italien erhalte jede Hilfe, um die deutschen Besatzer zu vertreiben. Der italienische Regierungschef Marschall Badoglio war entsetzt über Eisenhowers Vorpreschen. Er und seine gesamte Regierung, der König und der Generalstab waren äußerst besorgt über die Reaktion Hitlers und der deutschen Soldaten im Land. Doch es half nichts. Der Waffenstillstand und die Kapitulation Italiens musste jetzt auch von italienischer Seite eingestanden werden. Der in den letzten Wochen sichtlich gealterte Marschall setzte eine Sondermeldung über Rundfunk an.

Um 19.45 Uhr erklärte er seinem Volk mit brüchiger Stimme, dass der Krieg mit den Alliierten aus sei. Alle Feindseligkeiten seien einzustellen. Gleichzeitig müsse man darauf gefasst sein, dass es von anderer Seite Angriffe gebe. Nach Badoglio sprach auch der alte König Viktor Immanuel III. kurz ein Wort. Er verteidigte den Waffenstillstand. Die Alliierten seien einfach zu stark für Italien. Es hätte keine andere Wahl gegeben. Marschall Badoglio hatte einen bewaffneten Konflikt mit den Deutschen nur sybillinisch angedeutet. Der König vermied jeden Hinweis darauf. Die Italiener sollten nicht in Panik fallen. Schließlich hoffte man auf einen Paukenschlag der bereit liegenden Divisionen Eisenhowers: Die Einnahme Roms aus der Luft und die Abschneidung der deutschen Truppen im Süden Italiens. Das würde den Krieg auf italienischem Boden zwischen den Deutschen und den Alliierten entscheidend wenden und verkürzen.

Es sollte anders kommen, anders als es die Italiener wünschten und als es Eisenhower plante. Kaum einer hat sich vorstellen können, welch vernichtender Gewittersturm über Italien und Rom hereinbrechen wird. Es kam schlimmer als die schlimmsten Befürchtungen.

Erst am 4. Juni 1944 wird sich das Ungewitter über Rom verziehen. Bis dahin wird die Millionenmetropole mit dem Vatikan und dem stets anwesenden Papst dunkelste Zeiten durchleben. Kleine hoffnungsvolle Lichter und Leuchtfeuer werden jedoch weiter brennen als Zeichen, dass Abertausende in Winkeln und Verstecken Roms überleben werden.

8./9. September

* * *

Der »Fall Achse«

Gleich nach dem Sturz und der spektakulären Verhaftung des Duce Mussolini am 25. Juli hatte sich Hitler auf einen Ausstieg Italiens an der Südfront vorbereitet. Er misstraute den Treuebekundungen des Nachfolgers Badoglio von Anfang an. So schickte er mehrere Divisionen über die Alpen nach Italien. Offiziell sollten sie bei der Verteidigung des Landes helfen bzw. beim Kampf um Sizilien. Insgeheim aber wollte Hitler vorbereitet sein, wenn Italien von ihm abfallen sollte. Dafür wurde die streng vertrauliche Operation *Alarich* entworfen. Später bekam sie den Decknamen: *Fall Achse*.

Hitler wollte den Duce Mussolini nicht in der Hand italienischer „Verräter" lassen. Er brauchte Mussolini als treuen Vasallen, wenn er Italien wieder in den Krieg an seine Seite zwingen würde. Daher befahl Hitler kurz nach der Verhaftung des Duce, diesen ausfindig zu machen und zu befreien. Das war nicht einfach! Der geschasste Duce wurde immer wieder in neue Verstecke gebracht. Es dauerte rund sechs Wochen bis der militärische Nachrichtendienst an der deutschen Botschaft in Rom den aktuellen Aufenthaltsort im Sporthotel auf dem Gran Sasso ermitteln konnte. Dann ging alles sehr schnell. Ein Greifkommando aus Fallschirmjägern und einer SS-Gruppe landete am 12. September 1943 beim Gran Sasso und führte überraschend leicht eine Befreiungsaktion durch.

Noch im September wurde der ehemalige Möchtegern-Imperator wieder zum Duce in seinem Land. Allerdings ließ Hitler nur ein Schattenregime mit Regierungssitz in Salò am Gardasee zu.

Am Mittwoch, den 8. September, brach um die Mittagszeit im Berliner Außenministerium hektische Betriebsamkeit aus. Aus verschiedenen Quellen trudelten unbestätigte Meldungen über einen geheimen Waffenstillstand zwischen Italien und den Alliierten ein. Für Berlin bedeutete das der gefürchtete dreiste Verrat des wichtigsten europäischen Verbündeten. NS-Außenminister Ribbentrop unterrichtete laufend den Führer über den aktuellen Stand. Um vor Ort mehr zu erfahren, alarmierte Ribbentrop telefonisch den deutschen Botschafter Rudolph Rahn in Rom.[3] Er sollte direkt bei der Regierung und bei König Immanuel vorsprechen. Rahn hakte an diesem Nachmittag mehrmals nach, doch er bekam immer wieder dieselbe Versicherung. Es sei nicht das Geringste dran an den Gerüchten.

Generalfeldmarschall Albert Kesselring

Der »lachende Albert«, wie er bei den Alliierten genannt wurde.

Der Botschafter glaubte den Ehrenworten und wirkte beruhigend auf Berlin ein. Doch dort verdichtete sich die Nachrichtenlage und schließlich meldete Eisenhower persönlich, dass Italien um einen Waffenstillstand gebeten habe. Der sei bewilligt worden. An diesem Abend verlor Hitler keine Zeit. Obwohl er innerlich schon darauf eingestellt war, tobte er wegen des „schändlichen Verrates" und löste umgehend das Codewort *Fall Achse* aus. Feldmarschall Rommel im Norden Italiens und Feldmarschall Kesselring im Süden bekamen freie Hand, gewaltsam die Macht zu erringen. Die wichtigste Aufgabe dabei war, die Regierung abzusetzen und alle italienischen Verbände zu entwaffnen, wenn es sein musste mit harten militärischen Mitteln.[4]

Rom lag im Befehlsbereich von Feldmarschall Albert Kesselring, der auch Oberbefehlshaber des ganzen Südwestabschnitts der Wehrmacht war. Kesselring hatte eine Schlüsselstellung inne. Wenn es ihm nicht gelingen würde in Rom die Kontrolle zu übernehmen, war der Erfolg von *Fall Achse* gefährdet. In der Hauptstadt amtierte die Regierung Badoglio mit allen Ministerien, im Norden der Stadt, im Schloss Monterotondo, operierte der Generalstab des Heeres und im Quirinalspalast Roms residierte der König, der offiziell den Oberbefehl über die italienische Streitmacht innehatte.

Für den altgedienten Generalfeldmarschall, dem große strategische Raffinesse nachgesagt wurde, war die Einnahme Roms extrem wichtig. Aber in den ersten Stunden nach dem Waffenstillstand blieb die Lage sehr unübersichtlich. Zudem wurde sein Hauptquartier in Frascati unweit Roms an diesem Tag von den Alliierten heftig bombardiert. Kesselring hatte den Angriff hautnah miterlebt. Sein Befehlsstand war getroffen worden und der 57-jährige General hatte sich mit eigenen Händen aus Trümmern herausgraben müssen. Kesselring war aufgeschreckt. Er rechnete ernsthaft damit, dass der starke Bombenangriff auf sein Hauptquartier eine Invasion in Mittelitalien einleiten sollte. Offensichtlich wollten die Alliierten Rom besetzen, Italien teilen und ihn von Feldmarschall Rommel im Norden abschneiden. So jedenfalls hätte er es an ihrer Stelle geplant. Und so hatte es General Eisenhower vor.

Bis kurz vor der Invasion aus der Luft hatte Eisenhower vom italienischen Generalstab nur hinhaltende und nebulöse Angaben über die militärische Lage in Mittelitalien erhalten. Erst wenige Stunden vor dem Start der großen Befreiungsaktion Roms wurde klar, dass eine Luftlandung auf den Flugplätzen rund um die Hauptstadt und der freie Absprung von Fallschirmjäger viel zu riskant waren. Im Tibertal wurden über einhunderttausend deutsche Soldaten angenommen.

Eisenhower zog die Notbremse. In allerletzter Minute befahl er die Aktion abzubrechen. Der kommandierende Fallschirmjäger-General Ridgway konnte gerade noch den Start seiner Maschinen verhindern. Sie standen schon voll beladen auf dem Rollfeld bereit.

Eisenhower hatte mit seinem Instinkt recht. Hätte er an dem Luftlandecoup festgehalten und wäre er dem dringenden Wunsch der Regierung Badoglio nachgekommen, hätte es ein Desaster für die Alliierten gegeben. Feldmarschall Kesselring hatte zwei kampfstarke Divisionen nördlich und südlich von Rom postiert und dazwischen verstreut verschiedene Einheiten. Im Norden rund um den Bolsena-See lag die voll ausgerüstete 3. Panzer-Grenadier-Division und im Süden zwischen Fiumicino und dem Albaner-See die 2. Fallschirmjäger-Division unter dem erfahrenen General Ramcke. Zentrale Einheiten der Division galten als Elitesoldaten und trugen den Spitznamen *grüne Teufel*. In Rom selbst gab es bislang keine deutschen Truppen. Nur Botschaftspersonal und ein kleiner SS-Geheimdienst in der Botschaft waren vor Ort.

Am Abend des 8. September stand Feldmarschall Kesselring unter großem Zeitdruck. Er war entschlossen, Rom schnellstmöglich unter Kontrolle zu bringen. Er wollte vor den Amerikanern da sein und er musste die Regierung ausschalten. Kesselring alarmierte seine beiden Reserve-Divisionen südlich und nördlich Roms und erteilte ihnen den Marschbefehl. Unverzüglich brachen die Panzergrenadiere auf zur Ewigen Stadt. Von Süden her kamen die Fallschirmjäger. Eliteeinheiten dieser Truppe wollten über die Via Appia und die Via Ostiense in Rom eindringen. Da die beweglichen Fallschirmjäger gegenüber der behäbigen und weiter entfernt liegenden Panzertruppe wesentlich schneller vorankamen, tauchten sie zuerst in Rom auf.

Als in der Nacht vom 8. auf den 9. September die Anzeichen eines massiven deutschen Zugriffs unübersehbar wurden, flohen Marschall Badoglio und seine Regierung Hals über Kopf aus der Stadt. Dem Konvoi schloss sich auch König Viktor Immanuel an. Er wusste, dass er ganz oben auf Hitlers Bestrafungsliste stand. Der heimliche Wagenkorso bestand aus sechzig Fahrzeugen. Die Flüchtenden nahmen Schleichwege aus Rom und fuhren nach Osten durch die Abruzzen bis zur Küste. Dort bogen sie nach Süden ab in der Hoffnung, die Alliierten erreichen zu können. Bei Salerno wollten diese am 9. September auf jeden Fall das Festland Italiens betreten.

Nach der Flucht der Regierung und des Königs aus Rom gab es keine wirksame politische und militärische Führung mehr. Die Befehlskette in der Stadt und im ganzen Land war unterbrochen. Bei den italienischen Truppen wusste niemand genau, ob man gegen die eben noch verbündeten Deutschen kämpfen oder sich kampflos entwaffnen lassen sollte. Die kommandierenden Offiziere vor Ort waren auf sich allein gestellt. In dieser wirren Lage verzichteten die meisten auf ein aussichtsloses Blutvergießen. Nur vereinzelt wurde heftiger Widerstand geleistet, hauptsächlich in Rom. Dort lauerten viele Partisanen und Freiwillige, die die Stadt nicht kampflos Hitlers Truppen überlassen wollten. Auch einige reguläre italienische Einheiten griffen ohne Befehl von oben zu den Waffen.

9. September

* * *

Was wird aus dem Vatikan?

Bei der Eroberung Roms stellte sich Adolf Hitler eine delikate Frage: Wie sollte er mit dem Vatikan verfahren? Sollte er den winzigen Staat im Herzen der Ewigen Stadt mitbesetzen lassen und den Papst in seine Gewalt bringen? Der ausgerufene *Fall Achse* war eine einmalige historische Chance. Der Papst lag für den Diktator auf dem Präsentierteller. Zusammen mit Papst Pius konnte er alle Kardinäle und Monsignori der römischen Kirchenverwaltung (Kurie) kaltstellen. Der nicht einmal einen halben Quadratkilometer große Vatikan wäre nur ein kleiner Bissen für die einrückenden Truppen.

Bei einer möglichen Vatikanbesetzung zeigten sich allerdings zwei gewichtige Probleme, die Hitler nicht einfach übergehen konnte. Zum einen war der Vatikan seit den Lateranverträgen 1929 ein souveräner Staat im völkerrechtlichen Sinne und international anerkannt. Hitler selbst hatte mit ihm schon 1933 einen Staatsvertrag (Konkordat) abgeschlossen. Seither waren die diplomatischen Beziehungen, die es vorher auch schon gab, völkerrechtlich abgesichert. Der Nuntius des Heiligen Stuhls in Berlin war Cesare Orsenigo und Reichsbotschafter von NS-Deutschland beim Vatikan war ab Sommer 1943 Ernst von Weizsäcker.

Offiziell hielt sich der Vatikan neutral im Völkerkonflikt des zweiten Weltkrieges, so wie die Schweiz oder Schweden. Papst Pius XII., der Anfang März 1939 auf den Stuhl Petri gewählt worden war, führte den Neutralitätskurs peinlich korrekt. Trotzdem waren für Adolf Hitler der Vatikan und besonders Papst Pius ein Dorn im Auge. Die Kirche opponierte weltanschaulich gegen den Nationalsozialismus, und der Vatikan redete dauernd in die deutschen kirchenpolitischen Belange hinein. Außerdem verdächtigte Hitler den Papst, heimlich mit den Alliierten zu kollaborieren.

Das zweite Problem bei einer Vatikanbesetzung war für Hitler weitaus schwerwiegender als die Neutralität des Kirchenstaates. Über zwanzig Millionen Katholiken im Reich akzeptierten und verehrten Pius XII. als ihr geistliches Oberhaupt. Unzählige von ihnen kämpften treu in der Wehrmacht und noch mehr arbeiteten an der Heimatfront auch für den Sieg Deutschlands. Wie loyal wären sie noch, wenn er den Vatikan besetzte und den Heiligen Vater internieren würde? Außerdem genoss Pius XII. rund um den Erdball große Achtung. Er galt als „Weltgewissen", als eine moralische Autorität, die über einzelne Länderinteressen stand. Hitler musste befürchten, dass er viele neutrale Staaten in der Welt gegen sich aufbrachte, wenn er dem Papst Gewalt antun würde.

Der Vatikan – nur eine Insel in Rom, aber ein Ozean für die Politik.

Hitler war dafür bekannt, dass er kaum Rücksicht nahm bei seinen Vorhaben. Wenn er sich etwas in den Kopf gesetzt hatte, rückte er selten davon ab. Eine Vatikanbesetzung war für den Diktator sehr verlockernd, zu verlockend.

Bereits bei der überraschenden Verhaftung Benito Mussolinis wollte Hitler zugreifen. An diesem Tag jagte eine Krisenbesprechung die andere. Bei der Lagebeurteilung in der Nacht vom 25. auf den 26. Juli geriet Hitler in Rage. Er war erzürnt über den verräterischen Handstreich gegen den Duce. Mit seinen Beratern überlegte er Szenarien, was man jetzt tun könne, tun müsse. Am liebsten wollte der Diktator den Spuk sofort beenden, in Rom einmarschieren und die „Verräterbande" verhaften lassen. Der ständige Vertreter des Reichsaußenministers bei den Lagebeurteilungen, Botschafter Walther Hewel, gab zu bedenken, dass man bei dieser Aktion den Vatikan abriegeln müsse. Daraufhin erwiderte Hitler aufgebracht, dass er gleich in den Vatikan hineingehe:[5]

Der wird sofort gepackt. Da ist vor allen Dingen das ganze Diplomatische Korps drin. Das ist mir Wurscht. Das Pack ist da, das ganze Schweinepack holen wir heraus ... Dann entschuldigen wir uns hinterher, das kann uns egal sein. ...
Ja, wir werden die Dokumente kriegen, da holen wir was heraus an Verrat.

Aus diesem Gesprächsprotokoll geht nicht hervor, ob Hitler den Vatikan nur vorübergehend ausheben wollte oder ob er beabsichtigte, den Kirchenstaat mitsamt dem Papst dauerhaft kaltzustellen. So oder so wäre das folgenreich geworden.

NS-Propagandaminister Joseph Goebbels bekam bei der Wutexplosion seines Führers kalte Füße. Goebbels war ein ausgekochter und erfahrener Minister. Sein Propagandaministerium war nicht nur im Inland tätig, sondern versuchte auch international Meinungen zu beeinflussen. Eine Vatikanbesetzung konnte sich nur schädlich auswirken. Am 27. Juli schrieb er in sein Tagebuch, dass eine solche Aktion „außerordentlich verhängnisvoll in bezug auf die Weltwirkung" sei.[6] Reichsaußenminister Joachim von Ribbentrop schloss sich dieser Einschätzung an. Auch er sah nach einer Vatikanbesetzung weltweit noch mehr schwarze Wolken aufziehen.

Was Goebbels und Ribbentrop letztlich bei ihrem Führer bewirkt haben, ist nicht klar. Ende Juli hatte sich Hitler jedenfalls nicht für einen Putsch in Italien entschließen können. Die Lage war zu unübersichtlich. Und im August wartete er misstrauisch ab, was die Treuebekundungen der Badoglio-Regierung Wert seien. Damit war auch eine Vatikanbesetzung vorerst vom Tisch.

9. September

* * *

Truppen in Rom

Am 8. September hatte sich die Situation schlagartig geändert. Hitler stand kurz davor, die uneingeschränkte Herrschaft in Rom und ganz Italien anzutreten. Jetzt konnte es auch für den Vatikan wieder brenzlig werden. Würde Hitler mit der Rombesetzung auch gleich den Vatikan verschlucken?

Als die deutschen Truppen Rom von Süden und Norden in die Zange nahmen, war man im Vatikan sehr angespannt. Zur Mittagszeit am Donnerstag, den 9. September, erschien überraschend ein Gesandter des stellvertretenden Außenministers Rosso in der vatikanischen Regierungszentrale, dem Staatssekretariat. Dessen Chef war der 66-jährige Kardinalstaatssekretär Luigi Maglione. Ihm zur Seite standen die beiden Unterstaatssekretäre Giovanni Battista Montini und Domenico Tardini. Monsignore Montini, der später einmal Papst Paul VI. werden wird, hatte zugleich das Amt des Substituten inne. Der *Substitut* war und ist eine Art Generalissimus im obersten Verwaltungsbereich des Papstes. Montini galt als der engste und einflussreichste Büromitarbeiter Pius XII.

Deutsche Fallschirmjäger im Kampf am Stadtrand Roms

Der diplomatische Gesandte aus dem Außenministerium überbrachte Staatssekretär Maglione und Substitut Montini im Telegrammstil zwei Hiobsbotschaften: Der König und die Regierung sind aus der Stadt geflohen und die Deutschen dringen von allen Seiten in Rom ein.[7] Montini unterrichtete sofort seinen Chef Pius XII. Papst Pius zeigte sich äußerst besorgt. Ohne die politisch-militärische Führung drohten in Rom chaotische Zustände. Er wusste, dass es zahlreiche vatikanfeindliche Partisanen und kommunistische Gruppen in der Stadt gab. Sie konnten massive Unruhen unter der Bevölkerung auslösen. Außerdem war der Vatikan ein leichtes

Ziel für Plünderer. Und wie würden sich die anrückenden Deutschen verhalten, wenn sie erst vor den heiligen Toren stünden?

Gerüchte und Drohungen einer Vatikanbesetzung hatte es schon länger gegeben. Erst wenige Wochen zuvor hatte es so ausgesehen, als würden die Deutschen zuschlagen. Trotz der erhöhten Bedrohungslage seit Juli hatte sich Papst Pius geweigert, Rom zu verlassen und in einem neutralen Land Zuflucht zu suchen. Auch jetzt dachte Pius nicht an eine Flucht in letzter Minute. Am Donnerstag, den 9. September, war es auch zu spät. Er wäre kaum aus der Stadt herausgekommen. Allein inkognito hätte er vorübergehend in einem Kloster abtauchen können.

Die Verteidigungstruppe des Papstes, die treue Schweizer Garde, konnte keine Soldaten aufhalten. Sie war höchstens in der Lage Plünderer abwehren. Dazu hatte sie Schusswaffen im Magazin. Papst Pius wollte aber auf keinen Fall, dass die Garde davon Gebrauch machte. Noch am Donnerstag entschied er, dass die Schweizer nicht zur Waffe greifen dürften. Monsignor Montini übermittelte den Befehl sofort telefonisch an den Kommandanten der Garde Heinrich Pfyffer von Altishofen.[8] Ob Pfyffer erleichtert war, der erst im Jahr zuvor das Kommando der kleinen Papsttruppe übernommen hatte oder ob er lieber getreu dem alten Schwur der Schweizer Garde den Pontifex Maximus unter Einsatz des Lebens hätte verteidigen wollen, ist nicht überliefert. Zusätzlich zum Waffenverbot befahl Papst Pius das große bronzene Haupttor des Apostolischen Palasts zu schließen. Das war ein historischer Vorgang. Nie zuvor in der jüngeren Geschichte des Vatikans wurden die Tore bei Anwesenheit des Papstes tagsüber geschlossen. Das geschieht nur, wenn ein Papst im Sterben liegt.

Sofort nach der Hiobsmeldung des Gesandten aus dem Außenministerium kontaktierte Kardinal Maglione hektisch den deutschen Botschafter beim Hl. Stuhl: Ernst Freiherr von Weizsäcker. Offiziell war der hochrangige Diplomat aus dem Reichsaußenministerium gerade seit einer Woche der ordentliche Vatikangesandte Berlins.

Nach dem Alarmruf aus dem Staatssekretariat fuhr Weizsäcker rasch zum Vatikan. Der Dienstsitz der Botschaft in der herrlich gelegenen Villa Bonaparte an der Porta Pia lag nicht allzu weit entfernt. Mit dem Wagen war Weizsäcker leicht in fünfzehn Minuten am Vatikan – ohne den mörderischen Verkehr heutzutage. Im vatikanischen Staatssekretariat versuchte Weizsäcker Kardinal Maglione und Substitut Montini zu beruhigen.

Weizsäcker gestand ein, dass er keine genaueren Informationen über die Lage habe. Schon seit Stunden versuche er mit dem Hauptquartier Feldmarschall Kesselrings Kontakt aufzunehmen. Doch vergebens. In den Kommunikationswirren wolle keine Verbindung gelingen. In der Not machte sich Kardinal Maglione einen verwegenen Vorschlag von dritter Seite zu eigen: Der Botschafter möge doch selbst den vorrückenden Truppen auf der Via Appia Nuova entgegengehen – oder jemanden schicken. Dort könne man bestimmt Kontakt zum Feldmarschall aufnehmen.[9]

Der Vorschlag war tollkühn: in einer umkämpften Stadt den vorrückenden Truppen entgegenfahren? Auf den Ausfallstraßen Roms war es brandgefährlich. Vielerorts versperrten Barrikaden und Widerstandsnester den Weg. Dort hatten sich Freiwillige und reguläre italienische Soldaten verschanzt. Zudem rückten die Fallschirmjäger gnadenlos vor.

Vielleicht schlug Kardinal Maglione auch deshalb den Frontbesuch vor, weil er gern militärische Strategien in diesem Weltkrieg verfolgte. Maglione liebte es, auf einer großen Europakarte kleine Fähnchen herumzustecken, um aktuelle Frontlinien zu markieren. Tragischerweise für ihn konnte er diese Marotte nicht bis Kriegsende weiterführen. Im August 1944 wird der militärisch so interessierte hohe Kirchenmann seine Fähnchen für immer zurücklassen müssen. Ein plötzlicher Tod riss ihn mitten aus der Arbeit. Im Staatssekretariat wurde ausdrücklich vermerkt, dass Weizsäcker tatsächlich versuchen wollte, Truppenkontakt auf der

Der Kardinalstaatssekretär Luigi Maglione

Straße zu finden. Wollte der gewiss nicht naive Botschafter den kopflos gewordenen Kardinal nur beruhigen?

Weizsäcker war klug genug, um direkt vom Vatikan zurück zur Villa Bonaparte zu fahren. Dort war er einigermaßen sicher und konnte die kommenden Ereignisse abwarten. Weizsäcker wusste, dass er auf den Ausfallstraßen Roms kaum vorankommen würde. Mit Glück hätte die nächste Partisanengruppe den Diplomatenwagen angehalten und das gute Stück für sich requiriert. Den Botschafter hätte man mitten auf der Straße stehen lassen, vermutlich mit pfeifenden Kugeln um ihn herum.

10. September

* * *

In der Hand Hitlers

In der Nacht von Donnerstag auf Freitag trieben die deutschen Truppen tiefe Keile in Rom hinein. Sie führten schwere Waffen mit sich, darunter Tiger-Panzer. An einzelnen Punkten versuchten bunt zusammengewürfelte italienische Kampfgruppen die Fallschirmjäger aufzuhalten. Doch ohne allgemeine Mobilisierung aller regulären italienischen Einheiten in Rom war der Widerstand aussichtslos. Trotzdem setzten sich bei der Porta Paolo, dem alten zum Hafen führenden Stadttor Roms und der anliegenden Cestius-Pyramide, eine größere Zahl Widerständler fest. Sie waren zu allem entschlossen. Hinter mehreren gut befestigten Barrikaden warteten sie auf die anrückenden Deutschen.

Der Kampf an der Porta und der Pyramide entbrannte im Morgengrauen. Wegen des zähen Widerstandes konnte die deutsche Spitze, die dort angekommen war, die Barrikaden nicht einfach überrennen. Man brauchte Verstärkung. Die aufgetürmten Schanzen mussten erst mühsam kaputt geschossen werden. Der Granat- und Geschützlärm an der Porta war in der gesamten Innenstadt Roms zu hören. Bis zum Vatikan dürfte das Krachen und Donnern gedrungen sein. Es verstummte erst am späten Nachmittag.[10]

Zur Mittagszeit an diesem Freitag, den 10. September, eilte Oberst Berionni vom italienischen Generalstab in den Vatikan.[11] Aufgeregt überbrachte er eine Alarmmeldung. Unweit auf der Via Aurelia, der uralten Ausfallstraße Roms nach Westen, würden Fallschirmjäger-Truppen in Richtung Zentrum vordringen. Dieser Weg führe direkt hierher; der Vatikan sei in großer Gefahr. Die italienischen Truppen kämpften hart und erlitten schwere Verluste, so Oberst Berionni, aber niemand könne die Deutschen jetzt noch aufhalten. Um 16.15 Uhr rief Botschafter Weizsäcker im Vatikan an. Er teilte mit, dass es ihm wegen der Kampfhandlungen nicht möglich sei, Feldmarschall Kesselring zu treffen. Im Übrigen seien die deutschen Truppen schon überall an strategischen Punkten in Rom. So seien Einheiten am Kolosseum und an der Pontifikalbasilika Santa Maria Maggiore gesichtet worden.[12] Weizsäcker versprach, seinen diplomatischen Assistenten, Albrecht von Kessel, in den Vatikan zu schicken. Dort könne er sich direkt Problemen und Wünschen des Vatikans widmen.

Befürchtete Botschafter Weizsäcker eine Besetzung des Vatikans? Das ist möglich. Dafür spricht, dass er selbst in seinem Dienstsitz der Villa Bonaparte blieb. Er war damit als offizieller Vertreter des Reichs nicht vor Ort, falls deutsche Soldaten in den Vatikan eindringen sollten. Außerdem konnte er von seinem Dienstsitz aus direkt mit Berlin Kontakt halten.

Inzwischen hatten sich die militärischen Ereignisse überschlagen. Am Nachmittag war von Feldmarschall Kesselring ein Ultimatum an die Italiener gestellt worden: Sollten bis 16.30 die Feindseligkeiten nicht eingestellt sein, werde man die Strom-, Gas- und Wasserversorgung Roms abstellen und die Stadt aus der Luft bombardieren. Dem italienischen Generalstab blieb keine Wahl. Die Lage war aussichtsloser denn je. Die Fallschirmtruppen waren überall in der Stadt und die 3. Panzergrenadierdivision aus dem Norden hatte Rom erreicht. Der kommandierende italienische Marschall Caviglia beugte sich dem Ultimatum und ließ um 16 Uhr die Übergabe der Stadt besiegeln. Gegen 17 Uhr schwiegen die Waffen. Jetzt verunsicherten nur noch vereinzelte Partisanen und kleine faschistische Gruppen die Stadt. Ansonsten befand sich Rom fest in deutscher Hand.

Und der Vatikan? Als die anrückenden Fallschirmjäger auf der Via Aurelia an dem kleinen Kirchenstadt vorbeizogen, machten sie einen Bogen um dessen Grenzen. Der Befehl lautete, den Vatikan unangetastet zu lassen. Später wird ein Angehöriger der Fallschirmjägereinheiten in einem Fernsehinterview aussagen, dass eine Besetzung der Gebäude höchstens zwanzig Minuten gedauert hätte – „mit ein paar toten Schweizer Gardisten natürlich. Aber dann wäre die Sache aus gewesen."[13]

Der Diplomat Albrecht von Kessel, den Weizsäcker in den Vatikan geschickt hatte, war dort gegen 18.30 Uhr angekommen.[14] Er und sein Chef hatten abgewartet, bis es auf den Straßen durch den Waffenstillstand ruhig geworden war. Im Staatssekretariat hoffte man, dass Kessel über die Lage Auskunft geben konnte. Drohte in der Nacht eine Erstürmung des Vatikans? Würde das deutsche Oberkommando den Vatikan und seine Exterritorialen respektieren? Blieb der Papst sicher? Niemand im Vatikan wusste zu diesem Zeitpunkt, was die nächsten Stunden bringen würden, auch Kessel nicht.

Nachdem Kessel wieder gegangen war, rief Botschafter Weizsäcker gegen 20 Uhr Substitut Montini im Staatssekretariat an. Weizsäcker überbrachte eine erlösende Nachricht. Er habe endlich Kontakt zum deutschen

Hauptquartier bekommen und er könne mitteilen, dass die deutschen Truppen das Territorium des Vatikans und dessen Dependancen umfassend respektieren würden.[15] Diese amtliche Versicherung von Feldmarschall Kesselring war viel Wert. Doch Kardinal Maglione und Substitut Montini blieben skeptisch. Besorgt fragte man am Telefon nach, warum noch Schüsse in der Stadt zu hören seien. Weizsäcker antwortete offen. Er könne sich das auch nicht erklären, aber wahrscheinlich handle es sich um italienische Faschistengruppen, die zusammen mit deutschen Einheiten in die Stadt eingedrungen waren. Sie würden jetzt noch eigenmächtig gegen Widerstand vorgehen.

An diesem Abend legten sich Papst Pius und die Kurienmitarbeiter im Vatikan beunruhigt schlafen. In der Nacht hörte man weiterhin Schüsse, aber sie flauten ab. An den Toren des Vatikans ließen sich keine deutschen Soldaten blicken.

11. September

* * *

Am Samstagmorgen, den 11. September, kam Oberst Berionni vom Kriegministerium wieder in den Vatikan.[16] Deprimiert überbrachte er offiziell die Nachricht vom geschlossenen Waffenstillstand mit den Deutschen. Allerdings, so Berionni, könne man nicht viel auf diese Übereinkunft geben, denn oft hätten die Deutschen solche Vereinbarungen gebrochen.

Wie dem auch sei, jetzt dränge nur ein Problem; die Bevölkerung zu versorgen! Im Namen des Kriegsministeriums bat Berionni den Vatikan, sich bei den deutschen Stellen dafür einzusetzen. Berionni stieß mit seinem Anliegen auf offene Ohren. Doch in der nun feindlich besetzten Stadt waren auch dem Vatikan die Hände gebunden. Die offizielle Nahrungsmittelversorgung würde von der Besatzungsmacht zusammen mit den neuen italienischen Behörden geregelt und kontrolliert werden. In den Schwarzmarkt durfte sich der Vatikan nicht einklinken. Erst nach der Befreiung Roms wird sich das Apostolische Hilfswerk,[17] das wesentlich in den Händen der deutschen Ordensschwester und Papstvertrauten Pascalina Lehnert lag, sehr effizient entfalten können.

Der Hunger hatte die Millionenmetropole in den folgenden Monaten fest im Griff. Doch das war nicht das alles entscheidende Problem – darin irrten der Oberst und das Kriegsministerium. Ab dem 10. September befahl Hitler über Rom! Die altehrwürdige Judengemeinde in der Ewigen Stadt war ihm ausgeliefert. Wer sollte den Diktator daran hindern, sie auszulöschen?

Die Alliierten nutzten die neue Lage propagandistisch und sprachen von einer Gefangenschaft des Papstes. US-Präsident Roosevelt erklärte in Washington demonstrativ, dass er Rom, den Vatikan und den Papst aus der nationalsozialistischen Herrschaft befreien werde. Hitlers Außenminister Ribbentrop reagierte darauf mit einer Demarche, die die Souveränität und Integrität des Vatikanstaates in allen Einzelheiten zusicherte. Botschafter von Weizsäcker übergab die Note bei einer Audienz am 9. Okt. persönlich Pius XII.[18] Dabei erbat Weizsäcker eine gleich gehaltene Stellungnahme, die das völkerrechtlich korrekte Verhalten Deutschlands bestätigen sollte.

Am Ende des dramatischen Monats Oktober wurde die von Weizsäcker gewünschte Stellungnahme im Osservatore Romano veröffentlicht. Der Vatikan dementierte die falschen Informationen der Alliierten und verwies auf die diplomatische Souveränitätsgarantie Berlins.[19] Ausdrücklich verteidigen ließ Pius das Verhalten der Deutschen aber nicht.

Im Vatikan wusste man, wie misstrauisch und unberechenbar Berlin war. Bereits am 13. September war Botschafter Weizsäcker offiziell im Staatssekretariat erschienen, um den Vatikan unverblümt zu warnen.[20] In der vertraulichen Unterredung mit Kardinal Maglione und Monsignor Montini erwähnte Weizsäcker, dass er mit seinen Kollegen Rudolph Rahn gesprochen habe, dem diplomatischen Vertreter Berlins in Italien. Sie beide seien sehr besorgt über Hinweise geheimer Kontakte des Vatikans zu den Alliierten. Insbesondere würden viele Gerüchte kursieren, dass der Papst beim Aushandeln des schändlichen Waffenstillstands zwischen Italien und den Alliierten mitgewirkt habe. Der Gesandte Rahn sei guten Willens und habe beim Feldmarschall Kesselring dringend korrektes Verhalten der Truppen gegenüber den kirchlichen Einrichtungen angemahnt. Wenn der Vatikan aber verdeckt kollaboriere, drohe Gefahr.

Staatssekretär Maglione und Substitut Montini wiesen die Vorwürfe Weizsäckers entrüstet zurück. Der Vatikan habe nicht hinter dem Rücken Berlins verhandelt und würde das auch niemals tun. Nur wenn die Alliierten und Deutschland gemeinsam um eine Vermittlung bäten, würde man aktiv werden. So hätte man es bisher gehalten und so würde man auch weiterhin verfahren. Ob Weizsäcker dieser Zusicherung Glauben schenkte, ist im Protokoll nicht überliefert. Misstrauen hin oder her, besonders im Millionenschmelztiegel Rom war man auf den Vatikan angewiesen. Nur der Papst und seine unzähligen Priester in der Stadt konnten die Bevölkerung wirksam beruhigen.

Nach dem 10. September wandelte sich die Situation in Rom von sensibelangespannt in explosiv. Flüchtlinge strömten in die Stadt. Viele von den Neuankömmlingen waren gezwungen unterzutauchen. Andere suchten sichere Verstecke. Gleichzeitig organisierten sich wichtige politische Partisanenzellen. Sie werden Anschläge durchführen oder sie administrativ steuern. Gegenüber der deutschen Besatzungsmacht herrschte eine feindliche Stimmung. Schlagartig hatten die ehemaligen Verbündeten, die in Rom bislang unsichtbar waren, eine bedrohende Militärpräsenz aufgebaut. Man ging den deutschen Patrouillen aus dem Weg und hielt sich an die Kriegsrechtsvorschriften. Mit der neuen faschistischen Polizei hatte man Plage genug.

Die jüdische Gemeinde war ansehnlich groß. Doch fast täglich vermehrte sich ihre Zahl durch illegale Juden. Es waren Flüchtlinge aus anderen Regionen, die in der Metropole besseren Schutz suchten oder die aus Angst vor den Deutschen in der Stadt vorsorglich abtauchten.

Für die neuen Herren war Rom besonders delikat wegen der zahlreichen kirchlichen Einrichtungen, wegen des dichten Klosternetzes, wegen der schier unübersehbaren Zahl von Geistlichen und natürlich wegen des neutralen Vatikans mitten drin. Papst Pius XII. war in der Stadt geblieben und dachte nicht daran, sich nach Castel Gandolfo oder irgendwo in die Campagna zurückzuziehen.

11. September

* * *

Der neue Kommandant

Gleich nach der Machtübernahme in Rom ernannte Feldmarschall Kesselring seinen Luftwaffenkameraden Generalmajor Rainer Stahel zum Kommandanten der Ewigen Stadt. Stahel ließ rasch eine kleine Wache abstellen, die an der Markierungslinie zwischen dem Petersplatz und dem römischen Stadtgebiet an der neuen Via della Conciliazione patrouillieren sollte. Die Wache sollte vor allem verhindern, dass bewaffnete Soldaten auf dem Staatsgebiet des Petersplatzes herumspazierten. Vom Fenster seiner Privatgemächer aus konnte Papst Pius jederzeit die Wache stehenden Fallschirmjäger beobachten.

Alsbald wurde ohne Kenntnis der Stadtkommandantur eine kleine Holzhütte zum Schutz gegen Regen aufgestellt. Kommandant Stahel wunderte sich darüber und schrieb dies dem Goodwill der vatikanischen Verwaltung zu – womit er wohl richtig lag.

General Stahel war hoch dekorierter Offizier und befehligte in Sizilien bzw. Süditalien die Flak-Artillerie. Im Russlandfeldzug hatte er sich das Ritterkreuz verdient und später bei Stalingrad das Eichenlaub dazu. Gemeinhin galt der aus Bielefeld stammende 52-jährige General als unbekümmerter Draufgänger, der forsch Aufgaben anpackte. Im Freiburger Bundesmilitärarchiv ist Stahels Personalakte zu finden.[21] Sie be-

Rainer Stahel

Der neue Stadtkommandant

schreibt einen makellosen militärischen Karriereaufstieg. Bereits im Herbst 1933 war Stahel mit besten Referenzen als Hauptmann in das Luftfahrtministerium eingestellt worden. In den Jahren zuvor hatte er sehr erfolgreich die rechtslastige Stahlhelm-Ortsgruppe Bielefeld geleitet. Bald wurde Stahel befördert. Er brachte es bis zum Generalmajor in Rom; knapp ein Jahr später wird er Generalleutnant sein. Im Frühjahr 1943 lief ein Aufnahmeverfahren in die Waffen-SS. Obwohl Stahel schon seinen Wehrmachts-Pass nach Berlin abgegeben hatte, wurde er nicht übernommen. Wahrscheinlich ist er abgelehnt worden, weil er gesundheitlich nicht fit war – das legen jedenfalls Dokumente in der Personalakte nahe.

Sein schwieriges Sicherungskommando in Rom ging Stahel energisch an. Das ebenfalls in Freiburg erhalten gebliebene Kriegstagebuch Roms zeugt von harten Befehlen und Maßnahmen gegen jede Form von Anschlägen oder Sabotage. Selbst bei Sachbeschädigungen, etwa an Fernmeldekabeln oder Militärfahrzeugen, befahl Stahel strengste Strafverfolgung bis hin zu Vergeltungserschießungen.[22]

12. September

* * *

Am Sonntag, den 12. September, kam Hitlers Italienbotschafter Rudolf Rahn wieder nach Rom. In der Nacht vom 8. auf den 9. Sept. hatte er mit dem Botschaftspersonal die Stadt überstürzt verlassen müssen. Rahn begab sich gleich zur Villa Wolkonsky, wo die deutsche Botschaft in der Nähe vom Lateranpalast ein herrschaftliches Domizil besaß. Als Rahn das Gelände betrat, befand er sich unvermittelt in einem Tohuwabohu. General Stahel hatte einstweilen die Villa zu seiner Kommandantur erklärt und viele Fallschirmjäger mitgebracht. Der alte feinsinnige Diplomat war empört. Im Park waren ein paar Soldaten über die gehegten und gepflegten Schwäne der Botschaft hergefallen und hatten sie massakriert. Jetzt brutzelten die Vögel auf Bratspießen. Unweit daneben lagen drei tote Fallschirmjäger ordentlich drapiert in einem Blumenbeet. In der Villa selbst ging es zu wie in einem Bienenhaus. Überall liefen Offiziere geschäftig herum und würdigten den Berlingesandten keines Blickes. Niemand empfing Rahn und niemand gab ihm ein Lagebild.

Nachdem Rahn sein altes Büro noch nicht zweckentfremdet vorgefunden hatte, rief er General Stahel an. Dieser residierte in Arbeitsräumen des oberen Stockwerks. Rahn äußerte Unmut über das Chaos in der Botschaft. Als der diplomatische Chef hier verlange er Ordnung, und zwar sofort. Nach Rahns Erinnerung rief der General daraufhin aggressiv ins Telefon:

„Jetzt gibt es nur einen Herrn in Rom und das bin ich".[23]

Der Botschafter bestand auf seine diplomatische Vorrangrolle und verlangte eine Meldung Stahels in seinem Büro. Es dauerte nur einige Augenblicke, bis der General vom ersten Stock heruntergekommen war. Mit rotem Gesicht stürmte er in Rahns Büro und wollte die Machtverhältnisse in Rom klarstellen. Der Botschafter blieb ruhig. Er ließ sich nicht auf fruchtloses Tauziehen mit Stahel ein. Stattdessen fragte der gewiefte Diplomat:

»Wie stark schätzen Sie die bewaffnete Opposition in Rom ein und über welche Sicherungsverbände verfügen Sie?«

Stahel stutzte. Dann nannte er die Schätzzahl von rund zwanzigtausend Bewaffneten in der Stadt. Und zurzeit habe er zwei Polizeikompanien. Rahn antwortete schlankweg:

»Also können Sie mit Gewalt nichts ausrichten. Die Ruhe muss mit anderen Mitteln wieder hergestellt werden.«

Das saß! Nach der Vereinbarung zwischen Feldmarschall Kesselring und den Italienern sollten in Rom keine regulären Kampftruppen stationiert werden. Zwar standen General Stahel weitere Sicherungseinheiten in Aussicht, aber angesichts des ausgedehnten Stadtgebiets waren das auch nur ein paar Tropfen mehr auf dem heißen Stein. Stahel gab sich nachdenklich. Dem fronterfahrenen Offizier, der schon im ersten Weltkrieg gedient und lange als Militärberater in Finnland gewirkt hatte, war wohl schlagartig klar geworden, dass seine wenigen Sicherungskompanien Rom nicht stabilisieren konnten. Keine noch so große Härte konnte eine Millionenbevölkerung im Zaun halten. Ohne die stille Kooperation der Bevölkerung stand er auf verlorenem Posten – Härte hin oder her. Im folgenden Gespräch band Botschafter Rahn den forschen General geschickt in einen diplomatischen Plan ein. Hier in Rom, müsse man nicht nur Provokationen gegenüber der Zivilbevölkerung unterlassen, sondern auch umfassend auf die katholische Kirche und den Klerus Rücksicht nehmen. Ohne Entgegenkommen des Vatikans und der einflussreichen Pfarrgeistlichen stehe man auf verlorenem Posten. Stahel zeigte sich einsichtig und hatte es plötzlich eilig. Er griff zum Telefon. Vor den Augen und den Ohren des Botschafters telefonierte der General mit seinem Stab und widerrief erste Befehle, die er gegeben hatte. Welche Befehle er widerrief, vermerkte Rahn nicht.

Stahel war von der Nützlichkeit der gegenseitigen Abmachung schnell angetan. In seinen täglichen Lage-Briefings kam er immer wieder darauf lobend zurück. So in der Besprechung am 11. Oktober, in der er laut Protokoll sagte:[24]

> In dieser unklaren und verworrenen Lage ist die katholische Kirche für die meisten Italiener der einzige feste Punkt und Halt. Wir werden den Klerus stets freundlich behandeln. ... Wir werden ihn unterstützen und seine Wünsche erfüllen, soweit es überhaupt in unserer Macht liegt. Das hat seinen Grund. Wenn die katholische Kirche, wie gesagt, heute der einzige Halt für die breite Masse des Volkes ist, dem die politische Führung fehlt, so ist umgekehrt ihr Einfluss auf das Volk jetzt noch weit grösser, als in normalen Zeiten. Jedes Wort, jeder Tonfall in Predigt und Beichtstuhl fällt auf fruchtbaren Boden. Die katholische Kirche kann uns in dieser Lage von unschätzbarem Nutzen sein. Sie kann, wenn es gelingt, sie für uns zu gewinnen, hier in Rom drei bis fünf Polizei-Btl. ersparen, die sonst eingesetzt werden müssten, um die Ruhe und Ordnung zu garantieren. Es ist auch nicht ausgeschlossen, dass es uns mit Hilfe der katholischen Kirche gelingt, die Passivität der Bevölkerung zu überwinden und allmählich ihre Mitarbeit in gewissem Unfang zu gewinnen. ... Jedenfalls muss die Truppe immer wieder darauf hingewiesen werden, wie wichtig es ist, die Geistlichkeit nicht zu verbittern, um die Unterstützung der katholischen Kirche zu erlangen. Papst Pius IX. hat sich bereits in diesem Punkt festgelegt, der später einmal vielleicht eine gewisse Bedeutung gewinnen wird. Er hat sich dem Deutschen Botschafter beim Heiligen Stuhl gegenüber in anerkennenswerten Worten über den Deutschen Kommandanten der Stadt Rom ausgesprochen.

Zwei Tage später, am 13. Oktober, bemerkte Stahel zufrieden, dass die „kluge und entgegenkommende Behandlung des katholischen Klerus" ihre ersten Früchte trügen. Der Klerus würde zu Ruhe und Ordnung aufrufen, auch gegenüber der Besatzungsarmee.

Warum im eben angeführten Protokoll Papst Pius XII. als der neunte Pius bezeichnet wird, ist nicht leicht zu erklären. War es Schlampigkeit des Protokollführers? Oder hatte Stahel in der Besprechung tatsächlich von Pius IX. gesprochen, der seit über sechzig Jahren tot war? Dazwischen gab es vier Päpste. Unachtsamkeit oder Unkenntnis? Beides ist in Kriegszeiten mitten in der Ewigen Stadt, wo man dem Papst gerade eine zentrale Rolle zusprach, schwer zu verstehen.

Für den Deutschen Botschafter Rudolf Rahn war der Spagat Stahels zwar nicht optimal, aber ein Erfolg. Dem Diplomaten ging es vor allem darum, das brodelnde Land halbwegs stabil zu halten, um Spielraum für politische Entscheidungen zu haben.

Noch im September flog Rahn ins Führerhauptquartier Wolfsschanze nach Ostpreußen, um Hitler ersten Rapport zu erstatten. Bei der Unterredung im kleinen Kreis kam Rahn auf seine Abmachung mit General Stahel zu sprechen. Dem Führer sagte er:

„Im übrigen vergaß ich zu berichten, daß ich mit dem Vatikan über General Stahel ein kleines Sonder-Konkordat mit dem Vatikan abgeschlossen habe."[25]

Bei dem Stichwort Konkordat schaute Hitler überrascht auf. Der anwesende Partei-Kanzleisekretär Martin Bormann sprang sogar von seinem Sitz hoch. Es ist kein Geheimnis, dass der sehr einflussreiche Bormann ein aggressiver Hardliner im Bereich der NS-Kirchenpolitik war. Rahn versuchte die plötzlich aufgeheizte Stimmung abzukühlen. Betont sachlich trug er Nützlichkeitserwägungen vor. Ruhe und Ordnung sei in Rom wieder hergestellt. Und das sei auch wesentlich das Verdienst des Vatikans. Die zwei verfügbaren Sicherungskompanien in der Stadt hätten dazu nie ausgereicht. Als Gegenleistung würde man den Vatikan und seine Einrichtungen ausdrücklich schützen.

„Das ist ein Geschäft", sagte Rahn. Hitler schaute auf und antwortete so knapp wie sarkastisch:

„Ja, auf Geschäfte verstehen sich die römischen Herren."

Wegen der Verlegung des Regierungssitzes nach Norditalien begab sich Botschafter Rahn nicht mehr dauerhaft nach Rom. Er tauschte die zweckentfremdete Villa Wolkonsky mit einem herrlichen Anwesen in Fasano am Gardasee. Rahn wird mit Mussolini zum neuen Regierungssitz nach Saló umziehen. Mit der weiteren Geschäftsführung in der "Zweitbotschaft" Rom beauftragte Rahn seinen jungen diplomatischen Mitarbeiter, Konsul Eitel Friedrich Moellhausen. An der Seite Moellhausens verblieb auch der Legationssekretär der Botschaft, Gerhard Gumpert. Gumpert galt als Allround-Talent, der alle möglichen Unterstützungsdienste leistete. Überdies kannte er Albrecht v. Kessel gut, den diplomatischen Assistenten von Vatikanbotschafter Weizsäcker.

Der resolute General Stahel wird kräftig geschluckt haben, als ihm der 30-jährige Jungspund Moellhausen als neuer Hausherr in der Botschaft und diplomatischer Chef in Rom vor die Nase gesetzt wurde. Alsbald richtete Stahel seine Kommandantur dauerhaft in das Hotel Flora in der Nähe des Spanischen Platzes ein.

12. September

* * *

Der heimliche Herrscher

Als General Stahel sein Hauptquartier in der Botschaftsvilla Wolkonsky aufschlug, traf er auf einen undurchsichtigen Mann, der seit Jahren an der Botschaft als Verbindungsoffizier akkreditiert war: Herbert Kappler.

Kappler war SS-Sturmbannführer und hatte vor allem geheimdienstliche Aufgaben. Er sollte Sicherheitsinformationen sammeln und Kontakte zu den italienischen Polizeibehörden halten. Sein Büro lag in einem Holzbau auf dem Gelände. Ihm war das gerade recht, denn in den separaten Räumen konnte er völlig ungestört seiner Geheimdienstarbeit nachgehen. Die Bediensteten der Botschaft mitsamt dem Botschafter hatten argwöhnisch auf den SS-Polizeigesandten aus Berlin geschaut. Sie fühlten sich von ihm bespitzelt, zumindest aber beobachtet.

Der 36-jährige Herbert Kappler stammte aus Stuttgart und war schon kurz nach seinem Ingenieurstudium 1933 in die SS und den Polizeidienst eingetreten. Er galt als ausgesprochen linientreu, karrierebewusst und zeigte große Intelligenz. Rasch hatte er sich zu einem wandelnden Polizeilexikon entwickelt. Seiner Umgebung und auch seinen Vorgesetzten vermittelte er oft das Gefühl, dass er die Dinge klarer sah als die meisten. Allerdings verstand Kappler es gut, korrekte Einschätzungen oder Besserwisserei, wenn nötig, geschickt zu tarnen. Das verlieh ihm eine gewisse Undurchsichtigkeit und erhöhte den gefürchteten Respekt.

Herbert Kappler

Der bald gefürchtete SS-Polizei- und
Geheimdienstchef in Rom.

Zum SS-Obersturmbannführer befördert.

Wenn er wollte, konnte Kappler seine Ge-
sprächspartner stark irritieren. Aus Studen-
tenzeiten hatte er einen langen Degen-
schmiss auf der linken Wange, stahlgraue
Augen und die Fähigkeit jemanden ebenso unbeweglich wie durchdrin-
gend anzustarren. Im Dienstgeschäft verhielt sich Kappler betont korrekt,
hart und resolut. Von seinen Mitarbeitern verlangte er vor allem strengen
Gehorsam. Privat galt er als sehr umgänglich und kultiviert. Er war Experte in italienischer Geschichte und sammelte etruskische Vasen.

In den späten dreißiger Jahren war der NS-Polizeimachthaber Reinhard
Heydrich wohlwollend auf Kappler aufmerksam geworden. Heydrich
schickte ihn 1939 auf den wichtigen Posten der Deutschen Botschaft in
Rom. Nach dem gescheiterten Hitler-Attentat im November 1939 wurde
Kappler vorübergehend nach Berlin abkommandiert, um bei der Vernehmung des Attentäters Georg Elser zu helfen. Hitler hatte eine umfassende Aufdeckung von Hintermännern Elsers befohlen, und Kappler sollte
als Spezialist für Kommunismusabwehr seinen Teil beitragen.

In Rom erledigte Kappler seine Arbeit effizient und clever-diploma-
tisch. Allerdings war er anfangs allein und die vielen Verpflichtungen
wuchsen ihm über den Kopf. Auf seine Bitte hin orderte Heydrich Anfang
1941 den 28-jährigen SS-Obersturmführer Erich Priebke an die Seite
Kapplers.[26] Priebke war dem NS-Polizeichef ebenfalls positiv aufgefallen.
Außerdem hatte Priebke Auslandserfahrung und konnte sehr gut Italienisch. Priebke und Kappler waren sich sympathisch und kamen ausge-
zeichnet miteinander zurecht. Rasch freundeten sich die beiden Männer an.
Ihre Freundschaft wird die Jahre überdauern bis zum Tod von Kappler
1978.

Nach der Machtübernahme in Rom und ganz Italien am 10. September musste Berlin in Windeseile SS-Polizeibehörden installieren. Besonders in Rom sollte schnellstmöglich eine funktionstüchtige Kommandostelle aufgebaut werden. Als Chef dafür bot sich der intelligente und erfolgreiche Geheimdienstmann Herbert Kappler an. Er war erste Wahl. Über Nacht wurde Kappler zum kommandierenden SS-Chef der neuen Sicherheitspolizei (Sipo) und des Sicherheitsdienstes (SD) gemacht. Wenige Tage später war seine Beförderung zum Obersturmbannführer durch. Der unmittelbare Vorgesetzte Kapplers wurde SS-General Wilhelm Harster. Harster kam direkt aus Holland, wo er Befehlshaber der Sicherheit (BdS) war. Vor gut einem Jahr waren unter seiner Befehlsgewalt die Nonne Edith Stein und andere katholisch getaufte Juden nach Auschwitz deportiert worden. Sein SS-Polizeihauptquartier schlug Harster in Verona auf.[27]

In Rom baute Kappler eilends die Abteilungen des neuen SS-Kommandos auf. Dabei orientierte er sich an der Struktur der Berliner Zentrale, dem Reichssicherheitshauptamt (RSHA). Das Nervenzentrum war die Abteilung IV. Sie hatte die weite Aufgabe, alle „feindlichen Kräfte" zu bekämpfen. Hier fand die gefürchtete Gestapoarbeit statt. Chef der Gestapo-Abteilung in Rom wurde Hauptsturmführer Karl Schütz. Eigentlich sollte Schütz in Neapel eine Außenstelle aufbauen. Doch die Alliierten waren Mitte September schon zu weit vorgerückt. Daher wurde Schütz mit seinen Leuten nach Rom zu Kappler befohlen. Kappler kannte Schütz nicht näher. Er benötigte aber einen Vertrauensmann in der Gestapo-Abteilung. Und er brauchte einen kurzen dicken Draht dahin. Sein guter Kollege und Freund Priebke war dafür bestens geeignet. Kappler versetzte Priebke als Sonderbeauftragten zur Gestapo. Gleichzeitig sollte er der Intimus an seiner Seite bleiben. Zusätzlich übertrug er Priebke alle Kontakte zur italienischen Polizei und zum Vatikan. Aufgrund der exponierten Position avancierte der noch nicht dreißigjährige Priebke zum inoffiziellen Stellvertreter Kapplers für das gesamte SS-Sicherheitsamt. Anfang November wurde Priebke zum Hauptsturmführer befördert.

Der vatikanische Verbindungsmann Priebkes wurde der Generalprior der Salvatorianer, der deutsche Pater Pancratius Pfeiffer. Sein Ordensdomizil lag nahe beim Petersplatz. Pius XII. hatte größtes Vertrauen zu Pater Pfeiffer und dirigierte persönlich seinen Kontakt zur Gestapo. Neben den Informanten bei der italienischen Polizei hatte Kappler auch einen Spitzel im Vatikan selbst. Dieser war schon länger für den SS-Geheimdienst an der

Deutschen Botschaft tätig. Jetzt, wo die Gestapo Rom in den Griff genommen hatte, wurde diese Quelle direkt aus dem Vatikan eminent wichtig. Priebke schreibt in seinen Erinnerungen, dass sie von diesem V-Mann zum Beispiel um die Jahreswende 1943/44 die Information zugespielt bekamen, wo sich der Sohn von Marschall Badoglio in Rom versteckt hielt. Marschall Badoglio stand in Süditalien einer Gegenregierung zum neu eingesetzten Mussolini vor. Ein Kommando drang in die Wohnung ein, verhaftete Mario Badoglio und schaffte ihn später auf Weisung Berlins in das KZ Mauthausen (Prominententrakt).

Wer dieser hochrangige V-Mann im Vatikan war, ist nie herausgekommen. Kappler hielt den Namen und die genaue Position des Mannes streng geheim.[28]

15. September

* * *

Ab Mitte September stiegen die neue Sipo und der SD rasch zu der am meisten gefürchteten Macht in der Stadt auf. Kappler richtete die zentrale Abteilung in der Via Tasso ein, unweit von der Deutschen Botschaft und der päpstlichen Lateranbasilika bzw. des Lateranpalastes. Sein Hauptbüro in der Villa Wolkonsky behielt er bei.

In der Via Tasso 145 stand ein neuerer mehrstöckiger Zweckbau, den der Besitzer schon länger komplett an die Deutsche Botschaft vermietet hatte. Bereits vor dem 10. September 1943 waren in einem Trakt des Gebäudes Büros für den polizeilichen Nachrichtendienst reserviert. Kappler nutzte die Gelegenheit und machte das gesamte Haus mit zwei Trakten zur Gestapozentrale Roms. Für aktuelle Untersuchungsfälle wurden einige Gefängniszellen eingerichtet. Die meisten Gefangenen sollten aber im Hauptgefängnis Roms *Regina Coeli* beim Viertel Trastevere untergebracht werden. Die Fensterläden der Via Tasso 145 blieben stets geschlossen und die Anlieger auf der anderen Straßenseite durften ab sofort nur noch von hinten ihre Häuser betreten. Bald löste der bloße Name „Via Tasso" unter den Römern blankes Entsetzen aus. Heute befindet sich in dem Gebäude eine Gedenkstätte mit einem historischen Museum.[29]

Für Kappler und Priebke waren die verfügbaren Polizeikräfte der SS-Sicherheit in Rom ein Problem. Zwar hatte Kappler zum Aufbau seiner Dienststelle rasch aus Deutschland und Österreich abgeordnetes Führungspersonal bekommen, aber an Mannschaften mangelte es. In den nächsten Wochen traf Verstärkung für den Stadtkommandanten ein. Zusätzlich zu den zwei Sicherungskompanien kamen zwei weitere aus Norditalien nach Rom. Kappler durfte auf die Hälfte der 5. Kompanie des Polizeiregiments 15 für besondere Bedarfszwecke zugreifen. Die restlichen Soldaten dieser Kompanie übernahmen die Bewachung politischer Gefangener im Hauptgefängnis Regina Coeli.

Die Gesamtstärke des römischen Sipo- und SD-Kommandos lag bei rund fünfundsiebzig Mannschaften und Offizieren. Das war in den Augen Kapplers und Priebkes immer noch wenig. Aber es reichte aus, um in den nächsten Monaten effizient und gefürchtet Polizeiarbeit zu betreiben.

Am Ende des Krieges wird Kappler in Norditalien versuchen, in der Uniform eines Wehrmachtsleutnants anonym in Gefangenschaft zu geraten. Doch den Engländern gelingt es ihn zu enttarnen. Weil Kappler mit seinen Leuten am 24. März 1944 das Geisel-Massaker in den Ardeatinischen Höhlen bei Rom durchführte, wird er als Kriegverbrecher angeklagt. Die Geiseltötung in den Ardeatinischen Höhlen ist heute noch ein schmerzhaftes Trauma in ganz Italien. Bei einem verheerenden Par-

Bei seiner Gefangennahme im Mai 1945 durch britische Truppen.

Kapplers Tarnung war aufgeflogen.

tisanenanschlag in der römischen Straße Via Rasella am 23. März auf die elfte Polizeikompanie des *Regiments Bozen* waren 33 Soldaten getötet worden. Noch am selben Tag befahl Hitler persönlich eine sofortige und mindestens zehnfache Vergeltung an römischen Bürgern. Keine vierundzwanzig Stunden später waren die Geiseln ausgewählt und zur Erschießung zu den Fosse Ardeatine gebracht worden. Kappler hatte den

Auftrag mit seinen Leuten die Liquidation durchzuführen. Die Ermordungen in der Höhle durch Einzelgenickschuss dauerte Stunden. Am Ende waren 335 Menschen getötet – fünf mehr als geplant. Wegen der unverhältnismäßigen Geiselrepressalie und vor allem wegen der fünf „versehentlich" erschossenen Menschen wurde Kappler schließlich zu lebenslanger Haft verurteilt.[30]

Während der Haft hielt Kappler engen Kontakt zu Pater Hugh O'Flaherty. Pater O'Flaherty war während der Besatzungszeit einer der schärfsten Gegenspieler Kapplers. Der irische Priester hatte in Rom ein weit verzweigtes Netz von Deckadressen und Verstecken aufgebaut, wo vor allem alliierte Soldaten auf der Flucht Schutz fanden. Kappler konnte O'Flaherty nie das Handwerk legen. 1959 ließ sich Kappler von O'Flaherty taufen. Fortan bezeichnete er sich als katholischer Christ. Seine Gegner schüttelten darüber entweder den Kopf oder sie sahen es als taktisches Manöver, um per Gnadenerlass vorzeitig aus der Haft zu kommen.

Doch Kappler blieb bis 1977 in Haft. Dann gelang ihm die Flucht aus einem Militärkrankenhaus. Er war zu diesem Zeitpunkt schon schwer an Krebs erkrankt. Kappler zog sich nach Soltau zurück, wo seine Frau ein Haus besaß. Weniger Monate später erlag er seiner Erkrankung.

Auch Erich Priebke wird die Geiselerschießung in den Ardeatinischen Höhlen, bei der er beteiligt war, einholen – spät einholen. Bei Kriegsende wurde Priebke von den Engländern in Brescia verhaftet. 1947 gelang es ihm aus einem Internierungslager zu fliehen. Er wollte sich mit seiner Familie nach Argentinien absetzen. Mit Hilfe kirchlicher Kreise bekam er die nötigen Papiere und ergatterte im Juli 1948 eine Passage von Genua nach Argentinien. Obwohl dort viele seine wahre Identität kannten und er immer wieder Reisen nach Deutschland unternahm, wurde er erst in den neunziger Jahren offiziell enttarnt. Argentinien lieferte ihn 1995 nach Italien aus.

Priebke wurde in Rom vor Gericht gestellt. Nach zwei Aufsehen erregenden Prozessen lautete das Urteil: lebenslange Freiheitsstrafe! Wegen seines hohen Alters wurde die Strafe alsbald in Hausarrest umgewandelt. Bis zu seinem Tod am 11. Oktober 2013 ist Priebke vor seinem Haus rund um die Uhr bewacht worden. Ironie des Schicksals: Der ehemals mächtige Vize-Gestapochef Roms und Kontaktmann Pius XII. musste in der Ewigen Stadt seine Strafe büßen – beinah in Sichtweite des Vatikans.[31]

Besucher durfte Priebke empfangen. Ich habe ihn im Juni 2009 in Rom besucht und ein längeres Interview mit ihm geführt. Der alte Herr machte

einen fitten Eindruck und zeigte ein gutes Gedächtnis.[32] Auch bei einem zweiten Interviewbesuch im Juni 2012 gab sich der knapp 99-jährige Priebke vital. Immer noch konnte er sich sehr detailliert an bestimmte Ereignisse erinnern.

> **Erich Priebke**
>
> Inoffizieller Stellvertreter Kapplers und Verbindungsmann zu Pius XII.
>
> Der ehemalige SS-Hauptsturmführer verbüßte seine Strafe in Rom.
>
> Priebke starb am 11. Okt. 2013 in Rom im Alter von 100 Jahren.
>
> Foto/privat: 2009

Alle Versuche Priebkes, eine vorzeitige Haftentlassung zu erreichen, waren vergebens. Auch das Ansinnen, die Unterstützung von Papst Benedikt XVI. für ein Gnadengesuch zu erhalten, ist schon im Vorfeld abgeschmettert worden. Priebke erzählte mir von dem Versuch, Papst Benedikt als Fürsprecher zu gewinnen. Mit Bedauern akzeptiere er jedoch die Argumentation, dass ein deutscher Papst nicht für ihn als einen verurteilten „römischen Kriegverbrecher" und römischen Gestapomann eintreten könne. Priebke verstand sich als ein zu Unrecht Verurteilter, als später Kriegsgefangener. Sein Grundtenor in den Memoiren lautet: Ich war „nur Polizist" gewesen, der Befehle ausgeführt hat. An rechtswidrigen Aktionen oder Folterungen hätte er sich nicht beteiligt. Mir gegenüber bekannte Priebke, dass die Verhöre in der Via Tasso rau gewesen seien und es Schläge gegeben habe, aber gefoltert habe er nicht. Viele Zeugen im Prozess sagten allerdings anderes.

Es war erschütternd Priebke zuzuhören. Er wies jede persönliche Schuld zurück und sah sich als Opfer von Siegerjustiz. Dass er an exponierter Stelle einem mörderischen System willfährig diente, weigerte er sich zu sehen.

13. September

* * *

Gefahr für den Papst?

Bei der Besetzung Roms waren Marschall Badoglio und der König den deutschen Truppen durch die Lappen gegangen. Aber Papst Pius XII. war noch vor Ort. Hitler hielt ihn für mitschuldig am Waffenstillstand hinter seinem Rücken. Pius sei irgendwie darin verwickelt gewesen. Sollte er trotz aller Bedenken und trotz der offiziellen Zusicherung, die Souveränität des Vatikans zu achten, den Papst in den nächsten Wochen oder Monaten entmachten? Hitler zögerte. Doch er wollte sich offenhalten, zuzuschlagen.

Am 13. September befahl Hitler den SS-Obergruppenführer und General der Waffen-SS Karl Wolff zu sich. Die streng vertrauliche Unterredung fand unter vier Augen im Führerhauptquartier Wolfsschanze in Ostpreußen statt. 1972 gab Wolff beeidet zu Protokoll, was Hitler zu ihm sagte:[33]

> Ich wünsche, dass Sie mit Ihren Truppen im Rahmen der deutschen Gegenmaßnahmen gegen diesen unerhörten „Badoglio-Verrat" baldmöglichst den Vatikan und die Vatikanstadt besetzen, die einmaligen Archive und die Kunstschätze des Vatikans sicherstellen und den Papst (Pius XII.) nebst der Kurie „zu seinem Schutz" nach Norden verbringen, damit er nicht in alliierte Hände fallen oder unter deren politischen Druck und Einfluß geraten kann. Je nach der politischen und militärischen Entwicklung werde ich den Papst möglichst in Deutschland oder im neutralen Liechtenstein unterbringen lassen. Bis wann können Sie die Aktion frühestens durchführen?

Nur der Reichsführer-SS Himmler sei noch in diesen Plan eingeweiht, so Hitler. Niemand sonst dürfe davon erfahren. Das Kommando-Unternehmen sollte unter strikter Geheimhaltung geplant und durchgeführt werden. Hitler und Himmler kannten Wolff gut. Er war langjährig der persönliche Adjutant Himmlers gewesen, und seit Ausbruch des Krieges hatte er die wichtige Verbindung zwischen dem Führerhauptquartier und dem SS-Reichsführer gehalten. Ab Juli 1943 wurde Wolff nach Italien beordert als der höchste SS- und Polizeiführer im Land. Er schien der ideale Mann für eine Vatikanaktion.

Hitler drängte auf einen schnellen Abschluss der Vorbereitungen. Doch Wolff gab zu Bedenken, dass er erst einmal die SS-Truppen in Italien formieren müsse und außerdem bräuchte er eine Reihe qualifizierter Spezialisten für die Beschlagnahme der Archive und der Kunstschätze. Vier bis sechs Wochen seien das Mindeste. Hitler blieb ungeduldig und verlangte alle zwei Wochen einen Zwischenbericht.

Dem SS-General war nicht wohl bei diesem „historischen" Auftrag. Er setzte auf Zeit und verschleppte die Vorbereitungen. Es ist nicht bekannt, was Wolff konkret bewogen hatte, die Vatikanbesetzung als undurchführbares Hasardeurstück zu betrachten. Es dürften ein Bündel von Motiven gewesen sein. Ein Hauptgrund lag sicherlich in der ungeheuren internationalen und binnennationalen Brisanz des Vorhabens. Im Herbst 1943 hegte Wolff insgeheim schon private Pläne für einen deutschen Waffenstillstand an der Südfront mit den westlichen Alliierten. Deutschland sollte für den Kampf im Osten frei sein. Würde er den Vatikan besetzen und den Papst internieren, rückte der angestrebte Separatfrieden in weite Ferne.

SS-Obergruppenführer und General der Waffen-SS

Karl Wolff

Doch den Führerbefehl einfach liegen lassen konnte Wolff nicht. Nach eigener Aussage versuchte er bei seinen Rapporten bei Hitler weitere Privatverlängerungen zu erreichen. Anfang Dezember 1943 schließlich einigten sich Wolff und Hitler die brisante Vatikanbesetzung fallenzulassen. In einer Abschlussbesprechung gab Wolff zu bedenken, dass die katholische Kirche eine enorm stabilisierende Funktion im Lande hätte. Auf eine Verschleppung des Papstes würde die Bevölkerung empört reagieren. Streiks und Massendemonstrationen wären die Folge. Allein mit den Sicherheitskräften vor Ort könne er diese Lage nicht friedlich halten. Ruhe im Land und eine funktionierende Industrie seien aber das, was Generalfeldmarschall Kesselring jetzt dringend bräuchte.

Mit der Kirche, so Wolff, habe er in den letzten drei Monaten eine Politik der Gegenseitigkeit ausgeübt. Auf den Punkt gebracht laute der Pakt: »Ich schütze Eure kirchlichen Institutionen, Euer Eigentum und Euer Leben, und ihr wirkt in euren Bereichen darauf hin: Gehorsam gegenüber der deutschen Obrigkeit!«[34] Wolffs Argumente stießen bei Hitler auf offene Ohren. Im umkämpften Italien hatten militärische Belange und Ruhe hinter der Front absolute Priorität.

General Wolff legte seinem Führer auch grundsätzliche Bedenken auf den Tisch. Den Tenor kannte Hitler schon von Goebbels und Ribbentrop. Wolff wörtlich:[35]

> Meiner Beurteilung nach würde eine Besetzung des Vatikans und Verschleppung des Papstes sowohl bei den deutschen Katholiken in der Heimat und an der Front als auch bei allen Katholiken in der übrigen Welt und bei neutralen Staaten zu äußerst negativen Rückwirkungen für uns führen, die in keinem Verhältnis zu dem vorübergehenden Vorteil der Ausschaltung des Vatikans aus der Politik und der Erbeutung des vatikanischen Archive und Kunstschätze stehen. Man sollte dabei wohl auch daran denken, dass wir voraussichtlich die weltweiten einflussreichen Verbindung[en] des jetzigen Papstes vielleicht in Zukunft noch einmal gut brauchen könnten, wenn wir wider sein Erwarten seine jetzige Notlage nicht ausnutzen, sondern ihm sogar gelegentliche Wünsche erfüllen und ihm nach Möglichkeit behilflich sind.

Wolff ersuchte um Vertrauen. Er wolle das Problem „Vatikan" auf seine Weise lösen. Das Resultat würde ihm Recht geben. Hitler schaute zu Wolff auf und sagte: „Na schön, Wolff, machen Sie es, wie Sie es als Sachkenner Italiens für richtig halten. Aber vergessen Sie nicht, daß ich Sie dafür verantwortlich machen muß, falls Sie ihre versprochene optimistische ‚Garantie' nicht verwirklichen können. Viel Glück, Wolff!" Damit war der Plan, den Vatikan zu besetzen und Pius XII. zu verschleppen, vom Tisch. Hitler blieb bei der Rücknahme des Vatikan-Befehls bis zur Räumung Roms am 3./4. Juni. Danach war die Gefahr für Pius XII. abrupt beendet.

Papst Pius war sich über die erhöhte Bedrohung seiner Person während der deutschen Besatzung bewusst. Er musste neun Monate lang bis zum Einmarsch der Amerikaner jederzeit mit einem Zugriff Hitlers rechnen. Pius war allerdings erfahrener Diplomat genug, um zu wissen, dass Hitler die Entscheidung schwer fallen würde. Dennoch galt es achtsam zu sein. Er durfte Berlin nicht allzu sehr reizen und erst recht keinen Grund liefern, um doch zuzuschlagen.

1. September

* * *

Der Vatikanbotschafter

Neben dem örtlichen Kriegsherrn Feldmarschall Kesselring, dem Stadt-kommandanten General Stahel und dem Sipo-/SD-Chef Kappler musste sich Pius XII. auch mit einem neuen Vatikanbotschafter arrangieren. Zum 1. September 1943 trat Ernst H. Freiherr von Weizsäcker offiziell sein Amt als ordentlicher Reichsbotschafter am Hl. Stuhl an. Bis zu diesem Zeitpunkt war Weizsäcker allerdings schon einige Wochen als außerordentlicher Bevollmächtigter im Amt gewesen.

Bereits im April desselben Jahres war von Berlin die Nachricht verbreitet worden, dass man einen neuen Botschafter beim Papst ernennen werde, und zwar den Staatssekretär im Reichsaußenministerium Ernst von Weizsäcker. Die Nachricht erregte sofort internationale Aufmerksamkeit. Nicht nur die New York Times fragte sich, was die NS-Regierung mit dem Botschafteraustausch beim Vatikan bezwecke. Sollte der Staatssekretär Friedensfühler zu den westlichen Alliierten ausstrecken? Auch Pius XII. und sein Kardinalstaatssekretär Maglione schüttelten verwundert den Kopf. Warum tauschte Hitler mitten in einer prekären Kriegsphase, unmittelbar nach der Stalingradniederlage und der drohenden Niederlage in Nordafrika, den Vatikanbotschafter aus? Und warum wurde dafür der hochrangige Staatssekretär vom Außenamt genommen?

Mit dem langjährigen bisherigen Botschafter Diego von Bergen hatte der Vatikan bestens zusammengearbeitet. Er war der erste und bis dato einzige deutsche Reichsvertreter beim Hl. Stuhl. Gleich nach der Errichtung einer Gesamtdeutschen Vatikanbotschaft 1919 hatte von Bergen das Amt übernommen. Mit seiner konzilianten Art kamen das vatikanische Staatssekretariat bzw. die Päpste gut zurecht – mit Abstrichen auch nach 1933. Jetzt sollte der alte Herr Knall auf Fall abgelöst werden. Weder von Bergen selbst noch Pius XII. waren damit einverstanden. Doch Proteste und unverhohlene Missbilligungen nützten nichts. Konsterniert mussten sich von Bergen und Papst Pius der Entscheidung Berlins beugen. Ab 1. September 1943 wurde Diego von Bergen zwangsweise in Pension geschickt.

Die Umstände der Versetzung Weizsäckers nach Rom sind heute hinreichend geklärt, auch wenn es noch strittige Einzelpunkte gibt. Der Botschafterposten beim Vatikan war weder eine Strafversetzung oder Degradierung des Staatssekretärs Weizsäckers noch eine spezielle Mission. Der Wechsel ging vielmehr auf die Eigeninitiative Ernst von Weizsäckers zurück. Er wollte weg aus dem hohen Amt im Außenministerium und weg aus Berlin. Bereits im September 1941 hatte er seinem Chef Außenminister Ribbentrop gesagt, dass er beim Freiwerden der Vatikanbotschaft diese Mission gerne übernehmen würde. Weizsäcker hoffte auf ein baldiges Ausscheiden Diego v. Bergens.

Ernst von Weizsäcker.

Der neue Vatikanbotschafter des Reichs.

Gegenüber der aggressiven Kriegspolitik Hitlers und seines treuen Vasallen Ribbentrop hatte sich Weizsäcker zunehmend distanziert. Verschärfend hinzu kam der lose Kontakt zum Kreisauer Widerstandskreis über seinen langjährigen und guten Bekannten Albrecht von Kessel. Über diesen und natürlich von seinen Amtsgeschäften her wusste Staatssekretär Weizsäcker von den Kriegverbrechen hinter der Front und an der Front. Trotz gegenteiliger Behauptung war ihm sicherlich die Judenvernichtung in den Lagern und Ghettos des Ostens bekannt gewesen. Das hatte ihn übrigens nicht davon abgehalten, einmal einen Deportationsbefehl französischer Juden in den Osten abzuzeichnen.

Es sollte noch bis zum März 1943 dauern, ehe Hitler dem Wunsch seines Staatssekretärs im Außenamt nachgab und der Versetzung nach Rom zustimmte. Ausschlaggebend dafür war wohl das abgekühlte Verhältnis Weizsäckers zu Ribbentrop. In dessen Augen hatte sein engster Mitarbeiter das Amt zu eigenwillig geführt. Für Weizsäcker war es zunehmend schwieriger geworden, mit dem arroganten Ribbentrop zurechtzukommen und die nationalsozialistische Außenpolitik zu vertreten. Ende April übergab Weizsäcker sein Amt an den Nachfolger und machte bei seinem Führer die Abschiedsbesprechung. Hitler gab dem diplomatisch erfahrenen Staatssekretär keine genauen Instruktionen mit auf den Weg. Im Grunde sollte der neue Botschafter bei Papst Pius XII. nur einem Motto folgen: alle vatikanischen Friedensaufrufe oder Friedensinitiativen ins Leere laufen lassen. Es durfte auf keinen Fall der Anschein erweckt werden, dass Berlin über den Vatikan an Friedenskontakten zu den Alliierten interessiert wäre. „Keinen kleinen Finger an die Kurie für etwaige Friedensaktionen" rühren, so Hitler wörtlich[36] Die Generallinie der gegenseitigen Nichteinmischung, die Weizsäcker referierte, nahm Hitler ohne Widerspruch zur Kenntnis. Erst nach dem Krieg wolle er das Verhältnis zu den Kirchen neu ordnen. Jetzt könne Weizsäcker vor Ort entscheiden, was er für das Beste halte.[37]

Für Weizsäcker war das strikte Verbot jeglicher Friedenssondierungen heikel. Nach eigener Aussage wollte er gerade in diese Richtung tätig werden. In seinen Erinnerungen schreibt er: „Ich glaubte, wenn überhaupt, so noch im oder durch den Vatikan etwas für den Frieden tun zu können. An der Berliner Zentrale war mir das nicht mehr möglich. ... Im Vatikan, so hoffte ich, würde ich nach eigenem Geschmack und eigenem Gewissen handeln und mich im Wesentlichen als Vertreter desjenigen Deutschland fühlen können, auf das es mir ankam."[38]

Doch während seiner knapp einjährigen Amtszeit hielt sich Weizsäcker bedeckt. Obwohl er die Friedenssondierungen von SS-General Wolff zum Vatikan unterstützte, wagte Weizsäcker keine Aktivitäten, die in Berlin auch nur Misstrauen ausgelöst hätten. Er beschränkte sich darauf, gegenüber dem vatikanischen Staatssekretariat und Pius XII. freundlich-verbindlich aufzutreten, für deren Wünsche ein offenes Ohr zu haben und diplomatische Eklats zu vermeiden. Für Papst Pius war das weit mehr als er erwarten konnte.

Am 5. Juli machte Ernst von Weizsäcker seinen Antrittsbesuch beim Papst. Der Vatikan hatte eigens einen Diplomatenwagen geschickt, um den neuen Reichsbotschafter vom prächtigen Amtssitz der Villa Napoleon (Villa Paolina) im Herzen Roms abzuholen. Dabei musste zum ersten Mal auf einer Staatskarosse des Vatikans die Hakenkreuzflagge aufgesteckt werden. In „friedlicher Übereinstimmung"[39] mit der weiß-gelben Vatikanflagge sei der Wagen durch die Straßen Roms gefahren.

Eine Antrittsrede Weizsäckers bei der Überreichung des Beglaubigungsschreibens war von Ribbentrop abgesagt worden. Die Entwürfe waren ihm zu weich gewesen. Aber auch Papst Pius wünschte keine offizielle Ansprache. Der deutsche Botschafter sollte keine Gelegenheit bekommen, vor den Ohren des Papstes eine Propagandarede zu halten. Der mehrfach geänderte Redetext wurde aber von Weizsäcker schriftlich übergeben. Im Kern kreiste der Text um die Verteidigung des welthistorischen Kampfes Deutschlands und seiner Verbündeten gegen den barbarischen Bolschewismus. Die deutsche Wehrkraft ringe im Augenblick mit gigantischen Anstrengungen solidarisch für alle Kulturvölker der Welt die alle Kultur zerstörende Macht des Bolschewismus nieder. Deutschland schütze damit die hohen Werte aus der Vergangenheit und erhalte sie der Nachwelt. In der neuen Zeit nach dem Krieg sei dann „auf allen Gebieten wieder Dauer und Stabilität für die Kulturvölker" gewährleistet.[40]

Während der halbstündigen Unterredung in der Privatbibliothek des Papstes ergriff Weizsäcker die Chance und wiederholte die These vom Kultur erhaltenden Verteidigungskampf Deutschlands. Der Papst und der Botschafter unterhielten sich angeregt auf Deutsch. Was allerdings der hochgelehrte und überaus feinsinnige Kulturmensch Eugenio Pacelli bei der Lektüre der Rede und den Auslassungen Weizsäckers gedacht hat, bleibt immer ein Geheimnis. Die Höflichkeit gebot es, freundlich zu bleiben und Selbstverständliches anzusprechen. Pius kritisierte nur grundsätzlich die Politik Berlins. Die Akkreditierung des Botschafters war kein Ort, um auf spezielle Streitfragen einzugehen. Dafür sprach Pius gern von seinen schönen Erinnerungen an die Zeit als Nuntius in München und Berlin und von seiner ungebrochenen Zuneigung zum deutschen Volk. Er bedankte sich auch für die Grüße und guten Wünsche Hitlers und erwiderte sie.[41]

Pius beendete die Aussprache nicht ohne den Hinweis, dass er die von Seiten der Alliierten geforderte bedingungslose Kapitulation verurteile, zurzeit aber keinen Ansatz für irgendeine Friedensarbeit sehe. Weizsäcker nickte bestätigend. Friedensvorstöße würde Berlin auch nicht erwarten.

In der Botschaft hatte Weizsäcker mehr Mitarbeiter zur Verfügung als üblich.[42] Seine wichtigste diplomatische Stütze an der Seite war Albrecht von Kessel, den er seit vielen Jahren schätzte. Botschaftsrat von Kessel kam Ende Juli nach Rom. Eine zweite und dritte diplomatische Kraft waren Ludwig Wemmer und Sigismund von Braun. Wemmer war vorher Kirchenreferent bei Martin Bormann gewesen und erregte Misstrauen bei Weizsäcker; von Braun war der Bruder des Raketenspezialisten in Peenemünde Wernher von Braun. Der erste Sekretär in der Botschaft (mit Diplomatenstatus) war Karl-Gustav Wollenweber.

Gegen einen weiteren „Mitarbeiter" direkt aus dem Reichssicherheitshauptamt in Berlin wehrte sich Weizsäcker lange mit Händen und Füßen. Dieser verdeckte Mitarbeiter sollte Spionagedienste im Vatikan leisten. Der Widerstand des Botschafters hatte bis Ende April 1944 Erfolg. Dann wurde doch der Ex-Benediktinermönch und SS-Hauptsturmführer Georg Eiling an die Botschaft versetzt. Eiling konnte aber keine Wirkung mehr entfalten, da einen Monat später die Alliierten Rom besetzten und ihn mit anderem Personal der Botschaft auf Sizilien internierten.

2. Führerbefehl

12./13. September 1943

* * *

Judenaktion in Rom

Nach dem 10. September hatte Hitler es eilig. Er hatte die Macht in Rom und die Macht über die jüdische Gemeinde in der Ewigen Stadt. Bereits in den nächsten Wochen sollte Rom "judenfrei" werden.

In den hektischen Septembertagen nahm sich Hitler ausdrücklich Zeit, seinem SS-Reichsführer Heinrich Himmler persönlich einen Judenbefehl zu erteilen. Am 12. oder 13. September war Himmler zu einer Besprechung bei seinem Führer in die Wolfsschanze geladen. Während der Lagebeurteilung über Italien kam Hitler auf die römischen Juden zu sprechen. Sie standen ganz oben auf seiner Agenda. Er wandte sich an Himmler und gab ihm den Befehl, sobald wie möglich eine Judenaktion in Rom durchzuführen.[1]

Ob der SS-Reichsführer organisatorische Bedenken hegte in dieser frühen Phase der Machtübernahme in Italien, ist nicht bekannt. Himmler wusste, dass sein römischer Statthalter Kappler gerade erst seine Sicherheitspolizei aufbaute. Überall in Rom Juden zu verhaften und deportieren zu lassen, bedeutete einen Kraftakt besonderer Art. Aber Kappler zählte zu seinen besten Männern im Ausland. Er traute ihm zu, die Aufgabe schnell zu erledigen. Noch von seiner Feldkommandostelle Hochwald aus ließ Himmler seinen Sipo-Chef Kappler in Rom instruieren.

15. September

* * *

Zwei Tage nach der Führerbesprechung klingelte bei Kappler das Telefon. Ein nicht näher bekannter Mitarbeiter aus Himmlers Hauptquartier gab Kappler den brisanten Befehl weiter. Er sollte baldmöglichst die Juden Roms verhaften und abtransportieren. Gleichzeitig wurde ihm mitgeteilt, dass er zum SS-Obersturmbannführer befördert sei.[2] Das Telefonat war nur knapp. Kappler hatte keine Gelegenheit für Nachfragen. Aber er war erfahrener Geheimdienstler genug, um die Tragweite des Befehls zu erkennen. Der Auftrag war mehr als heikel. Kappler kannte die Bevölkerung Roms und die Empfindlichkeiten hier seit Jahren. Er war skeptisch. Offen konnte er dem Befehl nicht widersprechen, aber er wollte sich absichern. Daher drängte Kappler auf eine schriftliche Bestätigung der Order. Das wurde ihm am anderen Ende der Leitung zugesagt.

Am Freitag, den 24. September, traf ein streng vertrauliches Fernschreiben bei der Deutschen Botschaft in Rom ein. Es war an Kappler persönlich adressiert. Das Schreiben trug die Unterschrift Himmlers und den Stempel „geheime Reichssache".

> Der Reichsführer SS
> **Heinrich Himmler**
>
> Oberster SS- und Polizeichef im Reich

In dem Fernschreiben hieß es, dass Kappler geheim und unverzüglich eine Judenaktion in der Stadt Rom vorbereiten und durchführen sollte. Die 8000 Juden in der Stadt seien ohne Unterschied von Nationalität, Alter, Geschlecht oder Gesundheitszustand nach Deutschland zu deportieren, wo sie liquidiert werden sollten. In allen besetzten Gebieten müsse jetzt die Endlösung der Judenfrage vollzogen werden.[3]

Bei seiner gerichtlichen Befragung zum Eichmannprozess sagte Kappler aus, dass er bei dieser Gelegenheit den Begriff *Endlösung* zum ersten

Mal gehört bzw. gelesen habe. Eine genaue Vorstellung, was das bedeutete, habe er nicht gehabt.[4] Das war sicherlich nur eine Schutzbehauptung. Es
ist sehr unwahrscheinlich, dass der lang gediente Gestapomann und geheimdienstliche Polizeiattaché nichts von der seit zwei Jahren laufenden
Vernichtungswelle im Osten gewusst hatte.

Zutreffend aber ist, dass Kappler den Judenbefehl für zu brenzlig hielt
– jedenfalls im Augenblick. Rückschauend bezeichnete er ihn als sogar
„politische Dummheit".[5] Als verantwortlicher Sicherheitschef in Rom
brauchte er vor allem Ruhe unter der Bevölkerung. Nur so konnte er effektiv gegen subversive Zellen vorgehen. Eine romweite Aktion gegen die alt-
eingesessene Judengemeinde konnte Aufruhr provozieren. Politische Gruppen und Partisanen würden das ausnutzen und weiter anstacheln. Außerdem: Wie würden der Vatikan und die Geistlichkeit reagieren? Unterm
Strich hielt Kappler die Sicherheitslage in der Stadt für viel zu angespannt,
um eine Judenaktion halbwegs geräuschlos über die Bühne bringen zu
können. Aber er hatte keine Wahl. Er musste auf den Befehl eingehen.

Bei der Order aus Himmlers Feldkommandostelle Hochwald wurde der
Dienstweg nicht eingehalten. Normalerweise hätte die Gestapo-Abteilung
IV des Reichssicherheitshauptamtes mit General Müller an der Spitze den
Auftrag an den neuen *Befehlshaber der Sicherheit* in Italien, SS-General Hars-
ter, weitergeben müssen. Dann hätte Harster seinem Untergebenen in Rom
(Kappler) befohlen. Aber bei dringlichen oder äußerst wichtigen Angele-
genheiten wurde im SS-Apparat Himmlers gern der Dienstweg umgangen
und direkt befohlen. Das war auch hier der Fall.

Im Berliner Reichssicherheitshauptamt landete der Führerbefehl beim
Judenreferent Adolf Eichmann auf dem Schreibtisch. Eichmann dirigierte
und organisierte die Deportationen in Europa. Dabei musste er auch mit
dem Außenministerium kooperieren. Das Außenamt in der Wilhelmstraße
behielt sich nämlich vor, bei Judenangelegenheiten in anderen Staaten, insbesondere bei Verbündeten, in den Entscheidungsprozess miteinbezogen
zu werden.

Im Falle Rom hebelte Hitler die Bürokratie aus. Sein Sonderbefehl hatte höchste Priorität. Jetzt konnte die Deportation aus dieser Stadt nicht
mehr eine Planung von vielen sein, die erst abgesprochen werden musste.
Die Juden Roms waren der persönliche Wunsch des Führers. Eichmann
klemmte sich selbst hinter die Sache. Er wusste aus leidvoller Erfahrung,

dass örtliche Behörden oft zu langsam reagierten und zu ineffizient arbeiteten. Daher setzte er gern auf mobile *Judenberater*, die er in Brennpunkte schicken konnte. Auch für Rom hatte Eichmann diese Lösung im Auge. Er dachte an seinen besten Mann, den er seit vielen Jahren kannte.[6]

Weder im Reichssicherheitshauptamt noch im Außenministerium wusste man, wie Pius XII. reagieren würde, wenn man vor seinen Augen die Juden Roms verhaftete und deportierte. Auch Hitler konnte nicht sicher sein, ob Papst Pius das stillschweigend hinnehmen würde. In den vier Kriegsjahren hatte der Vatikan bislang nichts zur Judenfrage verlauten lassen. Pius XII. schwieg und beklagte regelmäßig nur die zahlreichen Opfer des Krieges. Er vermied es, zu den internationalen Gerüchten über Massenmorden an Juden Position zu beziehen. Auch zu den europaweiten Deportationswellen jüdischer Menschen jeden Alters äußerte er sich nicht.

Doch jetzt sollten die Juden seiner eigenen Bischofsstadt angegriffen werden. Das bedeutete einen ungeheuren Affront gegen die „Schutzherrschaft" des Papstes. In Berlin war man sich darüber klar, dass der Pontifex in besonderer Pflicht stand gegenüber der Bevölkerung. Eine Judenrazzia direkt in der Ewigen Stadt kam einer „Vorführung" des Papstes vor aller Welt gleich.

Im Außenamt Wilhelmstraße und im Reichssicherheitshauptamt war man erleichtert, dass die römische Judenfrage ein Führerbefehl war. Die delikate und unberechenbare Sache hing ganz oben und im Konfliktfall musste auch ganz oben entschieden werden.

Im Reich des Duce waren die Juden bislang unbehelligt geblieben. Zwar hatte Mussolini im Herbst 1938 auch diskriminierende Rassengesetze eingeführt, aber er beteiligte sich nicht an den Deportationen. Allerdings kannte er kein Pardon mit Illegalen und mit jenen, die die italienische Staatsangehörigkeit nicht besaßen oder nicht besitzen durften. Sie wurden interniert oder ausgewiesen.[7]

Insgesamt lebten in ganz Italien gut 58.000 Juden.[8] Wie viele in einzelnen Städten wohnten, konnte man nur schätzen. Für Rom ging das Reichsaußenministerium in Berlin von rund 8000 Juden aus. Die altehrwürdige jüdische Gemeinde dort blickte auf eine reiche und sehr lange Tradition zurück. Sie gilt als einer der ältesten Gemeinden Europas, die schon vor der Erscheinung des Christentums in Rom ansässig war. Die Zahl von achttausend Juden war eine grobe Schätzung. Niemand kannte die genaue Anzahl.

Die jüdische Gemeinde war ansehnlich groß, aber es gab ein ständiges Kommen und Gehen. Es verging kaum ein Tag, an dem nicht gestrandete Juden in Rom illegal einsickerten. Sie waren auf der Flucht aus anderen besetzten Gebieten Europas oder sie kamen aus Gegenden Italiens, in denen sie sich nicht sicher genug fühlten. Andere dagegen flohen aus der Stadt und suchten Schutz auf dem Lande. Wieder andere tauchten in Rom unter, weil ihnen der Boden zu heiß geworden war.

Vermutlich lag die Zahl im Frühherbst 1943 bei elf- bis dreizehntausend Juden, wobei wahrscheinlich mehr als die Hälfte von ihnen Illegale waren. Eine neuere Archivstudie der jüdischen Gemeinde Roms schätzt mit aller Vorsicht dreizehntausend bis dreizehneinhalbtausend Juden in der Stadt – alle Italiener und Ausländer zusammengenommen.[9]

25. September

* * *

Hastige Beratungen

Einen Tag nachdem Kappler das streng geheime Fernschreiben zur Judenaktion in Rom bekommen hatte, zog der Befehl plötzlich Kreise. Am Samstag, den 25. September, flatterte dem Stadtkommandanten General Stahel eine Abschrift auf den Schreibtisch. Eigentlich durfte das nicht sein. Das Anschreiben war an den Sipo- und SD-Chef Kappler persönlich gerichtet. Doch im September hatte Stahel noch sein Hauptquartier in der Villa Wolkonsky, dem Gebäude der Deutschen Botschaft. Und da das RSHA das Fernschreiben zur Judenaktion über die Dienststelle „Deutsche Botschaft" geschickt hatte, wo Kappler offiziell residierte, erstellte jemand auch für den Stadtkommandanten eine Abschrift. Er war ja schließlich der oberste Verantwortliche für die Stadt.

Gleich nachdem Stahel den Judenbefehl gelesen hatte, lief er in das Büro von Konsul Eitel F. Moellhausen. Moellhausen vertrat in der Villa Wolkonsky bevollmächtigt den abwesenden Botschafter Rahn. 1949 schieb Moellhausen in seinen diplomatischen Erinnerungen rückblickend, wie der General an jenem Samstag bei ihm erschienen war:[10]

> Stahel, der auf das äusserste erregt war, kam sofort in mein Arbeits-zimmer herunter und setzte mich ins Bild, wobei er erklärte, daß er bei einer solchen ‚Schweinerei' niemals mitmachen würde. ‚Gut', antwor-tete ich, ‚aber wie wollen Sie den Plan zu Fall bringen?' Stahel machte ein verzweifeltes Gesicht: ‚Ich bin ja gerade zu Ihnen gekommen, weil ich unfähig bin, irgend etwas zu unternehmen. Der Befehl ist direkt an Kappler ergangen, und solange er es nicht für angebracht hält, ihn uns mitzuteilen, müssen wir so tun, als wüssten wir von nichts. Ich aber habe gedacht, daß Sie über das Aussenministerium irgend etwas tun könnten.'

Ob General Stahel tatsächlich moralische Bedenken gegen eine Judenaktion hegte, ist nicht verlässlich zu sagen. In seiner Biografie gibt es keine Hin-weise darüber, wie er zur NS-Judenpolitik stand. Aus seinem weiteren Verhalten ist aber abzulesen, dass er die Judenrazzia kritisch sah. Neben den angenommenen moralischen Bedenken waren es Sicherheitserwägun-gen, die Stahel Sorgen machten. Ihm war das diplomatische Lehrstück zur Sicherheitslage in Rom, das er ein paar Tage zuvor von Botschafter Rahn erhalten hatte, noch gut in Erinnerung. Für Ruhe und Ordnung in der Stadt brauchte er die aktive Unterstützung des Vatikans und des Klerus. Sein „Privatkonkordat" mit den Hl. Stuhl trug schon Früchte.

Besorgt fragte sich Stahel, was der Papst tun würde, wenn die SS in Rom auf Judenjagd ginge. Würden der Vatikan und der Klerus ihre Koope-ration aufgeben?

Der junge Konsul Moellhausen war alarmiert. Eine Judenaktion hier in Rom, wo er auch noch politisch verantwortlich war! Moellhausen stand zwar im diplomatischen Dienst des Reichs, aber er missbilligte scharf die NS-Gewaltpolitik. Seine Freundschaft zum Assistenten Albrecht von Kes-sel in der Vatikanbotschaft Weizsäcker bestärkte ihn darin. Kessel rechnete sich zum NS-Widerstand. Die Juden Roms zu deportieren und zu liquidie-ren war für Moellhausen ein Verbrechen mehr im Reigen der vielen Nazi-verbrechen. Das durfte nicht geschehen. Doch was konnte er tun?

Der Konsul fühlte sich ohnmächtig. Im Gespräch mit Stahel sah er den General an und sagte:»Wenn Sie hier als Platzkommandant und als Vertreter von Feldmarschall Kesselring nichts machen können, was kann ich dann als Diplomat unternehmen?«

Stahel hakte nach:»Ich hoffte, Sie könnten über das Außenministerium in Berlin etwas erreichen.«

Konsul Eitel Friedrich
Moellhausen

Das war vielleicht ein Weg. Aber diesen Weg glaubte Moellhausen als kleiner Konsul nicht allein gehen zu können. Nur wenn örtliche Dienststellen das Anliegen unterstützten, fand er vielleicht Gehör in der Wilhelmstraße. Moellhausen versprach Stahel, etwas zu versuchen:»Ich kann wenig tun, aber ich will sehen, was ich machen kann«.[11] Seinen Chef Rudolf Rahn konnte er nicht in den Vorgang einweihen. Rahn hatte am Tag zuvor in der Nähe seines Amtssitzes am Gardasee einen schweren Autounfall erlitten. Moellhausen war in Rom auf sich allein gestellt. Der Konsul überlegte, wie er den SS-Sicherheitschef Kappler auf die geplante Judenaktion ansprechen könnte. Die Zeit drängte. Was wusste er von Kappler? Die Mitarbeiter in der Botschaft hatten Respekt vor ihm. Kappler sei schwer zu durchschauen und seine verdeckte kriminalistische Arbeit ginge ihm über alles. Er wäre durch und durch ein SS-Mann, allerdings ohne fanatisches Auftreten. Polizeiliche Probleme könne er sehr pragmatisch anpacken und lösen. Das Beste sei, ihm offen zu begegnen. Dann würde er gewisses Vertrauen zeigen. Moellhausen entschloss sich sofort zu Kappler zu gehen und Klartext zu reden. Erinnernd schrieb er:[12]

> Ich begab mich in sein Büro und bat ihn ohne Umschweife, alles dran zu setzen, um die Wegführung der Juden zu verhindern. Ich erzählte ihm, wie in Tunis durch das Eingreifen von Rahn verhindert werden konnte, dass die Verfolgung der Juden den Charakter von Gewalttaten annahm. Ich glaubte die Auffassung des Botschafters wiederzugeben, wenn ich ihn bat, dass derselbe Grundsatz in Rom angewandt würde.

Der Hinweis auf Tunis zielte auf die Abkommandierung zahlreicher Juden zu militärischen Schanzarbeiten, als man in Tunesien den Angriff der Alliierten erwartete. Damals war Rudolph Rahn ein hochrangiger politischer Berater bei den Feldmarschällen Rommel und Kesselring. Bei Rommel hatte sich Rahn 1942/43 erfolgreich für die Zwangsarbeit internierter Juden eingesetzt. Auf diese Weise sollte die Deportation oder eine Liquidierung vor Ort verhindert werden.

Kappler hörte Moellhausen konzentriert zu. Er war bass erstaunt, dass ein streng vertraulicher Befehl an ihn selbst auf dem Schreibtisch des Konsuls gelangt war. Offensichtlich gab es ein Leck. Die Botschaft wusste von der befohlenen Judenaktion; daran war nichts mehr zu ändern. Jetzt konnte er aber selbst offen seine Meinung sagen. Die Feindschaft des internationalen Judentums sei für ihn eine Sache, aber die konkrete jüdische Bevölkerung in Rom eine andere, sagte Kappler. Er habe noch nie Probleme mit den Juden hier vor Ort gehabt, und er halte sie nicht für gefährlich. Wenn es nach ihm ginge, könnten sie bleiben.

Moellhausen war erleichtert. Wie erhofft, machte der Sipo-Chef sehr pragmatische Erwägungen geltend. Solange er die römischen Juden nicht für gefährlich hielt, war mit Kappler zu reden. Moellhausen wollte die Gelegenheit ausnutzen und machte dem Sicherheitschef einen kecken Vorschlag: Könnte er nicht einfach so tun, als ob er gar keine Order erhalten habe?

„Kappler sah mich mit seinen stahlgrauen Augen, die das besondere Kennzeichen seines Gesichtes waren, prüfend an. Er hatte einen starren und durchdringenden Blick, der ein gewisses Unbehagen verursachte."[13]

Moellhausen versuchte standhaft zu bleiben und sich nicht irritieren zu lassen. Hielt Kappler den jungen Konsul für abgründig naiv oder nicht bei Sinnen? Sich taub stellen gegenüber Vorgesetzten war das Letzte, was der betont gehorsamstreue Herbert Kappler getan hätte. Der geflissentliche SS-Chef brauchte einen Befehl, um die Aktion unterlassen zu können.

Nach einer kurzen Pause schlug Kappler vor: »Wir könnten Feldmarschall Kesselring kontaktieren und ihm das Problem darlegen. Wenn er als der Oberbefehlshaber auch gegen die Razzia ist, kann ich mich als örtlicher Sicherheitschef dieser Ablehnung anschließen«. Moellhausen griff dieses Angebot sofort auf und telefonierte mit dem Hauptquartier Kesselrings bei Grottaferrata unweit Roms.

Zu seiner Überraschung bekam er noch am gleichen Tag einen Termin angeboten. Dem Besuch des diplomatischen Vertreters in Rom und des SS-Sicherheitschefs wurde Priorität eingeräumt. Moellhausen und Kappler machten sich unverzüglich auf zu Kesselring.

Der Feldmarschall empfing die beiden freundlich und hörte sich in Ruhe an, was sie vortrugen. Kappler informierte den General vom Befehl Himmlers, eine große Judenaktion in Rom durchzuführen. Ein solches Vorhaben sei aber für ihn organisatorisch unmöglich zu schaffen, so Kappler. Die Kräfte, die ihm zu Verfügung ständen, seien viel zu gering für eine romweite Razzia. Moellhausen unterstützte die Bedenken aus politischer Sicht: „Ich meinerseits trug die Angelegenheit unter dem Gesichtspunkt der politischen Unzweckmäßig vor. Dabei hütete ich mich wohl, im Namen der Menschlichkeit zu sprechen, denn das hätte zum Sprachgebrauch des Dritten Reiches bei offiziellen Unterredungen nicht gepaßt."[14]

Kesselring schwieg. Etwa zwei Minuten später fragte er Kappler, wie viele Leute er denn für die Aktion bräuchte:

„Alle mir unterstellten SS-Kräfte, verstärkt durch das mobile Bataillon der Polizei". Kesselring überlegte kurz und sagt:

„Unter diesen Umständen kann ich leider meine Zustimmung nicht geben. Nach den Meldungen, die mir vorliegen, muß ich mich auf eine unmittelbar bevorstehende feindliche Landung bei Ostia einrichten und brauche alle verfügbaren Kräfte für die Verteidigung der Stadt."

Kesselring hielt sich bedeckt. Er wollte das Problem nicht auf seinem Tisch haben. Dann brauchte er nicht offensiv dagegen vorgehen. Die delikate Aktion sollte bei der SS-Sicherheit in Rom bleiben. Das Äußerste, was er Kappler und Moellhausen anbieten konnte, war sein militärischer Einspruch gegen die Aktion.

Den Befehl Himmlers einfach einkassieren, traute sich Kesselring nicht. Das war ihm zu heiß. Er sah sowieso seinen Stuhl gerade wackeln. Der umtriebige Konkurrent Generalfeldmarschall Rommel, der in Norditalien das Kommando führte, kritisierte ungeniert seine Kriegsführung im Süden. Hitler war drauf und dran Rommel auch den Oberbefehl Süd zu übertragen. Soweit sollte es aber nicht kommen. Im März 1945 wird Kesselring sogar der Generalfeldmarschall für den gesamten Westen und Süden sein.

Nach dem Krieg erklärte Kesselring eidesstattlich, dass er damals schärfsten Einspruch gegen die Judenaktion in Rom eingelegt habe. Doch auf Drängen von SS-General Wolff sei über die Köpfe von ihm, der Botschaft und Kappler hinweg entschieden worden. Kurze Zeit später wird Kesselring im Einvernehmen mit Wolff seine Erklärung leicht korrigieren. Nicht General Wolff, sondern das RSHA habe Druck gemacht. Die Dienststelle von Wolff habe keine direkte Befehlsgewalt gehabt.[15]

Die Besprechung im Hauptquartier hatte nicht lange gedauert. Der Konsul und Kappler machten sich alsbald wieder auf den Rückweg. Bei der Verabschiedung sei „der Händedruck des Feldmarschalls [sei] vielsagend gewesen, sein Gesicht aber unbeweglich", bemerkte Moellhausen in seinen Erinnerungen.[16] Trotz der unverbindlichen Zusage Kesselrings, keine zusätzlichen Kräfte für eine Judenaktion zur Verfügung zu stellen und trotz des vielsagenden Händedrucks war Moellhausen erleichtert. Er glaubte, dass Kappler die Judenrazzia jetzt nicht mehr durchführen würde. Auch Kappler schien erleichtert zu sein.

Auf der Fahrt nach Rom wurde Kappler sehr gesprächig. Detailreich und engagiert erzählte er Moellhausen vom gescheiterten Hitlerattentat am 8. November 1939 im Bürgerbräukeller. Damals hatte er die Untersuchungen maßgeblich mitgeleitet. Kappler war stolz auf seine akribische Polizeiarbeit.

Nach der Ankunft in der Villa Wolkonsky kam Kappler unvermittelt auf die Juden zu sprechen und sagte zu Moellhausen:

„Sie sind hoffentlich davon überzeugt, daß ich persönlich wirklich nicht die Verfolgung um der Verfolgung willen wünsche. Meinetwegen können die Juden bleiben, wo sie sind." Moellhausen kamen diese Worte aufrichtig vor. Umso mehr war er später enttäuscht über den Sipo-Chef.[17] Was dachte Kappler in diesem Moment? Hoffte er, den Konsul einwickeln zu können? Oder wollte Kappler vorbauen? Gleich morgen früh nämlich wird er den jüdischen Gemeindevorstand Roms anrufen lassen und für den Abend zu sich bestellen.

26. September

* * *

Gold von den Juden

Am Sonntagabend, den 26. September, erschienen pünktlich um 18 Uhr zwei Vertreter der jüdischen Gemeinde Roms im Büro von Sicherheitschef Kappler in der Villa Wolkonsky: der Vorsitzende der Gemeinde, Ugo Foà und der Präsident der Union israelitischer Gemeinden in Italien Dante Almansi. Die beiden wussten nicht, warum sie kommen sollten. Aber ihnen schwante Unheil. Foà notierte, dass sie von Kappler ausgesprochen freundlich empfangen worden seien. Er habe sich für die so kurzfristige Störung entschuldigt und erkundigte sich höflich nach der Gemeinde in Rom. Ein paar Minuten lang gab es ein zwangloses Palaver mit dem SS-Chef. Foà notierte weiter:[18]

> Schließlich änderte sich der Tonfall unvermittelt. Kapplers Ausdruck wurde scharf und hart. Zu seinen Gesprächspartnern sagte er:
> ,Sie und Ihre Glaubensbrüder sind italienische Staatsbürger, was mir allerdings wenig bedeutet. Für uns Deutsche sind Sie einfach nur Juden und damit unsere Feinde. Um noch klarer zu sein: Wir halten Sie für eine zwar abgelegene Gruppe hier, aber Sie sind nicht isoliert von den Schlimmsten unserer Feinde, gegen die wir kämpfen. Und als Feinde müssen wir Sie behandeln. Aber wir werden weder Ihr Leben noch das Ihrer Kinder nehmen, wenn Sie unsere Forderungen erfüllen. Es ist Ihr Gold, das wir wollen für neue Waffen in unserem Land.
> Innerhalb von 36 Stunden müssen Sie uns 50 kg Gold übergeben. Wenn Sie es zahlen, wird euch kein Leid geschehen. Andernfalls aber werden zweihundert Ihrer Leute verhaftet und nach Deutschland deportiert werden, von wo aus sie an die russische Grenze geschickt oder anderweitig unschädlich gemacht werden.'

Das war deutlich. Foà und Almansi waren geschockt über die unverhohlene Erpressung. Sie protestierten und baten, die Auflage zu erleichtern. Die Forderung sei zu hoch und das Zeitfenster zu eng.

Die jüdische Gemeinde zu Rom galt nicht als wohlhabend. Große Besitztümer waren nirgends zu finden. Reichere Gemeindeglieder hatten schon längst vorgesorgt und Geld oder Wertsachen versteckt bzw. ausgelagert. Wenn das Gold zusammenkommen sollte, mussten viele, viele Einzelpersonen kleine Mengen beisteuern – mit ungewissem Ausgang. Kappler ließ sich nicht erweichen. Deprimiert fragten die beiden Gemeindevertreter, ob die Deportationsdrohung nur für ordentlich eingeschriebene Mitglieder gelte oder auch für andere Juden, die nicht direkt zu ihnen gehörten – etwa christlich Getaufte oder Juden in Mischehen? Kappler antwortete knapp und scharf:[19]

> Ich unterscheide nicht zwischen Jude und Jude. Eingeschriebene Gemeindeglieder oder Ausgetretene, Getaufte oder Mischlinge – alle, in denen auch nur einen Tropfen jüdischen Blutes fließt, sind für mich gleich. Alle sind Feinde.

Auf die Frage, ob man den Gegenwert des Goldes auch in Geld bezahlen könnte, gestand Kappler nur US-Dollar oder Pfund Sterling zu. Von italienischer Lira könne er sich so viel besorgen wie er wolle. Damit war die Geldoption gestorben. Diese Menge US-Dollar oder britischer Pfund war mitten im Krieg und besetzten Rom nicht aufzutreiben.

Zum Abschied gab der SS-Sicherheitschef den beiden jüdischen Vertretern eine rüde Warnung mit auf den Weg:[20]

> Habt acht! Schon mehrere Male habe ich solche Operationen durchgeführt und zu einem guten Ende gebracht. Nur einmal habe ich es nicht geschafft und das haben einige Hundert eurer Brüder mit dem Leben bezahlt.

Die Drohung war frei erfunden. Kappler hatte nie eine Erpressung dieser Art durchgeführt. Aber der ziemlich brutale Hinweis auf getötete Juden bei einem Fehlschlag war effektvoll.

Bestürzt verließen Foà und Almansi die Villa Wolkonsky. Konnte es gelingen in den kurzen 36 Stunden das Gold aufzutreiben? Das Ultimatum begann Sonntagnacht um 24 Uhr. Am Dienstagmittag, den 28. September, Punkt 12 Uhr lief es ab.

Über die Golderpressung Kapplers ist viel spekuliert worden. Warum diese Forderung aus heiterem Himmel? Kappler hatte weder einen Befehl in der Tasche noch leistete er vorauseilenden Gehorsam. Eine entsprechende

Order aus Berlin war nie zu erwarten gewesen. Und eine private Bereicherung konnte sich Kappler in seiner exponierten Lage nicht erlauben. Hatte er vielleicht vor, die Juden Roms in Sicherheit zu wähnen? Oder wollte er vor der großen Razzia noch möglichst viel Reichtum von den Juden abschöpfen?

Als Foà und Almansi in ihr Büro zurückkamen, trommelten sie noch am Abend wichtige Gemeindemitglieder zusammen. Sie überbrachten ihnen die Hiobsbotschaft: Fünfzig Kilo Gold in 36 Stunden! Andernfalls würden zweihundert Menschen von der SS in den Osten deportiert. Ängstlich fragte man sich in der Runde, was das bedeutete? Damals kursierten in Rom viele Gerüchte. Hieß es Arbeitslager? Oder war das Ziel eines der berüchtigten Konzentrationslager? Hieß es vielleicht sogar Ermordung der Zweihundert?

An gegenseitigen Vorwürfen hatte es an diesem Abend und in den nächsten Tagen nicht gefehlt. Vor allem Gemeindeleiter Ugo Foà hatte in den letzten Wochen besorgte und ängstliche Stimmen stets abgewiegelt. Die Deutschen wären nur an einer geordneten Herrschaft in Rom interessiert; an den Juden hätten sie bislang überhaupt kein Interesse gezeigt. Foà fühlte sich auch durch entsprechende Hinweise italienischer Behörden bestätigt, zu denen er als Ex-Richter gute Kontakte pflegte.

Namentlich der Oberrabbiner der Gemeinde, Israel Zolli, war anderer Meinung. Schon beim Eindringen deutscher Verbände in Rom hatte er die Gemeinde aufgefordert sich zu zerstreuen. Unter deutscher Herrschaft sei das Schicksal der Juden Roms besiegelt, so Zolli. Es gäbe kein Entrinnen. Nur eine allgemeine Zerstreuung könne die Gemeinde retten. Foà und andere aus dem Vorstand hielten diese radikale Forderung für weit überzogen, ja absurd. Sie stritten heftig mit ihrem ohnehin ungeliebten Oberrabbiner und schoben seine Warnung beiseite.

Zolli zog mit seiner Familie allein die Konsequenz. Sie tauchten unter. Für diese »Flucht« ihres Rabbis hatte die Gemeindeleitung nicht das geringste Verständnis. Sie erwartete, dass er auf seinem Posten blieb.

Zolli und seine Angehörigen haben im Untergrund die deutsche Besatzung überlebt. Das Zerwürfnis mit der Gemeinde blieb danach bestehen. Insbesondere mit Präsident Foà, der ebenfalls lebend davonkam, geriet Zolli heftig aneinander. Nach dem Krieg ließ sich Zolli katholisch taufen.

Weil er Pius XII. sehr verehrte, nahm er den Vornamen *Eugenio* an. Zu einer Annäherung zwischen Zolli und der jüdischen Gemeinde sollte es nicht mehr kommen. Der Graben zwischen ihnen war nicht nur tief, sondern auch unüberbrückbar geworden.[21]

27. September

* * *

Die Zeit drängt

Die Nachricht der Goldforderung durch die SS verbreitete sich in Rom wie ein Lauffeuer. Bereits am Montagmorgen des 27. September wurde in den Gemeinderäumen gleich neben der Synagoge ein Krisenzentrum für die Goldabgabe eingerichtet. An einem langen Tisch setzten sich der Juwelier Angelo Anticoli und zwei Goldschmiede sowie der Buchhalter Renzo Levi. Die vier wurden von der Sekretärin des Gemeindebüros Rosina Sorani unterstützt. Am Eingang sollte sie alle protokollieren, die etwas brachten. Der Juwelier und die Goldschmiede wogen und begutachteten jedes Teil. Niemand sollte abgewiesen werden. Jede noch so geringe Abgabe wurde von Signora Sorani aufgeschrieben und der Name des Spenders festgehalten.

Den ganzen Tag über klingelten überall in Rom zahlreiche Telefone, Kuriere eilten von Ort zu Ort und Mundpropaganda verbreitete die Hiobsbotschaft bis in die letzten Winkel. Trotz dieser schnellen Kampagne fanden sich am Vormittag nur Wenige ein, um Goldteile abzugeben. Für die Masse der jüdischen Bevölkerung war die Nachricht von der deutschen Erpressung noch zu frisch und unbestätigt. Nervös begann man in der Gemeindeleitung hochzurechnen. Wenn sich die Goldabgabe nicht deutlich steigerte, bekäme man bis morgen Mittag nie und nimmer die geforderten fünfzig Kilo zusammen. Ihnen rann die Zeit davon.

Am frühen Nachmittag brachte Signor Adriano Ascarelli vom Gemeindevorstand eine Idee zur Sprache, die alle schon im Hinterkopf hatten. Man könnte doch den Vatikan um Hilfe bitten. Für ihn sei es einfach, eine größere Menge Gold zur Verfügung zu stellen. Doch so leicht der Vatikan helfen konnte, so schwer fiel es der jüdischen Gemeinde, sich ausgerechnet an ihn zu wenden. Die leidvolle Geschichte der römischen Juden mit den Päpsten war in den Herzen noch sehr präsent. Die Wunden der Vergangenheit bluteten zwar nicht mehr, aber sie schmerzten.

Die harte Drohung Kapplers ließ dem Gemeindevorstand keine Wahl. Man musste Pius XII. um Hilfe bitten. Offiziell bestand keine Verbindung zum Vatikan. Wie konnte man kurzfristig den Papst erreichen? Signor Ascarelli dachte an seinen guten Bekannten Pater Borsarelli vom Konvent der Missionare zum Heiligen Herzen.[22] Pater Borsarelli war Abtstellvertreter und hatte einen kurzen Draht zum Vatikan. Er konnte rasch tätig werden. Buchhalter Renzo Levi, der sehr aktiv in der italienisch-jüdischen Hilfsorganisation für Emigration DELASEM tätig war, stimmte dem Vorschlag zu. Er bot sich an, zusammen mit Ascarelli den Pater aufzusuchen. Die beiden machten sich gleich auf zum Konvent. Gegen 14 Uhr an diesem Montag erreichten sie Pater Borsarelli. Der Pater wusste wahrscheinlich schon von der Golderpressung. Jedenfalls sagte er sofort zu, dass er umgehend Kontakt zum Vatikan aufnehmen wolle. Die beiden sollten um 16 Uhr wiederkommen, dann könne er bestimmt schon eine Antwort überbringen.

Als Ascarelli und Levi zum Sammelbüro kamen, trafen sie auf eine kleine Menschenschlange, die vor der Eingangstür wartete. Während ihres Besuchs bei Pater Borsarelli hatte ein reger Zulauf eingesetzt. In den Nachmittagsstunden wuchs die Schlange der Wartenden stetig. Herbeigebracht wurde alles, was irgendwie golden war: Ringe, Ketten, Tabakdosen, Uhren, Löffel, Schmuck in jeder Form und was sonst noch alles. Vieles davon hatte für die Menschen großen Erinnerungswert. Es war für sie doppelt schwer, Familienstücke oder persönliche Geschenke abzugeben. Manche wollten ihren kleinen Goldbeitrag an die Gemeinde verkaufen. Das geschah meist aus blanker Not, um mit dem Geld ein Stück weiter überleben zu können. Da diese Geber nicht abgewiesen werden sollten, begann man auch Bargeld als Spende entgegenzunehmen. Damit konnte man angebotenes Gold kaufen.

In die Schlange reihten sich auch Menschen ein, die nicht zum Umfeld der jüdischen Gemeinde gehörten. Es waren Römer aus allen Schichten der Bevölkerung. Sie hatten von der Erpressung der Deutschen gehört und wollten helfen. Nicht wenige in der Reihe waren Priester.[23] Viele der Herbeigeeilten kamen aus eigenem Antrieb. Einige wurden auch von ihren Pfarrgemeinden gesandt, um solidarisch einen Obolus zu überbringen. So fanden christliche Devotionalien und sogar Kultgeräte aus Kirchenbeständen Eingang in den anwachsenden Goldschatz.

Szene aus dem Film *L'oro di Roma* von Carlo Lizzani (1961)

Pünktlich um 16 Uhr klopften Adriano Ascarelli und Renzo Levi bei Pater Borsarelli wieder an die Tür. Diesmal waren die beiden erleichtert. Im Sammelbüro hatten sie mit den anderen eine Bilanz gemacht. Die Menge des bisher abgegebenen Goldes und das, was man noch bis morgen Mittag erwartete, konnte reichen für Kapplers Forderung – so hoffte man jedenfalls zuversichtlich. Ein Zuschuss vom Vatikan war nicht mehr unbedingt notwendig.

Pater Borsarelli hatte eine gute Nachricht für die beiden Vertreter der jüdischen Gemeinde. Seine Anfrage im Vatikan wurde sofort an den Papst weitergeleitet. Dieser habe daraufhin angeordnet, dass man jede fehlende Menge Goldes bis zu den 50 Kilogramm aufstocken solle. Der Zuschuss sei allerdings nicht als Spende gedacht, sondern nur als Kredit, der zurückgezahlt werden müsse. Ascarelli und Levi bedankten sich. Gleichzeitig teilten sie dem Pater aber mit, dass die Gemeinde voraussichtlich auf das Gold des Vatikans nicht mehr angewiesen sei. So wie es aussehe, werde man es aus eigenen Kräften schaffen. Das war zwar nur eine gute Hoffnung, aber sie war groß genug, um auf das Papstgold verzichten zu können. Wenn sie bis 18 Uhr nicht wieder hierher kämen, so Ascarelli und Levi, bliebe es bei der dankenden Ablehnung des Vatikankredits. Es blieb dabei. Die beiden tauchten nicht wieder bei Pater Borsarelli auf.

28. September

* * *

Am nächsten Morgen, dem Abgabetag des Goldes um Punkt zwölf Uhr, wurde in aller Frühe erneut Bilanz gemacht. Fünfunddreißig Kilo waren bislang zusammengekommen. Konnten in den verbleibenden wenigen Stunden noch mindestens fünfzehn Kilo hereinkommen? Viele waren skeptisch. Aber man wollte die Hoffnung nicht aufgeben. Schließlich lief es bis gestern Abend ganz gut. Der Erpressungsschock hatte unter den Gemeindemitgliedern und vielen anderen Römern aus allen Schichten und Bekenntnissen eine ungeahnte Solidaritätswelle ausgelöst.

Am Dienstagmorgen fehlte allerdings noch fast ein Viertel des geforderten Goldes. Was konnte jetzt noch unternommen werden, wenn in den nächsten fünf Stunden die Abgabe von Kleinteilen langsam versiegte? Sollte man sich wieder an den Vatikan wenden, trotz der offiziellen Absage gestern? Der Gemeindevorstand blieb optimistisch. Er wollte vor allem keine Panik unter ihren Leuten auslösen und auch keine Zwietracht aufkommen lassen. In der langen Schlange vor dem Sammelbüro hatte es am Montag kontroverse Diskussionen gegeben. Die Menschen waren sehr verunsichert und stellten sich Fragen über Fragen: War das Gold nur der Anfang der deutschen Repressalien? Würde SS-Chef Kappler tatsächlich Wort halten? Sollte man sich weigern zu bezahlen? Konnte den Juden hier in Rom in der Stadt des Papstes überhaupt etwas geschehen? War das Schicksal der Judengemeinde durch die Deutschen nicht schon längst besiegelt? Sollte sich die Gemeinde jetzt zerstreuen und in den Untergrund abtauchen?

Zu jeder Frage gab es verschiedene Meinungen und Streit. Wer zum Gemeindepräsidenten Foà ging, um aus erster Hand zu erfahren, wie die Dinge wirklich standen, wurde beruhigt. Die Lehrerin Elena Sonnino Finzi zum Beispiel wollte von ihrem Präsidenten aus eigenem Mund hören, ob es Anlass zu Befürchtungen gebe. Sie hatte vor dem Sammelbüro mit Schülern über das Verstecken diskutiert.

»Dazu gibt es keinen Grund«, antwortete Foà auf die besorgte Frage Sonnino Finzis. Und er fügte hinzu: »Ich weiß wirklich nicht, was Sie bedrohen könnte«.

Signora Finzi traute den Worten ihres Gemeindeleiters nicht über den Weg. Ein paar Tagen später verschwand sie heimlich. Damit rettete sie ihr Leben.[24]

Beispielhaft für einige andere junge Gemeindemitglieder war der 24-jährige Lello Perugia.[25] Er hatte sich einer kommunistischen Partisanen-gruppe angeschlossen und schon Anfang des Monates gegen die einrückenden deutschen Truppen gekämpft. Auf die Golderpressung kannte Lello nur eine Antwort: Statt den Deutschen Gold zu geben sollte man ihnen „Blei" verpassen. Keine Konzessionen! Das Schicksal der Juden Roms sei mit oder ohne Gold der Tod.»Uns wird es genauso ergehen wie den Juden anderswo«, so Lello. Der kompromisslose Partisan hatte Sympathisanten in der Gemeinde. Aber größere Unruhe konnten sie nicht erzeugen. Viele resignierten und wollten nur irgendwie durchhalten. Selbst die Mutter von Lello, die sich auch unter die Kommunisten zählte, war für die Goldübergabe. Im Namen ihrer Familie spendete sie, was sie geben konnte. Das Leben von zweihundert Geiseln war ihr im Moment wichtiger als ein ideologisches Nein.

28. September

* * *

Pius XII. und die Golderpressung

Obwohl auch Oberrabbi Zolli gegen den Goldcoup mit der SS war, wurde er zeitnah über den besorgniserregenden Stand »35 Kilo« unterrichtet. Dienstagfrüh um 7 Uhr kam aufgeregt ein Kontaktmann (Sig. Pierantoni) zu Zolli in die Wohnung der Familie Fiorentino, wo der Rabbi Unterschlupf gefunden hatte. Pierantoni überfiel Zolli knapp mit den Worten: „Gehen Sie zum Vatikan und sehen Sie zu, das man Ihnen 15 Kg Gold leiht."[26] Zolli solle sich beeilen. Unten auf der Straße habe der Hausherr, Rechtsanwalt Fiorentino, schon den Wagen vorgefahren.

Signor Pierantoni oder dessen unbekannter Zuträger aus der Gemeinde wollten den Optimismus im Sammelbüro nicht teilen. Sie sahen im Papstangebot die letzte Chance, Kapplers Forderung erfüllen zu können. Oberrabbi Zolli könnte im Vatikan rasch Gehör finden und das fehlende Gold beschaffen. Wenn es hart auf hart käme, würde die Gemeindeleitung sicherlich doch noch vom Vatikan und durch Vermittlung Zollis Hilfe annehmen.

Rabbi Zolli sagte zu. Der Weg von seiner Fluchtwohnung im Stadtteil Prati bis zum Vatikan war nicht weit. Kurze Zeit später stand er im Büro von Sondervermögensverwalter Bernadino Nogara. Zolli schilderte die Notlage der Gemeinde und erbat genau 15 Kilogramm Gold. Der Vermögensverwalter war schon im Bilde. Er wusste von der gestrigen Bitte jüdischer Vertreter und von der Entscheidung des Papstes, einspringen zu wollen. Nogara ließ sich kurz entschuldigen. Als er wieder kam, überbrachte er die Nachricht vom Papst, dass die fünfzehn Kilo als Kredit zur Verfügung gestellt würden. Zolli solle sich um 13 Uhr wieder einfinden, dann liege ein Paket bereit. Gegen eine Quittung könne er es ohne weitere Formalitäten mitnehmen.[27] Ob in dem Paket Goldbarren/Goldmünzen sein sollten oder Bargeld zum Goldkauf, vermerkte Zolli nicht.

Im Laufe des Vormittags an diesem Dienstag, den 28. September, bildete sich wieder eine Schlange vor dem Sammelbüro. Das war eine freudige Überraschung. Im Tagebucheintrag von Piero Modigliani heißt es:[28]

> Heute Morgen waren wir alle am Telefon, um Nachrichten zu bekommen. Am frühen Morgen waren es 37 kg, dann 39, dann 40! Immer noch fehlten Kilos. Es traf eine anonyme Spende von zwei kg ein. Dann wurde eine Kollektion alter Tabakdosen übergeben. Schließlich wurde die Menge der geforderten 50 kg erreicht.

Zusätzlich zum Gold sind in bar zwei Millionen Lire zusammengekommen.[29] Das Geld wurde jetzt nicht mehr zum Goldkauf benötigt und verschwand im Tresor.

Einige in der Gemeindeleitung überlegten, ob man das Ultimatum »12 Uhr« einhalten sollte. Die rechtzeitige Abgabe könnte bei Kappler den Anschein erwecken, dass die Sammlung von fünfzig Kilo Gold problemlos gelaufen sei. Würde man dadurch nicht seine Gier anstacheln? Kappler könnte leicht in den nächsten Tagen nachfordern. Der Gemeindevorstand wurde schnell einig. Präsident Foà sollte eine Fristverlängerung aushandeln.

Kurz vor 12 Uhr wagte Foà den Telefonanruf bei Kappler im Büro. Er sagte ihm, dass man das Gold fast zusammen habe. Es fehle nur noch wenig. Wenn der Herr Obersturmbannführer eine Fristverlängerung gewähre, könne man das Gold noch heute bis auf das letzte Gramm abliefern. Kappler war einverstanden. Er gewährte einen Aufschub bis 16 Uhr, keinesfalls länger. Nicht nur die Gemeindeleitung, auch zahllose Menschen im Viertel rund um die Synagoge atmeten auf. Jetzt konnte nichts mehr schiefgehen. Auch Rabbi Zolli erfuhr in seinem Versteck von der guten Nachricht. Dank vieler weiterer Spenden, darunter auch Pfarrgemeinden, sei genügend Gold gesammelt worden. Jetzt brauchte er das Paket des Papstes nicht mehr. Zolli machte sich auf den Weg zum Vermögensverwalter Nogara, um ihm persönlich die gute Nachricht zu überbringen. Wie Nogara in einem handschriftlichen Brief einen Tag später mitteilte, sagte ihm der Rabbi, dass katholische Kirchengemeinden die fehlenden 15 kg Gold gespendet hätten. Die jüdische Gemeinde bräuchte jetzt keine weitere Hilfe mehr.[30]

Woher Zolli die Information von den fünfzehn Kilo Gold durch Pfarreien hatte, ist nicht klar. Kam sie direkt aus dem Sammelbüro oder hat der Rabbi privat über den Daumen gepeilt hochgerechnet? Sicher ist, dass viele Kirchenpfarreien und fremde Privatpersonen gespendet haben. Doch es gibt keine Hinweise aus dem Sammelbüro oder der Gemeindeleitung, wie viel das im Einzelnen war. Insgesamt aber sind fünfzehn Kilo Goldbeitrag von Pfarreien und Privatspendern aus allen Richtungen gut möglich, wahrscheinlich war der Betrag sogar noch höher. Einschließlich verspäteter Spenden kamen mehr als die geforderten fünfzig Kilo zusammen.[31]

Nach der Befreiung Roms durch US-Truppen kam rasch das Gerücht auf, dass Pius XII. durch eine großzügige Goldspende die jüdische Gemeinde vor der Erpressung der SS gerettet habe. Es kursierten Berichte von hastig eingeschmolzenen Kelchen und anderen liturgischen Goldgeräten oder von einem tiefen Griff des Papstes in sein Privatvermögen. Vertreter der jüdischen Gemeinde traten diesen Gerüchten immer entgegen.[32] Trotzdem hielt sich die Fama standhaft und wird zuweilen bis heute verbreitet.

Tatsächlich wäre es eine historische Liebestat Pius XII. gewesen, wenn er von sich aus der jüdischen Gemeinde beigestanden hätte. Warum musste er gebeten werden? Ihm und der ganzen Kurie war klar, wie schwer es den Juden Roms fallen musste, gerade den Vatikan um Hilfe zu bitten. Warum bot er nur einen Kredit an, zurückzuzahlen bis auf die letzte Lira? Der Haushalt des Vatikans wäre nicht ins Trudeln geraten, hätte man die

Spende als solche verbucht. Mehr als sonst jemandem war der Papst den Juden in seiner Stadt das schuldig.

Auch zu Botschafter von Weizsäcker nahm Pius keinen Kontakt auf, ganz zu schweigen von einer Intervention bei der örtlichen Dienststelle Kappler. Als Kirchenoberhaupt von Rom hätte Pius allen Grund gehabt. Das Leben von zweihundert Juden seiner Bischofsstadt war bedroht. Die offen vorgetragene Deportationsankündigung war ein Affront gegen den Hl. Stuhl. Eine politische Reaktion hätte Berlin in Erklärungsnot und Kappler in schwere Bedrängnis gebracht. Doch Papst Pius zog es vor, sich rauszuhalten.

Um auf Empfindlichkeiten der jüdischen Gemeinde Rücksicht zu nehmen und sie nicht zu verletzen, hätte Papst Pius über Mittelsmänner anonym Gold spenden können. Warum hat er das nicht getan? Es gibt keinerlei Hinweise dazu. Außer der Mitteilung von Vermögensverwalter Nogara über die ausgeschlagenen 15 kg Gold und einer dürren Notiz, dass die jüdische Gemeinde von der deutschen Polizei zur Abgabe von 50 kg Gold erpresst werde, liegen nach den vatikanischen ADSS-Akten keine weiteren Dokumente vor. Nirgendwo vermerkte Monsignor Montini auch nur kurz eine Anweisung des Papstes, der jüdischen Gemeinde auszuhelfen.

Auffällig ist, dass das langjährige Faktotum im Päpstlichen Haushalt, Schwester Pascalina Lehnert, in ihrer Pius-Biographie nur an einer Stelle und sehr knapp auf die Bereitstellung von Gold zu sprechen kam. Die Bemerkung – nicht einmal eine Zeile lang – ist obendrein missverständlich.[33] Ansonsten sparte Schwester Pascalina in ihren Erinnerungen nicht an Platz, wenn sie die vielfältigen finanziellen Hilfen des Papstes gegenüber Notleidenden in Rom und anderswo beschrieb. Auch die Unterstaatssekretäre Montini und Tardini, Privatsekretär Pater Leiber oder Kardinäle der Kurie konnten später nie etwas zugunsten Pius XII. und der Golderpressung sagen.

28. September, nachmittags

* * *

Schwierige Übergabe

Am frühen Nachmittag verpackte man im Sammelbüro genau 50,3 kg Gold in zehn Kartons. Die 300 Gramm mehr waren als Sicherheitszugabe gedacht. Präsident Foà erbat beim italienischen Polizeipräsidium einen kleinen Begleitschutz für den Transport durch Rom. So gut wie jeder in der Stadt wusste mittlerweile von dem Gold und dem Abgabetermin am Dienstag; verlockend für einfache Straßenräuber oder bestimmte Partisanengruppen. Die Questura gewährte den Schutz mit zwei Kommissaren in Zivil. In Polizeiautos wurde der Schatz aber nicht transportiert. Die Gemeindeleitung bestellte zwei unauffällige Taxis.

Pünktlich um 16 Uhr fuhren die Präsidenten Ugo Foà und Dante Almansi bei der Deutschen Botschaft Villa Wolkonsky vor. Sie wurden von einer kleinen Delegation begleitet, darunter auch dem Juwelier Angelo Anticoli. Überraschenderweise war Kappler nicht da. Er ließ der verblüfften Delegation jedoch ausrichten, dass sie das Gold im neuen Gestapo-Hauptquartier in der Via Tasso abliefern sollten. Dort erwarte sie der Abteilungsleiter Hauptsturmführer Karl Schütz.

Was hatte das zu bedeuten? Erst machte SS-Chef Kappler die Goldabgabe mit der Geiseldrohung zu seiner persönlichen Angelegenheit, jetzt sollte die Gestapo die Sache abschließen. Foà, Almansi und die anderen waren irritiert und auch besorgt. Hatte die deutsche Geheimpolizei etwas vor? Sollten sie vielleicht gleich in Haft genommen werden? Mit flauem Gefühl fuhr man mit den beiden Taxis zur Via Tasso 155, was nur eine Straße weiter war.

Hauptsturmführer Schütz war vorbereitet. Er hatte zwei Fachleute einbestellt, die das Gold korrekt wiegen sollten. Die jüdische Delegation wurde in einen Raum mit einem langen Tisch geführt. Dort haben die beiden bestellten Goldschmiede Platz genommen und ihre Waagen aufgestellt. An die Stirnseiten des Tisches setzten sich jeweils Gestapochef Schütz und Präsident Foà. Vor ihren Augen wurden die Goldutensilien aus den Kartons Stück für Stück bestimmt und nachgewogen.[34] Während des Wiegens gab sich Schütz arrogant und misstrauisch. Er führte selbst Protokoll der Einzelgewichte und rechnete am Ende zusammen. Sein Ergebnis lautete: 45,3 Kilo. Das hieß, in seinen Augen fehlten ganze 4,7 kg Gold. Das konnte nicht sein. Auch Foà hatte genau mitprotokolliert. Er kam auf die geforderten fünfzig Kilo plus der mitgenommenen Reserve von 300 Gramm. Foà protestierte energisch. Es nützte aber nichts. Schütz wurde laut und bestand darauf, dass er von den Juden hier und jetzt betrogen werde. Es brauchte eine Weile, bis die Präsidenten Foà und Almansi den Hauptsturmführer zu einer Nachkontrolle überreden konnten.

Szene aus dem Film *L'oro di Roma* von Carlo Lizzani (1961)

Im jüdischen Gemeindebüro wartete man angespannt auf eine erlösende Nachricht. Als man nach 18 Uhr immer noch nichts hörte, stieg Angst hoch. Was hatte das zu bedeuten? War die Delegation verhaftet worden? Um 20 Uhr gab es immer noch kein Lebenszeichen. Jetzt waren viele überzeugt, dass die SS die Präsidenten und ihre Begleitung verhaftet hatten. Die Deutschen hatten sie betrogen. Man befürchtete das Schlimmste.

In der Via Tasso neigte sich indessen der zweite Wiegevorgang zugunsten der jüdischen Delegation. Es waren tatsächlich 50 kg. Schütz musste seinen Irrtum eingestehen. Am Ende erbat Präsident Foà eine Quittung für die Gemeinde. Die Sammlung und korrekte Übergabe des Goldes sollte von der deutschen Dienststelle schriftlich bestätigt werden. Schütz lehnte das Ansinnen kategorisch ab. Er stelle keine Quittung aus. Das sei sein letztes Wort. Foà und seine Delegation mussten sich fügen. Ohne irgendeinen Nachweis über die Abgabe des Goldes traten sie den Heimweg an. Nachdenklich fragte sich Foà, ob das Ultimatum und die Golderpressung Kapplers illegal waren. Sollte die strikte Weigerung von Schütz, etwas Schriftliches auszustellen und die Unsichtbarkeit Kapplers Spuren verwischen? Als die Delegation gegen 20.30 Uhr ins Gemeindezentrum zurückkam, atmeten alle auf. Niemand war verhaftet worden. Weder Kappler noch Schütz hatten Drohungen ausgesprochen oder etwas nachgefordert. Offensichtlich akzeptierten die Deutschen jetzt das Lebensrecht der Juden in Rom. Gemeindeleiter Foà und Verbandspräsident Almansi waren hoffnungsvoll; der Sturm schien so schnell vorübergezogen zu sein wie er heraufgekommen war. Die SS hatte ihr Gold und die jüdische Bevölkerung weiterhin Sicherheit. Die allermeisten Gemeindemitglieder und andere Juden in der Stadt fühlten sich von einem Alpdruck befreit. Zwei Wochen nach Einmarsch der Deutschen schien klar zu sein, dass sie weiterhin in Ruhe hier leben könnten.

Diese Sorglosigkeit sollte sich bitter rächen. Wer es jetzt unterließ, Rom zu verlassen oder unterzutauchen, schwebte in Lebensgefahr.

In den darauffolgenden Tagen ließ Kappler die abgegebenen Goldutensilien durch Sachverständige erneut prüfen, diesmal sehr gründlich. Nach der Erinnerung Kapplers dauerte die Prüfung ein bis zwei Tage. Das Ergebnis lautete: 48,6 kg Reingold, der Rest sei Goldimitat.[35] Diese eineinhalb Kilo Beimischung lag noch in einer akzeptablen Toleranzgrenze. Kappler war zufrieden.

Jetzt nahm er das Gold selbst in Augenschein. Er wunderte sich, dass die gesammelten Gegenstände hauptsächlich Kleinteile waren wie Eheringe, Anstecknadeln, bescheidene Schmucksachen etc. Offensichtlich stammten sie von der jüdischen Durchschnittsbevölkerung. Kappler hatte eigentlich angenommen, so seine spätere Aussage, dass die Sammlung unter der reichen Oberschicht durchgeführt werden würde.[36]

Der Verweis auf „reiche Juden", denen eine kollektive Goldabgabe nicht weh getan hätte, kann nur als Schutzbehauptung angesehen werden. Kappler war kein Neuling in Rom. Er kannte die Verhältnisse hier seit Jahren. Und er war ein gut ausgebildeter Spionagepolizist. Ihm durfte klar gewesen sein, dass die jüdische Gemeinde nicht von einer reichen Oberschicht profitieren konnte.

1./2. Oktober

* * *

Für die SS in Berlin

Warum ließ Kappler das Gold noch einmal überprüfen? Vermutlich lag der Grund darin, weil er den Judenschatz ganz offiziell dem Reichssicherheitshauptamt in Berlin übereignen wollte.

In den ersten Oktobertagen bot sich die Gelegenheit für einen schnellen Transport. Ein SS-Sturmbannführer, der gerade undercover in Rom war, musste dringend zurück nach Berlin. Ein Flugzeug stand für ihn bereit; er konnte die Kisten im Flieger mitnehmen. Bei dem Sturmbannführer handelte es sich um Albert Hartl, der pikanterweise ein ehemaliger katholischer Priester war. Anfang 1934 hatte er mit der Kirche gebrochen und war in den Dienst der SS eingetreten.

Kappler bat Hartl das Judengold nach Berlin mitzunehmen und im RSHA abzugeben. Der bereits vor der Machtergreifung Hitlers fanatische Nationalsozialist Hartl war Pius XII. seit Jahren aus den Akten gut bekannt. Als Kirchenreferent hatte Hartl im RSHA rasch Karriere gemacht. Bis zu seiner vorübergehenden Strafversetzung in die Ukraine – wegen einer Sexaffäre –, war er sogar der Chef von Adolf Eichmann im Amt IV B gewesen. In der Ukraine hatte Hartl Massenerschießungen von Juden miterlebt und das ganze Ausmaß der Vernichtungspolitik Hitlers kennengelernt. Ein Nervenzusammenbruch brachte ihn zurück nach Berlin ins RSHA, in die SD-Auslandsabteilung. Nach der Besetzung Italiens war Hartl gleich nach Rom gekommen, um kirchliche Kontakte zu pflegen und aufzubauen. Eine wichtige Anlaufstelle war der österreichische Bischof Alois Hudal von der *Deutschen Gemeinde* Roms. Hudal hegte seit langem Sympathien gegenüber dem Nationalsozialismus und setzte sich für eine fruchtbare Koexistenz mit der Kirche ein. In Rom war der Bischof eine unerlässliche Anlaufstelle für alle deutschen Dienststellen – bis hinauf zum Feldmarschall Kesselring. Nach dem Krieg wird Hudal wesentlich die Fluchthilfe für hochrangige Nazis von Italien nach Südamerika steuern.

SS-Sturmbannführer Hartl kannte das Schicksal der deportierten Juden genau. Den römischen Juden würde es nicht anders ergehen als den Leidensgenossen überall im besetzten Europa. Sprach Hartl davon mit Bischof Hudal? Hudal verlor darüber kein Wort. Und welchen Informationsfluss gab es zwischen Hartl und Kappler? Von der befohlenen Deportation hatte

Hartl entweder in Rom oder schon in Berlin erfahren. Es ist sehr unwahrscheinlich, dass er Kappler nichts vom Judenschicksal „im Osten" erzählt
hat. Der Deportationsbefehl war ein massiver Eingriff in die Sicherheitslage Roms und betraf auch direkt die SD-Spionageabteilung des Reichssicherheitshauptamtes. Hartl und Kappler dürften die Umstände und die
Folgen einer Judendeportation in der Ewigen Stadt hinreichend diskutiert
haben. Selbst wenn Kappler den Begriff »Endlösung«, wie er behauptete,
erst nach dem Krieg gehört hat, so war ihm doch klar, was für ein Schicksal
die Juden Europas im Osten erwartete.

Am 1. oder 2. Oktober flog Hartl mit der fünfzig Kilo schweren Goldkiste
nach Berlin. Kappler hatte ihm einen Brief mitgegeben. Das Gold und den
Brief sollte er direkt dem Chef des Reichssicherheitshauptamtes, SS-Obergruppenführer und Polizeigeneral Ernst Kaltenbrunner, übergeben. Kappler wusste, dass Kaltenbrunner eine Vorliebe für die SS-Spionageabteilung
hatte. Diese war aber ständig unterfinanziert. Im Begleitbrief bot Kappler
das Gold als Unterstützung für diese Abteilung an. Gleichzeitig betonte er
noch einmal, dass sich die geplante Judenrazzia kontraproduktiv für die
Sicherheit in Rom auswirke. Die Kontakte der Juden zu den Alliierten und
zu Finanzgruppen im Ausland könnten dann nicht mehr abgeschöpft werden.[37]

In Berlin konnte Hartl das Gold und den Brief Kapplers nicht direkt
übergeben. Kaltenbrunner war auf Dienstreise. Der erste Adjutant des
Chefs, Sturmbannführer Achim Ploetz, nahm die Sendung ohne Nachfrage
an. Kurz darauf telegrafierte Hartl an Kappler, dass er Gold und Brief an
den Adjutanten Dr. Ploetz übergeben habe.

Nach seiner Rückkehr ins Amt erfuhr Kaltenbrunner vom Judengold
aus Rom und las Kapplers Begleitschreiben. Statt sich über das unerwartete
„Geschenk" aus Rom zu freuen, war er erbost. Was hatte sich der Sipo-
Chef dort unten in Rom bloß dabei gedacht? Der Führer wollte nicht das
Gold der Juden, er wollte sie selbst. Rom musste judenfrei werden.

In seinem Brief äußerte Kappler nur vage seine Bedenken zum Razzia-
und Deportationsbefehl. Kaltenbrunner interpretierte die Andeutung und
das Gold korrekt. Kappler suchte nach einer Möglichkeit, den Judenbefehl
aufzuschieben oder ganz auszusetzen zu können. Während seines Prozes-
ses 1947 wird Kappler mehrfach betonen, dass er mit dem Gold der Juden
das RSHA einstweilig zufriedenstellen wollte. Vielleicht würde Kal-

tenbrunner sogar bei Himmler eine Revision des Befehls erreichen. Das klingt nach einer Schutzbehauptung. Doch die Vorgeschichte und die gesamten Umstände der Goldaktion legen nahe, dass Kappler die Wahrheit sagte.

Allerdings waren es keine humanitären Gründe, die ihn bewegt hatten. Daraus machte Kappler auch nie einen Hehl. Er hatte Sicherheitsbedenken gegen die Razzia. Als der verantwortliche SS-Polizeichef musste er dutzende Feuer bekämpfen. Ein neues Großfeuer mit vatikanischer Beteiligung wollte er nicht riskieren. Wie der Stadtkommandant Stahel und die Botschaft wusste auch er, dass ohne die vatikanische Kooperation die Bevölkerung Roms kaum zu kontrollieren war. Auch ein massenhaftes Einsickern jüdischer Freiwilliger in Partisanenzellen würde die Sicherheitslage extrem anspannen. Nach Ansicht Kapplers zeigte sich Berlin zu wenig sensibel für die konkreten Verhältnisse vor Ort. Er musste die Folgen ausbaden, nicht die da oben.

Über ein Jahr später bekam Kappler von SS-General Harster, seinem unmittelbaren Vorgesetzten in Verona, einen Anruf zur Goldaktion im September 1943.[38] Der General fragte Kappler, was es damit auf sich habe. Er habe vom Berliner RSHA eine Anfrage zum Gold aus Rom auf den Schreibtisch bekommen. Im Büro vom Chef Kaltenbrunner gäbe es eine Kiste mit Goldsachen, die von Kappler stammte. Man frage, so Harster, ob er dazu nähere Informationen habe. Kappler erschrak. Wieso hakte man jetzt urplötzlich nach – über den Dienstweg? Kappler befürchtete, nachträglich disziplinarisch belangt zu werden. Er setzte sich sofort hin und schrieb ein längeres Memo an Harster, in dem er alles zu erklären versuchte. Leider ist dieses mehrseitige Schreiben verloren gegangen. Es wäre ein interessantes Zeitdokument.

Nachdem Harster das Schreiben Kapplers bekommen hatte, beruhigte er ihn am Telefon. Berlin habe nur unverbindlich angefragt. Es gebe keine Untersuchung. Offensichtlich hatte man im Lauf des Jahres 1943/44 das Gold „vergessen" und erst im Herbst 1944 wiederentdeckt. Dann wollte man einfach wissen, was damit los sei.

Das Reichssicherheitshauptamt ließ die Sache auf sich beruhen. Der Vorgang kam zu den Akten. Das Gold blieb unberührt. Im Mai 1945 fanden russische Truppen die Kiste mit den Goldutensilien in einem Aktenschrank in Kaltenbrunners Büro. Ab dann verliert sich jede Spur. Vermutlich wurde das Gold als Reparation in die Sowjetunion geschafft. Weder die russische Botschaft in Berlin noch das Bundesarchiv können Auskunft über den Verbleib geben.

1961 zahlte die Bundesregierung eine Entschädigung an die Jüdische Gemeinde Roms in Höhe von 2,5 Millionen D-Mark. Es sollte eine Kompensation sein für das Gold und für die geraubte Bibliothek (folgender Punkt).[39]

29. September

* * *

Plünderungen

Am Morgen nach der Goldübergabe schraken viele Bewohner im Herzen des Ghettos zusammen. Gestern Abend hatte sich die gute Nachricht rasch verbreitet, dass die Gemeindevertreter unbehelligt von der Via Tasso zurückgekommen waren. Jetzt tauchte plötzlich eine Kolonne von SS-Wachsoldaten auf. Sie hatten zwei gepanzerte Fahrzeuge dabei, auf denen für alle sichtbar Maschinengewehre montiert waren. Die Soldaten schwärmten aus und riegelten die Synagoge samt anliegendem Verwaltungsgebäude ab. Die Panzerfahrzeuge gingen vor den Gebäuden in Stellung. Es war ein gespenstisches Bild, das sich an diesem Mittwochmorgen, den 29. September, bot.[40]

Das Kommando wurde von Hauptsturmführer Mayer geführt. Er und seine Leute hatten die Gemeindebüros im Visier. Als Mayer auftauchte, arbeiteten alle Angestellten schon. Mayer ließ die Ein- und Ausgänge bewachen und befahl, die Räume akribisch zu durchsuchen.

Nicht lange und Gemeindeleiter Foà traf mit einer deutschen Eskorte ein. Mayer hatte ihn direkt aus seiner Wohnung holen lassen. Foà war ziemlich perplex, als die Soldaten vor seiner Tür standen. Seine Adresse war nicht öffentlich zugänglich. Er fragte sich ärgerlich, ob seine persönliche Sekretärin Rosina Sorani der SS die Anschrift gegeben hatte. Sie hätte ihn doch telefonisch alarmieren müssen. Dann wüssten die Deutschen nicht, wo er wohnte. Doch Signora Sorani war unschuldig. Die SS brauchte sie nicht, um die Wohnung Foàs herauszubekommen.

Im Büro erklärte Hauptsturmführer Mayer dem verdutzten Foà sein gewaltsames Eindringen:

»Die jüdische Gemeinde wird verdächtigt, konspirative Verbindungen zu den Badoglio-Verrätern zu unterhalten; ebenso zu den Alliierten. Das werden wir jetzt beweisen.«

Foà war vor den Kopf geschlagen. Vergeblich protestierte er gegen die Vorwürfe. Die Gemeinde habe keine politischen Bindungen und Verbindungen.

Mayer ließ alle Büros gründlich durchsuchen. Dabei gingen seine Leute nicht zimperlich vor. Sie warfen Möbel um und brachen Schränke auf. Sie suchten versteckte Funkgeräte oder Empfänger und sie stöberten nach belastenden Dokumenten. Rosina Sorani schrieb in ihr Tagebuch:[41]

> Wie üblich waren wir am Morgen alle im Büro und arbeiteten. Plötzlich sahen wir deutsche Soldaten hereinkommen: Es waren an die vierzig, Offiziere, Soldaten und Übersetzer. Die Soldaten waren mit Maschinenpistolen bewaffnet. Auf der Straße standen zwei mit Maschinengewehren bewaffnete Panzerwagen. Mit denen konnten sie das Haupttor durchbrechen, das wir immer geschlossen ließen.

Die Büroangestellte Clara Della Seta erzählte später näher:[42]

> Ungefähr dreißig kamen herein. Jeder von uns Angestellten - wir waren etwa fünfzehn an diesem Tag - wurde unter besondere Bewachung gestellt. Die Soldaten richteten ihre Gewehre auf uns. Während der Durchsuchung wurde ich gezwungen alle Listen und Adressen der römischen Juden herauszugeben ... Ich übergab auch die Protokolle der Sitzungen, die ich redigierte. Gerade war ein wichtiges Treffen gewesen zur Frage nach der Verwendung der gesammelten zwei Millionen Lire in den vergangenen Tagen. Da im Dokument, das ich dazu erstellte, der Ort verzeichnet war, wo die Summe lag, konnten sich die Soldaten leicht des Geldes bemächtigen. ... Sie ließen uns um drei Uhr nachmittags frei. Starr vor Angst kehrte ich in mein Haus zurück.

In seinem eigenen Büro wurde Foà gezwungen den Safe zu öffnen. Statt der vermuteten Geheimpapiere fand Mayer nur die gut zwei Millionen Li-

re aus der Sammelaktion von gestern und vorgestern. Der Hauptsturmführer war unsicher, ob er das Geld beschlagnahmen durfte. Er sicherte
sich ab und rief Kapplers Hauptquartier an. Von dort bekam er die Order,
das Geld zu requirieren.

Nach den Verwaltungsbüros wurden Nebenräume der Synagoge inspi-
ziert. Auch hier gingen die Soldaten grob vor. Foà wandte sich eindringlich
an Mayer:

»Ich bitte Sie sehr darum, dass Ihre Leute wenigstens vor unseren heiligen Kultgeräten und dem Schatzraum für Kultgegenstände Respekt hegen.
Wir haben hier nichts zu verbergen. Das ist unser heiliger Ort des Ge-
bets.«[43]

Mayer zeigte sich einsichtig. In den Verwaltungsräumen hatte er schon
eine Menge Akten und Karteikarten konfisziert und die mitgebrachten Experten hatten sich einen wichtigen Überblick auf die schriftlichen Kultur-
güter der Gemeinde verschaffen können. Technisches Gerät wurde von
seinen Leuten nicht gefunden.

Gegen ein Uhr am frühen Nachmittag endete die Durchsuchung.
Draußen auf dem Platz vor der Synagoge fuhr ein Lastwagen vor. Er sollte
all die Akten und Papiere aus den Büros aufnehmen. Unter neugierigen
und ängstlichen Blicken vieler Menschen aus der jüdischen Nachbarschaft
wurden die beschlagnahmten Dokumente, Akten und auch Bücher auf den
Lastwagen verstaut. Gegen fünfzehn Uhr war der letzte Karteischuber aufgeladen und alle Männer zogen aus den Büros ab. Mayer gab den Befehl
zum Aufbruch.

Gemeindeleiter Foà und sein Verwaltungsteam blieben geschockt zurück. Sie waren jedoch sehr erleichtert, dass niemand verhaftet worden
war. Doch was hatte diese Bürorazzia zu bedeuten? Was würde die SS mit
den Dokumenten, den Adressen und dem mühselig gesammelten Geld an-
stellen? Kam etwas nach?

Warum unmittelbar nach der erfolgreichen Goldabgabe eine Bürorazzia in
der jüdischen Gemeinde durchgeführt wurde, ist nicht klar. In seiner Prozessaussage schob Kappler die volle Verantwortung dafür auf Mayer, der
nicht zur Sipo und nicht zum SD in Rom gehört habe. Mayer sei ein SS-
Mann im Range eines Hauptsturmführers in der Informationsabteilung für
feindliche Aktivitäten (Ic) im Stab des Stadtkommandanten Stahel gewesen.[44] Kappler vermutete, dass Mayer von General Stahel im Rahmen einer

Aktion des sogenannten „Einsatzstab Reichsleiter Rosenberg" (ERR) abgeordnet worden war. Hinter dem Kürzel ERR verbarg sich eine effiziente Kulturrauborganisation für das besetzte Europa, die vom NS-Chefideologen Alfred Rosenberg geleitet wurde.[45] Nach der Machtübernahme in Italien geriet Rom sofort ins Visier des Einsatzstabes. Die geplante Judenrazzia war für die ERR-Fachleute eine einzigartige Gelegenheit ohne viel Aufhebens an die literarischen Kulturschätze der jüdischen Gemeinde zu kommen.

Korrekt ist, dass es in Kapplers Dienststelle keinen Hauptsturmführer Mayer gab. Kappler war daher nicht sein Vorgesetzter, und er konnte ihm auch nicht den Befehl für eine Durchsuchung der Gemeinderäume erteilen. Allerdings war eine Aktion des ERR nicht ohne Wissen und Einverständnis Kapplers möglich. Es musste Absprachen gegeben haben zwischen dem Stadtkommandanten und Kappler. Der Dienstweg war kurz in der Botschaftsvilla Wolkonsky, wo sie ihre Büros Tür an Tür hatten.

Für eine Absprache spricht auch, dass nach der Befreiung Roms im Keller bei der Gestapo in der Via Tasso die beschlagnahmten Akten und Dokumente aus der Gemeindeveraltung gefunden wurden. Die gut zwei Millionen Lire dagegen waren verschwunden.[46]

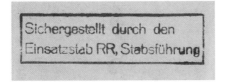

Stempel einer
ERR-Konfiszierung
Quelle: Wikipedia.org

30. Sept. - 14. Okt.

* * *

Am nächsten Morgen nach der Durchsuchungsaktion hatten sich die Angestellten in der Verwaltung vom Schrecken noch nicht erholt, als sie erneut ungebetenen „Besuch" bekamen. Es waren zwei Experten für Orienta-
listik und Hebraistik aus Berlin.[47] Einer von ihnen war SS-Offizier. Die beiden gehörten dem „Einsatzstab Reichsleiter Rosenberg" an. Die namentlich
nicht bekannten Fachleute verlangten Einsicht in die alten Buch-Bestände
der Bibliothek. Offensichtlich war die erste Bestandsaufnahme am Vortag
vielversprechend ausgefallen.

In der Verwaltung musste man sich wieder fügen. Diesmal waren keine
Soldaten dabei und die beiden Experten verwüsten nicht wieder die Büros.
Ihr Interesse galt allein den Büchern und Informationen über sie. Zwei Ta-
ge lang verschafften sie sich einen genauen Überblick, welche Werke in der
Gemeinde standen und welche das angeschlossene Rabbinerkolleg besaß.
Die Karteikarten zu den Büchern wurden von ihnen beschlagnahmt.

Die zwei Männer versäumten nicht, auch der ehemaligen Wohnung
von Oberrabbiner Zolli einen Besuch abzustatten. Am Sonntag, den 2. Oktober, gingen sie zu der verschlossenen Wohnung und ließen die Tür auf-
brechen. Viel fanden sie nicht. Zolli hatte wichtige Werke aus seiner Wohnung rechtzeitig weggeschafft. Die beiden konnten nur wenige zurückge-
lassene Bücher und Papiere von geringem Wert konfiszieren. Das machte
ihnen allerdings nicht viel aus, denn bei der Recherche im Gemeindebüro
und in der Rabbinerbibliothek hatten sie enorme Bestände gesichtet.

In den folgenden zwei Wochen tauchten die Hebräischexperten immer
wieder auf. Sie fragten nach diesen und jenen Büchern und stöberten in
Regalen. Was sie letztlich vorhatten, war Foà und den Angestellten nicht
ersichtlich. Suchten sie in den Buchbeständen der Gemeinde bestimmte
Werke? Suchten sie das eine oder andere „Juwel"? Glaubten sie, dass man
hier irgendwo literarische Schätze versteckt hatte?

Bald sollte klar werden, was die deutschen Experten unter Leitung der
SS im Sinn hatten. Am 11. Oktober standen die beiden plötzlich im Büro
der persönlichen Sekretärin Foàs, Signora Sorani. Sie legten einen harschen
Ton an den Tag. Der Signora sagten sie:

»Die beiden Bibliotheken, die wir durchsucht haben sind komplett beschlagnahmt. Dort gibt es wertvolle Bestände, die hervorragend geordnet sind. Sie, Signora, haften mit ihrem Leben dafür, dass alles an Ort und Stelle bleibt bis zum Abtransport.«[48]

Danach griff einer der beiden zum Telefon und rief die Transportfirma Otto & Rosoni an. Er fragte nach einem großen Wagon zum Transport von Büchern. Heute sei es unmöglich, war die Antwort, aber in den nächsten Tagen. Die beiden schärften der Sekretärin noch einmal ein, dass nichts verschwinden dürfe und gingen.

Keine vierundzwanzig Stunden später klopfte ein Mitarbeiter der Transportfirma bei Signora Sorani an die Tür. Draußen habe man einen Container-Wagon aufgestellt für die Bücher. Er und seine Leute hätten die Anweisung, zwei Bibliotheken zu verladen. Ohne Zwang wollte Sorani nichts herausgeben. Zur Sicherheit rief sie bei der Firma an. Dort bestätigte man den Auftrag und kündigte die Ankunft eines deutschen Offiziers an. An diesem Tag kam jedoch niemand mehr. Wenn sich die SS nicht persönlich einschaltete, ließe sich die Sache vielleicht verschleppen. Die Hoffnung hielt jedoch nicht lange an.

Am nächsten Morgen, den 14. Oktober, standen die beiden bekannten Experten vor der Tür. Sie hatten die Arbeiter der Transportfirma dabei. Jetzt sollte es zur Sache gehen. Unter den wehmütigen Augen der Angestellten und vieler Neugieriger auf der Straße wurden alle Bücher der Gemeindebibliothek und des Rabbinerkollegs ausgeräumt, verpackt und in den riesigen Wagon verstaut. Die Verladung dauerte den ganzen Tag.[49]

Es waren sehr viele wertvolle und einzigartige Schriften darunter: mittelalterliche Judaica, Manuskripte, Inkunabeln, Soncinaten und historische Dokumente. Der jüdische Schriftsteller Debenedetti, der seinerzeit in Rom lebte, beschreibt den Verlust näher: „Soviel wir wissen, befand sich in den Archiven eine Fülle von Dokumenten, handgeschriebene und gedruckte Chroniken der Diaspora im Mittelmeerraum, außerdem sämtliche authentische Quellen zur frühen und späteren Geschichte der Juden Roms, dieser nächsten und direktesten Nachfahren des antiken Judentums. Noch unbekannte Darstellungen vom Rom der Cäsaren, Kaiser und Päpste, voll ungeahnter Perspektiven verbargen sich unter jenen Schriften."[50]

Das umfangreiche Material wurde am Bahnhof in zwei Eisenbahnwagons geladen und nach Deutschland verschickt. Ein Bediensteter der Gemeinde, notierte sich die Transportnummern der beiden Wagons: DRPI-München-97970 G und C.[51]

Nach dem Krieg sind von US-amerikanischen Archivbeauftragten umfangreiche Bestände von geraubten Büchern in Lagerhallen bei Offenbach a. Main entdeckt und gesichtet worden. Darunter waren auch viele Werke aus der Bibliothek des römischen Rabbinerkollegs.[52] Zusammen mit anderen geraubten Beständen aus Italien konnten 1947 rund sechseinhalb tausend Bücher an das Kolleg zurückgebracht werden. Die zum Teil wertvollen Bücher und Dokumente aus der Gemeindebibliothek wurden nicht wiedergefunden.

Ob sie in den Kriegswirren untergegangen sind oder ob irgendwo noch Teile lagern, ist nicht bekannt.

Beispiel geraubter

ERR-Bücher (Riga/Nov. 1943)

6./7. Oktober

* * *

Eilige Telegramme

Pius XII. hatte auf die Goldaktion Kapplers sehr zurückhaltend reagiert. Er sah keinen Grund wegen der Bedrohung von Leib und Leben römischer Juden bei deutschen Dienststellen zu intervenieren. Wie reagierte dagegen Konsul Moellhausen als der diplomatische Vertreter in Rom?

Als Moellhausen von der Goldforderung erfuhr, war er sehr ungehalten. Er hatte sich darauf verlassen, dass Kappler nach dem gemeinsamen

Gespräch bei Feldmarschall Kesselring die befohlene Judenaktion unterlassen würde. Warum jetzt diese Golderpressung?

Moellhausen versuchte nähere Informationen zu bekommen. Er kontaktierte seinen befreundeten Diplomatenkollegen Albrecht Kessel aus der Vatikanbotschaft. Kessel wusste aber auch nicht mehr als alle anderen. Aber er konnte Moellhausen von der offiziellen Hilfsanfrage der jüdischen Gemeinde an den Papst berichten.

Moellhausen erinnernd weiter:[53]

> Mein Kollege war äußerst aufgebracht. Ich wusste nicht, was ich ihm erwidern sollte ... Irgend jemand hatte versucht, sich für die unterbliebene Verhaftung der Juden schadlos zu halten, aber wer? Kappler, seine Zentrale in Berlin, Kaltenbrunner oder vielleicht Himmler selbst? Ich hielt es für besser nichts davon zu wissen und keine Fragen zu stellen, denn ich konnte mir die Antwort, die man mir gegeben hätte, an den fünf Fingern abzählen. Nach den Gesetzen der SS war das Vermögen der Juden Kriegsbeute und jedes Unternehmen gegen die Feinde des nationalsozialistischen Deutschlands stellte eine berechtigte Kriegshandlung dar.
>
> Kessel und ich waren machtlos, ...

Warum gab sich Moellhausen in dieser Sache plötzlich so fatalistisch und beruhigte sich mit seinem Botschaftskollegen selbst? Warum das resignierende Wort von der eigenen Machtlosigkeit? Er hatte doch Kappler ohne Umschweife auf den strenggeheimen Judenbefehl angesprochen und war mit ihm gemeinsam beim Oberbefehlshaber Kesselring vorstellig geworden. Glaubte Moellhausen, dass die Goldaktion von ganz oben in der SS angeordnet wurde, quasi als habgieriges Präludium der Razzia? Gegen die Golderpressung konnte oder wollte Moellhausen nicht vorgehen. Aber er überlegte, was er jetzt gegen die wieder aufgeflammte Gefahr der Judenrazzia tun konnte. Kappler hielt sich offensichtlich nicht an Absprachen. Die SS in Berlin schien entschlossen zu sein, die Juden Roms anzugreifen. Sein Chef, Botschafter Rahn, war bei Mussolini in Norditalien. Sollte er ihn einschalten? Moellhausen kannte die Art von Rahn gut. Er betrieb gerne Hinterzimmerdiplomatie. Das würde dauern, und der Erfolg hinge von vielen Faktoren ab. Moellhausen entschloss sich zu einem gewagten Schritt. Er wollte Botschafter Rahn in dieser Sache einfach übergehen und direkt ganz oben vorstellig werden.

Moellhausen setzte sich hin und schrieb zwei gleichlautende Telegramme. Eines ging an den Reichaußenminister Ribbentrop, das andere an Hitler ins Führerhauptquartier – jeweils mit dem Vermerk „persönlich". In den Telegrammen trug der Konsul seine Bedenken gegen die geplante Judenaktion in Rom vor. Den Stadtkommandanten Stahel und den Sicherheitschef Kappler nahm er dabei mit ins Boot. Außerdem kündigte er eine gemeinsame Intervention beim Oberbefehlshaber Kesselring an. Dieses eigenmächtige und geradezu draufgängerische Vorgehen hätte Moellhausen leicht die Karriere kosten können.

Am 6. Oktober schickte Moellhausen die Telegramme ab. Das Ribbentrop-Schreiben ist erhalten geblieben und trägt den Hinweis »supercitissime« (sehr dringend):[54]

Nr. 192 vom 6.10.

S u p e r c i t i s s i m e !

Für Herrn Reichsaußenminister persönlich.

Obersturmbannführer Kappler hat von Berlin den Auftrag erhalten, die achttausend in Rom wohnenden Juden festzunehmen und nach Oberitalien zu bringen, wo sie liquidiert werden sollen. Stadtkommandant von Rom, General Stahel, mitteilt mir, daß er diese Aktion nur zulassen wird, wenn sie im Sinne des Reichsaußenministers liegt. Ich persönlich bin der Ansicht, daß es ein besseres Geschäft wäre, Juden, wie in Tunis, zu Befestigungsarbeiten heranzuziehen und werde dies gemeinsam mit Kappler Generalfeldmarschall Kesselring vortragen.

Erbitte Weisung.

Moellhausen

In diesem berühmt gewordenen Telegramm machte Moellhausen zwei nicht korrekte Angaben. Die eine betrifft die Erwähnung „Oberitalien" als Deportationsziel. Warum Moellhausen nicht „Deutschland" als Zielort für die festgenommenen Juden angab, lässt sich wohl daraus erklären, dass er nur aus dem Munde Stahels Kenntnis vom Telegramm an Kappler hatte. Moellhausen hat den Wortlaut nicht direkt gesehen. Wahrscheinlich hatte sich Stahel, als er erregt im Moellhausens Büro erschienen war, unklar ausgedrückt und nur von einer Deportation in den Norden gesprochen.

Die zweite Fehlangabe machte Moellhausen zum Kesselring-Gespräch, das erst noch stattfinden sollte. Tatsächlich lag das Treffen zusammen mit Kappler schon mehr als eine Woche zurück. Das bestätigte Moellhausen in seinen Erinnerungen und auch später in einem Interview.[55] Wahrscheinlich wollte der junge Konsul die höchsten Dienststellen nicht mit vollendeten Tatsachen konfrontieren. Er konnte den Anschein erwecken, dass er noch vor dem Gespräch mit dem Befehlshaber in Italien die politische Führung über den Stand der Dinge informierte.

Tags darauf, am 7. Oktober, schob Moellhausen das Gesprächsergebnis mit Kesselring in einem Anschlusstelegramm nach. Es sollte so aussehen, dass in den folgenden vierundzwanzig Stunden nach dem ersten Kabel die Besprechung stattgefunden habe. Das Schreiben lautet:[56]

Im Anschluss an das Telegramm vom 6. Nr. 192

Generalfeldmarschall Kesselring hat Obersturmbannführer Kappler gebeten, geplante Judenaktion zunächst zurückzustellen. Sollte jedoch etwas unternommen werden, würde er es vorziehen, die arbeitsfähigen Juden Roms zu Befestigungsarbeiten heranzuziehen.

Hier präzisierte Moellhausen die Reaktion Kesselrings. Auch er wäre für die „Tunesische Lösung" der Schanzarbeiten, vorübergehend jedenfalls. Der Konsul hatte kaum die Erlaubnis vom Feldmarschall, das nach Berlin und vor allem ins Führerhauptquartier zu berichten.

Das gleichlautende Telegramm Moellhausens ins Führerhauptquartier Wolfsschanze an Hitler persönlich war bis vor wenigen Jahren nicht bekannt. Der Vorgang kam erst 2004 heraus, nachdem entsprechende Dokumente des ehemaligen US-amerikanischen Geheimdienstes OSS (Office of Strategic Services) freigegeben und ausgewertet wurden.[57] Der OSS-Vertreter in der Schweiz, Allen Dulles, hatte das Hitler-Telegramm zugespielt bekommen. Vom Fernschreiben an Ribbentrop wusste Dulles von Fritz Kolbe, einem Beamten im Berliner Außenministerium. Dieser war von Dulles als Informationsagent unter dem Decknamen George Wood angeworben worden. Kolbe hatte die Brisanz des Moellhausen-Telegramms sofort erkannt und umgehend den US-Geheimdienst in der Schweiz alarmiert.

Dulles sorgte dafür, dass die Moellhausen-Telegramme Präsident Roosevelt vorgelegt wurden – allerdings mit gehöriger Verzögerung. Sein geheimer OSS-Bericht aus Bern trägt das Datum 30. Dez. 1943. Weder Allen Dulles noch andere in der Bürokratenkette hielten es für nötig, den Vorgang zu beschleunigen. Auch eine zeitnahe Warnung an die römischen Juden hat es nicht gegeben.

Weil Konsul Moellhausen in seinen Eil-Schreiben das Wort „liquidieren" benutzt bzw. zitiert hatte, wurde das Ribbentrop-Telegramm für die Holocaustforschung eminent wichtig. Es gilt als bedeutender Beleg für die „Judenvernichtung" im NS-Behördenschriftverkehr.

Als Ribbentrop in Berlin das Telegramm las, geriet er außer sich. Wie konnte der römische Konsul in einem amtlichen Schreiben ganz offen von einer Judenliquidation sprechen! Ähnlich reagierte man im Führerhauptquartier. Vor dort rief man Botschafter Rahn in Fasano an und beschwerte sich über das Fernschreiben. Moellhausen schrieb erinnernd über das Telefonat aus der Wolfsschanze mit seinem Vorgesetzten:

„Es wurde ihm [Rahn] mitgeteilt, dass ein Telegramm aus Rom, das sich auf die Frage der Judenverfolgung und die Intervention Kesselrings bezog, Anlaß zu Beanstandungen gegeben hatte, besonders wegen der Form, weil darin das Wort „liquidieren" vorkam, das in einem amtlichen Telegram unzulässig war."[58]

Botschafter Rahn machte seinem Stellvertreter in Rom heftige Vorhaltungen. Doch Moellhausen verteidigte sich. Die Sache sei dringlich gewesen und er habe doch nur zitiert. Auch Ribbentrop beschwerte sich bei Rahn. Man wusste gut, wie hoch die Gefahr eines Mitschnitts der Kommunikation durch alliierte Dienste war.

9./11. Oktober

* * *

Der Reichsaußenminister verlor keine Zeit mit einer Antwort. Obwohl er gerade unterwegs war, ließ er mit Datum 9. Oktober ein Fernschreiben an Rahn und Moellhausen schicken:[59]

Nur für Ministerbüro

Der Herr RAM bittet, Gesandten Rahn und Konsul Moellhausen mitzuteilen, dass auf Grund einer Führerweisung die 8000 in Rom wohnenden Juden nach Mauthausen (Oberdonau) als Geiseln gebracht werden sollen. Der Herr RAM bittet, Rahn und Moellhausen anzuweisen, sich auf keinen Fall in diese Angelegenheiten einzumischen, sie vielmehr der SS zu überlassen.

Hier machte Ribbentrop vor, wie man in amtlichen, abhörgefährdeten Schreiben formulieren sollte. Die Juden wurden zu Geiseln, die an einen anderen Ort zu verbringen seien. Mauthausen wird dabei ausdrücklich nicht als KZ bezeichnet. Ribbentrops Schlussbemerkung ist knapp und schroff. Das Ganze sei eine Sache der SS, und die Diplomaten hätten sich absolut rauszuhalten.

Am 19. Oktober, einen Tag nach Vollzug der Judendeportation, stauchte Rahn seinen römischen Stellvertreter Moellhausen schließlich gehörig zusammen. Rahn schrieb mit der Hand und schickte das Schreiben per Kurier nach Rom:

„Sie haben Ribbentrop verschnupft, das Misstrauen des SS erregt, Kesselring in eine heikle Lage gebracht, außerdem ihre Position und damit meine geschwächt, um wenig oder gar nichts zu erreichen. Sie hätten sich an mich wenden müssen, und ich hätte versucht, die Angelegenheit unter der Hand mit Wolff ins Reine zu bringen. Sie haben Lärm geschlagen und alles verdorben."[60]

Das war ein scharfer Anpfiff. Moellhausen fand in seinen Erinnerungen keine Worte dazu. Er ließ sie einfach so stehen. Für Moellhausen nahm die Sache einen glimpflichen Ausgang. Rahn zog keine Konsequenzen. Der junge Konsul blieb auch weiterhin sein Vertreter in Rom. Er war für ihn ein zu guter Mann.

Derweil spürte auch Sicherheitschef Herbert Kappler Druck aus Berlin. Zusätzlich zu seinem Begleitschreiben zum Goldtransport hatte er am 5. Oktober sicherheitsrelevante Bedenken gegen die geplante Judenaktion ans RSHA gefunkt.[61]

In Rom gäbe es tausende von königstreuen Carabinieri, die unbedingt entwaffnet und am besten als Zwangsarbeiter nach Deutschland transportiert werden müssten. Dafür sollten erst einmal alle Ressourcen der SS-Sicherheit bereitgestellt werden. Einen Tag später machte er in einem weiteren Telegramm auf das Einverständnis Kesselrings zur Abkommandierung der Juden für Schanzarbeiten aufmerksam.[62] Die Bedenken Kapplers fruchteten nichts. Der Führerbefehl zur Judenrazzia in der Ewigen Stadt genoss höchste Priorität.

Der Chef im Reichssicherheitshauptamt Kaltenbrunner antwortete umgehend. Am 11. Oktober telegrafierte er ein Donnerwetter nach Rom. Der Text wurde vom alliierten Geheimdienst mitgeschnitten und ist im Zuge der Freigabe alter CIA-Akten im Jahr 2000 bekannt geworden:[63]

> An KAPPLER. Gerade die sofortige und gründliche Ausrottung der Juden in Italien liegt im besonderen Interesse der gegenwärtigen innenpolitischen Situation und der allgemeinen Sicherheit Italiens. Die Vertreibung der Juden zu verschieben, bis die Carabinieri und die italienischen Offiziere abtransportiert sind, kann genauso wenig in Betracht gezogen werden, wie die erwähnte Idee der Einberufung der Juden Italiens zu einem wahrscheinlich sehr unproduktiven Arbeitseinsatz unter italienischer Aufsicht. Je länger die Verzögerung dauert, desto mehr Juden, die zweifellos mit Evakuierungsmaßnahmen rechnen, werden die Gelegenheit haben, in die Häuser judenfreundlicher Italiener zu gehen oder ganz zu verschwinden. [nicht entschlüsselt]
> [Nicht entschlüsselt] wurde angewiesen, in Ausführung des Befehls des RFSS [Himmler] mit dem Abtransport der Juden ohne weitere Verzögerung fortzufahren.
>
> Kaltenbrunner, Ogr.

SS-Obergruppenführer

Ernst Kaltenbrunner

Amtsleiter des RSHA / Chef der Sicherheitspolizei und des SD (ab 1943)

Im letzten Satz seines brutal offenherzigen
Telegramms an Kappler erwähnte Kaltenbrunner eine Person, die angewiesen worden sei, den Befehl zur Judenaktion ohne
Verzögerung auszuführen. Kappler kannte
den Namen schon seit ein paar Tagen.

3. Oktober

* * *

Task-Force für Rom

Es war wahrscheinlich der 3. Oktober, als Kappler in seinem Büro auf dem
Gelände der deutschen Botschaft überraschenden Besuch bekam. Bei ihm
meldete sich ein gewisser Hauptsturmführer Theodor Dannecker aus Berlin. Der 30-jährige Dannecker trat sehr selbstbewusst auf. Er kam gerade
von der Gestapozentrale in der Via Tasso herüber.

In der Via Tasso hatte Dannecker Sipo-Chef Kappler gesucht. Er war in
dem großen Gebäude etwas herumgeirrt, bevor er auf den Hauptscharführer Werner Schlinge im Vorzimmer von Gestapoleiter Schütz traf. Schlinge
gab später in einem Untersuchungsverfahren zu Protokoll:

„Zu mir kam er lärmend und polternd herein, schimpfte über ‚den Laden' und verlangte nach dem Chef des Kommandos. Da ich annahm, dass
er zu Schütz wollte, hab ich ihn dorthin geführt."[64]

101

Den Gestapo-Abteilungsleiter wollte Dannecker nicht sprechen, er suchte nach Kappler selbst. Der Weg, den ihm Schütz zeigte, war nicht weit. Zehn Minuten später stand er bei Kappler im Büro. Der noch junge Hauptsturmführer stellte sich Roms Sicherheitschef knapp vor. Dann holte er ein Vollmachtsschreiben aus der Tasche und hielt es Kappler unter die Nase. Das Schreiben war von SS-General Heinrich Müller ausgestellt, dem Leiter der berüchtigten Abteilung IV/Geheime Staatspolizei im Reichssicherheitshauptamt.[65] In der Vollmacht hieß es, dass SS-Hauptsturmführer Theodor Dannecker ermächtigt sei, die erforderliche Judenaktion in Rom durchzuführen. Weiterhin sei er bevollmächtigt, auch in anderen Städten Italiens die Lösung der Judenfrage durch Internierung und Deportationen voranzutreiben. Alle örtlichen Dienststellen hätten ihn dabei bedingungslos zu unterstützen.

Kappler war sofort klar, was in Berlin ausgeheckt worden war. In geradezu atemberaubender Eile hatte man einen »Judenreferenten« für Italien bestimmt und ihn gleich in Marsch gesetzt. Für Kappler bedeutete das hier in Rom eine Teilentmachtung. Alles, was fortan die Juden betraf, war nun Danneckers Ressort. Der SS-Sicherheitschef war verärgert. Er fühlte sich von Berlin übergangen und in die zweite Reihe gestellt. Jetzt durfte ein fliegendes Einsatzkommando im sensiblen Rom ohne Rücksicht auf Sicherheitsinteressen alle Juden zusammentreiben und abtransportieren. Kappler blieb nichts anderes übrig als gute Mine zu machen. Er musste die Machtteilung hinnehmen.

Adolf Eichmann persönlich hatte Dannecker eilig nach Rom abgeordnet. Als Referatsleiter für Judenangelegenheiten im RSHA (Amt IV, B 4) gingen alle Judendeportationen in Europa über Eichmanns Schreibtisch. Nach dem 12. September stand für ihn der Führerbefehl für Rom ganz oben auf der Dringlichkeitsliste. Der umtriebige Eichmann merkte rasch, dass in Rom Sand im Getriebe war. Außerdem hatte er reichlich Erfahrung mit Polizeidienststellen im Ausland. Deren Präferenzen stimmten nicht mit seinen überein. Die Hauptaufgabe der Gestapo war die Bekämpfung staatsfeindlicher Aktivitäten. Die Jagd nach Juden kostete Zeit und Ressourcen. Um vor Ort aber effizient zu sein, hatte Eichmann ein Netzwerk von *Judenberatern* aufgebaut. Sie waren sein verlängerter Arm in besetzten Ländern; sie agierten mit Sondervollmachten und übten Befehlsgewalt über einzelne Kommandos aus.

Eichmann kannte Theodor Dannecker schon seit 1937. Damals war der junge SS-Mann zu ihm ins Judenreferat des SD-Hauptamtes nach Berlin gekommen. Dannecker entlastete Eichmann, der im Sommer 1937 mit der Auswanderungsfrage der Juden betraut wurde. Beide lernten sich sehr gut kennen und schätzen. Anfang September 1940 schickte Eichmann seinen Assistenten als Judenberater nach Paris. Dort leistete Dannecker „hervorragende Arbeit" bei der Registrierung, Verhaftung und Deportation der französischen Juden in den Osten. Schnell entwickelte er sich für Eichmann als der verlässliche Mann fürs Grobe.

Im Frühjahr 1943 brauchte das Reichssicherheitshauptamt einen durchsetzungsfähigen Vertreter in Bulgarien. Der König und die Regierung machten Schwierigkeiten bei den erforderlichen Judendeportationen. Eichmann hielt Dannecker für den geeigneten Mann und entsandte ihn nach Sofia. Als im September dann ganz plötzlich Italien auf der Landkarte im RSHA auftauchte und der Führer persönlich eine Judenrazzia in Rom angeordnet hatte, dachte Eichmann sofort an Dannecker. Er zog ihn von Bulgarien ab und beorderte ihn zu sich. In Berlin wurde Dannecker mit zwei Offizieren bekannt gemacht. Sie sollten an seiner Seite als seine direkten Untergebenen und mit weiteren Unteroffizieren ein fliegendes Judenkommando ein Italien bilden. Erste und vordringliche Aufgabe sei eine Razzia in Rom und die Deportation der festgesetzten Juden. Danach solle er in weiteren Städten im Norden Italiens Judenaktionen durchführen. Einer der beiden Offiziere war SS-Untersturmführer Albert Eisenhut. In juristischen Nachkriegsverfahren wird er sowohl als Zeuge als auch Beschuldigter wichtige Aussagen machen.

Organisatorisch wurde Dannecker als Judenberater der Abtl. IV B beim neuen Befehlshaber der SS-Sicherheitspolizei General Wilhelm Harster in Verona zugeordnet. Die Abteilung IV eines Sipo-Kommandos war immer die Gestapo und „B" kümmerte sich nur um die Judenfrage. Im Februar 1944 wurde Dannecker abgelöst. Im Auftrag Eichmanns ging er nach Ungarn, wo es zum letzten großen Akt der Judenjagd kommen sollte.

Der Nachfolger Danneckers wurde Hauptsturmführer Friedrich Boßhammer.[66] Boßhammer überlebte den Krieg und musste sich Anfang der siebziger Jahre vor dem Berliner Kammergericht verantworten. Im Rahmen der langwierigen und breitgestreuten Voruntersuchungen zum Prozess wurde auch Danneckers Kommandoaktion in Rom recherchiert und Zeugen wurden vernommen. In diesen Aussagen sind wertvolle Hinweise über den Verlauf der Razzia enthalten.

Dannecker selbst wurde nach dem Krieg von US-Amerikanern interniert. Nach offiziellen Angaben beging er im Dezember 1945 Selbstmord. Allerdings konnten die Todesumstände – oder eine evtl. getarnte Flucht – nie ganz geklärt werden.[67]

Nachdem Dannecker in Berlin instruiert worden war, wurde er nach Innsbruck befohlen. Dort war der Treffpunkt seines Führungs-Einsatzkommandos. In Innsbruck übernahm Dannecker die Befehlsgewalt über seine beiden Offiziere, über fünf SS-Unteroffiziere, einen Rottenführer und einen SS-Mann. Namentlich kann aus Gerichtsakten festgestellt werden: der erwähnte SS-Untersturmführer Albert Eisenhut, sein Offizierskollege mit dem vermutlichem Namen Günter (ebenfalls Untersturmführer), SS-Hauptscharführer Helmut Hack und SS-Unterscharführer Arndt.[68] Hack wird später ebenfalls als Zeuge wichtige Angaben machen.

Von Innsbruck aus fuhr Dannecker mit seiner Task Force nach Gardone am Gardasee. Dort hatte der neu ernannte SS-Sicherheitsbefehlshaber für Italien, General Wilhelm Harster, vorerst sein Hauptquartier aufgeschlagen. Das endgültige Quartier wird bald Verona sein. Dannecker stellte sich bei Harster vor und zeigte ihm seine Vollmacht. Harster kannte die Materie sehr genau. Als oberster Gestapo-General hatte er zuvor in Holland selbst viele Judenaktionen befohlen und beaufsichtigt. Gerade ein Jahr war es her, als er an der Verhaftung und Deportation der mittlerweile heiliggesprochenen Edith Stein maßgeblich beteiligt war.

Harster forderte Dannecker auf, ihn nach der Romaktion auf dem Laufenden zu halten. Er wolle nicht, „daß innerhalb seines Befehlsbereichs irgendein Kommando herumkreuze, von dem er nichts wisse."[69]

Auf der Fahrt von Innsbruck nach Gardone und weiter nach Rom wurde Dannecker gesprächig. Er erzählte seinen beiden Offizieren viel von seiner erfolgreichen Tätigkeit als Judenberater in Frankreich. Allerdings schwieg er sich über genauere Angaben zum Auftrag in Italien aus.[70]

3.-14. Oktober

* * *

Die Liste Dannecker

In Rom quartierte sich Dannecker mit seinen beiden Offizieren im Hotel Bernini an der Piazza Barberini ein. Das Hotel lag ziemlich zentral, nicht weit vom neuen Hauptquartier der Stadtkommandantur. Die SS-Unterführer logierten in Mannschaftsquartieren. In den Tagen nach seiner Ankunft ließ Dannecker noch rund dreißig Männer der Waffen-SS nachkommen. Sie sollten direkt zu seiner Verfügung stehen.[71]

Der Stadtkommandant General Stahel erfuhr nur über Umwege von der Ankunft eines kleinen SS-Kommandos. Sein Stab bekam die Nachricht zugespielt, dass sich im Innenstadt-Hotel Bernini auswärtige SS einquartiert habe. Stahel schwante, weshalb das Kommando gekommen war. Seine Ahnung wurde bestätigt, als Dannecker auch beim ihm vorstellig wurde und seine geheime Mission mitteilte. Ohne Umschweife verlangte er volle Unterstützung durch die Kommandantur. Um in Rom großräumig eine Razzia durchführen zu können, benötige er so viele SS-Polizeikräfte wie möglich.

Stahel war in der Zwickmühle. Wie Kappler hegte auch er Sicherheitsbedenken gegen eine romweite Judenrazzia. Der Vatikan würde das kaum hinnehmen und unter der Bevölkerung könnten die Spannungen zu groß werden. Seine wenigen Sicherungskompanien hatten schon alle Hände voll zu tun im Kampf gegen Sabotage, bei Bewachungen und bei Straßenkontrollen. Aber Stahel blieb letztlich keine Wahl. Er musste sich fügen und am Tag der Razzia seine Männer bereitstellen.

Gleich nach der Ankunft in Rom stürzte sich Dannecker in die Vorbereitungen zur Judenrazzia. Sein wichtigster Ansprechpartner war Sicherheitschef Kappler. Er brauchte ihn vor allem für die Aufstellung einer möglichst genauen Adressdatei der gemeldeten Juden Roms. Ohne diese Liste war eine Razzia in der weitläufigen Stadt unmöglich.

Kappler konnte Dannecker entscheidend weiterhelfen. Durch die kürzlich durchgeführte Razzia in der jüdischen Gemeindeverwaltung war er in den Besitz einer Kernadressdatei gelangt. Die Datei enthielt die Namen und Anschriften beitragzahlender Mitglieder der Synagoge. Das betraf zwar nur einen Teil der Gemeinde, aber diese Datei war der wichtigste

Grundstock für die »Liste Dannecker«. Auf dieser Liste sammelte der rastlose Gesandte Eichmanns alle Juden Roms, die er namentlich ausmachen konnte. Wer am Ende auf der Liste stand, bekam am Tag der Razzia Besuch von einem Verhaftungskommando.

Dannecker suchte und fand weitere Adressen von Juden im Büro der Union jüdischer Gemeinden in Italien und im Innenministerium. Bei diesen Stellen konnte er vorauseilend auch schon wertvolle Informationen sammeln für seine weiteren geplanten Razzien in Städten des Nordens.

Insgesamt war die Recherchearbeit aber mühsam. Es gab keine allgemeine Meldedatei für die Bewohner Roms. Zwar hatte es bei der Einführung der Rassengesetze 1938 statistische Erhebungen unter den Juden gegeben, aber sie waren oft nicht oder nicht mehr anschriftengenau. Außerdem lebten viele Juden illegal in der Stadt, so wie zahlreiche andere aus allen möglichen Gründen.

Eine wichtige Frage für Dannecker war, ob es einen oder mehrere Bezirke gab, wo traditionell Juden wohnten. Dort konnte er Absperrungen vornehmen und sämtliche Häuser durchkämmen lassen. Dannecker erhielt rasch Auskunft. In der Innenstadt entlang des Tibers, am Lungotevere dei Cenci, lag das alte Judenghetto. Es erstreckte sich über drei Querstraßen hinweg in Richtung Zentrum. Seit Errichtung und Einmauerung des Ghettos Mitte des 16. Jahrhunderts war dieser Stadtteil ohne Namen das jüdische Wohngebiet schlechthin in Rom. Es ist nicht allzu weit vom Vatikan entfernt. 1943 lebte dort dicht gedrängt immer noch die Mehrheit der offiziellen Juden Roms. Dannecker erhoffte sich in den Häuservierteln reiche Beute. Direkt gegenüber auf der anderen Seite des Tibers und der Tiberinsel erwartete er auch zahlreiche Verhaftungen. Dort wohnten im Viertel Trastevere traditionsgemäß auch viele Juden. Trastevere war das alte Wohnquartier der Juden noch bevor sie auf die andere Seite des Tibers umziehen mussten.

Am Tag der Razzia würden die Adressen im alten Ghetto am leichtesten abzuarbeiten sein. Dort gab es kaum ein Haus, in dem nicht in wenigstens einer Wohnung Juden lebten. Häufig waren aber ganze Stockwerke von Judenfamilien belegt. In den Straßen des Ghettos dürften die Verhaftungskommandos schnell und effizient vorankommen, so Danneckers Überlegungen.

Anders sah es allerdings im Großraum Rom aus. Sehr viele Adressen waren wie winzige Mosaiksteinchen im ganzen Stadtgebiet verteilt. In den Bezirken Trastevere, Monteverde und Testaccio würde es noch am einfachsten sein, Juden abzuholen. Dort fanden sich ebenfalls gehäuft jüdische Anschriften. Dannecker studierte akribisch den Straßenplan. Besonders in der Innenstadt und in Trastevere gab es unzählige verwinkelte Gassen und Gässchen. Unter großem Zeitdruck hier und dort Juden rauszuholen, sie abzuladen und wieder neu anzufahren, verlangte eine strenge logistische Planung. Dazu kamen noch die Adressen in den weiteren Stadtgürteln. Die Anfahrt dort durfte nicht allzu lange auf sich warten lassen. Man musste da sein, bevor die Leute gewarnt wurden.

Hauptsturmführer Dannecker war absolut ortsunkundig. Auch die Führungskräfte in seinem Kommando waren fremd in Rom. Für die Planung der Einzelverhaftungen brauchte er dringend professionelle Unterstützung. Kappler vermittelte ihm eine Gruppe italienischer Polizisten. Sie sollte mit ihm zusammen Adressklärungen vornehmen und vor allem die Fahrtrouten zwischen den Einzeladressen ausarbeiten. Da Dannecker den Italienern nicht über den Weg traute und um die Geheimhaltung der Aktion fürchtete, verdonnerte er das Logistik-Kommando zur strengen Klausur unter deutscher Bewachung. Einige Tage lang mussten die Polizisten abgeschottet über dem Stadtplan brüten und Wege markieren.

Am liebsten hätte Dannecker die Polizisten zum Nachforschen einzelner Judenadressen in die Straßen Roms geschickt. Aber das verbot sich. Auch italienische Polizisten wären sofort aufgefallen, wenn sie nach Juden und ihren Wohnungen gefragt hätten. Dannecker musste vorsichtig sein. Eine unbedachte Aktion oder ein größeres Leck konnten seinen Überraschungscoup sabotieren.

Als Dannecker seine Vorbereitungen abgeschlossen hatte, war er stolz auf sein Werk. In seiner Prozessvernehmung berichtete Kappler von einem überraschenden Rapport des Hauptsturmführers in seinem Büro am Vorabend der Razzia.[72] Dannecker sei erfreut zu ihm hereingekommen. Bei sich habe er eine Schachtel gehabt mit sehr vielen einzelnen Kuverts. Jeder Umschlag enthielt verschiedene Adressen, die von genau bestimmten Kommandoeinheiten angefahren werden sollten. Dannecker lud Kappler ein, einen Blick auf die Kuverts-Sammlung zu werfen. Er suchte Lob vom römischen Sicherheitschef. Hatte er die Razzia nicht ausgesprochen effizient organisiert?

SS-Hauptsturmführer Theodor Dannecker
Der bewährte Judenjäger Adolf Eichmanns.

Unmittelbar verantwortlicher und kommandierender
Offizier der römischen Judenrazzia.

Kappler erinnerte sich, dass auch weit auseinanderliegende Anschriften
von einem Kommando abgearbeitet werden sollten, was ihm nicht ein-
leuchtete. Ob er Dannecker darauf aufmerksam machte, sagte Kappler
nicht. Vermutlich hätte Dannecker ihm dargelegt, dass die wechselnden
Fahrtrouten der knappen Zeit geschuldet waren.

Das Zentrum der Judenrazzia war das *Collegio Militare*, eine derzeit
leerstehende Militärschule. Dieses Collegio lag nicht weit vom alten Ghetto

auf der anderen Seite des Tibers. Dort sollten alle Verhafteten vorerst abge-
liefert werden. Rom war in 26 Operationszonen aufgeteilt. Brachte ein
Lastwagen seine „Fracht" aus einem entfernten Straßenzug ins Collegio,
war es zuweilen logistisch besser, wenn der Wagen nicht in die alte
Einsatzzone zurückfahren musste, sondern in ein nähergelegenes Viertel
fuhr, vielleicht genau in die Gegenrichtung.

Der Erfolg der Aktion hing von einem engen Zeitplan ab. Die Juden,
die außerhalb des alten Ghettos wohnten, sollten keine Gelegenheit bekommen, vorzeitig das Weite zu suchen. Der Überraschungseffekt war
ausschlaggebend.

In den ersten zwei Oktoberwochen hatte Dannecker gründlich gearbeitet.
Er schaffte es, die Razzia organisatorisch vorzubereiten und eine ansehnli-
che Liste von Judenadressen ausfindig zu machen. Noch im Oktober wollte
Eichmanns bewährter Judenjäger seine Blitzaktion unter der jüdischen
Gemeinde Roms starten. Die Zeit drängte. Er konnte nicht wochenlang
weiter recherchieren. Je länger es dauerte, desto größer war die Gefahr,
dass sich Gerüchte verdichteten und immer mehr Juden untertauchten.

Schließlich setzte Dannecker den Termin für die Razzia auf Samstag,
den 16. Oktober, fest.

Insgesamt dürften auf der »Liste Dannecker« rund zweitausend Juden gestanden haben. Die Zahl ist nicht ausdrücklich dokumentiert. Aber sie lässt
sich erschließen aus der Anzahl der tatsächlich Verhafteten, den Berichten
von Zeugen, von ehemaligen Teilnehmern der Verhaftungskommandos
und aus dem erhalten gebliebenen Vollzugstelegramm von Dannecker/
Kappler nach Berlin (vgl. Kap. 6).

3. Tödliches Schicksal

10.-26. September

* * *

Warnung an die Juden?

Während Hauptsturmführer Dannecker seine große Razzia vorbereitete und jeden Tag mehr Adressen ausfindig machte, blieben die allermeisten Juden ahnungslos oder sie beruhigten sich unablässig selbst. Konnte eine Warnung von deutscher Seite die Menschen aufrütteln?

Die befohlene Judenrazzia in Rom war vielen deutschen Dienststellen vor Ort bekannt. Durch die Indiskretion in der Deutschen Botschaft beim Fernschreiben an Sicherheitschef Kappler zog der Befehl rasch Kreise: vom Stadtkommandanten General Stahel über den politischen Vertreter Konsul Moellhausen, von der Deutschen Botschaft zu der Vatikanbotschaft Weizsäcker/Kessel, von den SS-Repräsentanten für Italien General Wolff und Standartenführer Dollmann für Rom bis hin zum Oberbefehlshaber Süd Generalfeldmarschall Kesselring. Zusätzlich waren auch noch der britische und US-amerikanische Geheimdienst zeitnah informiert.

Nach allem, was bekannt ist, gab es von deutscher Seite nur einen halbherzigen Versuch die Juden Roms zu warnen. Er kam von Legationsrat Albrecht von Kessel aus der Vatikanbotschaft. Bei der ersten breiten Debatte über das Theaterstück *Der Stellvertreter* von Rolf Hochhuth im Frühjahr 1963 meldete sich auch Albrecht Kessel zu Wort: Er und sein Chef Weizsäcker hätten unmittelbar nach dem ausgerufenen Waffenstillstand Italiens und während der Besetzung Roms durch Fallschirmjäger beratschlagt, wie man den Juden der Stadt helfen könne.[1] „Nach unserer Überzeugung ... stand Schlimmes bevor. Es galt daher, die Juden so rasch und so eindringlich wie möglich zu warnen und ihnen ein Sich-Verstecken oder Fliehen anzuraten."

Kessel, der seit 1937 dem Kreisauer Widerstandskreis angehörte, wusste wovon er sprach. Auch Weizsäcker kannte als Ex-Staatssekretär in der Wilhelmstraße das Schicksal der deportierten Juden genau. In einer nicht veröffentlichten Zeugenvernehmung zum NS-Verfahren gegen ehemalige Angehörige des RSHA sagte Kessel 1964 aus: „Mindestens seit 1941 war nach meiner Auffassung allen höheren Beamten des Auswärtigen Amtes bekannt, dass die Juden planmäßig auf die eine oder andere Weise physisch ausgerottet werden sollten".[2]

Noch im September entschloss sich Kessel einen Mittelsmann einzuspannen. Hier in Rom kannte er den Schweizer Alfred Fahrener gut. Fahrener war Generalsekretär eines internationalen juristischen Instituts und hatte Verbindungen zu führenden Juden in der Stadt. Kessels Chef Weizsäcker war mit einer Kontaktaufnahme einverstanden. Kessel suchte Fahrener auf und drängte ihn eindringlich folgenden Rat weiterzugeben:[3]

[Die Juden] müssten schnellstens ihre Wohnungen verlassen und irgendwo Unterschlupf suchen. Angesichts der in Rom herrschenden chaotischen Zustände, angesichts des Widerwillens der römischen Polizei gegen die Nazis sowie der allgemeinen Korruption genüge es vielleicht, wenn die Juden sich in der gleichen Straße, ja im eigenen Haus bei Bekannten und Freunden verstecken. Noch besser wäre es allerdings, wenn sie in irgendwelchen Kleinstädten oder Dörfern der Umgebung Unterkunft finden könnten, wo sie als normale Flüchtlinge ... und nicht als Juden angesehen würden.

Fahrener versprach die Mahnung weiterzugeben. Als Kessel von der Golderpressung Kapplers erfuhr, war er entsetzt. Hatte Fahrener seine Warnung weitergeleitet? Warum entrichteten die Juden plötzlich eine Art Lösegeld an den SS-Sicherheitschef? Kessel bewertete die Goldaktion als ein Arrangement zwischen der Gestapo und der jüdischen Gemeinde: Bleiberecht gegen Gold! Das war blauäugig.

Kessel nahm sofort erneut Kontakt zu Fahrener auf. Er wollte wissen, was los sei und warum die Juden nicht abtauchten? Der schweizer Jurist wiegelte ab. Es gebe doch keinen Anlass zu übertriebener Sorge. Die Deutschen würden sich äußerst korrekt benehmen. Kessel reagierte darauf drastisch:[4]

Ich fürchte, diesen sehr kultivierten und sensiblen Mann in jener Stunde angeschrien zu haben. Wenn die Juden, so erklärte ich, sich nicht sofort »verkrümelten«, so würden sie samt und sonders deportiert werden. Soweit ich mich erinnere, habe ich gesagt: »Ihr Blut wird, wenn sie zugrunde gehen, über mich und meine Freunde kommen – und das haben wir nicht verdient. Ich beschwöre Sie, meinen Rat Ernst zu nehmen und Ihren ganzen Einfluss auf die Juden in Rom geltend zu machen!« – Das Ergebnis ist bekannt.

Kessel bekannte hier offen, dass er aus Angst vor der Gestapo und ihrer Folter in den folgenden Monaten wenig, zu wenig für Juden Roms getan habe. Aber das, was unternommen wurde, sei mit vollem Einverständnis und teils auf Anregung seines Chefs Weizsäcker geschehen. Inwieweit Botschafter Weizsäcker tatsächlich eine Judenwarnung antrieb und unterstützte, ist ungewiss. Die pauschale Verteidigung Kessels klingt konstruiert. Das passive Verhalten Weizsäckers bis zur Razzia und Deportation spricht gegen ein allzu großes Engagement.

Es ist verständlich und kann gut akzeptiert werden, wenn Kessel aus Furcht vor der brutalen Gestapo sehr zurückhaltend war bei konkreten Judenrettungen während der Besatzungszeit. Unverständlich aber ist, dass Kessel und Weizsäcker nach dem vergeblichen Vorstoß bei Alfred Fahrener keine weiteren Warnungsversuche unternommen haben. Spätestens nach der Goldaktion wussten auch sie vom Befehl an Kappler, in Rom eine Judenrazzia durchzuführen.

Kessel bekam die Information von seinem Freund Eitel Moellhausen von der Deutschen Botschaft. Ende September war Kessel in die Villa Wolkonsky gekommen, um von der Golderpressung und der Vatikanverwicklung in dieser Sache zu berichten. Spätestens bei dieser Gelegenheit hat ihn Moellhausen von der geplanten Razzia unterrichtet. Rückblickend schrieb der Konsul:[5] „Kessel und ich waren machtlos, und angesichts dieser Tatsache beruhigten wir uns mit dem Gedanken, dass die römischen Juden wenigstens körperlich verschont bleiben würden."

Wie konnten die beiden Diplomaten ohne nähere Informationen davon ausgehen, dass mit der Goldabgabe die Razzia gestorben sei? Hätten beide geschickt nachgefragt, wäre ihre missverständliche Vermutung rasch korrigiert worden. Es gibt keinen Grund anzunehmen, dass Kappler die beiden hochrangigen Diplomaten und Botschafter Weizsäcker hinters Licht geführt hätte. Moellhausen wusste schon von Kappler selbst, dass er die Razzia für einen Fehler hielt. Ohne Geheimniskrämerei hätte Kappler seinen Goldcoup als das erklären können, was er war: nämlich ein privater Versuch, Berlin einstweilen zufriedenzustellen. Die zwei oppositionellen Diplomaten Kessel und Moellhausen waren zu erfahren, um in der Goldabgabe eine Lösung zu sehen. Es handelte sich schließlich um einen Befehl von ganz oben.

Moellhausens diplomatische Reaktion in den nächsten Tagen zeugt davon, dass er seiner anfänglichen Hoffnung nicht traute. In den schon erwähnten Telegrammen an Außenminister Ribbentrop und den Führer (6./7. Okt.) ging Moellhausen wieder von der Gefahr einer baldigen Razzia aus. Warum hielt er es dennoch nicht für nötig, die Juden Roms zu warnen? Er beließ es bei den Fernschreiben. Es hätte wahrlich nicht viel gekostet dem Verbindungsmann zur jüdischen Gemeinde, Alfred Fahrener, den Ernst der Lage vor Augen zu führen. Fahrener hätte dann gehörig Alarm geschlagen. Auch andere Informationswege wären möglich gewesen, um eine Warnung zu lancieren.

Kessel, Weizsäcker und Moellhausen konnten nach dem Krieg in diesem Punkt nichts zu ihrer Entlastung sagen.

Sipo-Chef Kappler versuchte sich nachträglich zu entlasten. In seiner Prozessaussage (1947) und gleichermaßen in der Zeugenaussage für den Eichmann-Prozess in Tel Aviv (1961) gab er an, dass er eine Warnung an die Juden eingefädelt hätte.[6] Bewusst habe er Dannecker nur wenig Unterstützung gewährt. Stattdessen habe er ihn an die italienische Polizei verwiesen. Bei den Italienern, so Kappler, würde die geplante Razzia nicht geheim bleiben. Einige Polizisten fänden bestimmt Mittel und Wege, die Juden zu warnen.

Diese Aussage klingt abenteuerlich und kann nur als eine Schutzbehauptung angesehen werden. Richtig ist, dass Dannecker von Kappler an italienische Dienststellen verwiesen wurde. Aber das hatte eigennützige Gründe. Kappler wollte den Berliner Sonderbeauftragten möglichst wenig in seinem Sicherheitsapparat schalten und walten lassen. Dass er Dannecker auf Nachfrage jede Ressource zur Verfügung stellen und gute Mine zu einer risikoreichen Aktion machen musste, war schon mehr als genug. Aber ein Hintertreiben der Vorbereitungen durch kalkulierten Verrat war das Letzte, was dem außerordentlich befehlstreuen Sipo- und SD-Chef in den Sinn gekommen wäre. Gesetzt den Fall, Kappler hätte wirklich die geplante Razzia hintertreiben wollen, hätten ihm andere Kanäle offen gestanden als die schwer kalkulierbare und tröpfchenweise Mundpropaganda aus italienischer Quelle.

Nach dem turbulenten und sorgenvollen September wähnten sich die Menschen der jüdischen Gemeinde in Sicherheit. Man glaubte, Ruhe vor den Deutschen zu haben. Ängstliche Stimmen wurden von der Führungsriege der Gemeinde abgewiegelt. Nur wenige ließen sich nicht beruhigen und zogen es vor, aus der Stadt zu fliehen oder abzutauchen.

Die beiden damals in Rom lebenden Zeitzeugen, der jüdische Historiker Michael Tagliacozzo und der Schriftsteller Giacomo Debenedetti, fragten sich nach dem Krieg, warum unter der großen Masse der Juden keine Alarmstimmung aufgekommen war. Der Hauptgrund, so vermuten sie, lag wohl bei der heil überstandenen Golderpressung sowie den glimpflich verlaufenden Durchsuchungen. Niemand war dabei zu Schaden gekommen oder verhaftet worden. SS-Chef Kappler hatte sich an seine Zusicherung gehalten, das Leben von Juden zu schonen. Die Deutschen hatten jetzt das Gold der Juden und sämtliche Unterlagen, einschließlich der Bibliothek. Was sollten sie noch wollen? Debenedetti überlegte, dass es aufgrund der tief verwurzelten Gerechtigkeitsauffassung im Judentum den Menschen widerstrebte, weiterhin misstrauisch zu sein. Den Juden wäre es unfair vorgekommen, nach der Goldabgabe den Deutschen immer noch Verfolgungsabsichten zu unterstellen.[7]

Michael Tagliacozzo macht auch die fast komplette Ignoranz der Menschen über das tragische Schicksal der Juden im deutschen Machtbereich mitverantwortlich. Damals wären nur unsichere Informationen über harte Behandlungen von sogenannten „Ostjuden" im Umlauf gewesen. Die Anwendung solcher Methoden hielt man aber in einem zivilisierten Land wie Italien nicht für möglich.[8] Das bestätigte jüngst Roberto Spizzichino, der damals knapp zwölf Jahre alt war. In einem Interview sagte er, dass sich seine Familie und die große Mehrheit der römischen Juden eine „Shoa" durch die Deutschen nicht vorstellen konnten. Das sei einfach zu absurd gewesen.[9] Nicht zuletzt hätten die Juden auf die Anwesenheit des Papstes vertraut, so der jüdisch stämmige Historiker weiter. Der Gedanke, dass Pius XII. in Rom auch unter der deutschen Besatzung präsent blieb, habe ausgesprochen beruhigend auf die jüdische Bevölkerung gewirkt. Der besondere Charakter Roms als Papstsitz und Hauptstadt der katholischen Welt „würde die Besatzer von unüberlegten Akten abhalten, die unweigerlich den Zorn der christlichen Welt heraufbeschwören und eventuell ein Zerwürfnis zwischen der Kurie und Deutschland herbeiführe."[10]

26. Sept. - 15. Okt.

* * *

Warnung aus dem Vatikan?

Was wusste der Vatikan von der bevorstehenden Razzia? Die Frage ist ausgesprochen heikel und die Antwort darauf brandheiß.

Hatte Pius XII. Kenntnis bekommen vom Befehl an die hiesige SS, eine Razzia und Deportation aller Juden in seiner Stadt durchzuführen? Wurde er über angelaufene Vorbereitungen informiert? Wie hoch schätzte er grundsätzlich die Gefahr für die Juden Roms ein?

In keinem bekannten Dokument ist belegt, was der Vatikan über eine bevorstehende Razzia wusste. Das wäre auch überaus peinlich für Papst Pius. Denn aus dem Vatikan kamen nachweislich keinerlei Warnungen an die jüdische Gemeinde Roms. Für die Verteidiger Pius XII. ist klar: Der Vatikan wurde genauso hinters Licht geführt wie die Juden selbst. Papst Pius hätte keine Informationen und keine Hinweise darauf gehabt, dass den Juden seiner Stadt die Ermordung in einem KZ drohte. Wie plausibel ist diese Annahme?

Die wichtigste Frage betrifft die Informationspolitik der Vatikanbotschaft Weizsäcker/Kessel. Beide Diplomaten wussten vom Razziabefehl. Stand in ihrer Alarmkette nicht nur der Schweizer Alfred Fahrener, sondern auch der Vatikan? Der Autor Robert Katz behauptet in seiner Studie »Black Sabbath« (1969) genau das. Katz beruft sich auf ein persönlich geführtes Interview mit Eitel Moellhausen im Juni 1967. Moellhausen habe ausgesagt, er wisse von einer Weitergabe des Deportationsbefehls an den Vatikan durch Weizsäcker/Kessel.[11]

Das ist eine äußerst schwerwiegende Behauptung. Papst Pius XII. informiert über den Berliner Judenbefehl an die SS-Polizei Roms? – einem Befehl, in dem offen von Deportation und Liquidation der römischen Juden gesprochen wird? Wenn das zuträfe, hätte es ab sofort nur noch eine Pflicht für den Bischof von Rom geben dürfen: Warnung und Rettung der Juden seiner Stadt.

Katz zitiert in seiner Studie nicht den genauen Wortlaut aus dem besagten Interview. Nahm Moellhausen vielleicht nur an – selbstverständlich an – dass Kessel und Weizsäcker den Vatikan unterrichteten? In seinen Erinnerungen geht Moellhausen mit keinem Wort auf die heikle Frage einer konspirativen Nachricht an den Vatikan ein. Auch Kessel machte nach dem Krieg nie Andeutungen in diese Richtung. Hatten es die beiden Diplomaten, die oppositionell zum Nazi-Regime standen, tatsächlich unterlassen Pius XII. in dieser existentiell wichtigen Angelegenheit ins Vertrauen zu ziehen? Falls ja, aus welchem Grund? Eigentlich lag es nahe, den Vatikan in die Bemühungen zur Judenwarnung einzubeziehen.

Eine schriftliche Warnung war risikoreich, solange die Vatikanokkupation in der Luft lag. Wäre eine derartige Notiz aus der Deutschen Vatikanbotschaft von der SS gefunden worden, hätte das schwere Konsequenzen für Weizsäcker und Kessel bedeutet. Am sichersten war nur eine Mitteilung unter vier Augen.

Dazu gab es eine hervorragende Gelegenheit. Am Vormittag des 9. Oktober – genau eine Woche vor der Razzia – wurde Botschafter Weizsäcker zur Privataudienz bei Pius XII. empfangen.[12] Es war die erste Audienz unter vier Augen nach dem Beglaubigungstreffen am 5. Juli. Der offizielle Anlass war die Versicherung des Berliner Außenministeriums, die volle Integrität des Vatikans und seiner Besitztümer in Rom zu wahren. Weizsäcker überbrachte die Erklärung mündlich; gleichzeitig übergab er die Erklärung in einem eigenhändig verfassten Schreiben dem Staatssekretariat. Aus den vatikanischen Akten ist nicht bekannt, was der Papst mit dem Botschafter im Einzelnen besprochen hatte.

Aus dem kurzen Rapport Weizsäckers ist zu entnehmen, dass sich Pius zufrieden zeigte über die Berliner Versicherung und dass er ansonsten sehr reserviert gewesen sein musste. Weizsäcker selbst sprach noch die Situation in Bulgarien nach dem Tod von Zar Boris an. Er fürchtete dort kommunistische Fortschritte. Offensichtlich nahm Pius das Stichwort „kommunistische Gefahr" nicht weiter auf. Es kam zu keiner Aussprache über die Lage im Reich und dessen Kampf gegen den Bolschewismus – was Weizsäcker sehr recht gewesen wäre. Er hätte dann zumindest offiziell von antikommunistischen Einstellungen des Papstes nach Berlin berichten können.

Während der Audienz stand Ernst von Weizsäcker vor der Frage, ob er den Papst hier und jetzt vom Führerbefehl an SS-Chef Kappler über eine umfassende Judenrazzia in Rom unterrichten sollte. Zusätzlich dürfte Weizsäcker am 9. Oktober schon vom Kommando Dannecker erfahren haben, das bereits mitten in den Vorbereitungen zur Razzia steckte. Hatte Weizsäcker die Chance ergriffen? Weder Pius noch Weizsäcker oder Kessel haben später auch nur Andeutungen gemacht, dass die brisante Information Auge in Auge weiter gegeben wurde.

Falls Weizsäcker dem Papst den Führerbefehl verschwiegen hatte, musste er mehr als gute Gründe dafür gehabt haben. Er war ja mit Kessels Bemühungen zur Warnung der jüdischen Gemeinde einverstanden gewesen. Und er wusste auch, dass Kessel bislang nicht viel Gehör gefunden hatte. Vor der geballten Autorität des Papstes und seinem Alarmruf hätte sich die jüdische Gemeinde nicht verschließen können. Während der Privataudienz lag es auch nahe, dass Pius den Botschafter direkt auf eine mögliche Gefahr für die Juden angesprochen hat.[13] Zumindest dürfte Pius nachgefragt haben, wie die Deutsche Botschaft die Lage beurteile. Dann hätte sich Weizsäcker erklären müssen. Ob ihm eine dreiste Leugnung über die Lippen gekommen wäre? Aber aus welchem Grund?

Es stellt sich überdies auch die Frage, warum der Vatikan nicht von anderen Dienststellen über die drohende Razzia informiert wurde. Außer den beiden Botschaften wussten im Vorfeld ja weitere Ämter Bescheid: die Stadtkommandantur unter General Stahel, das Hauptquartier von Generalfeldmarschall Kesselring, der Stab von SS-General Wolff sowie der englische Geheimdienst und der US-amerikanische OSS unter Allen Dulles in der Schweiz. Hielt es wirklich niemand für angezeigt, dem Vatikan in irgendeiner Form eine Nachricht zu lancieren? Wenn dem so war, kann man über die Trägheit auf alliierter Seite und die Angst vor „ehrlosem Geheimnisverrat" auf deutscher Seite nur den Kopf schütteln.

Es wird sich wohl nie endgültig klären lassen, ob Pius XII. über den Razziabefehl ausdrücklich informiert wurde. Möglicherweise hatte er nur eine nicht näher bestimmte Warnung erhalten.

Falls Pius nichts von der geplanten Razzia in seiner Stadt gewusst hat, so war ihm doch die Gefährdung der Juden klar. Warum hatte er sich in Rom zurückgehalten und war die bedrohliche Lage nicht offensiv angegangen. Warum insistierte er nicht bei den verschiedenen deutschen Dienststellen, um herauszubekommen, was sich für die Juden anbahnte?

1./2. Oktober

* * *

Die erfolgreiche Flucht der dänischen Juden

Es soll nicht unerwähnt bleiben, dass zur selben Zeit in Kopenhagen die konspirative Mitteilung einer bevorstehenden Razzia unter den gut 7000 Juden im besetzten Dänemark zur größten erfolgreichen Juden-Rettungsaktion im Zweiten Weltkrieg führte.[14]

Werner Best, der Reichsbevollmächtigte in Dänemark, hatte am 8. September 1943 ans Berliner Außenamt telegrafiert, dass jetzt ein guter Zeitpunkt wäre für die Deportation der dänischen Juden. Unabhängig von diesem unseligen Telegramm wurde im Reichssicherheitshauptamt schon an diesem Plan gearbeitet. Hitler war nämlich persönlich daran gelegen, Dänemark endlich judenfrei zu bekommen. Bald war der Termin festgelegt: In der Nacht vom 1. auf den 2. Oktober sollte die Gestapo die Juden ergreifen. Zur Unterstützung wurden eigens SS-Polizeisoldaten aus Norwegen abkommandiert und genügend Schiffe zum Transport der verhafteten Juden herbeigeschafft.

Rechtzeitig davon erfuhr Georg Ferdinand Duckwitz, der als Schifffahrtsattaché in der deutschen Botschaft Kopenhagen arbeitete. Duckwitz hielt die geplante Judendeportation für eine verbrecherische Tat. Er konnte die Aktion zwar nicht verhindern, aber er konnte die Juden warnen lassen und für ihre heimliche Aufnahme im nahen Schweden sorgen. Der gegen das NS-Gewaltregime eingestellte Duckwitz hatte enge Kontakte zu sozialdemokratischen Politikern, die zum Widerstand gehörten oder ihm nahestanden. Noch am selben Tag, an dem Duckwitz von der bevorstehenden

SS-Aktion hörte, eilte er heimlich zu Hans Hedtoft, einem guten Bekannten und oppositionellen Politiker. Hedtoft wird nach dem Krieg zweimal dänischer Ministerpräsident werden.

Zum Treffen mit Duckwitz erzählte Hedtoft später: „... am 28. September suchte er [Duckwitz] mich während einer Sitzung im Alten Arbeiterversammlungsgebäude in der Roemersgaade 22 auf. ‚Das Unheil ist nun da', sagte er. ‚Alles ist bis auf dass kleinste Detail geplant. Im Hafen von Kopenhagen werden Schiffe vor Anker gehen, auf die ihre unglückseligen jüdischen Landsleute von der Gestapo gebracht werden sollen, um einem unbekannten Deportationsschicksal entgegenzugehen.' Er war kreideweiß vor Empörung und Scham."[15]

Duckwitz wusste, dass Hedtoft in Verbindung mit dem Vorsitzenden der jüdischen Gemeinde stand. Er bestürmte ihn, die Alarmnachricht sofort zu überbringen und die Flucht organisieren zu lassen. Er selbst wollte umgehend nach Stockholm fahren, um beim schwedischen Ministerpräsidenten Hilfe zu erbitten für die übers Meer flüchtenden Juden.

Der Alarmplan funktionierte. Hedtoft erzählt, dass er mit seinen anwesenden politischen Freunden unverzüglich Aufgaben verteilte. „Mit Hilfe illegaler Polizeiverbindungen verschafften wir uns Autos und stoben in alle Himmelsrichtungen auseinander."

Hedtoft eilte zu Rechtsanwalt C. B. Henriques, dem Kopenhagener Gemeindevorsitzenden. Als er von der Hiobsnachricht erfuhr, wollte er sie nicht glauben. Spontan sagte er Hedtoft ins Gesicht: „Sie lügen". Vom dänischen Außenministerium habe er gerade versichert bekommen, dass nichts geschehen werde. Hedtoft redete in Engelszungen auf Henriques ein. Schließlich konnte er ihn überzeugen. Jetzt ging alles sehr schnell. Bereits am nächsten Morgen, dem jüdischen Neujahrstag, wurde in den Synagogen Kopenhagens Alarm geschlagen. In und um Kopenhagen wohnte die überwiegende Mehrheit der Juden Dänemarks. Die unheilvolle Nachricht wurde sehr ernst aufgenommen. Die Menschen waren sofort zur Flucht bereit. Über verdeckte Informationskanäle wurden auch andere Landesteile alarmiert. Der dänische Widerstand hatte daran wesentlich Anteil.

Als am Abend des 1. Oktober Gestapo und SS-Polizeisoldaten ausschwärmten und Judenwohnungen aufsuchten, fanden sie die allermeisten leer vor.

Die Geflüchteten hatten sich bei Freunden, Bekannten, bei wildfremden Menschen oder in irgendwelchen Fischerhütten versteckt. Ihr Ziel war die Flucht über den Öresund ins rettende Schweden. Zahllose Helfer hatten ihnen zugesichert, dass man für die Überfahrt sorgen wolle.

Schon in der Nacht zum 2. Oktober wurden scharenweise Juden jeden Alters mit allem, was irgendwie nach Boot oder Kutter aussah, über die Ostsee geschippert. In wenigen Tagen konnten sich über neunzig Prozent aller Juden Dänemarks erfolgreich absetzen. Nur rund 400 Menschen fielen der Gestapo in die Hände – meist Alte und Kranke, die nicht mehr auf die Flucht konnten oder wollten. Einige wurden auch zu Opfern durch Zufall oder durch Verrat. In Schweden war man nach dem Besuch von Duckwitz auf den Ansturm der Flüchtlinge vorbereitet. Die erschöpften Menschen sind hilfreich empfangen und versorgt worden.

Die Holocaust-Gedenkstätte Yad Vashem ehrte Georg Ferdinand Duckwitz für seine Treue gegenüber dem Gewissen und seinen Mut im März 1971 als einen »Gerechten unter den Völkern«.[16]

17. September

* * *

Hilfsanfragen

Kurz nach der deutschen Besetzung Roms verfasste ein Mitarbeiter im päpstlichen Staatssekretariat ein knappes Memo über die Gefährdung der Juden.[17] Maßnahmen der Deutschen seien zu befürchten. Es gebe zwar noch keine Nachrichten darüber, aber einige beunruhigende Stimmen. Überall würden die Juden von Deutschen terrorisiert. Da liege es nahe, dass jetzt auch hier in Rom und in ganz Italien Gefahr aufziehe, besonders gegen Familienoberhäupter. Der Hl. Stuhl dürfe eine Intervention zugunsten der Juden nicht versäumen, so das Memo. Eine Vorsprache bei der deutschen Vatikanbotschaft sei die beste Möglichkeit.

Der Abteilungsleiter der ersten Sektion und Substitut Monsignor Montini legte diese Note vom 17. September seinem Chef Pius XII. vor. Montini notierte die Antwort seiner Heiligkeit: Man solle prüfen, ob nicht eine allgemein gehaltene Vorsprache bei der Vatikanbotschaft zugunsten der Zivilbevölkerung jedweder Rasse, besonders für die sehr Schwachen wie Frauen, Alte, Kinder oder einfache Leute angemessen sei.[18] Warum diese zurückhaltende Antwort? Nur eine allgemeine Vorsprache bei Botschafter Weizsäcker für die notleidende Zivilbevölkerung? Das Wort „Jude" wie im Memo des unbekannten Mitarbeiters im Staatssekretariat taucht nicht auf, soll nicht auftauchen. Nur indirekt möge man darauf hinzuweisen, dass der Vatikan keine Rassenunterschiede bei der Nothilfe wünsche. Keine Unterscheide? Das ist für die Kirche pure Selbstverständlichkeit. Die christliche universal tätige Nächstenliebe (»Caritas«) lässt gar nichts anderes zu. Auch ein Papst kann an diesem Grundgesetz nicht vorbeisehen.

Warum scheute sich Papst Pius die Gefahr für die Juden direkt zu benennen und direkt für sie einzutreten? Die Vorsprache bei Botschafter Weizsäcker war doch kein offizielles Begehren nach Berlin. Es war auch weit entfernt von einem „Protest" gegen die Judenverfolgung, die der Vatikan seit Kriegsbeginn so peinlich vermied. Sah Pius XII. schlicht keinen Grund, die Juden als gefährdet anzusehen? Hatte er andere Informationen als der Mitarbeiter im Staatssekretariat? Das wird gleich zu klären sein.

Immerhin nahm Papst Pius die neue Not im kriegsgeplagten Italien zum Anlass, die Bischöfe in anderen Diözesen zur Hilfsbereitschaft anzuhalten. Spät bekannt geworden ist ein Brief von Kardinalstaatssekretär Maglione an den Bischof von Assisi.[19] In dem Schreiben, das Ende September eingegangen sein soll, trug Maglione die Bitte des Papstes vor, ungeachtet von Rasse und Herkunft in christlicher Nächstenliebe die Schwachen, Hilflosen und Alleingelassenen zu unterstützen. Das abseits gelegene Assisi hatte sich damals rasch zu einem Anlauf- bzw. Durchgangspunkt für Flüchtlinge aller Art entwickelt.

In Rom gab es für den Vatikan bis zur Razzia nur selten Handlungsbedarf. Ab und zu tauchten Juden vor Klostertüren auf und erbaten Hilfe. Meist wurde das Problem auch an der Tür entschieden. Man gab Nahrung heraus, vermittelte Adressen oder gewährte erst einmal Obdach. In den ADSS-Akten sind nur zwei Fälle dokumentiert, bei denen der Vatikan selbst um Hilfe ersucht wurde.

Im ersten Fall handelte es sich um ein altes jüdisches Ehepaar mit ihrem Enkelkind. Irgendwann im September wandten sie sich an die Oblatenschwestern in der Via Garibaldi auf dem Gianicolo-Hügel und flehten um Obdach. Die Gründe hierfür sind nicht bekannt. Die Schwestern waren zögerlich. Als Frauenkloster wollte man nur die alte Frau (76 J.) mit ihrem Enkelkind aufnehmen. Obgleich der Ehemann 84 Jahre alt war, krank und pflegebedürftig, sollte er woanders hingehen. Der alte Mann wandte sich verzweifelt an das Staatssekretariat. Er bettelte um eine Ausnahmegenehmigung. Monsignor Montini trug den Fall am 1. Oktober Pius XII. vor. In der Audienz gab Pius zur Antwort,

Pius XII. und sein Substitut Montini (Libreria Edit. Vaticana, Pio XII. Attraverso le immagini, v. M. Marchione, S. 190).

dass man sehen solle, ob man dem alten Mann helfen könne. Montini wandte sich daraufhin an Monsignor Traglia, dem Vize-Generalvikar der Diözese Roms. Von ihm bekam er die Genehmigung. Der alte Mann durfte bei seiner Frau und dem Enkelkind bleiben.[20]

Der Vorgang ist absonderlich. Warum wurde das nicht auf unterer Ebene entschieden? Warum befasste sich der hohe Substitut Montini persönlich mit der Angelegenheit und trug sie bis in die Privataudienz beim Heiligen Vater? Die jüdische Religionszugehörigkeit des Mannes dürfte kaum der Grund dafür gewesen sein. Vermutlich war es das schier unüberwindlich kanonische Problem einer „männlichen" Person in einem rein weiblichen Ordenshaus. Das verlangte nach einer Entscheidung des Stellvertreters Christi. Hatte man im Vatikan keine anderen Sorgen? Nun denn – das Problem konnte ja gelöst werden.

Der zweite Fall, bei dem der Vatikan um Hilfe gebeten wurde, war dramatischer. Am 17. September klopfte der jüdische Gemeindeleiter Hugo Foà überraschend im Staatssekretariat an. Er wurde vom Attaché Monsignor

Giuseppe di Meglio von der ersten Sektion empfangen. Signor Foà trug ein Problem vor, das sich als sehr heikel für den Vatikan herausstellte: Juden aus Frankreich und Polen seien in Rom gestrandet. Viele von ihnen hätten sich schon nach Süden abgesetzt oder in die Apenninen, aber rund 150 Menschen seien zurückgeblieben. Man habe sie vorläufig in der israelitischen Schule untergebracht.

»Die Menschen sprechen kein Wort italienisch und haben Angst. Sie trauen sich nicht weiter durch das Land zu flüchten. Die Leute schweben in Gefahr. Könnte der Heilige Stuhl die Menschen nicht gruppenweise in verschiedenen religiösen Instituten Roms unterbringen?«[21]

Monsignor di Meglio hörte Foà geduldig an, doch am Ende schüttelte er den Kopf. Eine Übernahme der Juden in kirchliche Häuser sei keine gute Idee. Die deutsche Polizei könnte sie bei eventuellen Durchsuchungen finden. Foà wollte der Argumentation nicht folgen. Er bestand darauf, dass der Vatikan den Juden beistehen und sie verstecken sollte. Diese armen Gestalten wollten nicht weiter fliehen, könnten nicht weiter fliehen. Der Monsignore überlegte, dass es dem vatikanischen Hilfs- und Informationsbüro wohl besser als ihm gelänge, Signor Foà umzustimmen. Er schickte ihn daher zu Monsignor Riberi, dem Leiter des Hilfsbüros. Dort bekam Foà das Gleiche zu hören wie im Büro des Staatssekretariats. Monsignor Riberi hielt es für absolut unmöglich, dass die illegalen Juden in Rom blieben. Man sollte sie in kleinen Gruppen in die Abruzzen und die Marken schicken. Ein Italiener oder jemand mit italienischer Sprachkenntnis könnte jede Gruppe begleiten.

Mit diesem guten Rat wurde Foà weggeschickt. Der Vatikan übernahm die Juden nicht und gewährte auch keine Zuflucht. Foà war sehr enttäuscht. Er hatte sich wenigstens eine Kooperation mit dem Vatikan gewünscht. Dass er so abblitzte, verletzte ihn und die gesamte Gemeindeleitung. Jetzt blieben sie allein mit den hundertfünfzig verängstigten Menschen in ihrer Schule. Auf Dauer konnten sie die Flüchtlinge dort nicht versteckt halten und auch nicht versorgen. Über kurz oder lang würde die Gestapo vor der Tür stehen.

Was mit den Menschen letztlich geschah, ist nicht dokumentiert. Spätestens bei der bald stattfindenden Razzia wird sich das Problem durch die überstürzte Flucht der noch verbliebenen Leute von selbst lösen. Wer rechtzeitig verschwinden konnte und ein Versteck fand, hatte Chancen durch das Netz zu schlüpfen.

Die kleine Episode mit großen Einzelschicksalen ist schier unglaublich. Da flüchteten Juden erfolgreich vor der SS in Frankreich und Polen, suchten in Rom Schutz und Hilfe und mussten erleben, wie man im Vatikan die Schulter zuckte. Für die um Beistand bittende Gemeinde gab es nur gute Ratschläge. Niemand im Staatssekretariat fühlte sich angesprochen, diesen Menschen in Todesnot weiterzuhelfen und irgendwo in Klöstern unterzubringen. Das Argument, die Gestapo könnte Klosterrazzien durchführen, stand auf äußerst schwachen Beinen. Vom deutschen Botschafter Weizsäcker und vom Feldmarschall Kesselring hatte der Vatikan Zusicherungen über die Integrität aller vatikanischen Einrichtungen in der Stadt. Die Garantie wurde bis zum letzten Tag der deutschen Besatzung eingehalten. Zu keinem Zeitpunkt sollte es zu einer Gestapodurchsuchung in irgendeinem kirchlichen Haus in Rom kommen.[22]

Trotz des amtlichen Schutzes vatikanischer Institutionen winkte auch Substitut Montini, die rechte Hand Pius XII., bei dem Fall ab. Durch die schriftliche Dokumentierung des Attachés di Meglio hatte er Kenntnis vom Hilfebegehren Foàs. Montini verfolgte den Fall aber nicht.

Wie ist es möglich, dass hundertfünfzig Juden in Lebensgefahr ignoriert wurden, während die Frage eines Greises bei den Oblatenschwestern höchste Aufmerksamkeit genoss? Aber vielleicht ist das ungerecht geurteilt. In der kanonischen Welt des Vatikans gelten andere Regeln. Der Vorgang verführt zur Ironie: Womöglich war ein Mann im Nonnenkloster ein größeres Problem als eine Flüchtlingsgruppe, die um das nackte Leben kämpfte.

Falls Pius XII. nicht über das Hilfeersuchen der jüdischen Gemeinde informiert wurde, kann man ihm die Zurückweisung Foàs nicht vorwerfen. Zurechnen lassen muss er sich aber das Verhalten seiner engsten Mitarbeiter dennoch. Er hätte es in diesem Fall versäumt, die „Juden" zur Chefsache zu machen: Vorlage aller Probleme und Fragen rund um die Sicherheit und Notlagen der Juden Roms.

Konnte es für einen Stellvertreter Christi nach Hitlers Machtübernahme in der Ewigen Stadt etwas Wichtigeres geben als die Bedrohung der Juden an Leib und Leben?

26. Sept. 1942

* * *

Was wusste Pius XII. vom Holocaust? – Weihnachtsansprache

Welchen Informationstand hatte Papst Pius im Herbst 1943 über die NS-Judenverfolgung? Was wusste er über das Schicksal der zahlreichen Deportierten aus dem Reich, den Niederlanden, Frankreich und anderen Ländern? Was wusste er über das Schicksal der Juden in Polen, der Ukraine und dem Baltikum? Die deutsche Propaganda vom Arbeitseinsatz im Osten war sattsam bekannt.

Konnte sich Pius mit dem Gedanken beruhigen, dass die römischen Juden nach einer Deportation in ein Arbeitslager kämen? Was und wie viel wusste er über eine massenhafte Ermordung von Juden auf freiem Feld und in speziellen Vernichtungslagern? Drohte das auch den römischen Juden? Die Fragen sind entscheidend. Von den Antworten hängt ab, wie das weitere Handeln von Papst Pius während der Razzia zu beurteilen ist.

Im Herbst 1942 hatte sich die internationale Nachrichtenlage über systematische Judenermordungen im Osten Europas stark verdichtet. Besonders Washington war daran interessiert zu erfahren, was der Vatikan eigentlich wisse. Man traute der alten Kirchenzentrale in Europa beste Kontakte zu und genügend Erfahrung im Auswerten von Nachrichten. Am 26. September 1942 schickte das State Department in Washington ein streng geheimes Fernschreiben nach Rom zu Myron Taylor, dem US-Gesandten beim Heiligen Stuhl. Taylor wurde angewiesen, umgehend im Vatikan offiziell nachzufragen, was man dort über die NS-Judenvernichtung wisse. Der Grund für die Eile war ein alarmierender Bericht aus dem Genfer Büro des *Jüdischen Weltkongresses*.

Die Niederlassung in Genf wurde von dem jungen Rechtsanwalt Gerhard Riegner geleitet. Seit einem halben Jahr versuchte Riegner die Alliierten von dem NS-Plan einer „Endlösung" der Judenfrage zu überzeugen. Im März 1942 hatte er zusammen mit seinem Kollegen Richard Lichtheim erste Berichte über Massaker an den Juden in einem Memorandum zusammengefasst.[23] Er schickte den brisanten Bericht nicht nur an die Alliierten, sondern auch zum Vatikan.[24] In Washington und London wurde das Memorandum aufmerksam gelesen. Man konnte zwar nicht alles glauben, was da drin stand, aber vieles deckte sich mit anderen Informationen, die vorlagen.

Im Vatikan fand der Bericht keine Aufmerksamkeit. Entweder ignorierte man ihn beflissentlich oder er versank in der Flut wichtigerer Amtspost. Bis heute fehlt dort vom berühmten Riegner-Memorandum jede Spur.

Im August 1942 bekam Riegner eine ungeheuerliche Nachricht zugespielt. Sie stammte vom Industrie-Direktor Eduard Schulte, der geschäftlich mit der Kriegswirtschaft (einschließlich KZ-Zwangsarbeit) in Polen zu tun hatte. Schulte informierte Riegner, dass es einen Plan direkt aus dem Führerhauptquartier gebe: Die Juden sollten weit effizienter als bisher ausgerottet werden. Dafür wolle man im großen Stil Blausäure einsetzen. Riegner schrieb sofort ein Telegramm und übergab es dem amerikanischen Vizekonsul in Genf Howard Elting. Dieser kabelte es nach Washington und London. Am Nachmittag des 11. August kam es mit dem Sigel „Strictly confidential" im State Department an.[25] Ende August schickten Riegner und Lichtheim ein Memo mit neuesten Informationen zur aktuellen Lage der Judenexekutionen hinterher.[26] Der Inhalt des Memos war so erschütternd, dass das State Department noch im September reagierte und ihren Mann im Vatikan alarmierten.

Die Weisung aus Washington trudelte zur Mittagszeit am 26. September ein. Am Vormittag war Taylor gerade zur Privataudienz bei Pius XII. gewesen, der dritten innerhalb kurzer Zeit. Es wurde dabei allein über die Sorge des Hl. Stuhls um die Opfer des Krieges geredet, insbesondere um die Bombenopfer. Nach dem Kabel aus dem State Department setzte sich Taylor gleich hin und verfasste noch am Samstagnachmittag eine eineinhalbseitige Note über den Rieger-Lichtheim-Bericht aus Genf:[27]

Zwei Augenzeugen (Arier) hätten dem Genfer Büro der Jewish Agency mitgeteilt, dass das Warschauer Ghetto gerade liquidiert würde. Ohne Rücksicht auf Alter oder Geschlecht hole man die Juden dort heraus, um sie in speziellen Lagern zu erschießen. Auch in anderen Orten und Gebieten im Osten verfahre man mit den Juden gleichermaßen. Ganze Landstriche seien schon entvölkert. Aus Deutschland, Belgien, Holland, Frankreich und der Slowakei gebe es Karawanen von Deportationszügen, die alle in den Osten rollten – in Viehwagons, ungefähr vierzig Personen pro Wagen. Diese Menschen würden ebenfalls liquidiert. Man höre nichts mehr von ihnen.

Gleich am nächsten Morgen wollte Botschafter Taylor sein Schreiben persönlich im vatikanischen Staatssekretariat übergeben – obwohl es Sonntag war und dort niemand arbeitete. Er hatte wenig Zeit. In der kommenden Woche musste er wieder aus Rom abreisen. Im Staatssekretariat hoffte Taylor, den Chef Kardinal Maglione anzutreffen. Dann konnte er die Angelegenheit gleich besprechen und auf baldige Antwort drängen.

Washington hatte Taylor angewiesen, die Anfrage persönlich Pius XII. vorzulegen. Doch sie war am Tag zuvor genau zwei Stunden nach seiner dritten Audienz beim Papst eingetroffen. Taylor wollte nicht so dreist sein und ein erneutes Treffen unter vier Augen verlangen. Seine Note konnte auch der Staatssekretär annehmen und Pius XII. weiterleiten. Doch Kardinal Maglione war nicht im Vatikan. Aber Substitut Monsignor Montini war da. Taylor ersuchte ihn, die Note dem Papst vorzulegen. Es sei dringend, seine Regierung warte auf Antwort. Montini sagte zu. Er brachte die US-Note noch an diesem Sonntag zu Pius XII.

Pius las sich Taylors Schreiben kommentarlos durch. Danach gab er es Montini zurück. Er hatte keine Instruktionen für ihn, wie sonst üblich. Kardinal Maglione sollte sich darum kümmern und die Sache eigenständig bearbeiten. Das war ungewöhnlich. Obwohl Pius XII. eine offizielle Anfrage der US-Regierung zum vermuteten Holocaust an den europäischen Juden vorliegen hatte, schob er den Vorgang von seinem Schreibtisch. Warum? Es ging immerhin um eine Frage von historischer Bedeutung. Wusste Pius XII. nichts oder zu wenig? Oder wusste er zu viel? Es lohnt sich, seinen Kenntnisstand genauer unter die Lupe zu nehmen.

Am Montag war Kardinal Maglione wieder im Büro. Er beschäftigte sich gleich mit der Note von Botschafter Taylor – und zögerte. Was sollte man Washington antworten? Maglione entschloss sich, den Vorgang erst einmal im Amt herumgehen zu lassen und die Meinung seiner engsten Mitarbeiter einzuholen. Handschriftlich vermerkte er auf dem Rundschreiben: „Ich glaube nicht, dass wir Informationen haben, die im Einzelnen diese sehr ernsten Nachrichten betätigen. Ist es nicht so?"[28]

Niemand konnte oder wollte im Staatssekretariat zu der delikaten Angelegenheit etwas beisteuern. Nur Monsignor Montini notierte zwei Tage später neben Magliones Frage eine Bemerkung: „Es gibt doch jene [Nachrichten] von Signor Malvezzi." Dieser Hinweis bezog sich auf Graf Malvezzi, der als Beamter in einem Wirtschaftsinstitut in Polen tätig war. Mitte September 1942 hatte Malvezzi die Meldung ins Staatssekretariat gebracht, dass die Massaker an den Juden grässliche, fluchwürdige Ausmaße angenommen hätten. Jeden Tag gäbe es unglaubliche Gemetzel. Am 18. September hatte Monsignor Montini darüber eine Notiz angefertigt.[29] Entweder kannte Kardinal Maglione diese Notiz nicht – was sehr unwahrscheinlich war – oder er misstraute in den Kriegszeiten dieser einzelnen Horrornachricht.

Die US-Vertretung ließ dem Vatikan nur drei Arbeitstage Zeit, dann verlangte sie ungeduldig eine Antwort. Am 1. Oktober kam der Vertreter Botschafter Taylors, Mr. Harold Tittmann, persönlich ins Staatssekretariat und fragte nach. Ausdrücklich wies er darauf hin, dass Botschafter Taylor Weisung hatte, mit dem Papst darüber zu sprechen. Washington erwarte eine Antwort.

Im Staatssekretariat lässt man sich nicht zur Eile drängen. Die Uhren dort gehen anders. Erst knapp eine Woche später, am Mittwoch, den 6. Oktober, nahm Montini die US-Anfrage wieder mit zur Dienstaudienz. Jetzt sah sich Papst Pius in einer Zwickmühle. Er musste Washington irgendeine Stellungnahme liefern. Mittlerweile hatte er auch vom polnischen Botschafter beim Hl. Stuhl, Kazimierz Papée, eine Note bekommen über Judenmassaker in Polen.[30] Papée bezog sich wie Washington auf das Riegner-Lichtheim-Memorandum und gab zusätzlich an, dass weitere Quellen die brutalen Ghettoleerungen bestätigten.

Pius war im Zugzwang. Bislang hatte er allen Wünschen, Bitten und Aufforderungen, sein Schweigen gegenüber den Gewaltexzessen des nationalsozialistischen Regimes zu brechen, konsequent widerstanden. Er wollte seine sorgsam gehütete Politik der Neutralität und Zurückhaltung nicht beschädigen. Nur die allgemeine Verurteilung der Leiden der Opfer des Krieges, insbesondere der Unschuldigen, war ihm möglich. Und jetzt? Mit einer Antwort auf die Anfrage Washingtons lief er Gefahr, unvermittelt in eine offizielle Erklärung zur NS-Judenvernichtung zu stolpern. Das konnte er nicht riskieren. Der diplomatisch überaus versierte Papst Pius entschied sich für eine sehr knappe Stellungnahme. Sie sollte formlos und inhaltlich unverdächtig sein. Er wies Substitut Montini an, dass man im Staatssekretariat eine Notiz mit folgendem Inhalt entwerfen solle:

Der Hl. Stuhl habe Nachrichten von harten Behandlungen der Juden bekommen, aber man könne sie nicht alle exakt überprüfen. Zugleich habe der Hl. Stuhl nie versäumt, humanitär zugunsten von Juden zu intervenieren.

Es dauerte ganze vier Tage, bis man im Staatssekretariat die Erklärung in ein paar Sätze gegossen hatte. Nach einer fünfzeiligen Einleitung heißt es:[31]

... der Heilige Stuhl hat auch aus anderen Quellen Nachrichten von harten Behandlungen bezüglich von Nicht-Ariern erhalten. Bislang ist es dem Heiligen Stuhl nicht möglich gewesen, diese Nachrichten exakt zu überprüfen.

Harold H. Tittmann Jr.

Der ständige Vertreter von „US-Botschafter" Taylor.

Im Schlusssatz wurde gemäß der zweiten Weisung des Papstes auf die stetige humanitäre Sorge der Hl. Stuhls für die Nicht-Arier verwiesen. Die knappe Note ist formal nicht als „Erklärung" deklariert und auch nicht unterschrieben.

Am 10. Oktober 1942 bestellte Kardinal Maglione Botschaftervertreter Harold Tittmann ins Staatssekretariat und überreichte ihm die „Note". Weitere Erläuterungen gab der Kardinal nicht ab. Tittmann musste sich mit den dürren Worten zufriedengeben. Er war sichtlich enttäuscht. In seinem Bericht an das State Department bedauerte er den oberflächlichen Charakter der Erklärung und bemängelte ausdrücklich die fehlende Unterschrift. Außerdem wunderte sich Tittmann über den indirekten Ton. Der Hl. Stuhl spräche von sich in dritter Person.[32]

Papst Pius hatte sich mit der mageren und formal nicht korrekten Erklärung ausgesprochen bedeckt gehalten. Der Inhalt unterschied sich kaum von einer beliebigen Zeitungsmeldung, die Hörensagen und Allgemeinplätze wiedergab. Sehr auffällig allerdings ist die Formulierung „harte/strenge Behandlungen" von Nicht-Arien, gemeint: Juden. Harte Behandlungen? Wie kann man angesichts der Meldungen über Judenmassaker in den Ghettos und Lagern, sowie der unmenschlichen Deportationskarawanen quer durch Europa von „harten Behandlungen" sprechen? Auf dem Kasernenhof wird hart behandelt oder auch im Training und sonst wo, aber nicht im Ghetto oder Lager, wo massenhaft ganze Familien exekutiert werden. Der sprachliche Ausdruck in der Vatikanerklärung ist mehr als deplatziert.

Washington gab sich mit der seltsamen Vatikanerklärung nicht zufrieden. Man wollte nicht akzeptieren, dass sich Pius XII. in der Reserve hielt. Er hatte schließlich höchste moralische Autorität, und seine humanitäre Stimme galt etwas in der Welt. Auch London war dieser Meinung. Hinter den Kulissen drängte man im Vatikan auf ein deutliches Wort des Papstes. Wenigstens aber sollte sich Papst Pius hinter eine gemeinsame Protesterklärung stellen, die die Nazigräuel an den Juden scharf verurteilte.

Diese Erklärung alliierter und anderer Regierungen ist am 17. Dezember 1942 veröffentlicht worden.[33] Darin wurde die offensichtliche Massenvernichtung der Juden aufs Strengste verurteilt. Die deutsche Politik gegenüber den Juden sei bestialisch: Überall aus Europa würden Juden mit brutal durchgeführten Deportationen in den Osten verfrachtet, wo die meisten im Hauptschlachthaus der Nazis „Polen" massenhaft exekutiert würden. Andere könnten vorübergehend in Arbeitslagern überleben, bevor sie über kurz oder lang auch den Tod aus Erschöpfung und Hunger fänden.

Pius XII. wollte sich dieser sehr deutlichen Erklärung nicht anschließen. Aber durfte er das Problem noch länger ignorieren? Die Protestnote der elf Regierungen und des französischen Nationalkomitees war um die Welt gegangen; der Krieg tobte auf dem Höhepunkt und Weihnachten stand vor der Tür. In der traditionellen Weihnachtsansprache konnte Pius die Friedensbotschaft von Bethlehem nicht in üblicher Weise verkünden. Er musste irgendwie auf die Judenvernichtung eingehen. Aber wie? Deutschland namentlich zu brandmarken ohne gleichzeitig Stalin zu nennen, kam nicht in Frage. Und seine »Neutralität« verletzen wollte er auch nicht. Pius versuchte eine Gratwanderung. Er wollte allgemein die Leiden des Krieges beklagen und dabei ausdrücklich rassisch Verfolgte einschließen – ohne Nennung von Parteien, die sich daran schuldig machten und ohne ausdrücklichen Protest dagegen. Nur das Faktum selbst wollte er umschreiben.

Die Formulierung der Ansprache kostete Papst Pius mehr Zeit und Schweiß als sonst bei schwierigen Verlautbarungen. Schon während seiner Zeit als Kardinalstaatssekretär war er bekannt gewesen für seinen überaus peniblen und akkuraten Arbeitsstil. Besonders eigene Texte redigierte er gern wieder und wieder. Die Weihnachtsansprache gibt reichlich Zeugnis dafür. Bevor Pius mit dem Wortlaut in jedem Absatz zufrieden war, korrigierte er handschriftlich zahlreiche Formulierungen und Ausdrücke. Die maschinengeschriebenen Textblätter sind voll von Änderungen.

Am 24. Dezember 1942 sprach Pius XII. sein Weihnachtswort live ins Mikrophon von Radio Vatikan.[34] Rund um den Erdball warteten unzählige Menschen gespannt darauf, was der Papst sagen würde. Man musste sich gedulden. Erst am Ende breiter Ausführungen kam Pius zum entscheidenden Punkt. Angesichts des moralischen Niedergangs in Europa beschwor er das Gelöbnis aller Gutgesinnten nicht zu rasten, bis das göttliche Gesetz wieder befolgt werde. Dieses Gelöbnis schulde die Menschheit allen Toten auf den Schlachtfeldern, allen trauernden Müttern, Witwen und Waisen, allen Verjagten und Entwurzelten sowie allen Frauen, Kindern, Kranken und Greisen, die Opfer des Luftkrieges sind.

Aber man schulde das Gelöbnis auch:

... den Hunderttausenden, die persönlich schuldlos bisweilen nur um ihrer Volkszugehörigkeit oder Abstammung willen dem Tode geweiht oder einer fortschreitenden Verelendung preisgegeben sind.

Man muss diesen Satz am Ende der langen Aufzählungsreihe zwei-, dreimal lesen. Was sagt er? Auffällig ist, dass Pius XII. hier das Wort „Jude" ebenso wenig benutzte wie das damals gebräuchliche „Nicht-Arier". Er zog eine Umschreibung vor. Damit blieb er dem diplomatischen Sprachgebrauch des Vatikans seit 1933 treu. Der Ausdruck „Jude" tauchte in öffentlichen Verlautbarungen niemals auf. Bis Kriegsende änderte sich nichts daran.

Pius zählte im gleichen Atemzug Menschen auf, die wegen ihrer Volkszugehörigkeit zu Kriegsopfern wurden. Wen meinte er damit? In erster Linie dachte er hier wohl an die Polen. In Frage kamen aber auch andere ethnische Gruppen in den besetzten Ostgebieten.

Weiterhin auffällig ist, dass Pius weder die Täter benannte, noch die Taten der Verbrechen genauer auflistete. Es liegt zwar auf der Hand, dass er die Deutschen meinte und dass er von Mordaktionen ausging, aber er nannte weder Ross noch Reiter. Hinsichtlich der Frage nach dem Ausmaß der Judenvernichtung hielt sich Pius sehr zurück. Er gab summarisch die Größenordnung „Hunderttausende" vor. Wie viele davon waren Juden, die von den Nazis getötet würden? Für die Hörer des Weihnachtswortes blieb das offen. Man konnte nur eine persönliche Rechnung aufmachen:

Abzuziehen von den Hunderttausenden sind die Verfolgten wegen einer bestimmten Volkszugehörigkeit. Diese wurden von Pius in gleicher Weise neben die Verfolgten der Abstammung wegen gestellt.

Abzuziehen wären ferne all jene, die nicht dem Tode geweiht waren, sondern in fortschreitender Verelendung lebten. Ob die eine oder andere Gruppe in der Mehrzahl war, ließ Pius offen.

Schließlich fügte Pius noch das einschränkende Wort „bisweilen/zuweilen" ein. Danach befinden sich unter der Schar der Hunderttausenden, die ohne Schuld leiden müssten, *bisweilen (talvolta)* die Verfolgten nach Volkszugehörigkeit und Abstammung. Warum fügte Pius dieses relativierende Wörtchen ein? Er machte dadurch noch einmal einen offengehaltenen Abzug in der Rechnung. Seinen Hörern mutete er viel zu. Das ist schon die dritte Einschränkung in dem einen Satz, auf den alle gewartet hatten.

Wer Pius' Bemerkungen großzügig überschlägt, kommt auf ein- bis zweihunderttausend Juden, die von den Nazis bislang getötet wurden. In Europa lebten viele Millionen Juden. Das war allgemein bekannt. Seit Hitlers Einmarsch in Polen, in die Sowjetunion und die baltischen Staaten, war der größte Teil unter seiner Herrschaft. Informierte Zeitgenossen kannten sogar genauere Zahlen für Polen, die Ukraine und Litauen. Angesichts der betroffenen Volksscharen war die Zahl, die Papst Pius in seiner Weihnachtsansprache andeutete, verschwindend gering. Woher hatte Pius die Größe „Hunderttausende"? Aus eigenen Quellen lag dem Vatikan diese Zahl nicht vor. Wir werden gleich sehen, dass Pius ganz andere Dimensionen auf seinem Schreibtisch hatte. Ein Blick in den alliierten Protest vom 17. Dezember verrät die Herkunft. Dort werden „hunderttausende" Opfer genannt. Allerdings bezog sich der Text nur auf die verfolgten Juden. Damit lagen die Alliierten mit ihrer Schätzung um einiges höher. Offensichtlich hielt sich Pius an diese Zahlenvorgabe. Er war nicht willens, die eigenen ihm vorliegenden Opferzahlen zu nennen.

Gegenüber der alliierten Protestnote – die schon im Titel von der Vernichtung der Juden sprach – fiel die Bemerkung im Weihnachtswort sehr mager aus, geradezu steril. Der verklausulierte und einschränkende Satz musste vom Hörer erst übersetzt werden. Man konnte sich nur ungefähr vorstellen, was Pius über die Opfer der NS-Judenverfolgung sagen wollte. Er sprach zwar von willkürlichen Tötungen aus Rassengründen, er mied aber jede Festlegung, die in Richtung Genozid am jüdischen Volk in Europa gedeutet werden konnte.

Es wundert nicht, dass US-Vertreter Tittmann und sein britischer Kollege, Sir Francis D'Arcy Osborne, sehr unzufrieden waren mit der kleinen Passage. Sie fragten, weshalb der Papst als die moralische Autorität schlechthin nicht deutlicher werden konnte? Bei einer Audienz kurz nach Weihnachten erhielt der US-Vertreter eine persönliche Antwort von Pius. Tittmann telegrafiert am 5. Januar nach Washington:[35]

> Was die Weihnachtsbotschaft anbelangt, so machte der Papst mir den Eindruck, dass er aufrichtig glaubt, er habe sich klar genug geäußert, um alle, die im Vergangenen darauf bestanden, er solle einige Worte zur Verurteilung der nationalsozialistischen Grausamkeiten sagen, zufrieden zu stellen. Er schien überrascht, als ich ihm sagte, nicht alle Leute seien derselben Ansicht.
>
> Er sagte mir, seines Erachtens sei es für alle Welt klar, dass er die Polen, die Juden und die Geiseln meinte, als er von Hunderttausenden von Menschen sprach, die man getötet oder gefoltert habe, ohne ihnen irgendwelche Schuld belegen zu können, ja manchmal nur auf Grund ihrer Rasse oder ihrer Nationalität.
>
> Er sagte, er habe, als er von diesen Grausamkeiten sprach, nicht die Nationalsozialisten nennen können, ohne die Bolschewisten ebenfalls zu nennen, das aber hätte seiner Meinung nach den Alliierten nicht gefallen.

Die Audienznotiz ist aufschlussreich. Sie bestätigt, wie genau Pius es mit seiner einschränkenden Formulierung nahm. Er wiederholte vor Tittmann seine Mischkalkulation: betroffen seien Polen, Juden und Geiseln, die manchmal wegen ihrer Rasse oder Nationalität zu Opfern würden. Die Notiz zeigt auch, dass Pius den Druck auf ihn massiv spürte. Er konnte sein Schweigen nicht länger aufrechthalten. Interessant ist aber seine selbstverständliche Meinung, dass er mit dem Wort zu den NS-Grausamkeiten die Drängler zufriedengestellt habe und dass er auf eine gute Resonanz im amerikanischen Volk stoßen dürfte. Glaubte Papst Pius wirklich, genug gesagt zu haben – und im richtigen Ton?

Das Weihnachtswort Pius XII. hat viel Kritik geerntet. Sie hält bis heute an, und das zu Recht! Der diplomatisch gedrechselte Satz mit der mehrfach abschwächenden Zahlenarithmetik ist einfach zu befremdlich. Wie kann er als Beweis für das weltöffentliche Reden und Verurteilen der NS-Judenvernichtung durch den Papst gelten?

Auch die aufwändig gestaltete internationale Ausstellung des Vatikans anlässlich der Feierlichkeiten zum 50. Todestages Pius XII. konnte nichts dagegen setzen.[36] Um die Weihnachtsansprache wirkungsvoll zu präsentieren, hatte man eigens einen ganzen Raum dafür hergerichtet.

Hier hören Sie das Schweigen des Papstes. So begrüßte eine große Banderole hoch an der Wand jeden Besucher im finalen Raum der Ausstellung. Darunter war eine Bronzebüste des Papstes aufgestellt mit einem Mikrofon davor. Im Hintergrund hörte man in Endlosschleife die entsprechende Originalpassage des Weihnachtswortes. Eine große Kulisse für ein kleines Wort.

Die „finale" Wand in der Ausstellung zu Pius XII.
Im Vordergrund die Bronzebüste mit Mikrofon.

Glaubte das päpstliche Geschichtskomitee damit das Publikum in Rom, München, Berlin und New York überzeugen zu können? Selbst die gegenüber Pius XII. konziliante Frankfurter Allgemeine Zeitung fand in der Beurteilung von Rainer Blasius harte Worte für das Arrangement. Angesichts der „kunstvoll verklausulierten" und „ganz auf Neutralität getrimmten" Erklärung wirke das ironisch gemeinte Motto: *Hier hören Sie das Schweigen des Papstes* schlicht „borniert".[37]

Was wusste Pius XII. im Dezember 1942 tatsächlich vom Ausmaß des Völkermords an den Juden? Hatte er Kenntnisse über einen Genozid am europäischen Judentum?

26. Nov. 1941 - 7. Okt 1942

* * *

Die Nachrichten des Don Pirro Scavizzi

Gut ein Jahr vor der Weihnachtsansprache bemühte sich ein römischer Priester um Privataudienz bei Pius XII. Normalerweise wurden solche Gesuche abgewiesen, nicht aber bei diesem Priester. Er galt als sehr vertrauenswürdig, und er hatte furchtbare Nachrichten für den Papst. Am 15. November war der 48-jährige Don Pirro Scavizzi von einer mehrwöchigen Reise bis weit in die Ukraine zurückgekehrt. Er hatte die Reise als Malteser Feldkaplan unternommen und einen italienischen Lazarettzug begleitet. Der Zug war durch Deutschland, die ehemalige Tschechoslowakei, Polen und Ukraine gekommen mit dem Ziel Dnepropetrovsk.

Ursprünglich wollte Don Scavizzi dem vatikanischen Staatssekretariat über Erfahrungen zur Lage der Kirche in den besetzten Gebieten berichten. Doch nach dieser Reise war Scavizzi so tief erschüttert, dass er unbedingt den Papst persönlich treffen wollte. Er musste ihm unter vier Augen Dinge berichten, die er selbst – und sicherlich auch der Heilige Vater – bislang nicht für möglich gehalten hatte.

Don Scavizzi war gut mit Monsignor Rossignani im Staatssekretariat bekannt. Rossignani hatte beste Kontakte hinauf in den Apostolischen Palast; er war bis 1939 ein enger Zuarbeiter Kardinal Pacellis gewesen. Es dauerte nicht lange und Don Scavizzi hielt den Termin für eine Privataudienz bei seiner Heiligkeit in Händen: Mittwoch, den 26. November 1941.[38] Die Audienz war vertraulich. Sie wurde nicht im pontifikalen Kalender veröffentlicht.

Scavizzis Neffe, Renato Angeloni, begleitete seinen Onkel am 26. November in den Vatikan. Er wartete im Vorzimmer der Anticamera bis zum Ende der Audienz. Angeloni berichtete später, dass er sehr lange warten musste. Was Don Scavizzi dem Papst unter vier Augen erzählte wäre immer ein Geheimnis geblieben, wenn er es nicht schriftlich dokumentiert hätte. Auf Wunsch von Pius verfasste er einen mehrseitigen Rapport über seine Reise. Der Rapport wanderte in das Archiv des Staatssekretariats, wo er bis heute vertraulich aufbewahrt wird.

Es ist dem glücklichen Umstand zu verdanken, dass ein Seligsprechungsverfahren für Don Scavizzi eröffnet wurde. Dadurch wurde sein Bericht über Umwege bekannt. Scavizzis Biograph nämlich, Michele Manzo, bekam für seine Recherchen Einblick in diverse Akten. Signor Manzo veröffentlichte den vertraulichen Rapport an den Papst wortwörtlich. Das Gleiche tat er mit drei weiteren Berichten, die Don Scavizzi geschrieben hatte: zwei längere maschinengeschriebene und zwei kürzere handschriftliche. Der Feldkaplan hatte sie im Anschluss seiner ersten vier von insgesamt sechs Lazarettzugreisen in den Osten verfasst.[39]

Im seinem ersten Rapport, den Scavizzi auf Bitten Pius XII. erstellt hatte, schrieb er zur Judenvernichtung:[40]

> Es ist offensichtlich. Die Besatzungsmacht hat die Absicht so viele Juden wie möglich zu eliminieren, indem sie sie durch verschiedene Methoden ermordet. Die häufigste und bekannteste Methode besteht darin, die Juden massenweise durch Maschinengewehrfeuer zu töten. Für die Exekutionen werden Gruppen von jüdischen Familien (Männer, Frauen und Kinder, auch noch zu stillende Babys) einige Kilometer von der Stadt weg deportiert zu Schanzmulden oder zu großen, von den Juden selbst extra ausgehobenen Gruben. Am Rand der Gräben werden diese Gruppen von hunderten und auch tausenden Menschen unerbittlich erschossen und in die Gruben geworfen.
> … [Scavizzi berichtet weiter von zwei harten Einzelvorfällen, die ihm bekannt wurden].
> Die Zahl der ermordeten Juden bewegt sich zurzeit auf ca. eine Million zu.

Eine Million! Diese monströse Zahl war für den Spätherbst/Winter 1941 von Scavizzi gut geschätzt. Sein eigener Augenschein und die vielfältigen Berichte aus Polen und der Ukraine erwiesen sich als ziemlich zuverlässig. Auch die Umstände der titanischen Mordaktionen vor allem in der Ukraine sind von Scavizzis sehr detailgetreu beschrieben.

Wie früh schon die Kenntnisse über massenweise Judenermordungen in der Ukraine verbreitet waren, bestätigte jüngst noch einmal die bekannte deutsch-russische Dostojewski-Übersetzerin *(Vier Elefanten)* und Lektorin Swetlana Geier.

Don Pirro Scavizzi
(aus Manzo: Don Pirro Scavizzi)

Im Herbst 1941 hatte die damals achtzehnjährige Abiturientin Swetlana Michailowna Iwanowa den Einmarsch der Wehrmacht in Kiew erlebt. Bereits einige Tage später kam es zu einem Massaker an den nicht geflüchteten Kiewer Juden in der nahegelegenen Schlucht von Babi Jar.[41] Der ersten großen Welle fielen rund 33.000 Menschen zum Opfer. In den folgenden Wochen noch einmal knapp zwanzigtausend.

Auf die Interviewfrage, ob die Erschießungen heimlich geschahen, sagte Frau Geier: „Mitten am helllichten Tag. Mehrere Tage lang. Die Maschinengewehre hat man in ganz Kiew gehört."[42]

Das Massaker vor den Toren Kiews reihte sich nahtlos in die gespenstische Chronik des Holocausts in der Ukraine. In seinem Bericht erwähnte Don Scavizzi die Hölle von Babi Jar nicht namentlich. Ob er Pius im Vieraugengespräch Berichte vom Hörensagen weitergab, ist nicht bekannt. Die exakten Schilderungen lassen aber vermuten, dass die Informanten vor Ort Babi Jar einschlossen.

In seinem Bericht betonte Scavizzi ausdrücklich die infernalischen Zustände in den Deportations- und Gefangenenzügen. Den entsprechenden Abschnitt überschrieb er nur mit: „Kannibalismus". Von Offizieren sei ihm mehrfach glaubwürdig berichtet worden, dass in den am Zielort geöffneten Wagons nicht selten abgenagte Knochen von Toten gefunden worden seien. Ähnliche Vorfälle gebe es in den Lagern.

Don Scavizzi schloss seinen 23-seitigen Rapport mit der schmerzvollen Bemerkung: „Noch viele andere schreckliche Sachen sind mir berichtet worden, die ich festhalten müsste. Doch ich habe nicht die Seelenkraft dazu; mein Herz schreckt davor zurück, das detailliert erzählen zu müssen."[43]

Vor seinen Lazarettzugreisen hatte Don Scavizzi eine naiv patriotisch-theologische Einstellung zum begonnenen Krieg gegen die Sowjetunion gehabt. Er sprach von einem Kampf zwischen gut und böse, zwischen Glauben und Unglauben, zwischen Gerechtigkeit und Unterdrückung.[44] Doch schon die erste Fahrt durch die eroberten Gebiete heilte Don Scavizzi gründlich von seiner Verblendung. Die Erlebnisse waren für ihn so schockierend, dass er fortan nur noch mit Abscheu und Verzweiflung über die deutsche Besatzung und Kriegsführung sprach.

Da das vertrauliche Audienztreffen Scavizzis mit Pius XII. in der vatikanischen Bürokratie nicht festgehalten wurde, gibt es keine Bemerkungen über die Reaktion des Papstes. Das holte Don Scavizzi später selbst nach, als er sich im Zuge der Hochhuth-Debatte schriftlich erinnerte.[45]

Über die Reaktion Pius XII. schrieb Scavizzi den bemerkenswerten Satz: „Ich sah ihn weinen wie ein Kind und beten wie einen Heiligen." Der Papst sei zutiefst erschüttert gewesen und habe verzweifelt die Hände zum Himmel gereckt.

Dann sagte Pius zu Scavizzi, dass er schon mehrmals daran gedacht habe, „den Nazismus mit dem Bannstrahl zu belegen, um die Bestialität der Vernichtung der Juden vor der zivilisierten Welt zu brandmarken." Doch aus Furcht, dass sein Bannstrahl noch alles schlimmer machen würde, habe er davon Abstand genommen (vgl. Kap. 5/letzter Punkt). Glaubte Papst Pius etwa, dass er Hitlers Vernichtungspolitik gegenüber den Juden wesentlich steigern konnte?

Don Pirro Scavizzi wurde zum wichtigsten Holocaust-Informanten für Pius XII. Auf den nächsten fünf Reisen, die er bis zum Spätsommer 1942 unternehmen wird, sollte Scavizzi besonders die Augen aufhalten und auch vatikanische Post nach Polen bringen und von dort mitnehmen.

Nach Abschluss der zweiten Reise (12. Jan. – 20. Febr. 1942), die Scavizzi wieder weit in die Ukraine gebracht hatte, bekam er erneut eine Privataudienz bei Papst Pius. Sie fand an einem unbestimmten Tag im März 1942 statt. Aus seinem schriftlichen Bericht darüber wissen wir, was er Pius über die Lage der Juden mitteilte:[46]

Persönlicher Brief
Scavizzis an
Pius XII.
(12. Mai 1942)

Ankündigung der
vierten Reise in
den Osten.

Als Anlage
verweist Scavizzi
auf seinen Bericht
über die 3.
Reise.[47]

Die Bedingungen für die Juden in Deutschland, Polen und der Ukraine werden immer schlimmer. Das Schlagwort lautet: 'Rottet sie erbarmungslos aus.' Die Massenermordungen mehren sich überall. Die Rechte auf Existenz sind bis auf ein Minimum geschrumpft, ohne Achtung auf Frauen und Kinder. Ein junger deutscher Offizier rühmte sich damit, gelernt zu haben, mit einem einzigen Schuss Mutter und Kind zu töten, und er sagte, dass er in der Lage wäre, auch drei in einer Reihe zu töten. In einem Moment der Rührung sprach er von seiner eigenen Frau und seinen Kindern und zeigte Fotografien.

... Die Methode, auf Befehl der SS große Gräben von Juden ausheben zu lassen, um Gruppen von Männern, Frauen und Kindern hineinzustoßen und sie dann im eigenen Grab zu erschießen, ist in der Ukraine zur Gewohnheit geworden. ... In der Ukraine ist die Ausrottung der Juden fast abgeschlossen.

Man merkt dem zweiten Schriftbericht über viele Seiten an, wie fassungslos Scavizzi gewesen sein musste. Ihm gelang es kaum noch, eine sachliche, um Distanz bemühte Sprache aufrechtzuerhalten. Die vielen Gesichter waren für ihn wohl ein nicht mehr weichender Alpdruck. Er schrieb an einer Stelle, dass all die unglückseligen Juden, selbst die Kinder und Kleinkinder einen sonderbar veränderten Gesichtsausdruck hatten, wenn sie in den Tod getrieben wurden oder unmenschliche Zwangsarbeit leisten mussten.

Die zwei nächsten Berichte Scavizzis über seine beiden Lazarettzugfahrten im April/Mai und Juni/Juli waren nur kurz. Zu einem Treffen mit Pius kam es nicht mehr. Die Rapporte erreichten über das Staatssekretariat den Schreibtisch des Papstes. Die Reise vom 8. April bis 3. Mai 1942 führte nur bis nach Polen. Dort interessierte sich Scavizzi vor allem für die Situation der Kirche bzw. der Orden und für die allgemeine Lage. Da er bei dieser dritten Fahrt nicht bis nach Russland kam, konnte er keine neuen Informationen aus Augenschein melden. Nur in einer Zeile erwähnte Scavizzi unter der Überschrift „Verschiedene Nachrichten", dass das Gemetzel an den Juden in der Ukraine schon fast komplett sei.[48]

Einen letzten Bericht an Papst Pius schrieb der umtriebige Feldkaplan nach seiner vierten Fahrt – wieder bis Dnepropetrovsk in der Ukraine (29. Juni bis 23. Juli 1942). Scavizzi kommt dabei zu einem entsetzlichen Resümee:[49]

Die Ausrottung der Juden durch Massenmord ist quasi total, ohne Rücksicht auf Kinder, selbst wenn sie Säuglinge sind. [...] Man sagt, dass über zwei Millionen Juden ermordet worden seien.

Über zwei Millionen! Auf seiner Reise durch den Osten bis ins Kerngebiet der Ukraine konnte sich Don Scavizzi selbst von der jüdischen Entvölkerung vergewissern und Zeugen sprechen. Wiederum war die Schätzung zum Zeitpunkt Spätsommer 1942 ziemlich nah an der Realität. Papst Pius bekam den Rapport mit der Horrorzahl am 7. Oktober oder kurz danach auf den Schreibtisch.

Die grauenhaften Berichte Don Scavizzis muten apokalyptisch an. Nach allem, was er gesehen und gehört hatte, tobte in Polen und der Ukraine ein Judengenozid, der jede Vorstellungskraft überstieg. Aus den Erinnerungen Scavizzis wissen wir, dass Pius den detaillierten Informationen Glauben schenkte. Er hegte keine Zweifel am authentischen und offenherzigen Zeugnis des Malteser Feldkaplans.

In der veröffentlichen vatikanischen Aktensammelung zum zweiten Weltkrieg (*Actes et documents du Saint Sièges relatifs à la Secondes Guerre mondiale*) sucht man vergeblich auch nur einen der hoch brisanten Berichte Scavizzis. Es gibt nur zwei Bemerkungen, die knapp und etwas nebulös aus dem zweiten und dem vierten Bericht zitieren, zum Teil versteckt als Fußnote.[50] Selbst versierten Historikern ist nicht ohne Zusatzinformationen klar, aus welcher Quelle die Zitate stammen, in welchem Zusammenhang sie stehen und wie glaubwürdig sie sind.

Warum wurden die so wichtigen Holocaustberichte Scavizzis nur verstohlen und fragmentarisch in die Aktenedition aufgenommen? Am Platz kann es nicht gelegen haben. In der Edition finden sich viele Schreiben, die marginale Themen ausladend behandeln. Eine mögliche Erklärung dafür könnte sein, dass der Vatikan offiziell nie Sonderwissen über den Holocaust zugegeben hat. Was der Vatikan in den Kriegjahren gewusst habe, hätte sich nicht wesentlich vom „allgemeinen" Wissen damals unterschieden. In einem Vortrag an der *Catholic University of America* im Herbst 1989 bestätigte das Pater Graham SJ ausdrücklich.[51] Graham war einer der vier Herausgeber der Vatikanischen Aktenedition; er betreute maßgeblich den Band 8, in dem die verdruckstesten Scavizzihinweise auftauchen.

Auch Pater Blet SJ, ein weiterer Herausgeber der Akten, resümierte zum vatikanischen Holocaustwissen in seinem zusammenfassenden Buch zur ADSS-Sammlung und Pius XII.: „Solange der Krieg andauerte, lag Dunkelheit über dem Schicksal der Deportierten. Man kannte die mörderischen Bedingungen, unter denen die Transporte stattfanden. Man zweifelte nicht daran, daß Unterernährung, Zwangsarbeit und Epidemien in den überbevölkerten Lagern Abertausende von Opfern forderten. Man nahm die Berichte über Massaker in Polen, in Russland und anderswo ernst.

Aber über diesen eindeutigen Fakten und den Berichten von einigen wenigen Entkommenen über die Todeslager lag ein dichter Nebelschleier, den sogar die Verwandten und die jüdischen Glaubensbrüder der Opfer nicht durchdringen konnten oder wollten."[52] Dieser „hartnäckige Nebel über dem unbekannten Schicksal" – so Blet weiter – sei für Pius XII. aber kein Vorwand gewesen, um die Hände in den Schoß zu legen. Unermüdlich habe der Papst das Los der Juden praktisch zu erleichtern versucht. Die Holocaust-Berichte von Pater Scavizzi übergeht Blet in seinem Buch vollständig. Er behandelt nur Scavizzis Kontakt zu Erzbischof Sapieha von Krakau.[53]

Es wundert nicht, dass ebenfalls der Untersuchungsrichter zu Pius XII., Pater Gumpel SJ, die These vom nur nebulös informierten Papst/Vatikan vertritt.[54]

14. Jun. - 12. Dez. 1942

* * *

Hiobsbotschaften und kein Ende

Zwei Millionen tote Juden! Diese unfassbare Zahl hat Pius XII. schon im Juli 1942 auf anderem Weg erfahren. Die Info stammte vom Apostolischen Gesandten in Kroatien, Monsignore Giuseppe Marcone.

Marcone hatte im Sommer 1942 bei der kroatischen Regierung wiederholt gegen die grausame Behandlung und die Deportationen von Juden protestiert. Doch vergeblich. Daher wandte er sich kurzerhand an den mächtigen Polizei- und Geheimdienstchefs Eugenio Kvaternik. Vielleicht würde er bei ihm eher Gehör finden. Im offiziellen Bericht vom 17. Juli 1942 ans vatikanische Staatssekretariat schrieb Marcone, was er im Gespräch mit Kvaternik erfahren hatte: „Die deutsche Regierung hat befohlen, dass innerhalb von sechs Monaten alle im kroatischen Staat lebenden Juden nach Deutschland verbracht werden müssen. Dort sind, wie mir

Kvaternik berichtet hat, in der letzten Zeit zwei Millionen Juden umgebracht worden. Es scheint, dass dasselbe Schicksal die kroatischen Juden erwartet, besonders die zur Arbeit unfähigen Alten."[55]

In seinem Bericht bat Marcone um Unterstützung. Wenn er im Namen des Hl. Stuhls um Aufschub der geplanten Deportation nachsuchen könne, wäre schon viel geholfen. Im Vatikan gab Unterstaatssekretär Monsignore Tardini grünes Licht. Er notierte kurz, dass Marcone einen solchen Schritt im Namen des Hl. Stuhls unternehmen könne. Zu der Horrorzahl „zwei Millionen" toter Juden äußerte sich Tardini nicht. Auch Kardinal Maglione oder Pius XII. gaben nicht den kleinsten Kommentar dazu ab. Das ist bemerkenswert. Denn die vertrauliche Mitteilung eines europäischen Judengenozids aus dem Mund des obersten Ustascha-Geheimdienstlers war für den Vatikan eminent wichtig. Bestätigte sie doch die Zahlen, die Don Scavizzi im Osten erfahren hatte.

Warum wurde die unsägliche Mitteilung des apostolischen Gesandten in Kroatien ignoriert? Klärende Schriftwechsel mit Gesandtschaften und Nuntiaturen sind eigentlich Gang und Gäbe. Wollte man im Staatssekretariat nichts Näheres wissen? Vermieden es die Spitzenbeamten im Vatikan bewusst in der NS-Schlangengrube „Judenvernichtung" herumzustochern? Was unter der Oberfläche blieb, war schließlich ungefährlich. Bei offiziellen Nachfragen konnte man sich dann halbwegs hinter der Position verschanzen, keine überprüften Informationen zu haben. So geschehen im September/Oktober 1942 bei der offiziellen Anfrage aus Washington zur NS-Judenverfolgung.

Bei Pius XII. war der Nachrichtendruck deutlich höher als in seinem Staatssekretariat. Er konnte nicht so leicht Informationen aus dem Weg gehen. Neben den Scavizziberichten ist ein kleines Beispiel dafür die Bemerkung von Gian Vincenzo Soro in einer Privataudienz mit Papst Pius. Signor Soro war bis Frühjahr 1940 der italienische Generalkonsul in Warschau. Nachdem das Generalkonsulat aufgelöst wurde, kam er nach Rom zurück, um Sekretär an der italienischen Botschaft beim Hl. Stuhl zu werden. Am 11. Mai 1940 durfte er Pius XII. unter vier Augen seine Erlebnisse im besetzten Polen berichten.

Pius notierte handschriftlich selbst, was er von Vincenzo Soro versichert bekam: „... es ist unmöglich, sich eine Vorstellung von der Grausamkeit und dem Sadismus zu machen, mit dem die Deutschen oder genauer

gesagt die *Gestapo* – angeführt von Himmler und einer echten Verbrecher-
bande von widerlichen Individuen – das polnische Volk martern und zu
vernichten versuchen."[56]

Außer den vertraulichen Mitteilungen aus Privataudienzen sind persönliche Briefe an Pius XII. von großer Bedeutung. Einer der wichtigsten Briefe
mit Informationen zur Judenvernichtung bekam Pius XII. im September
1942 auf seinen Schreibtisch gelegt. Geschrieben hat ihn der 77 Jahre alte
Metropolit und Erzbischof Andrzej Szeptycki von Lemberg in der Ukraine.
Es ist ein langes, handschriftliches Schreiben auf Französisch, datiert vom
29.-31. August.[57]

Szeptycki regierte seit 1901 auf dem großerzbischöflichen Stuhl in
Lemberg. Während des langen Patronats als Oberhaupt der ukrainisch-
katholischen Kirche hatte er schon den ersten Weltkrieg und viel politische
Wirrnis erlebt. Nach dem deutschen Einmarsch wandte er sich offen gegen
die Judenjagd und organisierte Verstecke in Klöstern.

Im August 1942 suchte Szeptycki Hilfe bei Pius XII. Dramatisch beschrieb er gleich zu Beginn seines Briefes die furchtbare Heimsuchung der
Juden durch die deutschen Besatzer. Heute gebe es im ganzen Land die
Überzeugung, dass das deutsche Regime um einiges übler sei als das bol-
schewistische. Es werde geradezu als diabolisch angesehen. Wörtlich der
alte Metropolit weiter:

> Die Juden sind die ersten Opfer. Die Zahl der getöteten Juden in unse-
> rem kleinen Land ist sicherlich auf über zweihunderttausend angestie-
> gen. In dem Maß, wie die Armee nach Osten vorrückt, steigt die Zahl
> der Opfer.
> In Kiew wurden in wenigen Tagen zirka hundertdreißigtausend Män-
> ner, Frauen und Kinder exekutiert. Aus jeder kleinen Stadt der Ukraine
> gibt es ähnliche Bezeugungen von Massakern und das seit einem Jahr.

Im Gebiet Lemberg zweihunderttausend; in und um Kiew hundertdreißig-
tausend, Männer, Frauen, selbst Kinder! Und das gleiche Morden gibt es all
überall in der Ukraine. Der Erzbischof sprach Klartext. Bei der Lektüre des
Briefes wird Papst Pius schmerzhaft an Don Scavizzi und seinen Berichten
direkt von der „Vernichtungsfront" gedacht haben.

Ein paar Wochen vor dem deprimierenden Schreiben Szeptyckis hatte

Pius eine ähnliche Mitteilung über Judenmassaker im Osten erhalten. Die Information stammte vom deutschen Erzbischof Conrad Gröber aus Freiburg i.Br. Mit Datum 14. Juni 1942 hatte er ebenfalls einen langen Brief persönlich an Pius geschrieben. Gröber berichtete über abgründige Massaker in Litauen. Er habe vor wenigen Tagen mit einem Kriegsteilnehmer gesprochen, der aus dem Osten gekommen ist. Dieser Mann bezeuge ein Gespräch mit einem SS-Führer. Der Offizier habe ihm im Hinblick auf Litauen gesagt, dass der hunderttausendste Jude nun umgelegt sei.[58] Als symbolische Etappenmeldung habe der Offizier die Zahl stolz nach Berlin gemeldet. Gröber schätzte, dass bislang über zweihunderttausend litauische Juden ermordet wurden. Litauen war traditionsgemäß die Heimat sehr vieler Juden. Zu Beginn des zweiten Weltkrieges lebten rund eine Million dort.

Der Erzbischof nannte in seinem Schreiben keine Namen. Aber bei dem SS-Führer handelte es sich vermutlich um Karl Jäger aus Waldkirch bei Freiburg. Jäger galt als der Schlächter von Litauen. Wegen seiner Grausamkeit hatte er den Beinamen „Waldkircher Hitler" bekommen.[59]

Über das Morden im Nachbarstaat Lettland bekam Pius Ende 1942 Kenntnis. Am 12. Dezember schrieb Erzbischof Antonijs Springovics von Riga einen tränenreichen Brief an den Papst über die Lage in seinem Land. Die Grausamkeit der Nazis kenne keine Grenzen und sei unbeschreiblich, so der Erzbischof. Die Juden hier seien fast alle getötet worden, nur im Ghetto von Riga gäbe es noch welche. Doch das werde zurzeit geleert.[60]

In Lettland gab es weit weniger Juden als in Litauen, aber vor allem Riga war ein Sammelpunkt für zehntausende deportierter Juden aus Deutschland. Die deutschen Bischöfe wussten übrigens seit Frühjahr 1942 vom Deportationsziel „Riga" (auch von Litzmannstadt und Kowno) und von den Massenexekutionen dort. Das hatte die bischöfliche Judenbeauftragte Margarethe Sommer (Berlin) verlässlich recherchiert.[61] Frau Sommer hatte im Februar 1942 sogar das berüchtigte Protokoll Adolf Eichmanns von der Wannsee-Konferenz zugespielt bekommen.[62] Sie informierte sofort den Verbindungsbischof Wienken über die beschlossene „Endlösung" der Judenfrage. Ob Bischof Wienken die brandheiße Information an den Apostolischen Nuntius in Berlin Cesare Orsenigo weiterleitete, ist aus den Quellen nicht zu ersehen. Auf jeden Fall waren Bischof Preysing in Berlin, der ein persönlicher Freund Pius XII. war – und andere deutsche Bischöfe – über die begonnene „Endlösung" im Bilde.

Ebenfalls aus den bislang vorhandenen Akten ist nicht zu ersehen, ob Bischof Preysing den unfassbaren Augenzeugenbericht von Kurt Gerstein über eine Massenvergasung von rund dreitausend ukrainischen Juden am 18. August 1942 im Vernichtungslager Belzec[63] an Papst Pius weiterreichte. Gerstein war als wissenschaftlicher Offizier am Berliner Hygieneinstitut der Waffen-SS im August nach Polen abkommandiert worden. Er sollte dort bei der Umstellung der Tötung von Juden durch Dieselabgase auf das effizientere Blausäuregas Zyklon B fachlich beraten.

Nach der „Demonstration" einer Dieselvergasung war der überzeugte evangelische Christ und Sympathisant der Bekennenden Kirche Gerstein zutiefst schockiert. Er versuchte sein furchtbares Erlebnis Vertrauenspersonen in Berlin weiterzugeben. Der damalige Superintendent und spätere Bischof Otto Dibelius sowie Baron von Otter von der Schwedischen Botschaft waren die ersten Anlaufstellen. Papst Pius wollte Gerstein über die Apostolische Nuntiatur informieren. Er wurde jedoch nicht vorgelassen. Daraufhin wandte sich Gerstein an Frau Sommer, die zusammen mit Bischof Preysing das katholische Juden-Hilfswerk in Berlin leitete.[64] Preysing führte mit Pius XII. einen regen Informationsaustausch. Es gibt keinen Grund anzunehmen, dass Preysing den Augenzeugenbericht über die praktische Umsetzung der „Endlösung" vor Papst Pius verschwiegen hat.[65]

1943

* * *

Umfassende Kenntnis

1942 war für Pius XII. ein Jahr voller Hiobsnachrichten über das Schicksal der Juden im besetzten Europa.

Pius wusste, dass die Ukraine 1941/42 das „killing field" in Europa war. Dort musste eine unvorstellbare Mordorgie wüten. Neben Polen gab es in der Ukraine die meisten Juden Osteuropas. Das Gebiet war eine jahrhundertealte Hochburg jüdischen Lebens und jüdischer Kultur. Im Protokoll der Wannseekonferenz werden realistisch knapp drei Millionen Menschen in der Ukraine angegeben, die der Endlösung zuzuführen seien. Erstaunlich in diesem Zusammenhang ist das Selbstbekenntnis von Papst Benedikt XVI. in einem Brief an Kardinal Jean-Marie Lustiger (Paris) vom 1. Dezember 2005. Benedikt hatte vom Pariser Alt-Bischof Materialien aus den Forschungsergebnissen von Abbé Patrick Desbois bekommen. Desbois ist Beauftragter der französischen Bischofskonferenz für das Judentum und Konsultant des Vatikans. In dieser Eigenschaft hatte er Nachforschungen über die vielen noch unbekannten Ortslagen von Massengräbern in der Ukraine angestellt und nach noch möglichen Zeugenaussagen gefahndet.[66] Im Brief an Kardinal Lustiger, der jüdischer Herkunft ist, zeigte sich Papst Benedikt erschüttert über die Macht des Bösen und die ungeheuerlichen Taten in der Ukraine. Wörtlich bekannte er dann: „Bis jetzt habe ich noch nie von diesen systematischen Ermordungsaktionen in der Ukraine gehört, die dem Schrecken der Vernichtungslager der Juden vorausgingen."[67] Auch nach wiederholtem Lesen dieses Bekenntnisses kann man es nicht begreifen. Wie kommt es, dass der hochgelehrte deutsche Theologieprofessor und langjährige Präfekt der Glaubenskongregation Josef Ratzinger erst Ende 2005 im Alter von 77 Jahren von den ukrainischen Massenexekutionen erfahren hat? Ratzinger hatte doch als Professor immer wieder wissenschaftlich mit dem Holocaust zu tun und als Präfekt war er auch mit der Causa Pius XII. und den dazugehörigen Quellen befasst.

Der Brief Papst Benedikts an den mittlerweile verstorbenen Kardinal Lustiger ist übrigens im Vatikan unter Verschluss geraten. Sehr bald nach der ersten Veröffentlichung musste jemandem aufgefallen sein, wie kompromittierend die eingestandene Unkenntnis für Josef Ratzinger ist. Der Brief verschwand daraufhin auf Nimmerwiedersehen in einer tiefen Ecke des Papstarchivs.[68]

Ende 1942 war Pius XII. einer der bestinformiertesten Zeitgenossen über den lodernden Judengenozid in Polen und den Ostgebieten.

Pius hatte vielfältige Informationen bekommen über eine massiv angelaufene Deportationswelle aus westlichen Gebieten in den Osten, von brutalen Ghettoisierungen und Ghettoräumungen, von KZ-Lagern und todbringender Zwangsarbeit. Beispielhaft ist die Nachricht vom Nuntius Valeri in Frankreich vom 29. Juli an das Staatssekretariat. Valeri berichtete, dass es kürzlich in Paris eine Razzia gegeben habe, bei der rund 12.000 Juden vornehmlich ausländischer Herkunft verhaftet worden seien. Den größten Teil habe man im Velodrom d'Hiver interniert. Das Deportationsziel der gefangenen Juden sei die Ukraine.[69]

Als Papst Pius sich anschickte seine Weihnachtsansprache zu halten, in der er alles in allem von Hunderttausenden Opfern nationaler und rassischer Verfolgung sprach, lagen ihm ganz andere Zahlen vor. Wie wir oben gesehen haben, deutete Pius in seinem verklausulierten Satz etwa zweihunderttausend getötete Juden an – großzügig überschlagen. Im Spätsommer des Jahres hatte er aber schon ziemlich gesichert von zwei Millionen toter Juden Kenntnis. Und wenn er die Zeit bis Dezember dazurechnete, musste er mindestens von zweieinhalb Millionen ausgehen. Papst Pius verschwieg seine apokalyptische Kenntnis. Er verschanzte sich hinter der Zahl der alliierten Erklärung und tat so als wüsste er nicht mehr und nichts anderes.

Ausschließen kann man, dass Pius XII. vielleicht doch nicht so recht seinen Quellen traute. Denn die Holocaustnachrichten von 1942 waren eingebettet in einen Reigen ähnlicher Informationen, die schon im Herbst 1939 begonnen hatten.

Damals war überraschend der deutsche Rechtsanwalt Josef Müller im Vatikan aufgetaucht. Müller, der den Spitznamen „Ochsensepp" trug, war ein alter Bekannter aus den zwanziger Jahren, als Pius noch apostolischer Nuntius in München und Berlin war. Ochsensepp Müller suchte direkten Kontakt zu Papst Pius. Er hatte brisante Nachrichten für ihn und eine dringende Bitte von nationaler Bedeutung. Müller war als Geheimemissär vom deutschen Widerstand um den ehemaligen Heeres-Generalstabschef Beck, Oberst Oster, Admiral Canaris, Friedrich Goerdeler, Hans v. Dohnanyi u.a. nach Rom geschickt worden.[70] Er sollte streng vertraulich bei Papst Pius sondieren, ob er bereit wäre mit London Kontakt aufzunehmen und dorthin zu vermitteln. Der militärische Zirkel im Widerstand plante nämlich einen Staatsstreich gegen Hitler. Er sollte möglichst bald stattfinden, noch bevor es zu Feindseligkeiten im Westen käme. Dafür war man dringend auf die Kooperation der Regierungen in London und Paris angewiesen.

Um Papst Pius ein realistisches Bild von der Lage im besetzten Polen zu geben, hatte Müller bei seinen Blitzbesuchen in Rom streng vertrauliches Material dabei. Es waren Mitteilungen aus Geheimdienstberichten vom militärischen Nachrichtendienst des Abwehramtes Canaris. Admiral Canaris und seine rechte Hand Oberst Oster ließen nämlich fortlaufend die SS-Gräueltaten in Polen dokumentieren.

In seinen Erinnerungen schrieb Müller später, was er Pius XII. über die Situation in Polen mitteilte:[71] „Ausschreitungen gegen die Zivilbevölkerung, die ersten Massenerschießungen nicht nur von Männern und Frauen, sondern auch von Kindern als schauriger Auftakt zur systematischen Ausrottung der Juden und der polnischen Intelligenz."

Im Frühjahr 1940 scheiterte der Vermittlungsversuch Pius XII. London war nicht davon zu überzeugen, dass der deutsche Widerstand ernsthaft Hitler stürzen wollte. Daraufhin brach der Kontakt zum Geheimemissär Josef Müller ab.

Im Frühsommer 1943 hatte sich die Nachrichtenlage im Vatikan stark verdichtet. Jetzt konnte das Staatssekretariat das Dauerpogrom im Osten nicht mehr ignorieren. Mit Datum von 5. Mai 1943 erstellte ein unbekannter Mitarbeiter – oder ein kleines Kollektiv – ein Memorandum über die Lage in Polen. Im Abschnitt über die Vernichtungssituation der Juden wird Ungeheuerliches zusammengefasst:[72]

Juden. Lage fürchterlich.

In Polen gab es vor dem Krieg circa 4.500.000 Juden; man rechnet heute, dass (mit allen, die noch aus den anderen von den Deutschen besetzten Ländern gekommen sind) nicht einmal 100.000 übrig geblieben sind. In Warschau war ein Ghetto eingerichtet worden, in dem ungefähr 650.000 lebten; heute werden es nur noch 20-25.000 sein.

Selbstverständlich sind einige der Kontrolle entgangen; aber es gibt keinen Zweifel, dass der größte Teil umgebracht worden ist. Nach Monaten und Monaten der Transporte von tausenden und abertausenden Personen haben diese Menschen nichts mehr von sich hören lassen. Das lässt sich nur durch den Tod erklären, ... Wer lebt, der lässt auf die eine oder andere Weise von sich hören.

Spezielle Todeslager nahe bei Lublin (Treblinka) und bei Brest-Litovsk. Man erzählt, dass einige Hunderte auf einmal in Räume eingesperrt werden, wo sie unter dem Einsatz von Gas erledigt werden. Transportiert in Viehwagons, hermetisch abgeriegelt, mit einem Boden aus ungelöschtem Kalk.

Eine unfassbare Zahl taucht hier auf. Der größte Teil der 4,5 Millionen Juden in Polen (ohne die Deportierten) soll ermordet worden sein.

Die Rechnung, die hier aufgemacht wird, ist ein Überschlag aus vielen Einzelmeldungen, die im Frühjahr 1943 kumuliert waren.[73] Auch wenn die Schätzung der Ausgangszahl für die polnischen Juden zu hoch angesetzt ist – rund 3,3 Millionen zu Beginn des Weltkrieges – liegt das Memorandum im Kern richtig. Nach dem Frühjahr 1943 waren die meisten Ghettos nahezu geräumt und die alte jüdische Bevölkerung in Polen war am Verschwinden. Insgesamt dürfte die Zahl der ermordeten Juden im Frühsommer 1943 jedoch „nur" um die drei Millionen gelegen haben. Die Volllast der maschinell kalten Vernichtung im größten Gaskammerkomplex Auschwitz-Birkenau war zu diesem Zeitpunkt gerade erst angelaufen.

Als die SS im Herbst 1943 ihre Hände nach den Juden Roms ausstreckte, musste Papst Pius auf das Höchste alarmiert gewesen sein. Die Juden seiner Bischofsstadt waren todgeweiht. Eine ausdrückliche Warnung, dass eine Razzia in Rom geplant sei, brauchte er nicht. Die Ewige Stadt war vom 10. September an in deutscher Hand. Pius war klar, dass Hitler jetzt die Juden Roms als Beute verlangen würde. Die erfolgreiche Golderpressung durch Kappler konnte Pius nicht beruhigen. Selbst viele Juden Roms blieben skeptisch, auch ohne Detailkenntnisse über den lodernden Holocaust in Europa. Papst Pius hatte diese Detailkenntnisse, und er war diplomatisch nie naiv gewesen. Mit fünfzig Kilo Gold konnte der diabolische Ausrottungswille Berlins nicht befriedigt werden. Eine Judenrazzia in Rom war abzusehen, eher über kurz als lang.

Nach der Deportation würde auf die meisten Menschen die sofortige Vernichtung warten: auf die Alten, die Kranken, die Schwachen, die Kinder und die Babys mit ihren Müttern. Allein wenige Starke würde man zur Zwangsarbeit treiben und in der Regel zu Tode schinden.

Das war der Kenntnisstand Pius XII. über das Schicksal der römischen Judengemeinde.

4. Die Razzia

15./16. Oktober 1943

* * *

Nach Sonnenuntergang am Freitag, den 15. Oktober, waren die Straßen und Gassen im alten Ghetto fast menschenleer. Der Sabbat hatte begonnen. Es war auch mitten in der Laubhütten-Festwoche Sukkot. Die Juden wollten zuhause sein und mit ihren Lieben den Sabbat begrüßen. Nur noch wenige waren unterwegs, um etwas zu organisieren oder ergatterte Lebensmittel heimzubringen.

Das kurze Geschrei der alten Signora Celeste, die aus Trastevere herübergelaufen war und vor den Deutschen warnte, wurde rasch vergessen.[1] Man hielt die Alte für meschugge. Die Deutschen hatten das geforderte Gold bekommen, sie hatten die Gemeinderäume geplündert und dazu die Bibliothek – was konnten sie noch mehr wollen? Die Goldabgabe war über vierzehn Tage her. Seitdem hatte SS-Chef Kappler keine neue Drohung ausgesprochen. Auch die Wehrmachtssoldaten in Rom verhielten sich unauffällig. Sie waren nur bei Patrouillen und Straßenkontrollen zu sehen. An Juden schienen sie kein Interesse zu haben.

Die auf- und abflauende Schießerei[2] in der Nacht und die grölenden Männerstimmen beunruhigten nur wenige Bewohner im Ghetto ernsthaft. Seit Rom besetzt war, kamen nächtliche Scharmützel häufiger vor. Nur die Dauer und die Nähe waren ungewöhnlich. Viele legten sich zurecht, dass betrunkene Soldaten oder faschistische Schwarzhemden ihr Unwesen trieben, um „Juden" zu erschrecken. Man blieb von den Fenstern weg, versuchte zu schlafen und sehnte den Morgen herbei.

Aus der Dokumentenlage ist nicht zu klären, wer genau in der Nacht vom 15. auf den 16. Oktober herumgeschossen hatte und warum so lange. Im Kriegstagebuch des Kommandanten Stahel wird davon nichts erwähnt. Zwei Möglichkeiten stehen offen. Es kann eine Einschüchterungs- und Vorsichtsmaßnahme Danneckers gewesen sein. Vielleicht war er besorgt, dass in der letzten Nacht vor der Razzia die Gerüchteküche zu sehr brodeln würde. Schießende Soldaten auf der Straße konnten jeden Gedanken an Flucht im Keim ersticken. Vielleicht wollte Dannecker aber nur dafür sorgen, dass auch der letzte Jude im Haus blieb und sich nicht auf den Straßen herumtrieb, wenn der Aufmarsch zur Abriegelung des Ghettos einsetzte. Oder es randalierten bewaffnete italienische Faschisten im Ghetto. Denkbar ist, dass sie von der bevorstehenden Razzia Wind bekommen hatten und den Juden schon mal gehörig Angst einjagen wollten.

16. Oktober 1943

* * *

In der Sabbatfrühe

In aller Frühe am Samstagmorgen trieb es nur wenige aus den Betten. Doch wer auf die wöchentliche Tabakration erpicht war und unbedingt in der Schlange ganz vorne stehen wollte, musste sich zeitig aufmachen. Einer davon war der Großvater des jungen Giacomo di Porto. Mit seiner Frau Eleonora wohnte Giacomo bei den Eltern, in der Nähe des Großvaters. Gegen vier Uhr wurden das junge Paar und die Eltern durch lautes Klopfen an der Tür aus dem Schlaf gerissen. Es war der Großvater. Eindringlich rief er in die Wohnung: „Beeilt euch! Beeilt euch! Flieht, solange es noch geht!"[3] Als der Alte zu ungewöhnlich früher Stunde schon vor einem Tabakladen stand, hatte er plötzlich gesehen, wie deutsche Militärlaster auf das Ghetto zusteuerten. Di Porto schaltete rasch und lief eilends zu seinen Lieben. Die Lastwagen konnten nur eines bedeuten: eine Razzia unter den Juden.

Giacomo, Eleonora und die Eltern zögerten nicht. Sie zogen sich an und flohen zusammen mit dem Großvater in die nahegelegene Garage eines nicht-jüdischen Freundes. Dort verbargen sie sich den Tag über in abgestellten Autos. Sie hatten Glück und blieben unentdeckt.

Ab 5.00 Uhr morgens wurde es gefährlich in den Straßen des Ghettos. Die ersten Soldaten bezogen an strategischen Punkten ihre Posten. Für den

Aufmarsch musste strikte Ruhe befohlen worden sein. Kein Zeuge berichtete von einem überfallartigen und lauten Eindringen der Soldaten. Sie seien plötzlich da gewesen.

Bezeugt ist nur das kurze Geschrei „Oh Gott, die Mamonni!" *Mamonni* bezeichnet im Judenjargon „Polizei" oder „Staatsgewalt". Der verzweifelte Ruf stammte von der alten Signora Letizia, die alle verächtlich „Hornbrille" nannten.[4] Mehr hat Signora Letizia nicht gerufen. Entweder wurde sie von einer Wache schnell zum Schweigen gezwungen oder sie ist eiligst in ihre Wohnung verschwunden.

Etwas später sah der nicht-jüdische Besitzer einer kleinen Bar an der Piazza Giudia Kolonnen von Soldaten in der Haupt-Ghettostraße *Via del Portico*. Es waren rund hundert Mann. Ein Offizier war damit beschäftigt Wachposten an Straßenecken aufzustellen.[5] Neugierige Passanten, die vereinzelt auftauchten, wurden anfangs nicht beachtet. Erst später, als die Razzia voll im Gange war, wurden sie weggejagt.

Die Synagoge (Tempel) Roms heute

Offiziell begann die Aktion um 5.30 Uhr. Da war das Ghetto schon strategisch besetzt. Im alten Ghetto Roms, dessen Mauern im Herbst 1870 endgültig gefallen waren, lebten immer noch die meisten Juden. Seit Jahrhunderten liegt der Bezirk unverändert im Herzen der Ewigen Stadt, nahe der Tiberinsel. Er erstreckt sich ein paar Straßenzüge hinter dem Theater des Marcellus am Lungotevere dei Cenci tiberaufwärts bis fast zur Via Arenula. Ursprünglich gab es noch eine lange Häuserreihe direkt am Tiberufer. Sie fiel aber dem Bau der neuen Uferstraße im 19. Jahrhundert zum Opfer. Gegenüber der Theaterruine des Marcellus und dem uralten Portikus der Oktavia steht die prächtige Synagoge. Sie wurde 1904 direkt an die Uferstraße gebaut. In den zentralen Straßen hinter der Synagoge, der Via Catalana, der Via del Portico, der Via di Sant'Ambrogio, der Via della Reginella und dem Quartier dei Cenci leben die meisten Juden. Noch im 19. Jahrhundert herrschte hier drangvolle Enge. Doch seit der Schleifung der Mauern und der gewonnenen Freizügigkeit lichtete und erweiterte sich das „Ghetto". Es zogen auch Bewohner nicht-jüdischer Herkunft in die eine oder andere Wohnung des alten Judenviertels.

Für den größtmöglichen Erfolg seiner Aktion musste Hauptsturmführer Dannecker das Ghetto systematisch abriegeln lassen. Dazu fehlten ihm aber ausreichend Kräfte. Insgesamt hatte er 365 Mann zur Verfügung. Das war für eine Razzia zwar enorm viel, aber für die Durchkämmung ganzer Straßenzüge mit gleichzeitigen Einzelrazzien überall in Rom reichte das nicht. Kapplers Sipo und SD hatte nur einen Teil der 5. SS-Polizeikompanie des Polizeiregiments 15 zur freien Verfügung. Der andere Teil der Kompanie war regelmäßig für Bewachungsaufgaben im Hauptgefängnis Regina Coeli abkommandiert. So konnten höchstens ein paar dutzend Männer freigestellt werden. Die große Mehrheit der Soldaten bekam Dannecker vom Stadtkommandanten General Stahel. Zur Razzia befohlen worden sind:

- die 3. Kompanie des SS-Polizeiregiments 20,

- die 11. Kompanie des SS-Polizeiregiments 12 sowie

- die komplette 5. Kompanie des SS-Polizeiregiments 15.

Die Sicherungsaufgaben in Regina Coeli übernahmen vorübergehend Wehrmachtssoldaten der 3. Fallschirmjägerkompanie.[6] General Stahel überließ damit Dannecker drei seiner insgesamt vier Sicherungskompanien in Rom.

Die Soldaten der 5. Kompanie wurden komplett zur Verhaftung von Juden eingesetzt, die verstreut in Rom wohnten.[7] Unterstützt wurde sie von Teilen der 11. Kompanie. Der andere Teil der Kompanie und die komplette 3. SS-Polizeikompanie sind vollständig zur Ghettorazzia eingesetzt worden.

Der kommandierende Offizier der 11. Kompanie war Hauptmann Holzapfel, von der 5. Kompanie Hauptmann Seiler. Die Ghettorazzia wurde von SS-Offizier Untersturmführer Albert Eisenhut aus dem Kommando Dannecker überwacht. Nach Aussage Eisenhuts wurden drei große Bezirke ausgewiesen. Er selbst überwachte die Verhaftungen im Ghetto. Es ist nicht klar, wie viele einzelne Operationszonen das alte Ghetto umfasste; insgesamt hatte Dannecker sechsundzwanzig davon in Rom ausgewiesen. Eisenhuts zweiter Offizierskollege und Dannecker selbst koordinierten die beiden anderen Großbezirke.[8]

Entgegen der Aussage Kapplers und seines Gestapo-Abteilungsleiters Schütz hatten die Sipo und der SD in Rom doch bei der Razzia mitgewirkt – jedenfalls teilweise. Das geht aus mehreren Aussagen von ehemaligen Mitarbeitern Kapplers hervor. So wurde zum Beispiel der damalige SS-Hauptscharführer Kurt Fritsch am Razziatag als Fahrer und Mitglied eines fliegenden Verhaftungskommandos befohlen. Zur Verfügung gestellt wurde ihm dazu ein Dienst-Pkw des Abteilungschefs Schütz.[9] Auch Mathis Maurer, der in der Abteilung VI (Information/Spionage) tätig war, gab später zu, dass er an der Razzia mitgewirkt habe. Er habe allerdings nur eine passive Rolle gespielt. Sein Auftrag sei es gewesen, verhaftete Juden in einem Außenbezirk Roms zu überprüfen und zu bewachen. Die Menschen waren vorübergehend in einem Kinosaal gesammelt worden.[10] Vermutlich war die stundenweise Internierung notwendig, weil der Weg bis zum Hauptsammelplatz für einzelne Hin- und Herfahrten zu viel Zeit kostete. Selbst aus der übergeordneten Dienststelle in Verona, der Sipo- und SD-Befehlsstelle für Italien, wurden kurzfristig entbehrliche Soldaten zur Razzia nach Rom befohlen. Das geht aus der Aussage eines betroffenen SS-Hauptscharführers hervor.[11]

Von Feldmarschall Kesselring wurden keine Einheiten abkommandiert. In den Dokumenten und den Zeugenaussagen ist davon nichts vermerkt. Vermutlich wurde Kesselring auch gar nicht angefragt. Im Vorfeld hatte er bereits deutlich signalisiert, dass er für eine Judenaktion in Rom keine Kräfte freigeben würde. Ob Stadtkommandanten General Stahel bei Kesselring die Erlaubnis einholte, seine römischen Sicherungseinheiten für die Razzia abstellen zu dürfen, ist nicht bekannt. Bei der brenzligen Entscheidung hatte er allen Grund die Rückendeckung seines Vorgesetzten einzuholen. Andererseits galt Stahel als selbstbewusst und draufgängerisch genug, um die Sache allein zu bestimmen.

16. Oktober – vormittags

* * *

SS im alten Ghetto und in ganz Rom

Ab 5.30 Uhr lief die Razzia routinemäßig an. Es war ein kalter, regnerischer Morgen. Verschiedene Zeugenaussagen nicht-jüdischer Passanten, von Anwohnern und erfolgreich geflüchteten Juden beschrieben zum Teil detaillierte, welche Szenen sich an diesem Morgen und Vormittag abspielten.

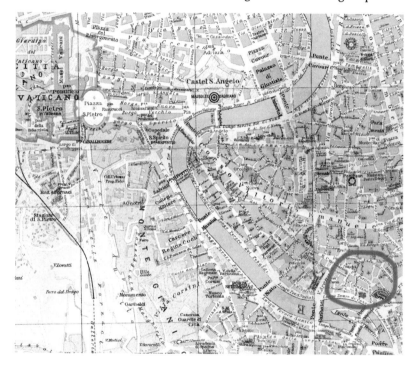

Unten rechts das Gebiet der Ghettorazzia (erweitertes Ghetto). Unmittelbar darunter die Tiberinsel. Weiter oben links der Vatikan auf der anderen Tiberseite (Markierung vom Autor).

(aus: Verhaftungsorte bei der Razzia/Begleit-CD: 16 ottobre 1943, hrsg. vom Archivio Storico della Comunità Ebraica di Roma; Ausschnitt).

Gleichzeitig an mehreren Punkten im Ghetto drangen kleine Kommando-trupps jeweils in Wohnhäuser ein und schlugen mit ihren Gewehrkolben an jede Tür. Die Befehle auf Deutsch wurden zwar nicht verstanden, aber jeder wusste sofort, was los war. Viele Menschen schliefen noch und wurden regelrecht aus den Betten geholt. Die Soldaten hatten Listen in den Händen, auf denen die Namen jüdischer Einzelpersonen oder von Familien und ihre Adressen standen. Die Daten hatte Dannecker unter den zahlreichen Trupps verteilen lassen. Sie stammten aus seiner Liste, die er in den letzten vierzehn Tagen mühsam erstellt hatte.

Einige Häuser im Ghetto wurden fast komplett geleert. Dadurch gerieten auch nicht-jüdische Familien in die Fänge der Verhaftungskommandos. Nur wer Glück hatte oder beweisen konnte, dass er garantiert nicht auf der Liste stand, blieb ungeschoren. An der Wohnungstür bekamen die entsetzten Menschen zweisprachige Kärtchen überreicht oder jemand musste einen Text laut vorlesen:[12]

1. Sie werden zusammen mit ihrer Familie und Ihrem Haushalt angehörigen Juden interniert.

2. Mitzunehmen sind Lebensmittel für mindestens 8 Tage, Lebensmittelkarten, Ausweispapiere und Becher.

3. Mitgenommen werden kann ein kleiner Koffer mit Kleidung und Wäsche, Decken usw. sowie Geld und Schmuck.

4. Die Wohnung ist abzuschließen und der Schlüssel ist mitzunehmen.

5. Kranke, selbst schwere Fälle, dürfen auf keinen Fall zurückbleiben. Eine Krankenstation befindet sich im Lager.

6. Zwanzig Minuten nach Vorzeigen der Karte muss die Familie abmarschbereit sein.

Viele der überraschten Bewohner reagierten panisch. Was war jetzt zu tun? Konnten sie noch fliehen? Wohin würden sie gebracht? Durften sie vielleicht noch einmal zurückkommen, um Notwendiges mitzunehmen? Nach dem ersten Schock brach Hektik aus. Für Babys, Kinder, alte Leute und die Kranken musste mitgesorgt werden. Genug Essen für acht Tage pro Person war selten im Haus. Welche Wertsachen sollte man mitnehmen? In die Taschen oder Koffer passten nicht genug Kleidungstücke und notwendige

Decken. Die zwanzig Minuten verflossen so schnell, dass viele keine Zeit fanden, sich selbst warm anzuziehen. Die SS-Soldaten drängten zur Eile, und sie sparten nicht mit rüden Worten.

Es gibt erschütternde Augenzeugenberichte über die Brutalität beim Zusammentreiben, über die Verzweiflung, die Angst und den Wahnsinn in diesen Stunden. Etliche der Erwachsenen unter den zuerst Festgenommenen waren noch im Nachthemd oder nur notdürftig bekleidet mit einer Jacke. Aus verschiedenen Richtungen der Ghettostraßen wurden Gruppen von Menschen jeden Alters in Richtung Marcellustheater getrieben. Es waren viele Familien darunter, die ihre Kinder beruhigten und darauf achteten, ihre Alten oder Kranken nicht zu verlieren.

SS-Männer begleiteten die Trupps. Zuweilen stießen sie mit ihren Gewehrkolben Einzelne zurück in Reih und Glied und trieben die Gruppe lauthals an. Die Verhafteten waren verängstigt und verstört. Einige weinten oder jammerten leise. Andere versuchten bei den Wachen Mitleid zu erwecken. Bis auf seltene Ausnahmen gab es für die Abgeführten aber kein Erbarmen.

Außerhalb des Ghettos waren in ganz Rom mobile Greifkommandos unterwegs. Sie fuhren planmäßig und nach ihrer Liste einzelne Adressen ab, wo Juden gemeldet sein sollten. Ein dafür eingesetzter Zugwachtmeister aus der 5. Kompanie des SS-Polizeiregiments 15 sagte in einer späteren Zeugenvernehmung aus:[13]

> Ich erinnere mich daran, daß wir eines Tages sehr früh am Morgen in unserer Unterkunft in dem Kloster an der Via Salaria geweckt wurden. Wir mussten, wie beim Appell, auf dem Hof der Unterkunft antreten. ... Ich wurde einer Gruppe von etwa 8 bis 10 Leuten zugeteilt. Wir fuhren sodann zu einer mir nicht näher bekannten Strasse in der Innenstadt von Rom. Hier mussten wir absteigen und wurden erneut in Festnahmetrupps eingeteilt. An dieser Stelle kamen wir auch mit Angehörigen der Sicherheitspolizei oder des SD in Rom in Berührung. Diese Leute, die der Dienststelle des SS-Sturmbannführers Kappler unterstanden haben sollen, trugen weisse beschriebene Zettel in Händen, die sie an uns, also an den Festnahmetrupps, aushändigten. Auf diesen Zetteln waren nämlich die Namen derjenigen Personen vermerkt, die wir in ihren Wohnungen aufsuchen und festnehmen sollten. Heute

weiß ich nicht mehr, ob die Namen nun mit der Maschine oder mit der Hand geschrieben waren. Jedenfalls erhielt auch ich so einen Zettel, auf dem der Name eines älteren Ehepaars geschrieben stand. ...

In der Straße, wo wir zum Einsatz kamen, waren auch noch andere Kameraden von meiner Kompanie eingesetzt. Ich ging also mit noch einem Kameraden in das betr. Haus und fand in einer oberen Etage das benannte jüdische Ehepaar vor. Ich überprüfte anhand der Personalien auf der Liste von der Sicherheitspolizei die Identität. Sodann sagte ich der Frau, die etwa 70 Jahre alt gewesen sein mag, daß sie und ihr Ehemann in 30 Minuten abgeholt würden. Einen näheren Grund dieser Maßnahme gab ich der Frau nicht. Mir war von einem der mir unbekannten Leute von der Sicherheitspolizei oder des SD erklärt worden, die Juden kämen zu einem Arbeitseinsatz nach Deutschland. ...

Ich wunderte mich allerdings damals bereits über den angeblichen Grund der Aktion, denn ich konnte mir nicht vorstellen, warum auch alte Menschen festgenommen werden sollten für einen Arbeitseinsatz in Deutschland. Der alte Mann war zudem auch noch krank und vermutlich auch dauernd bettlägerig. Ich habe zuerst den kranken Mann auch nicht aus dem Bett holen wollen, denn ich war der festen Überzeugung, daß dieser Mann wirklich krank war. Deshalb bin ich auch zu dem SD-Beamten gegangen, der den Einsatz in der betr. Strasse offensichtlich leitete. ... Der SD-Mann gab mir zur Antwort, daß auf Kranke keine Rücksicht genommen werden könne, denn alle Juden müßten festgenommen werden. Ich sah deshalb keine andere Möglichkeit, als den kranken Mann in seinem Rollstuhl aus der Wohnung und aus dem Haus bringen zu lassen, was die Ehefrau und mein Kollege Berger besorgten. An unserem Kraftwagen, ein LKW, übergaben wir das Ehepaar demjenigen SD-Mann, den ich von der Krankheit des Juden unterrichtet habe. ...

Ich erinnere mich übrigens daran, daß bereits mehrere Juden sich auf dem LKW befanden, als wir das alte jüdische Ehepaar dort übergaben. Auf dem LKW befanden sich bereits Männer, Frauen und Kinder.

Nach Aussage des Zugwachtmeisters bekamen er und sein Kamerad mindestens noch eine weitere Judenadresse. Als sie dort aufkreuzten, hätten sie aber niemanden angetroffen, die Wohnung sei verlassen gewesen.

Das Phänomen „verlassener Wohnungen" erlebten auch andere fliegende Kommandos in Rom. Hauptsturmführer Dannecker hatte die Stadt in 26 Operationszonen eingeteilt. Um erfolgreich zu sein, mussten seine Verhaftungstrupps möglichst überraschend vor Ort auftauchen. Eile war geboten. Weder konnten einzelne Straßenzüge gesperrt noch Häuser umstellt werden. Bei Einzelverhaftungen durfte es keine Verzögerungen geben. Wer schon vor dem Eintreffen eines Greifkommandos etwas von der Aktion mitbekommen hatte, konnte als Ortskundiger leicht fliehen oder sich verstecken.

Da die Razzia bis zum frühen Nachmittag dauerte, hatten etliche Juden außerhalb des Ghettos die Schreckensnachricht schon gehört, bevor die SS an ihrer Tür klingelte. Der oben erwähnte SS-Hauptscharführer Kurt Fritsch sagte in einer Vernehmung 1964 aus: „An Hand des Adressmaterials auf der erwähnten Liste [gemeint: Liste Dannecker] bin ich nun die Wohnungen der betroffenen Personen abgefahren. Soweit ich mich heute noch erinnern kann, waren es mindestens fünf Stellen, höchstens zehn Stellen, die von meinen Kameraden und mir angefahren worden sind. In keinem Falle ist es uns aber gelungen, die zur Festnahme bestimmten Personen in ihren Wohnungen anzutreffen, Darüber waren wir alle sehr erstaunt und hielten es einfach nicht für möglich. Ich erinnere mich noch sehr gut daran, daß wir damals davon sprachen, daß die Juden zuvor irgendwie benachrichtigt worden sind."[14] Auch wenn Fritsch sich vielleicht reinwaschen wollte und daher sämtliche Judenwohnungen für leer deklarierte, ist die Aussage im Kern glaubhaft. Sie wird von vielen anderen unabhängigen Berichten bestätigt. Die Nachricht von einer Verhaftungswelle der Deutschen war an dem Samstagmorgen geradezu durch Rom geflogen. Wer sie ernst genommen hatte und fürchtete, dass auch bei ihm Soldaten auftauchen würden, machte sich auf und davon.

Heiner Gering, der ebenfalls bei der Razzia im Stadtgebiet eingesetzt war, sagte in einer Vernehmung 1966 aus:[15]

> Wir sind also in die Häuser gegangen, und erst innerhalb der Häuser übergab der SS.-Mann einem von uns den Zettel, den wir den betroffenen Juden zum Lesen vorzeigen mussten. Ich kann heute nicht mehr

sagen, ob die Schrift mit der Hand oder mit der Maschine geschrieben war. Der SS.-Mann hat uns erklärt, die Juden kämen zum Arbeitseinsatz nach Deutschland. Die Juden hatten etwa 5 Minuten Zeit, sich anzuziehen und das Nötigste mitzunehmen. Ich kann heute nicht mehr sagen, was sie mitnehmen konnten. Nach dem Verlassen der Wohnung wurden die Menschen zu den Fahrzeugen gebracht, die in der betreffenden Straße warteten. Von unserem Festnahme-Trupp wurden alle jüdischen Personen zum Verlassen der Wohnung aufgefordert, die wir tatsächlich auch angetroffen haben. Einige Wohnungen waren aber von ihren Inhabern bereits verlassen worden. Ich möchte sagen, daß wir etwa in 10-12 Häusern nach Juden gesucht haben. Uns war befohlen worden von dem SS.-Mann, dass wir keinen Unterschied machen dürften ob Männer, Frauen oder Kinder. Alle jüdischen Personen, ganz gleich welchen Alters und welchen Geschlechts, haben wir aus ihren Wohnungen herausholen müssen.

Die außerhalb des Ghettos verhafteten Juden wurden durch die mobilen Kommandos sofort zu einer Sammelstelle gefahren, die Dannecker als zentrales Zwischenlager auserkoren hatte. Unter den Verhafteten wusste niemand, wohin sie gebracht werden sollten. War das Ziel direkt ein Bahnhof, von wo es gleich weitergehen würde? Oder sollten sie ins Hauptgefängnis Regina Coeli kommen? Was hatten die Deutschen endgültig vor? Die Angst der Ungewissheit war groß.

Der Platz am Portikus heute (2012). Im Vordergrund die Ausgrabungen.

Die bei der Ghettorazzia gefassten Juden brachte man zu einem vorübergehenden Sammelpunkt. Der Ort lag schräg gegenüber der Synagoge, direkt am Portico d'Ottavia. Dort gab es eine antike Ausgrabungsstelle, die zwei bis drei Meter unter dem Straßenniveau lag. Das war eine ideale Stelle, um die Juden ohne großen Sicherheitsaufwand auf den

Abtransport warten zu lassen. Heute noch ist die Sammelstelle nahezu unverändert – von Geländern und Zugangstreppen abgesehen. Der Platz beim Portico trägt mittlerweile den Namen »Largo 16 ottobre 1943«. Eine 1964 angebrachte Gedenktafel erinnert an das traumatische Ereignis an diesem Tag. Im Text heißt es, dass hier an diesem Ort die erbarmungslose Judenjagd der Nazis in Italien begonnen habe. Insgesamt zweitausendeinundneunzig römische Juden seien zusammen mit sechstausend anderen italienischen Opfern des infamen Rassenhasses einem schrecklichen Tod in den Vernichtungslagern der Nazis überliefert worden. Die wenigen Überlebenden und solidarisch Gesinnte flehen die Menschen um Liebe und Frieden an und erbitten von Gott Vergebung und Hoffnung.

Die Gedenktafel mit einem Zusatz aus dem Jahre 2001.

Der Zusatztext trägt die Überschrift:

Sie fingen nicht einmal an zu leben.

Es ist ein schmerzhaftes Gedächtnis an die Neugeborenen der römischen Razziajuden und andere Kleinkinder, die in den NS-Lagern umkamen.

Traurige Ironie der Geschichte: Genau hier am Eingang des einst pracht-
vollen Gebäudekomplexes *Porticus Octaviae* wurde im Jahre 71 der pompös
inszenierte kaiserliche Triumphzug aus Anlass des Sieges über die Juden
feierlich eröffnet.[16] Imperator Vespasian und seine Sohn Titus hatten über
zwei Jahre hinweg den Aufstand im besetzten Israel mühsam niederge-
schlagen. Die stolze Stadt Jerusalem war nach langer Belagerung zerstört
und ihre Bewohner grausam bestraft worden. Der prachtvolle Tempel des
Salomo wurde geplündert und im Feuer vernichtet.

Im Siegeszug vom Portikus aus wurden die Gefangenen und die Beute-
stücke aus Jerusalem und dem Tempel der Bevölkerung Roms, den Noblen
und dem Senat zur Schau gestellt. Seither wird in der jüdischen Welt der
Untergang des Tempels beweint. Viele Juden erleben es immer noch als
Schmach, dass auf dem Triumphbogen des Titus in Rom die goldene, heilige Menora (Leuchter) aus dem Tempel als Beutestück eingemeißelt ist.

Alte Aufnahme des Portikus um 1880.
Einige der jüdischen Kinder im Vordergrund dürften bei der Razzia
dreiundsechzig Jahre später zu den Opfern gezählt haben.

Keine hundert Meter weiter vom Portikus der Oktavia standen einige Lastwagen am Tiberufer. Sie sollten die Verhafteten zum Zwischenlager fahren, wo alle hingebracht wurden. Danneckers Wahl, eine leerstehende Militärschule (Collegio Militare) auf der anderen Seite des Tibers am Hang des Gianicolohügels zu nutzen, war in mehrerer Hinsicht günstig. Das Collegio verfügte Nebentrakte und Gelände, und es lag nur rund zwei Kilometer flussaufwärts am Ende der Via della Lungara. Das Hauptgebäude grenzt an die Uferstraße zum Tiber. Es ist unter dem alten Namen "Palazzo Salviati" bekannt. Heute residiert dort eine Führungsakademie der italienischen Streitkräfte. Neben dem Toreingang ist eine Erinnerungstafel für die hier internierten Juden des 16. Oktober 1943 angebracht. Der Vatikan ist zu Fuß keine zehn Minuten entfernt.

16. Oktober – vormittags

***

Gefangennahme

Der Pendelverkehr zwischen dem Portico d'Ottavia und dem Collegio Militare lief den ganzen Vormittag über. Weil nur wenige Lastwagen dafür zur Verfügung standen, war bei dieser Aktion Eile geboten. Die Ghettoevakuierung soll schnellstmöglich über die Bühne gehen. Je länger sie dauerte, desto größer war die Gefahr von Alarmketten in Rom und unkalkulierbaren Reaktionen der römischen Bevölkerung. Augenzeugen berichteten, dass die Beladung der Lastwagen am Portico ziemlich rüde, ja brutal vor sich ging. Kranke, Behinderte und Widerspenstige wurden beschimpft und gestoßen. Einen Gelähmten, der im Rollstuhl saß, schleuderte man im Hauruckverfahren auf die Ladefläche. Kleine Kinder auf den Armen der Mütter wurden wie Postpakte behandelt und Menschen auf den Wagen zugeworfen.[17]

Ein Augenzeuge der Szene am Portico war Signor A.C.[18] Er arbeitete im nahegelegenen italienischen Justizministerium und kam gegen acht Uhr auf dem Weg zur Dienststelle direkt an der Synagoge vorbei. Er berichtete später, wie eine fassungslos weinende Frau mit einem etwa fünfjährigen

Kind auf ihn zukam und flehte: „Retten Sie uns, retten Sie uns, Signore! Die Deutschen schaffen alle fort. Sie haben meinen Mann und zwei Kinder gefangen."

Signor C. versuchte so gut es ging die Frau zu beruhigen. Gleichzeitig forderte er sie auf, sofort weiter zu laufen über die kleine Tiberbrücke zur Tiberinsel und dann hinüber nach Trastevere. Das würde ihre Rettung sein. Offensichtlich folgte die Frau dem dringenden Rat und entwischte erfolgreich den Häschern.

Signor C. ging etwas die Straße hinauf in Richtung des Portico. Ein Stück weiter oben sah er einige Militärlaster, um die etwa zwanzig bewaffnete Soldaten herumstanden. Vorsichtig näherte er sich einem Posten. Doch einer der Soldaten bemerkte ihn und raunzte ihn kräftig an. Er solle hier verschwinden, und zwar sofort. Signor C. zog sich etwas zurück und beobachtete aus der Ferne das tragische Geschehen:

> Aus einem Torbogen der Via del Tempio wurden einige Frauen mit Kindern ziemlich heftig auf die Straße gestoßen. Die Kinder weinten. Von überall hörte man Rufe und markerschütternde Schreie der Opfer, während die Peiniger – in Aktion oder unbeweglich – ihrer traurigen Aufgabe ohne irgendein Zeichen von Humanität nachkamen.

Bei den Wagen sah der Signor, wie eine Gruppe von Personen, hauptsächlich Frauen und Kinder, unter deutschem Geschrei der Soldaten auf einen Laster gehievt wurden. Alles um ihn herum erschien Signor C. wie ein Fegefeuer. Er selbst blieb versteinert stehen. Er war furchtbar deprimiert, dass er nichts tun konnte. Diese unschuldigen Opfer würden bestimmt ein schlimmes Schicksal in Deutschland erwarten, dachte er. Nicht lange und Signor C. wurde auch hier von einem Unteroffizier bemerkt und unsanft aus seiner Erstarrung gerissen. Der Soldat versetzte ihm einen deutlichen Stoß und brüllte ihn an abzuhauen.

Später am Vormittag kam Francesco Odoardi mit seinem Bruder zufällig am Ghetto vorbei.[19] Die Razzia war noch im Gange, aber sie neigte sich dem Ende entgegen. Die beiden Brüder waren von Trastevere über die Brücke Cestio zur Tiberinsel und weiter über die Ponte Fabrico bis zum Ghetto gelaufen. Sie wollten auf einem Spaziergang etwas Wichtiges besprechen. Von der Uferstraße Lungotevere dei Cenci aus sahen sie eine

Gruppe von Frauen mit Kindern. Plötzlich löste sich eine etwa fünfzehnjährige Jugendliche aus der Gruppe. An einer Hand zog sie ein kleines Kind hinter sich her. Beide rannten in Richtung Tiberbrücke. Sie hetzten an Francesco und seinem Bruder vorbei weiter auf die Insel. Die Frauen riefen dem jugendlichen Mädchen hinterher und ermutigten es. Ängstlich verfolgten sie die Route der zwei und hofften auf einen guten Ausgang.

Francesco und sein Bruder waren perplex. Musste das kleine Kind dringend aufs Klo? Die ganze Situation erschien ihnen eher wie eine Flucht – aber warum? Die beiden liefen weiter ins Ghetto. Erst jetzt entdeckten sie die deutschen Soldaten. Am Portico d'Ottavia sahen sie SS-Soldaten, die zusammengetriebene Juden bewachten. Ein Soldat hatte eine Maschinenpistole umhängen und stand mit gespreizten Beinen vor einer Gruppe Juden. Gelangweilt wippte er von einem Bein auf das andere. Ein paar Schritte weiter bewachten mehrere SS-Soldaten die aus dem Ghetto verhafteten Menschen am Sammelpunkt in der Ausgrabungsstelle. Francesco schätzte etwa achtzig Männer, Frauen, Jugendliche, Kinder und Babys. Still und verzweifelt saßen die Menschen auf antiken Steinen, auf ihren Koffern oder auf der Erde. Einige hatten bei dem Dauerregen eine Plane über sich gezogen. Nur das vereinzelte Weinen von Kindern und das leise Schluchzen von Erwachsenen mischte sich mit dem Prasseln des Regens.

Da näherte sich eine Frau und versuchte zu der gefangenen Gruppe am Portikus durchzustoßen. Wollte sie einen letzten Gruß sagen oder einen Ratschlag geben oder ein Wort des Trostes spenden? Oder wollte sie auch mit abtransportiert werden? Francesco wusste es nicht. Ein SS-Mann hielt die Frau auf. Er trieb sie mit roher Gewalt weg von den Gefangenen in Richtung Synagoge. Francesco fühlte unendliche Scham.

Deprimiert gingen er und sein Bruder weiter: „Alles ist still und düster. Die Wohnungen sind stumm, verschlossen, dunkel: alle. Wir sind allein. Unsere Schritte hallen stark wider in dieser traurigen Umgebung. Das Geräusch verstört uns. Wir beeilen uns aus diesem trostlosen Albtraum wegzukommen. ... Ein trauriger Tag, unendlich traurig."[20]

Auch der 22-jährige Partisan und medizinische Praktikant Adriano Ossicini, der am Razziatag im Krankenhaus Fatebenefratelli auf der Tiberinsel Dienst tat, wurde an diesem Morgen schockartig von den Ereignissen überrollt:[21] Vom Fenster der Krankenabteilung konnte er direkt zum Ghetto schauen. Sofort war ihm klar, was dort vorging. Er eilte hinüber, bis in die

Nähe zum Portico d'Ottavia. „Ich sah die Uniformen der Deutschen und Leute, die versuchten aus dem Ghetto in Richtung Tiberinsel zu fliehen. Es war eine furchterregende, apokalyptische Szene: die wütenden Befehle und das Brüllen in einer fremden Sprache, die zwischen den Häusern dröhnten, waren schrecklich, ein Albtraum."

Stumm und wehrlos wie Schlachtvieh seien die Juden auf Lastwagen verfrachtet worden, so Ossicini. Nur leises Weinen konnte man ab und zu hören. Der junge Partisan überlegte, was er tun könne, aber ihm waren die Hände gebunden. Gegen die Übermacht der Soldaten konnte er nicht einschreiten. Er konnte nur hoffen, dass es vielen gelingen würde, mutig und mit Glück an den Wachen vorbei auf die Tiberinsel zu gelangen. Oft klappte die Flucht nicht. Ossicini: „Ein Kind versuchte aus einer Reihe zu fliehen, aber es wurde sofort gestoppt durch den bestialischen Schrei auf Deutsch eines Soldaten. Die Frauen weinten."

Plötzlich klopfte ein Freund (Giulio Sella) auf seine Schulter und sagte: „Adriano, geh' mir zur Hand!" Sella, der gute Beziehungen zu vielen Juden im Ghetto hatte, war gerade dabei Fluchthilfe zu leisten. Den beiden gelang es, einige Frauen und Kinder an den Wachen vorbei zu schleusen und zu einem vorläufigen Versteck zu bringen. Da dort nur wenig Platz war (Dormitorio di Santa Maria in Cappella), brachten Ossicini und Sella weitere Flüchtlinge in der Krankenabteilung von Fatebenefratelli unter. Hier waren sie erst einmal in Sicherheit.

„Diese Razzia war wirklich ein furchtbares Ereignis. Es ist schwer die Gesichter dieser Deutschen zu vergessen, die wie Bestien die völlig verängstigten Juden auf Lastwagen verfrachteten." Das schrieb Ossicini 1999 im Alter von knapp achtzig Jahren. Nach dem Krieg war er Arzt, Professor für Psychiatrie und schließlich Familienpolitiker geworden.

Am Rande des Ghettos, wo in angrenzenden Straßen Razzia nach Liste durchgeführt wurde, beobachtete der damals sechzehnjährige Gianni Campus den Beginn der Aktion vom Fenster aus. Signor Campus schrieb 1995 ein kleines Buch über seine Beobachtungen und seine Recherchen.[22]

Gianni wohnte in der Via Arenula mit Blick zum Largo Argentina und in Richtung der Ghettostraße Via Santa Maria del Pianto. In der Morgendämmerung sah er, wie Soldaten Posten bezogen und ein Lastwagen an der Straßenkreuzung am Largo Argentina abgestellt wurde. Kurz darauf hörte man hektische Betriebsamkeit aus dem Ghetto: Stimmen und Geschrei von Männern, Frauen und Kindern. In Gruppen kamen die Menschen aus den Häusern. Mit Gewehren wurden sie auf die Straße gestoßen. Viele trugen Taschen, Pakete, Koffer und zuweilen Decken. Auf der Straßenseite gegenüber beobachtete Gianni, wie aus einem Haus eine Gruppe von Männern und Frauen abgeführt wurde. Unter ihnen befand sich auch eine alte Dame im Rollstuhl. Beim Verladen auf den Lastwagen riss man die Alte einfach aus dem Stuhl und verfrachtete sie rabiat auf den Wagen. Das grausige Geschehen an diesem regnerischen Morgen im fahlen Dämmerungslicht sei von erfrierender Beklemmung gewesen, schreibt Signor Campus noch über fünfzig Jahre später.

»Stolpersteine« in der Via Arenula.

Trotz der Razzia in den Straßen des Ghettos wollte Gianni zur Schule gehen. Er hatte damit auch einen guten Grund, unten auf der Straße mehr sehen zu können. Doch schon an der Eingangstür des Miethauses wurde er von der Pförtnerin heftig zurückgewunken. Sie hatte verweinte und geschwollene Augen. Gianni bemerkte vor der Tür zwei Wachen. Im Haus wurden einzelne Wohnungen abgeklappert.

Nach ihrer Liste mussten hier Juden sein. Doch gab es dort keine Juden mehr; sie waren weggezogen. Nach kurzer Zeit verließ der Trupp unverrichteter Dinge das Haus.

Gianni lief wieder nach oben. Erst gegen zwölf Uhr Mittags traute er sich hinaus. Jetzt war das Ghetto von einer traurigen Stille eingehüllt. Kleine Gruppen von Menschen kommentierten ungläubig und mit gedämpften Stimmen das, was geschehen war. Gianni sah lautlose Tränen in den Gesichtern. In Richtung Ghetto erkannte er auf einem Motorroller zwei italienische Faschisten in Unform. Sie fuhren langsam durch die Gassen – und triumphierten.

16. Oktober – vormittags

* * *

Fluchtversuche

Bei der Ghettorazzia suchten nicht Wenige ihr Heil in der Flucht. Einigen gelang es über die Tiberbrücke nach Trastevere zu rennen. Dort wurden sie sofort von hilfsbereiten Anwohnern in Häusern versteckt. Auch in den Straßen des Ghettos konnte so mancher durch die Reihen schlüpfen. Dannecker hatte nicht genug Leute, um das Viertel mit einem lückenlosen Ring einzuschließen. Wer rechtzeitig aus der Wohnung fliehen konnte, bevor die Soldaten an ihre Tür polterten, kletterte über Dächer, kroch von Keller zu Keller oder schlich durch verwinkelte Gassen.

Kein Fluchtglück hatte Signora Rosa Anticoli auf der anderen Seite des Ghettos. Ihr anfänglich erfolgreicher Versuch scheiterte. Signora Anticoli hatte die Razzia schon früh bemerkt. Sie fasste den Plan, sich kaltblütig als eine unbeteiligte Bewohnerin auszugeben und sich mit ihren vier Kindern davon zu machen. Geschwind zog sie sich die besten Kleider an. Auch ihre Kindern putzte sie so gut es ging rasch heraus. Dann stieg sie hinunter auf die Straße und lief so beherrscht wie möglich in Richtung Straßenbahnhaltestelle am Rande des Ghettos. Anfangs schaffte sie den Weg ohne auffällig zu wirken. Doch je näher die rettende Straßenbahn kam, desto nervöser wurde sie – vielleicht auch, weil eines der Kinder erkrankt war. Dann schöpfte eine SS-Wache Verdacht. Er rief ihr hinterher: „Jude, Jude!" Da versagten die Nerven von Signora Anticoli und ihre Tarnung flog auf. Vor der herbei geeilten Wache sank sie auf die Knie und flehte um Barmherzigkeit für ihr krankes Kind. Es half nichts. Der Soldat schrie sie auf Deutsch an und trieb sie und ihre Kinder mit Gewehrstößen zum Sammelpunkt.[23]

Eine andere Frau, deren Namen nicht überliefert ist, wähnte sich mit vier Kindern schon in Sicherheit.[24] Beim Auftauchen der Soldaten hatte sich ihr Ehemann rasch in einem leeren Wassertrog versteckt. Die beiden glaubten, dass die Deutschen nur auf Männerjagd für Zwangsarbeit wären.

Bei der Durchsuchung des Hauses flog das provisorische Versteck des Mannes auf; er wurde umgehend abgeführt. Der Frau gelang es derweil mit ihren Kindern auf die Gasse zu entwischen. Dort schaffte sie es an die Tiberuferstraße, wo keine Soldaten herumstreiften. An der Ponte Garibaldi sah sie einen Lastwagen der Deutschen vorbeifahren. Er hatte gefangene Juden aufgeladen. Da entdeckte die Frau Verwandte von ihr auf der Ladefläche, und unwillkürlich entfuhr ihr ein lauter Schreckensschrei. Misstrauisch stoppte der Fahrer. Der Begleitwache wurde schnell klar, dass die Frau und die Kinder Juden sein mussten, die abgehauen waren. Als sie die kleine Gruppe mit auf den Laster verfrachten wollten, gab es einen Tumult. Die Frau schrie um ihr Leben und die Kinder weinten. Jetzt mischte sich ein unbeteiligter Passant ein. Er wollte ein Kind retten. Gegenüber der Wache behauptete er, dass eines der Mädchen seine Tochter sei. Er nahm das Mädchen zu sich. Doch die Kleine ließ sich bei ihm nicht beruhigen. Sie wehrte sich, weinte laut und wollte zu ihrer Mama.

Der Täuschungsversuch zur Rettung dieses Kindes scheiterte. Die Wache zerrte das Mädchen aus der Hand des Passanten und hievte es auf den Laster. Alle zusammen landeten im Collegio Militare.

Ähnlich erging es der 33-jährigen Signora Elena Di Porti – mit dem Unterschied, dass sie selbst einen Lastwagen anhielt, um aufsteigen zu können.[25]

Früh morgens an diesem Samstag des Razziatages war sie von Trastevere hinüber ins Ghetto zu Verwandten gegangen. Als die SS kam und mit den Verhaftungen begann, rannte Elena ins oberste Stockwerk des Hauses und stieg aufs Dach. Sie war schwindelfrei und wollte von Gebäude zu Gebäude zu klettern. Von hoch oben beobachtete sie, wie unten auf der Straße Leute abgeführt wurden. Darunter waren ihre Schwägerin und deren drei Kinder. Plötzlich entdeckte eines der Kinder Elena auf dem Dach und schrie nach oben:

„Tante, Tante, lass uns nicht in den Händen der Deutschen, komm zu uns!" Elena dachte in diesem Moment auch an ihre zwei eigenen Kinder, die vielleicht ebenfalls schon gefangen waren. Rasch kletterte sie vom Dach und hielt einen Lastwagen auf der Straße an: „Halt, halt, auch ich bin eine Jüdin", rief sie. Der Wagen stoppte und der Fahrer nahm Elena als unverhoffte Beute mit.

Als der Laster an der Uferstraße von Trastevere entlangfuhr, sah der 11-jährige Angelo Di Porti seine Mutter Elena auf dem Wagen. Er und sein Bruder, zusammen mit dem Vater und einer Tante hatten aufgrund von Warnrufen rechtzeitig aus der Wohnung fliehen können. Angelo wörtlich:[26] „Ich sah meine Mutter, die weinte und mir zuwinkte. Ich wollte zu ihr laufen, doch meine Tante und mein Vater hielten mich am Arm fest: `Halt, halt, was tust du. Willst du, dass sie alle schnappen?'"

Nach dem Krieg fragte Angelo Rückkehrer aus den KZs nach seiner Mutter. Einige glaubten, sie gesehen zu haben. Tief in seiner Seele wusste Angelo aber, dass seine Mutter gewaltsam zu Tode gekommen war.

Ebenfalls tragisch verlief die vermeintliche Selbstrettung von Signora N. mit ihrer kleinen Tochter.[27] Unbemerkt von den Soldaten gelang es der Signora sich mit ihrer Kleinen in eine Bar zu retten. Hier war sie vorläufig in Sicherheit. Als draußen vor der Bar eine laute Diskussion zu hören war, schaute Signora N. verstohlen durch das Fenster. Ein junger Journalist stritt auf Deutsch mit einer Wache um die Freilassung einer schwangeren Frau, die gerade abtransportiert werden sollte. Plötzlich erkannte die Signora bei der Gruppe der zum Abtransport bereitstehenden Menschen ihre Schwester. Sie machte auf sich aufmerksam und gestikulierte verräterisch in Richtung ihrer Schwester. Das fiel einem Wachposten auf. Schnurstracks ging er in die Bar und holte die Signora mit ihrer kleinen Tochter heraus. Draußen wurde dem Soldaten schnell klar, dass die festgenommene Jüdin und die Signora verwandt sein mussten. Frau N. landete mit ihrem Kind auf dem Lastwagen.

Von der Familie Di Veroli konnte sich nur der 15-jährige Leone retten.[28] Am Razziamorgen war er mit seinen Eltern, mit zwei Schwestern und dem Großvater in der Wohnung. Da hörten alle die Rufe einer Frau, die an der

Straßenseite des Hauses wohnte. »Die Juden sollen fliehen, so schnell wie möglich fliehen«. Die Mutter lief sofort los, um einen Sohn zu warnen, der in der Nähe lebte. Der Vater von Leone machte sich keine großen Sorgen. Er glaubte, dass die Deutschen nur kräftige junge Männer mitnehmen wollten. Er selbst und der Großvater waren zu alt und Leone noch zu jung.

Währenddessen rief die Frau aus dem Vorderhaus unablässig weiter: „Lauft weg! Lauft weg! Sie bringen alle fort!"

Jetzt rannte Leone allein die Treppe hinunter und stieg im Nachbarflügel ins oberste Stockwerk. Dort stand ein Wasserkasten, in den er hineinkrabbelte. Kurz darauf hörte er von unten im Haus Rufe und Poltern. Leone bewegte sich nicht. Erst nach einer Stunde wagte er sich in seine Wohnung, nachdem alles ruhig geworden war: „Weder mein Papa, noch meine Schwestern, noch mein Großvater ... waren mehr da."

Leones Rettung und seine anschließende Flucht in Rom dauerte nur ein paar Monate. Am 1. April 1944 wurde er aufgegriffen und nach Auschwitz deportiert. Er überlebte und wurde im April 1945 in Bergen-Belsen von den Engländern befreit.

Ein ähnliches Schicksal teilte der knapp fünfzehnjährige Piero Terracina.[29] Am Razziamorgen wurde er von seinem Vater zum Zigarettenholen geschickt. Der Andrang vor dem Tabakladen war groß, und Piero musste ungewöhnlich lange warten. Irgendwann am Vormittag erschien aufgeregt sein Vater und zerrte seinen Sohn aus der Reihe. Sie eilten beide nach Hause, wo die ganze Familie hektisch eine paar Sachen zusammensuchte. Sie mussten sofort aus der Wohnung fliehen. Der Vater war telefonisch vor einer Judenrazzia der Deutschen gewarnt worden. Die Terracinas zögerten nicht und tauchten noch am Vormittag in den Straßen Roms unter. Am Abend kehrten sie vorsichtig zurück. Sie wussten, dass sie hier nicht bleiben konnten. Daher fingen sie sofort an nach sicheren Verstecken zu suchen. Am 7. April 1944 flog ihr zeitweiliger Zufluchtsort abrupt auf. Mitten in die Sederfeier am Vorabend von Pessach platzten drei Gestapo-Männer von Kappler herein. Sie hatten von zwei jugendlichen Schwarzhemden einen Tipp bekommen, dass sich hier Juden verstecken würden.

Piero, seine beiden Brüder Leo und Cesare, seine Schwester Anna, seine Eltern und der Großvater wurden verhaftet. Am 23. Mai 1944 kamen sie gemeinsam in Auschwitz an. Auf der Rampe wurde Piero mit seinen Brüdern nach rechts eingeteilt; der Vater und der Großvater nach links, seine Schwester Anna kam nach rechts seine Mutter nach links. Niemand außer

Piero wird Auschwitz überleben. Am 2. Dezember 1945 kehrte er allein nach Rom zurück.

Selbst am Brennpunkt der Razzia, dem Portico der Oktavia im Ghetto, wagten schon abgeführte Juden die Flucht. Während eines günstigen Augenblicks am Sammelpunkt konnten etwa dreißig Personen durch eine abgelegene kleine Tür an der Südseite des Ghettos entkommen. Die Tür führte zum Gelände der Kirche Sant'Angelo in Pescheria. Signor Rubino Di Segni war einer von den Glücklichen.[30] Er erzählte später, dass sich im Getümmel der Menschenansammlung zwei Gruppen formierten, die aufgrund ihrer genauen Ortskenntnis unbemerkt zum rettenden Türchen gelangen konnten. Als es aber eine dritte Gruppe den anderen nachmachen wollte, sei es zu spät gewesen. Sie kamen nicht mehr durch. Ein Wachposten hatte bemerkt, wie das Grüppchen entwischen wollte und blockierte den Weg. Alle wurden festgenommen.

Tragisch verlief bei fünf der zuerst glücklich Entkommenen das weitere Schicksal. Sie wurden im Frühjahr 1944 aufgegriffen und von der Gestapo ins Regina Coeli Gefängnis gesteckt. Dort sollten sie auf die Abschiebung in ein Konzentrationslager warten. Doch vor dem nächsten Sammeltransport kam der 24. März 1944. Der römische Sicherheitschef Kappler brauchte für diesen unseligen Tag in der Geschichte Italiens 330 Geiseln zur sofortigen Erschießung. Es sollte eine grausame Vergeltung »eins zu zehn« für den Partisanenanschlag auf eine Polizeikompanie in der Via Rasella tags zuvor sein. Die Hinrichtung der Geiseln, die am Ende 335 zählten (man hatte sich schlicht und ergreifend verzählt), fand in den Ardeatinischen Höhlen statt, nah bei den berühmten Katakomben San Sebastiano und San Callisto an der Via Appia antica.[31]

Die große
Totenhalle
im
Mausoleum

Das jüngste Opfer war der gerade fünfzehn Jahre gewordene Michele Di Veroli. Er war einer der Glücklichen gewesen, die am Portico erfolgreich der SS entwischen konnten.

Das Grabmal des jungen
Michele Di Veroli
im Mausoleum.

Unter den Erschossenen waren mindestens 73 Juden.[32] Alle haben nach dem Krieg ihre letzte Ruhe in einem großen Mausoleum gefunden. Es birgt dreihundertfünfunddreißig schlichte Sarkophage, vor denen jeweils ein ewiges Licht brennt.

Kurz vor seinem neunundneunzigsten Geburtstag im Juli 2012 verteidigte Erich Priebke mir gegenüber in einem Interview immer noch die damalige Geiselerschießung. Es sei eine gerechtfertigte Kriegsrepressalie gewesen. Er hatte an der Erschießung teilgenommen und anfangs auch die ankommenden Geiseln auf einer Liste abgehakt.

In einem früheren langen Interview (Juni 2009) erzählte mir Priebke näher, wie er jenen Tag und die Erschießung, die er an zwei der Geiseln vornahm, erlebt hatte. Auch im Abstand von fünfundsechzig Jahren merkte man dem alten Herrn deutlich an, wie seelisch gestresst er damals gewesen sein musste. Gleichzeitig aber wischte Priebke jede Verantwortung für seine Mitwirkung vom Tisch. Die Geisel-Repressalie sei eine von Hitler, General Mackensen (zuständiger Armeebefehlshaber) sowie dem Stadtkommandanten General Mälzer befohlene Ver-

Priebke in seiner Uniform
als SS-Hauptsturmführer

geltungsaktion nach Kriegsrecht gewesen. Und den Befehl zur Erschießung hatte er von seinem Vorgesetzten SS-Obersturmbannführer Kappler erhalten.

Zur Erinnerung: Heute verbüßt der ehemalige SS-Hauptsturmführer und inoffizielle Stellvertreter Kapplers eine lebenslange Freiheitsstrafe in Rom. Priebke lebt in einer Privatwohnung unter ständiger Bewachung. Wegen seines hohen Alters ist die Haft in Hausarrest umgewandelt.

16. Oktober – Vormittags

* * *

Glück im Unglück

Tragisch vermischt waren Glück und Unglück bei der Familie von Grazia und Mose Spizzichino. Das Ehepaar wohnte bei ihren erwachsenen Töchtern: Ada, Gentile, Giuditta und Settimia in der Ghettostraße Via della Reginella. Ada und Gentile waren verheiratet und hatten schon Kinder. Eine weitere Tochter (Enrica) wohnte außerhalb Roms in Tivoli, und der einzige Bruder (Pacifico) hatte mit seiner Frau eine eigene Wohnung in der Nähe.

Die damals 22-jährige Settimia erzählte später, was am Samstagmorgen geschah:[33] Ada war mit ihrem Mann und dem Sohn David zeitig aufgebrochen, um Besorgungen zu machen. Man musste früh dran sein beim Schlangestehen für Essen, Zigaretten oder andere brauchbare Sachen. Ihre Schwester Enrica hatte sich an diesem Morgen auf den Weg nach Rom gemacht, um Nahrungsmittel zu bringen. Settimia wörtlich:

„In der Wohnung waren ich, meine Eltern, meine Schwestern Giuditta und Gentile, das Mädchen von Gentile, Letizia und die Kleine von Ada, Rosanna. Wir hörten Lastwagen vorbeifahren und danach die Schritte von schweren Militärstiefeln. Wir dachten an Exerzieren. Wir wussten nicht, dass sie das Ghetto einkreisten. Plötzlich explodierte die Piazza. Wir hörten Befehle in Deutsch, Rufe und Flüche. Wir stürzten zu den Fenstern. Wir sahen deutsche Soldaten, die Leute aus ihren Häusern trieben. In langer Reihe wurden sie zum Portico d'Ottavia geführt. ‚Sie greifen die Juden!' – flüsterte mein Vater. Wir konnten nicht mehr fliehen; die Deutschen kamen direkt auf unser Haus zu. Papa schob uns in eine Kammer neben der Tür und hieß uns absolut still zu sein. Dann öffnete er die Tür der Wohnung und ließ sie sperrangelweit stehen. ‚Sie werden denken, dass wir abgehauen sind' – sagte er leise, als er zu uns zurückkam.

Die Schwestern Settimia, Gentile, Ada, Enrica Spizzichino (v.l.) und die kleine Letizia.

aus: Spizzichino: Gli anni rubati, S. 33

Vielleicht hätten wir es geschafft. Aber Giuditta verlor den Kopf, als sie die Schritte der Deutschen auf der Treppe hörte. Sie rannte davon, direkt in die Soldaten hinein. Sie drehte um und kam zu uns zurück. So führte sie die Soldaten dahin, wo wir versteckt waren. Sie holten uns aus der Kammer und gaben uns einen Zettel mit Anweisungen. …

Wir fingen an, das wenige Essen einzusammeln, das wir in der Wohnung hatten. Ich erinnere mich, dass ich ein Stück Schafskäse und einige Schachteln Peperoni in die Tasche steckte.

Dann wandte ich mich an den Offizier, der die Gruppe kommandierte und deutete auf Gentile: ‚Sie gehört nicht zu uns, die Frau ist eine Haushaltshilfe. Lasst sie, damit sie mit ihren kleinen Kindern gehen kann.' Er glaubte uns und gab mit dem Kopf ein Zeichen zu Gentile in Richtung Tür. Zum Glück kapierte sie; sie nahm ihre Tochter, ihre kleine Nichte und ging.

Wir verließen inmitten der Deutschen das Haus. Sie stellten uns mit den Nachbarn in Reihe auf und stießen uns in Richtung Portico d'Ottavia."

Das Glück des Mutigen hatte Settimia beigestanden, als sie ihrer Schwester Gentile mit der Tochter Laetizia und der Nichte das Leben retten konnte. Vielleicht war dem Kommandoführer eine umständliche Überprüfung zu zeitaufwändig oder er war einfach nur nachlässig – so wie eine Begleitwache kurze Zeit später. Auf dem Weg zum Portico bemerkte Signor Spizzichino den Augenblick einer Unaufmerksamkeit beim Wachsoldaten und fasste spontan den Entschluss, in der Menge zu verschwinden. Seiner Frau raunte er zu, dass er Pacifico, ihren Sohn, warnen müsse. Mose gelang es, unbemerkt zu verschwinden und gemeinsam mit Pacifico und seiner kleinen Familie vor der SS zu fliehen.

Settimia hoffte, dass sich ihre Schwester Ada zusammen mit ihrem Mann und David auf der Straße ebenfalls retten konnte. Doch später im Collegio gab es ein trauriges Wiedersehen mit Ada. Ada war auf der Suche nach ihrem Mann verhaftet worden. Schwester Enrica aus Tivoli, die mit Nahrungsmittel auf dem Weg in die Via della Reginella war, wurde in der Straßenbahn von Bekannten gewarnt. Im Ghetto gebe es eine Razzia der Deutschen. Sie dürfe auf keinen Fall dorthin fahren. Enrica machte kehrt und fuhr aus Angst vor Bahnhofs- oder Straßenkontrollen den ganzen Tag mit der Tram umher. Erst gegen Abend traute sie sich auf den Rückweg. Sie schaffte es heil nach Hause und konnte sich bis zur Befreiung verbergen.

Tragisch wird es dem Bruder Pacifico ergehen. Drei Monate nach seiner Rettung vor der Razzia fiel er in Rom der SS in die Hände und landete in Auschwitz. Pacifico, seine Mutter Grazia, seine Schwestern Ada mit ihrer achtzehnmonatigen Rosanna sowie Giuditta werden dort ihr Leben lassen. Settimia wird überleben – als einzige Frau von allen deportierten Juden Roms.

Der Zufall wollte es, dass es auch im Haus in der Via Portico Nr. 9 zu unvorhergesehenen Verhaftungen und Verschonungen kam. Die damals jugendliche Gabriela Ajò beschrieb in einem Interview, was sich abspielte.[34]

Sie wohnte mit ihrer Familie im dritten Stock. Als die Soldaten in das Haus kamen, gingen sie von Etage zu Etage und räumten nach Liste jüdische Wohnungen. Im ersten Stock konnte sich eine Frau mit ihren zwei Kindern so verstecken, dass sie nicht gefunden wurde; das junge Ehepaar nebenan und ihre zwei Kleinkinder dagegen wurden festgenommen. Auch im vierten Stock wurden alle drei Apartments komplett geräumt.

Gleichzeitig Glück und Unglück gab es auf dem dritten Stock, wo Gabriela wohnte. Die SS hatte auf ihrer List einen anderen Namen stehen als „Ajò", daher übergingen sie wortlos die Familie Gabrielas, obwohl sie alle

Juden waren. Offensichtlich hatte das Kommando kein Interesse daran, eigenständig nachzuforschen bzw. eine versehentliche Verhaftung vorzunehmen. Doch bei den Stock-Nachbarn der Ajós waren die Soldaten misstrauisch. Nach ihrer Liste suchten sie einen Cesare Di Segni, aber auf dem Türnamen stand G. Di Segni (G. für Giovanni). Ihnen reichte derselbe Nachname, um alle mitzunehmen: Giovanni, seine Frau, die Kinder und die Schwiegertochter. Signora Di Segni versuchte den Soldaten vergeblich klarzumachen, dass ihr Mann nicht der gesuchte „Cesare" auf der Liste sei. Offensichtlich war für die Deutschen C und G ein und dasselbe, vermutete Gabriela im Interview.

Die alte Signora Emma hatte die Szene aus einem Winkel beobachtet und mischte sich ein. Sie umarmte einen Soldaten und jammerte, dass das Giovanni sei und nicht Cesare. Doch der Soldat achtete nicht darauf oder verstand nicht, was die Alte wollte. In ihrer Not rief Emma nach ihrem Schwiegersohn: „Pacifico komm, komm Pacifico, mach ihm klar, dass sie sich irren. Es ist nicht derselbe Name." Auf das eindringliche Rufen krabbelte Pacifico aus seinem Versteck und kam herbei. Die Folge war, dass er, seine Frau Graziella und ihr Sohn verhaftet wurden. Auf dem Weg zum Lastwagen gelang es aber Graziella, das Kind einer Passantin zu übergeben. Der Junge überlebte bei einer Tante.

Gabriela erinnerte sich auch an eine Frau, die einen Stock höher laut nach ihrer großen Tochter rief: „Rina, Rina!" Doch Rina war es gelungen, auf die Straße zu fliehen, im Arm ihr Kleinkind und in der Hand noch die Babyflasche. Als Rina ihre Mutter hörte, wollte sie umdrehen und zurück laufen. Doch jemand hielt sie fest, und Rina besann sich. Sie lief weiter und rettete sich mit ihrem kleinen Kind.

„Es war ein schrecklicher Tag", so Signora Ajò nach vielen Jahren rückblickend.

Bei der Verhaftungsaktion in Trastevere konnte auch Arminio Wachsberger ein anverwandtes Kind retten, den zweijährigen Neffen Vittorio. Signor Wachsberger wohnte mit seiner Frau Regina und der kleinen Tochter in der Wohnung seiner Schwiegereltern direkt am Lungotevere mit Blick zur Synagoge auf der anderen Tiberseite.

Signor Wachsberger wird einer der wenigen Überlebenden der Deportation sein. Wegen seiner Sprachenkenntnisse spielte er für die Mitgefangenen eine wichtige Rolle. Von Hause aus war er neben italienisch auch deutschsprachig und jiddisch aufgewachsen. Nach dem Krieg sollte er einer der wichtigsten Zeugen werden.

Am Wochenende der Razzia war der kleine Neffe Vittorio zufällig bei den Wachsbergers. Sie sollten auf ihn aufpassen. In aller Frühe an dem Samstag klopfte es an der Tür. Kaum hatte Arminio die Tür einen Spalt geöffnet, drangen zwei Soldaten in die Wohnung und rissen die Telefonleitung heraus.[35] Dann überreichten sie Signor Wachsberger die schriftliche Anweisung zum Aufbruch in den nächsten zwanzig Minuten. Arminio sprach die beiden auf Deutsch an. Er sagte, dass das Kleinkind hier nicht zur Familie gehörte. „Alle mitkommen!", lautete die scharfe Antwort.

Im Innenhof stand ein noch leerer Lastwagen bereit, auf den alle klettern mußten. Die Fahrt ging gleich weiter zur nächsten Adresse. Dort kam die Hausmeisterin aufgeregt heraus. Sie wollte sehen, was los sei. Arminio kannte die Frau, und sie kannte den kleinen Vittorio. In einem Augenblick der Unaufmerksamkeit des Unteroffiziers – er zündete sich gerade eine Zigarette an – schnappte Arminio den Kleinen und warf ihn wortlos in die Arme der Hausmeisterin. Sie verschwand sofort. Arminio war bei der Aktion aufgestanden. Der Unteroffizier bemerkte das und rief ihm barsch zu: „Ich glaube dir fehlt was!" Doch Wachsberger konnte auf Deutsch die Situation beruhigen. Der Soldat hatte nicht auf das „Fehlen" des kleinen Vittorio angespielt.

Die Frau von Cesare Dal Monte konnte gleich alle ihre Kinder vor den Verhaftungskommando retten, während sie selbst gefasst wurde. Signor Dal Monte erzählte 1962 knapp seine kleine Geschichte in einem Interview:[36]

„Meine Frau wurde deportiert, warum?
Wie heißen Sie?
Cesare Dal Monte.
Wie alt sind Sie?
63.
Ihre Frau wurde am 16. Oktober verhaftet?
Ja.
Und sie ist nicht zurückgekehrt?
Nein.
Wie wurde sie verhaftet?

Im Haus.

Waren sie da an diesem Tag?

Nein, ich war abgehauen, weil ich glaubte, dass sie nur die Männer ergreifen würden. Aber sie haben Frauen und Kinder verhaftet, alle.

Haben sie auch ihre Kinder verhaftet?

Nein, die Kinder wurden gerettet, weil sie unter dem Bett waren. Da meine Frau nicht gehen wollte, haben sie sie mit Gehwehkolben die Treppe hinuntergestoßen. Als ich zum Haus zurückgekehrt bin, sah ich die Kinder am Fenster nach mir rufen. Aber ich konnte nicht in das Haus, um sie zu holen. Später, als die Deutschen gegangen waren, habe ich sie geholt. ...

Haben sie die Razzia gesehen?

Ich habe sie gesehen, weil ich auf der Straße war. Bei der Piazza Tartaruga rief mich ein Deutscher. Ich stand da zusammen mit einer anderen jüdischen Frau. Ich haute sofort ab. Die Frau wurde verhaftet. Es war die Frau von einem Freund, einem gewissen Di Porto, Settimio Di Porto.

Und Sie, wohin sind Sie gegangen?

Zur Wohnung eines Bruders, um ihn zu retten. Aber mein Bruder war schon mit seiner Frau festgenommen worden. Doch weil sie ein Kind hatten, das an Typhus erkrankt war, riefen die Deutschen ihre Kommandostelle an; die Familie wurde frei gelassen.

Haben sie jemals Nachrichten von Ihrer Frau erhalten?

Nie."

Die Meinung vieler Juden, die Deutschen würden nur nach arbeitsfähigen Männern suchen, riss die Familie Piperno Grego auseinander.[37] Die Pipernos wohnten in der Via Arenula Nr. 41: das junge Paar Pina und Ernesto mit einem kleinen Jungen und den Eltern von Pina. Als die Pipernos die Soldaten bemerkten, überlegten sie hektisch, wo sich Ernesto verstecken könnte. In ihrer Not griff Pina zum Telefon und rief die nicht-jüdische Nachbarin Signora Spannochi über ihnen an. Die Pipernos wohnten erst seit zwei Wochen in dem Haus und waren noch kaum bekannt. Vielleicht würde Signora Spannochi ihnen aber doch helfen. Pina wörtlich weiter:

> Sie begriff die Situation sofort. Sie sagte zu mir: ,Die Deutschen sind schon hier bei uns gewesen. Wir haben ihnen gesagt, dass wir Arier sind ... Wenn ihr wollt, kann Ernesto zu uns in die Wohnung hochkommen.' Da ging ich schnell zu meinem Mann und sagte ihm: ,Du

bist gerettet! Geh hinauf zu Signora Spannochi!' Er aber wollte nichts davon wissen, sich ohne mich zu verstecken. Er sagte zu mir: ‚Wenn du nicht mit mir kommst, gehe ich nicht nach oben.' Da mischte sich meine Mutter ein: ‚Natürlich, geh' auch du!' Sie half mir rasch in den Morgenmantel, den ich über das Nachthemd anzog. ... Da gingen ich und Ernesto hinauf zu Signora Spannochi. Meine Eltern blieben mit unserem schlafenden Kind still in der Wohnung. Während wir zu Fuß ein Stockwerk höher gingen, bemerkten wir, dass unten der Fahrstuhl aufging. Kurz darauf hörten wir Lärm und Geschrei. Wir waren gerade in der Wohnung Spannochi in Sicherheit. Ich glaubte Leute weinen zu hören. Die Zeit verstrich, und ich wurde zunehmend nervös.

Als Pina es nicht mehr aushielt, wagte sie sich ans Fenster. Vor dem Haus sah sie einen großen Lastwagen. Auf der Ladefläche verschwand gerade jemand, den sie zu kennen glaubte. Pina stockte der Atem. War das ihr Vater gewesen? Im selben Augenblick sah sie ihre Muter auf den Wagen steigen. Geschockt wollte Pina nach unten zu ihren Eltern laufen. Es bedurfte drei Leute, um sie zurückzuhalten. Nachdem der Lastwagen abgefahren war, stiegen Pina und Ernesto zu ihrer Wohnung hinunter. Sie waren verzweifelt und hatten keinen Schlüssel. War ihr kleiner Junge noch da? Er hatte fest geschlafen, als sie nach oben geschlichen waren. Pina:

> Wie durch ein Wunder gelang es uns, die Tür zu öffnen. In der Wohnung war es absolut still. Mein Mann wollte alle Hoffnung fahren lassen, aber ich lief schnell ins Schlafzimmer. Dort fand ich mein Kind. Es schlief und war von Kopf bis Fuß unter Decken begraben. Wahrscheinlich hatte der Junge nichts bemerkt. Bevor meine Mutter aus der Wohnung geholt wurde, hatte sie wohl noch Gelegenheit, das schlafende Kind unter Decken zu verstecken. Es hätte gereicht, dass der Junge aufgewacht wäre und »Mama« gesagt hätte, um ebenfalls von den Deutschen verschleppt zu werden.

Retten konnte sich auch das junge Paar Della Rocca mit ihren Kindern aus Trastevere.[38]
Am frühen Morgen machte sich Marco della Rocca auf, um rechtzeitig bei der wöchentlichen Zigarettenausgabe zu sein. Doch unten auf der Straße sah er, wie Soldaten mit Maschinenpistolen und einem Lastwagen das

Haus ins Visier nahmen. Er rannte zurück in die Wohnung. Seine Frau beschwor ihn, sofort zu fliehen, denn die Deutschen würden gewiss nur Männer suchen. Marco verlor keine Zeit und machte sich davon. An der nahegelegenen Piazza San Cosimato durchzuckte ihn ein gewaltiger Schrecken. Er sah, dass dort Frauen und Kinder wie Tiere auf Lastwagen abtransportiert wurden. Er musste sofort zurück. Seine Frau und die Kinder waren ahnungslos. Als er in seine Straße kam, traf er einen Freund, der ihn aufhielt. Er könne jetzt nicht mehr in sein Haus, die Deutschen seien drin. Marco sagte sich: Wenn die Soldaten meine Frau und die Kinder verhaften werden, will auch ich mich verhaften lassen, wenn sie sich jedoch retten können, werde ich mich auch retten. Marco beobachtete aus sicherer Entfernung, was vor dem Haus geschah. Ihm fiel ein Stein vom Herzen, als die Soldaten ohne seine Frau und die Kinder abzogen. Sie mussten sich irgendwie gerettet haben. Später erfuhr er, wie sie es schafften in den Innenhof zu gelangen, um sich im Brunnen zu verstecken.

16. Oktober – Vormittags

* * *

Gerettet – nervenstark

Es gab auch rundum erfolgreiche Fluchtgeschichten. Glück und Nervenstärke standen dabei Pate. Signora Emma Di Capua und Signora Cesira Limentani hatten beides. Als die Frauen die SS im Treppenhaus hörten, sperrten sie rasch ihre vier Kinder mit dem Lieblingsspielzeug in ein Zimmer und wuchteten einen schweren Marmortisch vor die Wohnungstür. Dann blieben sie mucksmäuschenstill. Im Flur polterten die Soldaten vergeblich an der Tür. Sie versuchten die Tür aufzudrücken. Doch das Schloss und der schwere Tisch dahinter hielten. Schließlich lauschten die Männer kurze Zeit angestrengt nach verdächtigen Geräuschen. Da nichts zu hören war, zogen sie unverrichteter Dinge zur nächsten Wohnung.[39]

Ausgesprochen geistesgegenwärtig verhielt sich die junge Signora Emma Terracina. Sie war verheiratet und hatte drei kleine Kinder. In einem Interview 1991 erinnerte sie sich noch genau an jene Situation damals.[40] Sie sei angespannt gewesen wie ein wildes Tier – sie musste doch ihre Kinder verteidigen.

Früh morgens am 16. Oktober kam ihre Mutter atemlos zur Wohnung gerannt. Eine Razzia der Deutschen habe in den Straßen angefangen. Der Vater versuche gerade ihre vier Brüder zu warnen. In diesem Augenblick hörten sie schon schwere Stiefel auf der Treppe des Hauses. Signor Terracina rannte sofort in Richtung Dachboden, um sich in Sicherheit zu bringen. Wie viele andere ging er davon aus, dass die Soldaten nur junge Männer suchten. Geistesgegenwärtig packte eine nicht-jüdische Wohnungsnachbarin die Großmutter mit den drei kleinen Kindern und schob sie flugs in ihre Wohnung.

Im Tumult blieb die junge Signora Emma Terracina allein zurück. Da stand schon eine Gruppe von SS-Leuten mit Stahlhelm und Maschinenpistolen an ihrer Wohnung und stießen mit einem Fußtritt die angelehnte Tür auf. Emma Terracina erzählt, dass sie die Soldaten ruhig und irritiert angesehen habe, mit der ungesprochenen Frage auf den Lippen, was dieses Eindringen zu bedeuten habe. Einer der Soldaten reichte ihr einen Zettel, auf dem die Namen ihres Mannes, von ihr selbst und ihren drei Kindern standen. Dazu bekam sie auf einer Karte die üblichen Anweisungen. Ohne sich etwas anmerken zu lassen gab sie den Zettel protestierend zurück. Sie versuchte klar zu machen, dass sie allein wohnte. Die Personen auf dem Zettel gäbe es hier schon längst nicht mehr. Im gebrochenen Italienisch fragte man sie: „Du nicht Jude?" Spontan erwidert Emma: „Ich nicht Jude". Da lächelten die Soldaten plötzlich, und einer strich ihr am Haar entlang. Emma nutzte die Situation und zeigte resolut auf die Tür. Das Kommando machte kehrt und verschwand ohne weitere Nachforschungen aus dem Haus.

Als die Nachbarin mit den Kindern und der Großmutter herauskamen und auch der Ehemann vom Dachboden heil wieder auftauchte, fiel Emma „blutleer" auf einen Stuhl. Es sei wie ein Traum gewesen. Die Deutschen hatten ihr geglaubt, die Deutschen waren einfach weggegangen. Selbst nach knapp fünfzig Jahren musste Emma Terracina vor ihrem Interviewpartner noch aufgeregt nach Luft ringen, als sie von der Familienrettung erzählte.

Natürlich seien sie nach der Razzia sofort verschwunden und hätten durch großzügige Hilfe Unterschlupf in Rom gefunden.

Nervenstärke bewies auch Laurina Sonnino. Sie wohnte mit ihrer Familie in der Ghettostraße Via di Sant'Ambrogio. Anfangs glaubten auch die Sonninos, dass die Deutschen nur auf der Suche nach arbeitsfähigen Männern seien. Signor Sonnino verschwand daher allein in den Seitenstraßen des Ghettos. Doch bald war klar, dass alle Juden verhaftet wurden. Verwegen fasste Laurina Sonnino, die zurzeit ein eingegipstes Bein hatte, einen Plan. Sie griff sich alle Zigarettenschachteln in der Wohnung und ging mit ihren Kindern hinunter auf die Straße. Dabei war auch die zwölfjährige Rina, die später den Vorfall bezeugte. Auf der Straße verteilte ihre Mutter die Zigaretten freundlich an die Soldaten und bedeutete ihnen, dass sie mit dem Bein jetzt zum Hospital müsse. Derweil stützten die Kinder demonstrativ ihre Mutter beim schlürfenden Gang. Die Soldaten waren angetan von den Zigaretten und sagten nur „Ja, Ja".

Der kleine Trupp erregte rasch die Aufmerksamkeit anderer Kinder und Jugendlicher auf der Straße. Sie gesellten sich zur humpelnden Signora und taten als müssten sie sie unbedingt unterstützen. Als Signora Sonnino an einem Lastwagen vorbeikam, auf den gerade ein verhafteter Bewohner der Straße aufstieg, packte sie zu und zog ihn in ihre Marschgruppe. Die Wachen bemerkten den Coup. Aber durch das Getümmel um die Frau mit dem Gipsbein und wegen ihrer unbefangen-freundlichen Zigarettenaktion waren die Soldaten verwirrt. Sie konnten sich nicht entschließen dazwischen zu gehen. Die Sonninos und einige Begleiter entkamen in Richtung der Via Monte della Farina.

Nachdem die Sonninos in einer Wohnung Zuflucht gefunden hatten, sah Rina vom Fenster aus eine schauerliche Szene. Sie erkannte Teresa, die Frau von Rabbiner Amadio Fatucci. Zusammen mit einem Sohn oder Enkelkind wurde sie von vier bewaffneten Soldaten abgeführt. Zwei gingen vor ihnen zwei dahinter – die Gewehre im Anschlag auf die beiden gerichtet. Signora Teresa lief ruhig in der Mitte und las in einem Gebetbuch. „Ich war zwölf Jahre alt und ich werde diese Szene nie vergessen."[41]

Die Terracinas und die Sonninos hatten Glück, trotz der riskanten Kaltblütigkeit. Dieses Quäntchen Glück entschied auch bei Signor Sedde und seinem Cousin über Leben und Tod.[42]

An Morgen des 16. Oktober bemerkte Signor Sedde Ungewöhnliches in seinem Quartier. Er lief auf die Straße und traf dort seinen Cousin. Sofort erkannten sie die Gefahr und ergriffen die Flucht. Wie Kanalratten seien sie durch die Gassen gejagt. „Da hörten wir knappe Stimmen von Deutschen. Wahnsinnig vor Angst schafften wir es, ein Gitter vor einem kleinen Lager-Souterrain hochzureißen. Wir zwängten uns durch das Loch, verbargen uns unter einem Berg von Pappe und Kartons und warteten. Da hörten wir, wie sich Schritte näherten, bis sie direkt über dem Gitter waren. Die Soldaten stoppten; sie waren oben und wir unten. Das Herz klopfte uns bis in die Kehle. Plötzlich merkten wir, wie sie auf die Kartons pinkelten, unter denen wir versteckt waren. Nachdem sie sich erleichtert hatten, gingen sie wieder weg."

Den ganzen Tag über blieben die beiden Jungs noch in dem Versteck. Erst nach Einbruch der Dunkelheit machten sie sich davon.

Stählerne Nerven bewies Signora Franca Spizzichino. Als die SS kam, versteckte sie rasch ihre drei Kinder unter einem Bett. In der Wohnung gaben die Soldaten ihr den zweisprachigen Zettel, auf dem Weisungen standen, welche Habseligkeiten sie noch zusammenraffen dürfe. Signora Spizzichino las die italienischen Anweisungen langsam laut vor. Am Ende fuhr sie im selben Tonfall fort und sagte: „Seid still ... Bewegt euch nicht bis heute Nacht ... dann geht zu eurer Tante."[43] Die Kinder überlebten. Franca wurde allein mitgenommen. Hätte Signora Spizzichino gehofft, dass die Soldaten aus irgendwelchen Gründen Minderjährige verschonen und sie Angehörigen überlassen, wären die Kinder alle mitgenommen worden.

Wer Telefon hatte, konnte noch am ehesten rechtzeitig gewarnt werden – auch wenn es ein Wettlauf gegen die Zeit war. Das musste der junge Piero Modigliani schmerzhaft erfahren. In seinem Tagebuch schrieb er am Abend des 16. Oktober, wie er und seine Frau, dazu seine Mutter und sein Bruder, mit denen er zusammen lebte, gerettet wurden.[44]

Gegen 8.20 Uhr klingelte das Telefon. Ein Freund war dran, der ihn mit einem Codewort warnte. Allgemeine Gefahr! Rasch packten Piero und seine Frau Wertsachen und Kleidung in Koffer, um sie in der Nähe bei Freunden zu deponieren. Als die beiden zurückgingen, sahen sie von weitem zwei SS-Soldaten mit Helm und Maschinenpistole auf die Eingangstür ihres Hauses zusteuern. Jetzt konnten sie nicht mehr ins Haus. Aber in der

Wohnung waren noch die Mutter und der Bruder. Piero und seine Frau brachten sich bei einer befreundeten Nachbarin in Sicherheit und beobachten die Straße vom Fenster aus. Signora Modigliani sah wie ein Lastwagen um die Ecke bog, wie weitere Soldaten in Häuser gingen und verängstigte, weinende Menschen auf die Straße holten. Piero wurde zum Fenster gerufen und beobachtete mit. Er war am Boden zerstört. Er konnte die Vorstellung nicht ertragen, dass seine Mutter und sein Bruder verloren waren.

Irgendwann kam die erlösende Nachricht eines „Wunders". Die Mutter und der Bruder waren nicht verhaftet worden. Sie hatten sich im Haus mit Hilfe von Nachbarn versteckt und die Flucht über das Dach vorbereitet. Doch das war am Ende nicht notwendig. Der mutigen Pförtnerin war es gelungen die Soldaten hinters Licht zu führen. Sie zogen unverrichteter Dinge weiter. Mit Händen und Füßen hatte die Pförtnerin klargemacht, dass das Haus zurzeit nicht bewohnt sei. Alle wären für Reparationsarbeiten weggeholt worden. Bereitwillig zeigte sie die Erdgeschosswohnung, wo die Soldaten nach ihrer Liste Verhaftungen vornehmen sollten. Die Wohnung war zufällig verlassen und mit verschiedenen Sachen voll gestellt gewesen. Außerdem gab es in einer anderen Wohnung eine kleine Schreibmaschinenschule, in der gerade Unterricht war. Ansonsten wirkte das Haus still und öde. Offensichtlich war die Pförtnerin sehr überzeugend und vielleicht hatte das Kommando weder Zeit noch Nerven für eine genaue Durchsuchung.

16. Oktober – Vormittags

* * *

Gerettet – hilfsbereite Nachbarn

Manchmal war es für die Soldaten klar, dass die Juden aus einer Wohnung gerade „ausgeflogen" waren. Dann blieb nichts anderes übrig, als weiterzuziehen. Das bestätigte in einer Prozessaussage Engelbert Breuer, ein ehemaliger Angehöriger der eingesetzten Polizeikompanien: „Die erste Wohnung, die wir betraten, war leer. Wir merkten aber, dass die Leute kurz vorher noch da gewesen sein mussten. Die Töpfe waren noch warm. Das Fenster stand offen. Ich dachte noch, dass die Leute wohl vorher gemerkt haben, dass sie abgeholt werden sollten."[45]

Der Zeitdruck bei der Razzia rettete auch in einem Haus in Trastevere mehreren Juden das Leben.

In dem Haus hatte der evangelische Pastor Emanuele Sbaffi eine Wohnung. Am Morgen des Razziatages beobachtete er von seinem Büro aus zwei Soldaten mit Gewehren wie sie zur Haustür kamen.[46] Im selben Augenblick hörte er im Treppenhaus die Schwestern Fiorentino laut wehklagen. Sie hatten von ihrem Fenster aus gesehen, wie ihr alter Vater auf der Straße verhaftet worden war. Signor Sbaffi ging auf den Flur und beschwor die beiden sofort still zu sein. Er drängte sie in seine Wohnung. Nicht lange, und es klingelte an der Tür. Es waren die beiden Soldaten, begleitet vom Pförtner. Sie drückten dem Pastor eine Liste von Juden in die Hand, die im Haus wohnen sollten. Vergeblich hatten sie an deren Wohnungen geklingelt. Signor Sbaffi sagte kurz, dass er nicht weiterhelfen könne. Da gingen die beiden Soldaten zum Nachbar-Appartement und begannen, mit ihren Gewehrkolben auf die Tür einzuschlagen. Dort wohnten Mutter und Tochter Ottolenghi. Die schwere Tür hielt den Schlägen stand. Jetzt verlangte einer der Soldaten entnervt eine Axt; doch Sbaffi schüttelte den Kopf. Er habe keine. Da gaben die beiden ihren Versuch auf, die Tür einzuschlagen und verschwanden. Die Schwestern Fiorentino blieben unentdeckt.

Die Ottolenghi waren beim Einbruchsversuch der Soldaten überstürzt aus dem Fenster auf eine Innenterasse gesprungen und hatten in den Gassen entwischen können.

Durch die ungewöhnliche Unterstützung hilfsbereiter Anwohner der Straße konnte sich die Familie Seramoneta (Eltern, Tochter und Großmutter) retten.[47]

Sie wohnten in der Via degli Scipioni 35. Schon gegen sieben Uhr in der Frühe kamen zwei Soldaten und holten die Seramonetas aus der Wohnung. Bepackt mit ihren Habseligkeiten wurden sie auf die Straße gestoßen und in Richtung der nahen Kreuzung Via Leone IV getrieben. Dort wurde der Lastwagen für den Abtransport erwartet. Da sich der Wagen aber verspätete, ließen sich die Soldaten Zeit.

Die Familie Seramoneta war in der Straße gut bekannt. Einige Anwohner, die die Verhaftung mitbekommen hatten, liefen herbei und verfolgten am Straßenrand die Verhafteten. Zunehmend hörte man Rufe wie: „Los! Haut ab!" Doch die Angst der vier Seramonetas vor den bewaffneten beiden SS-Soldaten war zu groß. Von Minute zu Minute schlossen sich immer mehr Menschen der Verfolgergruppe an. Gemeinsam fasste man Mut. Alle schoben sich immer näher an die Seramonetas heran. Die Soldaten konnten die Leute nicht verjagen. Als die Anwohner eng herangekommen waren, packte ein junges Mädchen die 17-jährige Tochter Rosetta am Pullover und zog sie zu einem Hauseingang. In diesem Augenblick schlossen die Anwohner einen hermetischen Kreis um die Verhaftungsgruppe. Die Seramonetas ließen ihre Koffer fallen und nutzten die geschaffene Fluchtsituation, um ihrer Tochter zu folgen. Sie schlüpften durch die Reihen, rannten gemeinsam in eine Seitengasse und verschwanden im nächsten Hauseingang. Dort wurde ihnen weitergeholfen. Die zwei Soldaten konnten gegen die Menschenmenge nichts tun. Sie mussten machtlos zusehen, wie ihnen die vier Juden entwischten.

Nach Rosetta Loy, die damals in Rom lebte und diese Geschichte recherchierte, waren die zwei Soldaten wutentbrannt zum Haus der Seramoneta zurückgegangen. Dort hätten sie lautstark versucht, eine junge Frau etwa im Alter von Rosetta mitzunehmen. Ob die übertölpelte SS-Polizei durch diese Aktion den dreisten Anwohnern einen gehörigen Schrecken einjagen oder ob sie tatsächlich eine Vergeltungsverhaftung vornehmen wollten, ist nicht überliefert.

Rettende Hilfe von ungewöhnlicher Seite bekamen auch die Zwillinge Marina und Mirella Limentani.[48] Die beiden jungen Frauen von 18 Jahren lebten mit ihrer Schwester Giuliana, den Eltern und den Großeltern in der Via Arenula an Rand des Ghettos.

Als sie die Razzia bemerkten, beschlossen sie in kleinen Gruppen aus dem Haus zu fliehen: zuerst die Großeltern, dann die Eltern und zum Schluss die drei Mädchen. Bevor sich alle aus dem Haus wagten, sagte Signor Limentani seinen Töchtern, dass sie im obersten Stock bei Ingenieur Carlucci um Hilfe bitten könnten, falls irgendetwas passiere. Die Flucht der Großeltern und der Eltern aus dem Haus gelang. Doch dann wurde die Wache in der Straße aufmerksam. Die Mädchen kamen nicht mehr raus. Rasch liefen sie in den obersten Stock zu Signor Carlucci. Marina weiter:

Ich und meine Schwestern Giuliana und Mirella klopften an die Tür des Ingenieurs. Er öffnete uns und bemerkte sofort, welche Hilfe wir brauchten. Mit Tränen in den Augen sagte er uns: ,Es tut mir ungeheuer Leid, aber ich kann nur einen von euch dreien nehmen, denn ich habe schon fünf andere Personen hier versteckt. Wenn die Deutschen kommen, wie könnte ich ihnen das erklären?' Er packte Giuliana. Ich und Mirella blieben auf dem Flur zurück – erstarrt vor Angst. Die Deutschen waren schon im Haus und stiegen die Treppe hinauf. Als sie auf dem Stock unter uns ankamen, schien uns die Lage hoffnungslos. Plötzlich öffnete sich eine Tür und zwei Arme zogen uns in die Wohnung. Ich merkte sofort, wo wir gelandet waren. Vom Regen in die Traufe, dachte ich. Wir waren in der Wohnung von niemand anderem als Signor Natoni. Er war Faschist, vor dem sich jeder hier im Wohnhaus fürchtete.

Signor Natoni erzählte nach dem Krieg:

Als ich bemerkte, was vorging und die Schritte auf der Treppe hörte, öffnete ich die Tür und zog die Limentani herein. Die beiden zitterten vor Kälte und Angst. Um sie zu beruhigen, gab ich ihnen einen kleinen Schnaps und versteckte sie im Schlafzimmer. Kurz darauf kamen zwei SS-Leute, um die Wohnung zu inspizieren. Ich wurde gezwungen auch die Tür zum Schlafzimmer aufzumachen. Die beiden sahen die Mädchen und wurden misstrauisch. Ich sagte ihnen, dass das meine Töchter seien, doch sie glaubten mir nicht. Ich versuchte alles, um die SS zu überzeugen: Ich holte meine faschistische Uniform hervor, das Banner mit dem Faschisten-Emblem, Fotos von Hitler, den Ausweis der PNF ... Es schien nichts zu nützen. Die SS sagte nur: ,Papier, Papier!' Das geforderte Dokument enthielt alle Namen der Familie. Ich konnte das ihnen nicht zeigen, denn sonst wäre der Schwindel aufgeflogen.
Irgendwann gab einer der beiden Deutschen dem anderen ein Zeichen, die Mädchen in Ruhe zu lassen. An mich gewandt sagte er: ,Komm, komm!' Anstelle der Schwestern Limentani wollten sie mich mitnehmen.

Zu dieser Situation Marina Limentani weiter:

Die fünf Kinder und die Ehefrau Natonis fingen an zu weinen und zu schreien. Ich und meine Schwester waren verzweifelt. Wir begannen mitzuweinen und zu rufen: Papa, Papa! Wir fühlten uns schuldig. Gerade wollten wir sagen, dass wir Juden seien, damit uns die Deutschen gegen Signor Natoni austauschten, als Natoni uns sagte: ‚Habt keine Angst, sie werden mir nichts tun. Ich werde ihnen beweisen, dass ich Faschist bin.' So brachte die SS ihn weg.

Signor Natoni:

Unten an der Eingangstür nahm einer der Deutschen meinen Ausweis der PNF und zeigte ihn seinem Kollegen. Zeit verging. Ich fing an mich mit dem Gedanken vertraut zu machen, dass ich vielleicht nie mehr zurückkommen würde. Plötzlich pfiffen einige Deutsche und gaben Signal zum Abmarsch. Die Operation war zu Ende. Der Lastwagen war voll und musste losfahren. Obwohl die SS-Wache wenig überzeugt war, gab sie mir den Ausweis zurück und bedeuteten mir zu verschwinden.

Die zwei Soldaten mussten sehr misstrauisch gewesen sein. Sie meldeten den Zwischenfall ihren Vorgesetzten. So kam es, dass Dannecker und Kappler in ihrem Vollzugstelegramm nach Berlin den Widerstand des aktiven italienischen Faschisten und Parteimitglieds eigens erwähnten.[49]

Die Zwillinge Mirella und Marina überlebten. Sie blieben ihrem Retter Ferdinando Natoni immer dankbar. Aufgrund ihres Zeugnisses wurde Signor Natoni sogar in Yad Vashem in die Liste der *Gerechten der Völker* aufgenommen.[50]

Es kam schon zur Sprache, dass nicht alle Polizeisoldaten streng nach Vorschrift handelten. Wegen Zeitdruck, Unsicherheiten vor Ort oder innere Opposition gegen die Judenaktion, ließen sie einige Menschen auf der Liste Dannecker durch das Netz schlüpfen.

Ein interessanter Vorfall bezeugte nach dem Krieg der damalige Hauptscharführer der Waffen-SS Wilhelm Gehrcke. In einer längeren Zeugenvernehmung zum Ermittlungsverfahren Boßhammer beschrieb Gehrcke, wie er zur Judenverhaftung nach Rom befohlen wurde und was er bei einer Verhaftungsaktion in der Nähe des Collegio Militare erlebt hatte.[51] Seine Aussage unterstützte er mit einer persönlichen Tagebuchaufzeichnung, die er der Staatsanwaltschaft zur Verfügung stellte. Den Eintrag ins Tagebuch machte Gehrcke zeitnah im Oktober 1943.

Gehrcke führte zusammen mit einem SS-Oberwachtmeister einen Verhaftungstrupp an. Die befohlene Straße wurde vom Collegio Militare aus zu Fuß aufgesucht. Während der ersten Festnahme einer Familie hielt sich Gehrcke im Hintergrund. Bei der zweiten Adresse übernahm er aber das Kommando. Es handelte sich um eine „vornehme Etagenwohnung, die etwa aus 8 Zimmern bestand." Als die Tür geöffnet wurde, ging einer von Gehrckes Männern „sogleich auf das Telefon in der Wohnung zu und riß die Leitung von der Wand." Gehrcke wörtlich weiter: „Die Zimmer waren so angeordnet, dass ihre Eingangstüren alle zu einem Flur gelegen waren. Die Polizisten gingen durch alle Räume, während ich an der Eingangstür Aufstellung genommen hatte. Die Juden wurden von uns aufgefordert, sich anzuziehen und die Wohnung zu verlassen. Die Juden waren mittlerweile in dem Zimmer versammelt, das dem Etagenausgang am nächsten gelegen war. Ich erinnere mich daran, dass auch einige kleine Kinder darunter waren. Es war natürlich alles aufgeregt, aber keiner weinte."

Plötzlich rief einer der Soldaten des Kommandos aus dem hinteren Zimmer, dass er eine außergewöhnlich große und anmutige Puppe entdeckt habe. Da die Juden in der Wohnung schon zum Abmarsch im vorderen Zimmer versammelt waren, gingen die anderen Soldaten neugierig zu ihrem Kameraden. In dieser Situation, so Gehrcke, habe er seinen Posten an der Tür verlassen und sei ebenfalls in Richtung hinteres Zimmer gegangen:

Die Juden nutzten diese Gelegenheit, um aus dem Zimmer und der Etagentür zu flüchten. Ich sah noch einen Mann aus der Etagentür laufen. Ich schloß daraus, daß alle Wohnungsinsassen, die von mir freigemachte Etagentür zur Flucht genutzt hatten. Zu den Polizisten sagte ich, die Juden stünden bereits unten im Hof. Wir haben die Wohnung dann auch verlassen und gingen nach unten ins Freie. Auf dem Hof und in dem Garten am Hause angekommen, stellten wir aber fest, dass die Juden verschwunden waren.

Ich möchte auf die diesbezügliche Frage des vernehmenden Beamten nicht sagen, daß ich die Flucht der Juden absichtlich ermöglicht habe. Ich kann wohl richtiger sagen, daß es sich aus der Situation so ergeben hat.

Als wir aber die Juden dann vor und auch hinter dem Hause nicht antrafen, fingen wir an zu suchen. Wir haben die unmittelbare Umgebung des Hauses abgesucht. Hierbei machte uns ein Italiener darauf aufmerksam, daß wir nicht vor dem Haus, sondern in dem Haus suchen sollten. Die Juden, so schwatzte der Italiener, hätten das Haus überhaupt nicht verlassen, sondern seien eine Etage höher in eine Wohnung geflohen. Wir liefen jetzt wieder ins Haus und gingen die Treppe nach oben in die 2. Etage. Ich ging wieder voraus.

[Aus dem Tagebuch]:
Als ich etwa drei Stufen vor der Wohnungstür war, öffnete sich die Wohnungstür. Der Obw. war auch noch auf dem Treppenabsatz hinter mir. Eine weißgekleidete Nonne - junge - hatte die Tür geöffnet. Sie machte die Tür, vermutlich sogar beide Flügel, weit auf und sagte sogleich: ‚Hier sind keine Juden!‘

Wir blieben beide schreckerfüllt stehen, denn hinter ihr standen alle Juden und wohl noch mehr aus anderen Häusern. Der Vorflur war ganz voll, mindestens 20, 30 oder 40 Menschen. Teilweise erhoben sie flehend die Hände gefaltet und flach die Innenhände zeigend. Das Gesicht eines alten Mannes der gleich hinter der Nonne stand, sehe ich ... ganz klar. Die Nonne sagte noch etwas, vermutlich: ‚Gehen Sie‘. Wir beide sagten wohl kein Wort. Als wir uns anschickten zurückzugehen sagte die Nonne etwa wörtlich: ‚Sie gehen in Gottes Namen, wir werden immer für Sie beten, Sie werden gesund aus diesem Krieg nach Hause kommen.‘ Wir gingen. Ich sah noch das viele niederknieten und beteten. Die Tür ging zu.

Ich war ein paar Tage später alleine noch einmal an der gleichen Wohnungstür. Aber es war wahrlich nichts mehr zu ermitteln, weder von den Juden, noch von der Nonne. Es soll, so glaube ich mich zu erinnern, eine Palodiner [sc Pallottiner] Nonne gewesen sein.

Gehrcke wiederholte vor der Staatsanwaltschaft schriftlich das Bekenntnis am Anfang seiner Tagebuchaufzeichnungen: „Was ich hier niederschreibe geschieht so, daß ich es vor Gott und meinem Gewissen beschwören kann und auch im Grabe darüber meine Ruhe finden kann."

Es gibt keinen gewichtigen Grund an der Aussage und dem Tagebuch zu zweifeln. Auch von anderer Seite wurde mehrfach bestätigt, dass einige wenige Soldaten in den Verhaftungskommandos Juden die Flucht ermöglichten. In der Regel geschah das durch Wegsehen oder nachlässiges Verhalten. Die Geschichte der jungen (vermutlichen) Pallottiner-Schwester, die sich in einer großen Wohung energisch vor geflüchtete Juden gestellt hatte und das Soldatenkommando vertreiben konnte, klingt im ersten Eindruck phantastisch, zu phantastisch. Doch im Wesentlichen konnte sich das Ereignis so abgespielt haben. Die Anzahl der flüchtigen Juden in der Wohnung betrug aber wohl eher 20 als 40 Personen. Das ergibt sich aus der näheren Beschreibung der zu verhaftenden Personen in der Straße. Beispiele von mutigen Hilfeleistungen Einzelner haben wir schon gesehen. Auffällig ist nur, dass eine Ordenfrau in ein fremdes Wohnhaus ging und den Schutz einer Fluchtwohnung übernahm. Bekannt geworden sind bislang nur geöffnete Türen von Klöstern, an denen Juden verzweifelt klingelten. Es wollte wohl der Zufall, dass ganz in der Nähe der Verhaftungsaktion Pallottinerinnen wohnten, die das Geschehen genau beobachteten. Unter ihnen fand sich eine deutschsprachige Schwester, die zur rechten Zeit den Mut aufbrachte, sich einzumischen.

Es ist allerdings fraglich, ob Gehrcke tatsächlich eine „Pallottinerschwester" gesehen hat. Meine Nachfrage bei den Pallottinerinnen in Deutschland ergab, dass erst ab 1968 deutsche Schwestern nach Rom gekommen sind. Außerdem tragen die Schwestern keinen charakteristischen Habit, der sie auf Anhieb erkennbar macht. Womöglich hat Gehrcke die Schwester in der Wohnungstür mit einer Vinzentinerin verwechselt, die an ihrer traditionellen Haube leicht zu erkennen war.

Eines fällt bei den breit gestreuten Aussagen in den staatsanwaltlichen Ermittlungsverfahren immer wieder auf: Der Grad der Verwicklung in die römische Razzia und anderen Judenaktionen in Italien wird regelmäßig kleingeredet. Man war natürlich immer nur Befehlsempfänger oder passiver Mitläufer. Man hatte auch keine Ahnung davon, dass die Juden in ein KZ kommen sollten oder man bestritt, nicht gewusst zu haben, wer da festgenommen werden sollte. Schließlich: Von einer Razzia habe man gar nichts mitbekommen, weil die eigene Abteilung nicht zuständig war.

Der Ton der Aussagen unterscheidet sich nicht von dem in vielen anderen NS-Nachkriegsverfahren.

16. Oktober – nachmittags

* * *

Gefangen – unweit vom Vatikan

Den ganzen Samstagvormittag über hatte man Juden aus allen Teilen Roms im Collegio Militare zentral gesammelt. Am frühen Nachmittag endete die Razzia. Gegen 14.00 Uhr bog der letzte Lastwagen in den Hof der Militärschule ein. Die „Liste Dannecker" war abgearbeitet. Das alte Ghetto war entvölkert und in Rom hatte man alle bekannten Judenadressen angefahren. Angesichts der Umstände konnte der erprobte Judenjäger Dannecker mit dem Gesamtergebnis zufrieden sein. Trotz der unklaren Meldesituation in Rom, der unzureichenden Polizeikräfte und der abgetauchten Juden, hatte er in den rund neun Stunden der Razzia weit über eintausend Menschen festgesetzt.

Der Gebäudekomplex des Collegio Militare lag nicht weit vom Vatikan. Luftlinie waren es ein paar hundert Meter bis zum Apostolischen Palast mit den Privaträumen Pius XII. Zu Fuß kommt man ruhigen Schrittes durch die Via di Porta Santo Spirito und dem berühmten Borgo di Santo Spirito, an der Jesuiten-Weltzentrale vorbei, in sieben Minuten zum Petersplatz. Bis zum Haupteingang des Vatikans am Sankt Anna-Tor sind es knapp zehn Minuten. Dieser kuriose Umstand räumlicher Nähe verschärft noch die Wortwendung im Telegramm von Vatikanbotschafter Weizsäckers ans Berliner Außenamt vom Sonntagabend (17. Okt.). Er schrieb, dass die Razzia quasi „unter den Fenstern des Papstes" stattgefunden habe. Näheres dazu im nächsten Kapitel.

Giacomo Debenedetti behauptet in seiner kleinen Chronik, die er im Herbst 1944 verfasste, dass einige Fahrer die Gelegenheit nutzten, um einen Blick auf den Petersdom und den Vatikan zu werfen. Kam der Wagen vom Ghetto, war es nur ein Umweg von höchstens drei, vier Minuten. Für Wagen aus anderen Richtungen war es noch leichter, schnell mal am Petersplatz vorbeizufahren. Nach Debenedetti hätten einige verzweifelte Juden auf den Wagen dabei nach dem Papst um Hilfe gerufen.[52] Der makabere Touristenblick der SS-Fahrer hat zwar keine Bürgen, aber der Historiker Alessandro Portelli, der Augenzeugen ausgewertet hat, hält das für gut möglich. Es habe auch im Stadtteil Prati Verhaftungen gegeben und der günstigste Weg von dort führte am Vatikan vorbei.[53]

Auf einer beiliegenden CD der Archivstudie der jüdischen Gemeinde Roms sind sehr viele Einzeladressen im Stadtteil Prati aufgeführt – etwa jene in der Via Germanico Nr. 24. Die Via Germanico stößt direkt auf den nördlichen Teil des Vatikans, und vom Haus Nr. 24 aus kann man den Vatikan sehen. Dort wurden im zweiten Stock drei Frauen im Alter von 69, 75 und 81 Jahren verhaftet.[54] Der direkte Weg dieser und anderer Verhafteten in der Nähe führt über die Via Porta Angelica, unmittelbar am Haupteingang des Vatikans vorbei, entlang der Kolonnaden des Bernini am Petersplatz zur Via della Conciliazione. Am Tiber geht es rechts ab in den Lungotevere zur Viale della Lungara, wo gleich zu Beginn das Collegio Militare liegt. Mit einem Lastwagen dauert das höchstens fünf Minuten. Die Festgenommenen dürften nicht direkt nach dem Papst gerufen haben, denn seine Gemächer waren außer Rufweite. Aber in der Via Porta Angelica kam der Wagen direkt bei den Schweizer Gardisten vorbei, die den Zugang zum Vatikan bewachten. Ein Hilferuf an die Gardisten war gut möglich, sogar wahrscheinlich.

In den Räumen des Collegio mussten die Menschen dicht gedrängt in den Klassenzimmern, auf den Fluren und einer Turnhalle kauern. Feldbetten gab es keine. Die hygienischen Verhältnisse wurden schnell katastrophal und die Nahrungsmittel waren knapp. Die meisten hatten in der Hektik nicht genug mitnehmen können, beziehungsweise zur Verfügung gehabt. Viele hatten zuerst daran gedacht Wertgegenstände jeder Art einzustecken für die ungewiss lange Zeit in den Händen der Deutschen. Tausch- oder Verkaufsobjekte konnten das Überleben sichern.

Die Bewachung der Internierten war streng. Auch für Kranke und einer in Wehen liegenden jungen Mutter gab es kein Pardon. Nur ein Junge, bei dem notfallmäßig ein Abszess operiert werden musste, durfte unter Bewachung kurzfristig in ein nahegelegenes Krankenhaus. Nach dem Eingriff musste das Kind zurück ins Collegio. Bei der jungen Mutter, die vor der Geburt stand, zeichneten sich in der Nacht Komplikationen ab. Es handelte sich um die 23-jährige Marcella Perugia. Dannecker verweigerte eine Verlegung in die Klinik; es durfte nur ein Arzt zur Betreuung kommen. Das Baby wurde am Sonntag geboren. Eine Ausnahme für den Transport tags darauf gab es nicht. Marcella musste mit dem Neugeborenen und den zwei kleinen Geschwistern den Weg nach Auschwitz antreten. Ob das Baby die

Strapazen der mehrtägigen Deportationsfahrt überlebt hat, ist nicht bekannt.

Größere Bewegungsfreiheit gab es nur für das Versorgungsteam im Collegio. Es hatte die Aufgabe, die Verteilung karger Essensrationen zu organisieren und zu überwachen. Für Lazzaro Anticoli, der für das Team einge-

Die Frontseite
des Collegio Militare
am Tiberufer

(Hauptgebäude)

teilt war, brachte es unverhofft die Chance, das Collegio unbeobachtet zu verlassen. Das erzählte er in einem Interview nach dem Krieg.[55]

Am Samstagnachmittag lief Signor Anticoli von Klassenzimmer zu Klassenzimmer, durch alle Flure und den Hof, um sich einen Überblick über die Menschenmassen in den einzelnen Räumen zu machen. Als er an einer unübersichtlichen Stelle im Hof war, drückte er wieder eine von vielen Türklinken. Die Tür ging auf und Lazzaro stand plötzlich auf der Straße vor dem Gebäude. Er hegte keine Fluchtgedanken. Seine an Diphtherie erkrankte Tochter war mit ihm verhaftet worden und befand sich im Collegio. Lazzaro nutzte aber die Gelegenheit und ging kaltblütig zum Tabakladen in der Nähe, an der Piazza della Rovere. Vielleicht konnte er ein paar Zigaretten kriegen. Im Laden war die übliche Sorte *Trestellas* schon ausgegangen, aber er bekam zum doppelten Preis eine andere, weniger begehrte Mischung. Lazzaro ging zurück und verschwand durch dieselbe Tür wieder im Collegio.

Erst am 8. Mai 1945 sollte Signor Anticoli von amerikanischen Truppen befreit werden. Seine kranke siebzehnjährige Tochter Enrichetta starb im KZ. Wahrscheinlich musste sie schon bei Ankunft in Auschwitz ins Gas; eine Aufnahmenummer für sie ist nicht überliefert.

Da im Collegio nur deutsche Sicherheitspolizei die Juden bewachte, gab es schnell Verständigungsschwierigkeiten. Arminio Wachsberger[56] berichtete später, dass die Soldaten laufend Anweisungen brüllten und die Leute mit Gewehrkolben stießen. Die Menschen seien sehr verängstig gewesen, weil sie nicht verstanden, was man von ihnen wollte. Als Wachsberger die Kommandos übersetzte, wurde Dannecker auf ihn aufmerksam. Sofort machte er ihn zum Dolmetscher an seiner Seite. In den nächsten zwei Tagen wurde er auch von anderen Soldaten so oft „Dolmetscher" gerufen, dass die meisten Juden im Collegio glaubten, der Name ihres Übersetzers sei »Dolmetscher«.

Bald wurde Wachsberger von einigen Leuten gebeten, dass er den Deutschen sagen solle, sie seien gar keine Juden oder sie hätten sich vor einiger Zeit taufen lassen. Wachsberger gab das Begehren an Dannecker weiter. Der geflissentliche SS-Hauptsturmführer hielt sich an die Dienstvorschrift und befahl eine Personenüberprüfung zweifelhafter Fälle. »Mischlingskinder« und gemischte Eheleute waren von einer Deportation ausgenommen. Und natürlich jene, die jetzt behaupteten aus Versehen in die Fänge der Razzia geraten zu sein. Getaufte Juden hatten allerdings keine Chance. Nach Ideologie und Gesetzen des Nationalsozialismus blieb »jüdisches Blut« immer »jüdisches Blut«.

Am Ende der Prüfung entließ Dannecker 252 Personen aus der Haft.[57] Nach Wachsberger hatten es ein paar Juden geschafft, sich unter die Gruppe der Freizulassenden zu mischen. Das war höchst gefährlich, denn im Vorfeld hatte man allen angedroht, jene sofort zu erschießen, die der Lüge überführt würden. Der verwegene Mut war aber erfolgreich. Er rettete den Leuten das Leben.

In der Vollzugsmeldung nach Berlin hat Dannecker angegeben, dass man einen Vatikanbürger freigelassen habe. Es dürfte sich dabei um Signor Foligno gehandelt haben, einem Anwalt in Diensten der „Rota Romana", des höchsten päpstlichen Ehegerichtes. Foligno war jüdischer Herkunft, obgleich von Geburt katholisch. Als Mitarbeiter an der Rota war er zwar im juristischen Sinn kein Vatikanbürger, aber ein amtlicher Vatikanbeschäftigter. Ob Signor Foligno freigelassen worden wäre, wenn Dannecker diesen Unterschied genau realisiert hätte? Jedenfalls hat der vatikanische Beschäftigungsausweis Foligno die Freikarte aus dem Collegio beschert.[58] Eine Frau wäre zu den Freigelassenen gekommen, wenn sie sich offenbart hätte. Sie war »arisch« und nur mitgenommen worden, weil man sie für die Mutter eines jüdischen Kindes hielt. In Wirklichkeit war sie die Pflegekraft dieses Kindes, das an Epilepsie litt und eine Waise war. Die unbekannt gebliebene Frau brachte es nicht übers Herz, das Kind zurückzulassen. Sie schwieg bei der Überprüfung und reihte sich in die Gruppe der Volljuden ein. Freiwillig begleitete sie das Waisenkind bis in die Gaskammer von Auschwitz.[59]

Signora Clara Biocca wäre auch freigelassen worden, wenn sie nicht bewusst geschwiegen hätte. Vielleicht kam sie auch aus tragischem Zufall nicht in die Gruppe der Freizulassenden. Signora Biocca war mit einem Katholiken verheiratet und lebte nach NS-Diktion in Mischehe. Noch hatte sie Anspruch unbehelligt zu bleiben. Ihr Abtransport aus Rom provozierte ein diplomatisches Nachspiel. Offensichtlich beschwerten sich der Ehemann oder nahe Angehörige über die Deportation von Clara – entweder beim Vatikan oder direkt bei der Botschaft. Weizsäcker meldete den Vorgang nach Berlin ins Außenamt. Der zuständige Referent für Judenfragen, Legationsrat Thadden, fragte am 18.11.1943 (und 1.12.43) offiziell beim RSHA/ Chef der Sipo und des SD an, wo Signora Biocca verblieben sei und ob sie rückgeführt werden könne. Im SS-Sicherheitsamt ließ man sich lange Zeit mit einer Antwort. Sie kam am 22. März 1944 und ging am 28. März bei Thadden ein:[60] „Die Jüdin Biocca geb. Sereno wurde am 16.10.1943 im Zuge der allgemeinen Evakuierungsmassnahmen von Rom in den Osten evakuiert. Vor Durchführung dieser Massnahme hat sie trotz Befragens nicht angegeben, dass sie in Mischehe lebt. Eine Rückführung kann aus sicherheitspolitischen Gründen nicht in Erwägung gezogen werden." Das Schreiben ist von Sturmbannführer Rolf Günther unterzeichnet, dem Stellvertreter Eichmanns im Referat IV B.

Der Abtransport der gefangenen Juden im Collegio war auf Montag, den 18. Oktober festgelegt. Dannecker teilte den Gefangenen über seinen Dolmetscher Wachsberger mit, dass alle in ein Arbeitslager nach Deutschland geschickt würden.[61] Die Männer müssten arbeiten. Die Frauen könnten die Kinder versorgen und Hausarbeit machen. Dann befahl Dannecker alle Wertsachen und alles Geld herauszugeben, das sie dabei hätten. Es sollte als ihr Eigentum registriert und später wieder ausgehändigt werden. Wachsberger sah, wie Dannecker das eine oder andere schöne Schmuckstück in seiner Tasche verschwinden ließ, statt es in die Kasse zu legen. Ihm selbst gelang es, zwei Ringe zu retten, die er in seinen Schuhen versteckte.

Das Misstrauen der Menschen im Collegio gegenüber Danneckers Arbeits-lagerversprechen war groß. Sollte es tatsächlich zum Arbeiten nach Deutschland gehen? Oder war das Ziel der Osten? Kämen sie vielleicht in ein Konzentrationslager, von denen es so viele Gerüchte gab? Würden sie je wieder zurückkommen? Dass ein schweres Schicksal auf sie wartete, war den Erwachsenen klar, doch mit dem Schlimmsten rechneten nur die Wenigsten. Die Deutschen konnten doch nicht einfach unschuldige Italiener, die offiziell ihre Verbündeten waren – wenn auch Jude – irgendwie dem Tod überliefern. Vielleicht würde es auch noch Hilfe geben, von italienischen Behörden oder vom Papst.

Gedenktafel neben dem Transporteingang vom Collegio Militare

16./17. Oktober

* * *

Die Festgenommenen und ein vergessenes Opfer

Wie viele Menschen hat Dannecker durch seine flächendeckende Judenaktion in Rom fassen können? In seinem Vollzugstelegramm (näher Kap. 6) zusammen mit Kappler gab er an, dass nach der Identitätsüberprüfung insgesamt 1007 Personen zur Deportation bereit stünden. Das 1955 in Mailand gegründete »Centro di Documentazione Ebraica Contemporanea« (CDEC) hat zur Anzahl der römischen Opfer eigene Nachforschungen angestellt. Liliana Picciotto Fargion veröffentlichte aufgrund akribischer Erhebungen zum ersten Mal eine Namensliste mit Geburtsdatum[62] von rund 1030 Menschen, die nach der Razzia aus Rom deportiert worden seien. Weitere Nachforschungen und Überprüfungen – auch zu den Deportationen aus anderen Städten – wurden vom Dokumentationszentrum in dem großen Werk "Il Libro della Memoria" (1991) zusammengefasst. Darin wird die Zahl der Razziaopfer in Rom auf 1259 festegelegt. Abzüglich der nach der Überprüfung frei gelassenen Menschen seien 1022 übrig geblieben, die auch deportiert worden seien.[63] In der zweiten Auflage des Erinnerungsbuches von 2002 wird auf 1023 korrigiert. Zu fast allen Betroffenen kann das Memoria-Werk genauere persönliche Angaben zur familiären Herkunft machen. Das Centro nimmt bei dieser Rechnung eine leicht niedrigere Quote der wieder aus der Haft Entlassenen an als oben angegeben.

Vor wenigen Jahren hat das Historische Archiv der jüdischen Gemeinde Roms zusätzliche Nachforschungen angestellt und 2006 eine Studie veröffentlicht. Darin legte man vor allem großen Wert auf die Rekonstruktion soziologischer Daten der Razziaopfer.[64] Nach sehr genauen Recherchen vor Ort korrigiert die Studie die Anzahl aller Verhafteten auf 1266. Abzüglich der zweihundertzweiundfünfzig Freigelassenen blieben 1014 für die Deportation. Diese Zahl sank und stieg jeweils am Sonntag um eine Person. Der verhaftete Signor Ermanno Samuele Valabrega di Emanuele war ernsthaft erkrankt und verstarb im Collegio.[65] Das am Sonntag geborene Kind von Marcella Perugia erhöhte die Zahl wieder auf 1014. Vom Bahnhof deportiert wurden aber 1015 Menschen, da dort eine Frau freiwillig zugestiegen ist. Es handelt sich um Costanza Sermoneta, die verzweifelt zum Deportationsbahnhof gekommen war, um ihren Mann und ihre Kinder zu suchen. Als sie sie gefunden hatte, stieg sie zu ihnen in den Transportwagen. Daher wurden nach dem aktuellen Stand der Archivstudie genau 1015 Menschen aus Rom deportiert.[66]

Die meisten Menschen waren im alten Ghetto festgenommen worden, insgesamt 434. An zweiter Stelle kam der Bezirk Sant'Angelo mit 377 Verhafteten. Dieser Bezirk grenzt an das Ghetto bzw. überlappt sich ein wenig. Ebenfalls größere Ausbeute fand Dannecker in Trastevere auf der gegenüberliegenden Seite des Tibers. Dort lag das erste Siedlungsgebiet von Juden in Rom. In den Straßen Trasteveres gab es 131 Opfer.

Sechshundert der endgültig Festgenommenen waren weiblich und vierhundertvierzehn männlich (das Geschlecht des Neugeborenen ist unbekannt). 273 waren Kinder unter fünfzehn Jahren, 58 davon unter drei Jahren. Fast neunzig Prozent der Deportierten sind in Rom geboren worden, drei kamen aus Berlin, einer aus Breslau.[67]

Bei meinen Nachforschungen und Auswertungen von diversen NS-Verfahren in Deutschland, die Judendeportationen aus Italien zum Gegenstand hatten, bin ich auf ein vergessenes Opfer der römischen Deportation gestoßen. Es handelt sich um den Kaufmann Abramo Bonomi. Er taucht weder in der Namensliste des Gedächtnisbuches vom CDEC auf, noch in der neueren Archivstudie der jüdischen Gemeinde. Das hängt wohl mit den ungewöhnlichen Umständen seiner Verhaftung zusammen. Signor Bonomis Festnahme und sein Verschwinden ist hauptsächlich nur durch ein NS-Untersuchungsverfahren der Staatsanwaltschaft beim Landgericht Stuttgart (1960/61) bekannt geworden.[68] Bei dem Verfahren ging es um die Anklage gegen Albert Eisenhut wegen Mordes an Abramo Bonomi. Zur Erinnerung: SS-Sturmführer Eisenhut war einer der beiden Offiziere im Kommando Dannecker. Eisenhut wurde im Rahmen des großen NS-Verfahrens gegen den Nachfolger Danneckers in Italien, Hauptsturmführer Friedrich Boßhammer, ausfindig gemacht und anfangs als Zeuge vernommen.

Nach Hinweisen aus den staatsanwaltlichen Akten geht hervor, dass es unmittelbar nach dem Krieg in Italien eine Strafanzeige von Angehörigen Bonomis gegen Dannecker und Eisenhut wegen Mordes an Abramo Bonomi gab. Die Untersuchung wurde wegen des Selbstmordes Danneckers am 10. Dez. 1945 und des unbekannt verbliebenen Eisenhuts sowie des offiziell nur als vermisst geltenden mutmaßlichen Opfers nicht weiter verfolgt. Nachdem Albert Eisenhut in Deutschland gerichtskundig wurde, ist gegen ihn ein Untersuchungsverfahren eröffnet worden. Für einige Wochen war Eisenhut deswegen sogar im Herbst 1960 in Untersuchungshaft. Doch Anfang 1961 wurde das Verfahren wegen Mangels an Beweisen eingestellt, ohne dass es zu einem Prozess gekommen ist.

Der Vorfall der Verhaftung Signor Bonomis ist nach der staatsanwaltlichen Rekonstruktion rasch erzählt: Wie schon erwähnt, wohnten Dannecker und seine beiden Offizieren während ihres Aufenthaltes in Rom im Hotel Bernini an der Piazza Barberini. Am Abend des Razziatages erstattete Dannecker dem Sipo-Chef Kappler Bericht über seine erfolgreiche Judenaktion. Kappler habe in dem anschließenden Gespräch „mit erkennbarem Zynismus" – wie sich Eisenhut ausdrückte – darauf aufmerksam gemacht, dass selbst im eigenen Hotel Danneckers Juden wohnen würden, die er übersehen habe. „Aus seinen Reden konnte man entnehmen, dass er zum Ausdruck bringen wollte, was wir für Trottel seien, dass wir nicht wüssten, dass bei uns im Hotel ebenfalls Juden wohnten".[69] Kappler konnte diese Information nur durch eine Denunziation von unbekannter Seite bekommen haben, wie Eisenhut vermutete. Im staatsanwaltlichen Vernehmungsprotokoll heißt es wörtlich weiter:

Frage: Wann erfolgte die Verhaftung dieser Personen?

Antw.: Die Verhaftung erfolgte zur Nachtzeit und zwar nach der allgemeinen Verhaftungsaktion.

Frage: Wer hat auf die Anwesenheit der Juden im Hotel hingewiesen?

Antw.: Ich weiß nicht, wer die jüdischen Hotelgäste an Kappler oder Dannecker verraten hat.

Frage: Herr Eisenhut, schildern Sie nunmehr den Ablauf der Verhaftung.

... Dannecker beauftragte zur Durchführung der Verhaftung einige Unterführer mit einem Fahrzeug (Lkw). Kappler genehmigte das. ... Die Unterführer haben dann in Danneckers und meiner Gegenwart die Verhaftungen durchgeführt. Ich bin der Meinung, dass einer nach dem anderen geweckt wurde, es wurde ihnen befohlen sich anzuziehen und wir haben dann alle Verhafteten, nachdem ihnen die Verhaftung bekanntgegeben worden war, zum wartenden Lkw gebracht. Auf diesem wurden sie verladen und zu den übrigen bereits gefangenen Juden gebracht. Der Abtransport der Juden erfolgte durch die Unterführer. Nachdem die Verhaftung durchgeführt worden war, ging ich, soweit es mir noch in Erinnerung ist, wahrscheinlich zur Dienststelle. Ich weiß genau, daß ich am hellen Tage, und zwar am anderen Tage, eigentlich ist es ja genau der gleiche Tag, an dem in den ersten Stunden die Verhaftungen durchgeführt worden waren, wieder ins Hotel zurückkehrte. Mit diesen Verhaftungen war die Verhaftungsaktion in Rom praktisch beendet. Einer der im Hotel Verhafteten kam entweder am gleichen oder am folgenden Tag ins Hotel zurück. Es war eine große, stattliche, gepflegte Erscheinung mit silbergrauem, nach hinten gekämmten Haar.

...

Frage: Herr Eisenhut, haben Sie nunmehr in Zusammenhang mit der allgemeinen Verhaftungsaktion und mit der Verhaftung von Gästen aus dem Hotel Bernini die Wahrheit gesagt?

Antw.: Ja, das, was ich gesagt habe, ist die volle Wahrheit.

... Daß die Verhaftung der Juden im Hotel Bernini, sowie die Vielzahl der Juden in Rom überhaupt eine Freiheitsentziehung darstellte, darüber bin ich mir im Klaren. Aus meiner Schilderung ist aber zu entnehmen, daß es sich um angeordnete Maßnahmen des RSHA in Berlin handelte, deren ausführendes Organ ich gewesen war. ...

Nach der staatsanwaltlichen Ermittlung wurden im Bernini vermutlich drei Juden verhaftet, darunter der Kaufmann Abramo Bonomi.[70] Zwei der Verhafteten wurden am Sonntag wieder freigelassen, da sie keine Volljuden waren. Einer von ihnen kehrte ins Bernini zurück, wo er von Eisenhut gesehen wurde. Wo der andere geblieben ist, ist nicht bekannt. Die Rückkehr ins Bernini war ihm wohl zu heiß. Signor Bonomi blieb in Haft und wurde mit den anderen tags darauf deportiert.

Das Hotel Bernini
an der Piazza Barberini
heute (2012)

Ort der mitternächtlichen
Verhaftungsaktion

Aufgrund der Ermittlungen der Staatsanwaltschaft Stuttgart, der Strafanzeige von Angehörigen und der Zeugenaussagen von Angestellten im Hotel Bernini gibt es keinen Zweifel, dass der Kaufmann Abramo Bonomi zu den Deportationsopfern Roms durch die Judenaktion am 16. Oktober 1943 gehört. Daher muss die Gesamtzahl der deportierten Razziaopfer auf insgesamt 1016 korrigiert werden.

5. Hilfe vom Papst?

16. Oktober – nach der Frühmesse

* * *

Alarm für den Papst

Am Samstagmorgen des 16. Oktober war Papst Pius wie immer gegen 6.15 Uhr aufgestanden. Nur wenige Stunden Ruhe lagen hinter ihm. Wie üblich hatte er erst gegen zwei Uhr in der Frühe seine Arbeit am Schreibtisch beendet. Dann gönnte er sich den einzigen Schlaf nach einem überlangen Tag. Gegen Mitternacht war Pius nach seiner täglich einstündigen Gebetsmeditation vor dem Tabernakel in seiner Privatkapelle wieder an den Schreibtisch zurückgekehrt. Bald darauf dürfte er aus der Ferne immer wieder vereinzelte Schüsse gehört haben. Sie kamen vom erwähnten Einschüchterungskommando im alten Ghetto. Rom war ab dem 10. September mehr und mehr paralysiert gewesen. Kein Motorlärm störte nachts die Stille über der Stadt. Der Knall von Gewehrsalven konnte weit über die Dächer Roms hallen, und das Fenster des päpstlichen Arbeitszimmers zeigt genau in Richtung altes Ghetto. Für den Augenblick aber hatte Pius keinen Anlass zur größeren Besorgnis. Weder konnte er den Ort der Schießerei exakt lokalisieren, noch waren Scharmützel in diesen Tagen ungewöhnlich. Als Pius zu Bett ging, ebbte das Schießen ab. Wenig später wurden die Soldaten der SS-Polizeikompanien für die Razzia geweckt und zum Abmarsch in Richtung Ghetto eingewiesen.

Namentlich ist nicht bekannt, wer kurz nach der angelaufenen Razzia auf die Idee kam, den Papst zu alarmieren. Wenn einer jetzt noch helfen konnte, dann er. Es war eine Frau, die am Tiber ganz in der Nähe des Ghettos wohnte. Sie war entfernt mit der jungen Principessa Enza Pignatelli d'Aragona Cortes bekannt und wusste, dass Donna Pignatelli Zugang zum Papst hatte. Die Principessa kannte Papst Pius tatsächlich seit Kindertagen. Als Pacelli noch Mitarbeiter im vatikanischen Staatssekretariat war, hatte er sie auf die Hl. Kommunion vorbereitet und engeren Kontakt zur kirchlichen

Privatschule gehabt, die die kleine Enza besuchte. Während des zweiten Weltkrieges engagierte sie sich in einem karitativen Werk und besprach sich deswegen ab und zu mit Pius.

In mehreren Interviews berichtete Donna Pignatelli später, wie sie alarmiert wurde und den Alarm zum Papst trug:[1] In aller Frühe am Samstagmorgen habe ihr Telefon Sturm geklingelt und sie aus dem Schlaf geholt. Es meldete sich eine Frau, die aufgeregt von der Verhaftung ganzer jüdischer Familien im alten Ghetto berichtete. Straßenzüge seien abgesperrt, Lastwagen stünden am Tiber und viele Menschen müssten sich am Portico d'Ottavia in Reihen aufstellen.

„Sie können doch zum Papst gehen", rief die Signora. „Bitte eilen Sie sofort zu ihm! Verlieren Sie keine Zeit!"

Der Anruf dauerte nicht lange. Donna Pignatelli war verwirrt. Sie konnte doch nicht einfach so zum Hl. Vater marschieren – ohne langfristig geplanten Audienztermin und auch noch frühmorgens. Man würde sie höflich, aber energisch schon an der Eingangstür abweisen. Auch war sie nicht sicher, wie sehr sie der aufgeregten Frau am Telefon Glauben schenken konnte. Unter der deutschen Herrschaft in Rom waren die Juden irgendwie in Gefahr. Das wusste die Principessa. Sollten die Verhaftungen der große Schlag der Nazis gegen die jüdische Gemeinde sein? Wenn dem so wäre, müsste das der Papst sofort wissen und eingreifen.

Donna Pignatelli entschloss sich zum Apostolischen Palast zu eilen. Auf dem Weg wollte sie sich selbst ein Bild von der Lage am Ghetto machen. Sie brauchte dazu aber ein Auto, was ein Luxus war im besetzten Rom. Kurzerhand nutzte sie ihren guten Kontakt zu Karl-Gustav Wollenweber, der an der Vatikanbotschaft Weizsäcker diplomatischer Mitarbeiter war. Noch zur frühen Stunde klingelte sie ihn aus dem Bett, schilderte die Lage und bat um Chauffeurdienste. Wollenweber erkannte die große Gefahr. Er sagte sofort zu, die Principessa mit einem Diplomatenwagen zum Vatikan zu bringen. Wollenweber besorgte sich ein Auto und setzte sich selbst hinter das Steuer. Nachdem er Donna Pignatelli abgeholt hatte, fuhren die beiden in Richtung Ghetto. Sie mussten überprüfen, ob tatsächlich eine SS-Aktion gegen die Juden im Gange war. Es ist nicht ganz klar, ob Wollenweber auf der östlichen Tiberstraße direkt zum vermuteten Schauplatz der Razzia gefahren ist oder ob er die Straße auf der westlichen Tiberseite bei Trastevere wählte.

Um die Vorgänge bei der Synagoge und am Portico d'Ottavia genauer sehen zu können, sind die beiden wahrscheinlich am Lungotevere dei Cenci entlanggefahren. Donna Pignatelli bestätigte, dass sie auf dem Weg zum Vatikan einen Blick in das Ghetto werfen und tatsächlich die Judenrazzia mit eigenen Augen sehen konnten. Einmischen durfte sich Wollenweber nicht. Als Vertreter der Botschaft war er ohne Wissen und Auftrag Weizsäckers unterwegs. Eine „Diskussion" mit dem kommandierenden Offizier vor Ort wäre schnell öffentlich geworden.

Vom Ghettobezirk war es nicht weit bis zum Vatikan. Mit seinem Diplomatenkennzeichen fuhr Wollenweber gleich in den Damasushof. Der privilegierte Archivforscher und Mitautor der vatikanischen Dokumentensammlung ADSS Robert Graham SJ findet die Situation bizarr: „Die Principessa Pignatelli begab sich zum Vatikan in einem Auto einer antisemitischen Regierung, begleitet von einem Amtsvertreter des Reichs, um beim Papst gegen eine antisemitische Aktion zu protestieren."[2]

Die Schweizer Wachgardisten ließen den CD-Wagen anstandslos durch. Doch dann musste die Principessa dem herbeigeholten Maestro di Camera, Monsignore Arborio Mella di Sant' Elia, klarmachen, dass sie unverzüglich zum Hl. Vater vorgelassen werden müsse. Der Maestro war der Herr über den stets akribisch ausgetüftelten Audienzplan des Papstes und war verantwortlich für dessen Durchführung. Papst Pius hatte seine Tagesgeschäfte noch nicht aufgenommen; er las gerade seine private Frühmesse. Eine Audienz zu dieser Stunde war unmöglich.

Die zierliche Principessa musste den gestrengen Maestro di Camera arg bedrängt haben, dass sie jetzt und genau jetzt zum Papst müsse. Nicht lange und Monsignore Mella gab sich geschlagen. Die Principessa durfte hoch zu den päpstlichen Gemächern und auf das Ende der Messe warten.

Im obersten Stock des Apostolischen Palasts eilte Donna Pignatelli zur Wohnung Pius XII. Dort befand sich auch die päpstliche Privatkappelle. Diskret wartete sie kniend an der Tür zur Kapelle. Pius war mit der Frühmesse schon fertig und gerade bei der Danksagung. Als er hinausging, sah er die Principessa an der Tür. Ihm schwante Böses. Sofort lief er zu ihr und fragte verwundert:

„Was machen Sie denn hier um diese Zeit? Was ist geschehen?" Donna Pignatelli verlor keine Zeit mit Protokoll und Höflichkeiten. Aufgeregt berichtete sie von der SS-Judenrazzia im Ghetto.

„Das ist unmöglich", entgegnete Pius überrascht. „Die Deutschen haben doch versprochen, dass sie die Juden nicht anrühren."
Die Principessa flehte den Hl. Vater an etwas zu tun. Er solle rasch zum Portico d'Ottavia fahren und eingreifen. Pius überging schweigend dieses Ansinnen. Er setzte auf eine andere Karte.
„Gehen wir telefonieren", sagte er zu Pignatelli.

Dabei packte er die Principessa an der Schulter und zog sie mit in Richtung Telefon seiner Privatbibliothek. Donna Pignatelli erzählte, dass der Papst sehr nervös gewesen sei und sie Tränen in seinen Augen gesehen habe. Tatsächlich musste Pius von der Hiobsbotschaft schockiert worden sein. Ansonsten hätte er nie die strenge Etikette verletzt und die Principessa an der Schulter angefasst.

Im Arbeitsraum telefonierte Pius in Gegenwart Pignatellis mit seinem Kardinalstaatssekretär Luigi Maglione. „Eminenz", sagte er, „es geschehen Dinge, ohne dass wir etwas davon wissen. Sie verhaften die Juden am Portico d'Ottavia."

Pius XII. konnte es kaum glauben:
Die SS verhaftete tatsächlich die Juden in seiner Stadt!

Während des Telefonats schien sich die Principessa zurückgezogen zu haben. Mehr Wortzitate hat sie nicht angegeben.

Das weitere Geschehen ist aber bekannt. Pius wies entweder gleich am Telefon oder in einem kurzfristig anberaumten Gespräch seinen Staatssekretär an, unverzüglich den Deutschen Botschafter von Weizsäcker einzubestellen. Der Kardinal solle ihn empfangen und einen Stopp der Razzia verlangen. Die Verhaftungen seien ein Affront gegen den Papst. Ein Protest des Heiligen Stuhls gegen die Judendeportation stehe im Raum.

16. Oktober – gegen 10 Uhr

* * *

Krisengespräch mit dem Botschafter

Den Anruf aus dem vatikanischen Staatssekretariat dürfte Botschafter von Weizsäcker etwa gegen 9.00 Uhr erhalten haben. Das ergibt sich aus der Zeitangabe von Donna Pignatelli. Weizsäcker machte sich unverzüglich auf zum Vatikan. Er wusste, worum es ging. Von der Judenrazzia hatte auch er in der Frühe erfahren. Ihm war klar, dass Judenverhaftungen in Rom, direkt vor den Augen des Papstes, eine diplomatische Provokation gegen den Heiligen Stuhl waren. Es drohte eine internationale Karambolage – das musste er verhindern. Weizsäcker traf zeitig im Vatikan ein. Der Weg von seinem Amtssitz Villa Bonapart war nicht weit.

Wann genau er an diesem Vormittag Kardinal Maglione zum Krisengespräch traf, wurde nicht festgehalten. Bekannt geworden aber ist das Gedächtnis-Protokoll Magliones von dieser Unterredung. Es wurde am 4. April 1969 vom deutschen Jesuitenhistoriker Burkhart Schneider SJ der Öffentlichkeit präsentiert. Schneider hatte das bis dato unbekannte Dokument bei der Auswertung von Quellen aus päpstlichen Archiven für die Vatikanische Dokumentensammlung gefunden. Das Protokoll galt als Sensation. Es bestätigte, dass der Papst diplomatisch gegen die Judenrazzia intervenierte und einen Protest androhte. Jetzt hoffte man, der seit sechs Jahren laufenden Hochhuth-Kampagne gegen Pius XII. gehörig Wind aus den Segeln nehmen zu können. Die genaue Analyse des Gesprächs zwischen Maglione und Weizsäcker zeigt jedoch, dass man sich zuviel versprochen hatte und zuweilen immer noch zu viel herausliest.

Das Protokoll wurde in der Dokumentensammlung ADSS[3] veröffentlicht und lautet übersetzt:

Vatikan, 16. Oktober 1943

Nachdem ich erfahren habe, dass die Deutschen heute früh eine Judenrazzia unternommen haben, bat ich den Botschafter Deutschlands zu mir zu kommen; ich habe ihn ersucht, zugunsten dieser armen Menschen zu intervenieren. Ich redete zu ihm so gut ich nur konnte im Namen der Humanität, der christlichen Nächstenliebe.

Der Botschafter, der schon von den Verhaftungen wusste, aber bezweifelte, dass es sich ausschließlich um Juden handelte, sprach zu mir mit ehrlichem und bewegten Tonfall: ‚Ich warte schon darauf, dass man mich fragt: Warum bleiben Sie in Ihrem Amt?'

Ich habe ausgerufen: Nein, Herr Botschafter, ich richte diese Frage nicht an Sie und werde sie nicht an Sie richten. Ich sage Ihnen nur: Exzellenz, der Sie ein weiches und gutes Herz haben, versuchen Sie so viele Unschuldige wie möglich zu retten. Es ist schmerzlich für den heiligen Vater, schmerzlicher als man es sagen kann, dass man gerade in Rom, unter den Augen des Vaters aller so viele Menschen leiden lässt, nur weil sie einer bestimmten Abstammung angehören…

Nach einigen Augenblicken der Überlegung hat der Botschafter mich gefragt: ‚Was würde der Heilige Stuhl tun, wenn die Dinge so weitergehen?'

Ich habe geantwortet: Der Heilige Stuhl möchte nicht gezwungen sein, ein Wort der Missbilligung zu sagen.

Der Botschafter hat angemerkt: Seit mehr als vier Jahren verfolge und bewundere ich die Haltung des Heiligen Stuhls. Es ist ihm gelungen, das Boot zwischen Felsen jeder Art und Größe ohne Zusammenstöße zu manövrieren und, obwohl er mehr Vertrauen zu den Alliierten gehabt hat, hat er es verstanden ein perfektes Gleichgewicht aufrecht zu halten. Ich frage mich, ob es sich lohnt alles in Gefahr zu bringen, wo das Boot gerade den Hafen erreicht? Ich denke an die Konsequenzen, die ein Schritt des Heiligen Stuhls provozieren würde… Die Weisungen kommen von höchster Stelle… ‚Eure Eminenz, lassen Sie mir freie Hand, nicht über dieses offizielle Gespräch zu berichten?'

Schließlich habe ich ihn gebeten zu intervenieren, indem ich an seine Gefühle der Menschlichkeit appellierte. Ich überließ es seinem Urteil unsere Unterredung, die so wohlmeinend war, zu berichten oder nicht zu berichten.

Ich wollte ihn daran erinnern, wie er selbst festgestellt hat, dass der Heilige Stuhl sehr darauf bedacht war dem deutschen Volk während dieses schrecklichen Krieges nicht den Eindruck zu vermitteln, auch nur das Geringste gegen Deutschland getan zu haben oder tun zu wollen.

Ich musste ihm aber sagen, dass der Heilige Stuhl nicht genötigt werden dürfe, zu protestieren: Wann immer der Heilige Stuhl gezwungen sein sollte das zu tun, würde er sich hinsichtlich der Konsequenzen der göttlichen Vorsehung anvertrauen.

,Unterdessen wiederhole ich: Eure Exzellenz haben mir gesagt, dass Sie versuchen werden etwas für die armen Juden zu tun. Dafür danke ich Ihnen. Den Rest überlasse ich Ihrem Urteil. Wenn Sie es für zweckmäßiger halten, unsere Unterredung nicht zu berichten, sei es so.'

Dieses Protokoll Kardinal Magliones offenbart verdichtet das ganze Dilemma, in dem sich Pius XII. gefangen glaubte und aus dem er notfallmäßig einen allerletzten Ausweg sah.

Vorweg ist zu sagen, dass es sich bei dem Krisentreffen im vatikanischen Staatssekretariat mitnichten um einen formellen päpstlichen Protest gegen die gerade stattfindende SS-Judenrazzia handelte. Ein Protest wurde nur angedroht – für den Fall der Fälle. Der Kardinalstaatssekretär ließ obendrein dem Botschafter die Freiheit, nach eigenem Ermessen die Krisenunterredung nach Berlin zu berichten oder auch nicht. Das ist ungewöhnlich. Noch ungewöhnlicher ist Magliones Einverständnis darüber, was Weizsäcker tun wird: nämlich schweigen. Selbst der offizielle Vatikanforscher Graham SJ hält das für kurios: „Bei allem Respekt, wir müssen sagen, dass Kardinal Maglione wusste, dass Weizsäcker seinen Protest als Staatssekretär des Vatikans nicht an seine Vorgesetzten berichten würde."[4] Aber, so Graham entschuldigend, Kardinal Maglione teilte die Einschätzung des Botschafters: Eine Reaktion Berlins wäre schädlich in der jetzigen Situation.

Die Gratwanderung zwischen der Notwendigkeit päpstlicher Initiativen und Demarchen zur Hilfe verfolgter Juden einerseits und der Vorsicht andererseits, den Bogen ja nicht zu überspannen, war typisch für die vatikanische Politik in den letzten Jahren. Wie sehr das seit 1939 gelungen war, bestätigte Weizsäcker mit seiner Bemerkung vom Kirchenschiff, das bislang heil durch die Klippen und Untiefen des Krieges gesegelt sei.

Angesichts der Judenrazzia in seiner eigenen Diözese sah sich Pius XII. herausgefordert wie nie zuvor. Beim Versuch die Razzia aufzuhalten, durfte er Berlin nicht allzu sehr verärgern. Man könnte dort über Vergeltungsmaßnahmen gegen die Kirche oder die Juden nachdenken.

Dem Protokoll Kardinal Magliones merkt man an, wie Pius XII. auf Messers Schneide agieren wollte, glaubte agieren zu müssen. Schmerzlich, unsagbar schmerzlich sei die Situation für den Hl. Vater, so Maglione, und er bitte, ja erwarte eine Intervention des Botschafters zugunsten der Juden. Die „Erwartung" blieb jedoch unbestimmt. Ein Ultimatum stellte Pius nicht hinter seine Bitte.

Weizsäcker wusste, dass er nichts tun konnte. Der Befehl zur Judenaktion kam von höchster Stelle und eine Intervention des Hl. Stuhls würde nur Konsequenzen aus Berlin provozieren. Weizsäcker goss Öl auf die Wogen so gut er konnte. Kardinal Maglione stimmte dem Ansinnen grundsätzlich zu. Es sei richtig, dass der Hl. Stuhl bisher ausgesprochen zurückhaltend agiert und das deutsche Volk geradezu mit Samthandschuhen angefasst habe. Doch jetzt nähere man sich einer roten Linie.

Werde die Linie überschritten, könnte man gezwungen sein zu protestieren. Mit anderen Worten: Wenn alle Stricke rissen, würde Papst Pius XII. nichts anderes übrigbleiben als sein langjähriges Schweigen zu brechen und öffentlich gegen die Judenverhaftungen in Rom Stellung zu nehmen. In diesem Zusammenhang formuliert der päpstliche Staatssekretär einen Satz, der sehr theologisch klingt:

„Wann immer der Heilige Stuhl gezwungen sein sollte das zu tun, würde er sich hinsichtlich der Konsequenzen der göttlichen Vorsehung anvertrauen".

Die göttliche Vorsehung!? Der Hinweis, dass sich der Hl. Stuhl dieser Vorsehung anvertrauen würde, ist so kurz wie explosiv. Er stellt die gesamte vatikanische Politik der leisen Töne, der Zurückhaltung, der Neutralität und verdeckten Diplomatie zur Disposition. Bislang hatte es Pius XII. aus Rücksicht auf unkalkulierbar schlimme Folgen sorgsam vermieden, mit Berlin auf Konfrontationskurs zu gehen. Er hielt sein Kirchenschiff in sicheren Gewässern. Eine Havarie konnte und wollte Pius nicht verantworten Er sah sich unbedingt in der Pflicht, Schaden abzuwenden von der Kirche und allen Verfolgten. Sollte es zu einer Vergeltung Hitlers kommen, rechnete er sich das selbst zu. Das ist Diplomatenkalkül in Reinform.

Wenn Kardinal Maglione stattdessen jetzt die göttliche Vorsehung beschwor, wies er auf einen Perspektivwechsel hin. Bleibe kein anderer Ausweg, werde man mögliche Konsequenzen als Teil der Vorsehung Gottes im Weltenlauf ansehen. Die Frage nach einer „Schuld" wegen unbedachten oder leichtfertigen Handelns spielt dann keine Rolle mehr. Eine notwendige Gewissensentscheidung vor Gott ist jeder diplomatischen Nützlichkeitserwägung enthoben.

Kardinal Maglione ließ keinen Zweifel daran, dass der Hl. Stuhl diese Ultima ratio, wenn irgend möglich, vermeiden wollte. Die abwägende Politik all der Jahre hatte sich bewährt. Man hoffte auf den guten Willen und die Hilfe des Botschafters. Zum Schluss betonte Maglione noch einmal, dass Weizsäcker keinen Vermerk über dieses Gespräch machen müsse, wenn er es für opportun halte. Weizsäcker hielt es für opportun.

Staatssekretär Maglione wird Papst Pius noch am Vormittag über die Unterredung mit dem Reichsbotschafter informiert haben. Sein Bericht war ernüchternd. Außer dem wohlwollenden Ohr des Botschafters und seinem dringenden Rat, keine unbedachten Schritte zu tun, war nichts erreicht worden. Aber, so fragt man sich: Warum hatte Papst Pius Botschafter Weizsäcker in dieser Sache nicht persönlich empfangen? Warum blieb er diskret im Hintergrund?

Das Verhalten von Pius war ungewöhnlich. Die Zeit hatte gedrängt. Pius musste damit rechnen, dass nach dem Ende der Razzia die eingefangenen Juden gleich abtransportiert würden. Warum blieb Pius in dieser dramatischen und bis zum Zerreißen angespannten Situation abseits? Er hatte doch Weizsäcker schon öfters empfangen. Wie konnte er einen anderen vorschicken, damit dieser das päpstliche Missfallen über die Judenrazzia und die Bitte um Abbruch der Razzia weitergibt? Der gewiefte Diplomat Eugenio Pacelli entzog sich dadurch jeder Möglichkeit, das Krisengespräch zu steuern und zu beeinflussen. Es war geradezu ein Markenzeichnen von Pacelli/Pius, dass er alle wichtigen Fäden immer gern direkt in den Händen hielt. Seine Zeit als Nuntius in München und Berlin bis 1929 und als Kardinalstaatssekretär im Vatikan bis 1939 schreibt darüber Bände.

Nach dem Beginn der Judenrazzia in Rom und der damit verbundenen weltweiten „Vorführung" des Papstes durch Hitler wäre ein sofortiges persönliches Krisentreffen mit dem Reichsbotschafter Weizsäcker eine natürliche diplomatische Reaktion gewesen. Was hatte Pius bewogen, unsichtbar zu bleiben? War ihm eine außerordentliche Privataudienz schon zu heikel?

Genau eine Woche nach der Razzia, am 23. Oktober, wird sich ein Mitarbeiter im vatikanischen Staatssekretariat genötigt sehen, einem Gerücht scharf entgegenzutreten.[5] Das Gerücht behauptete ein ungeheuerliches Papstwort. Pius XII. hätte zu Botschafter Weizsäcker wörtlich gesagt: „Wenn man die Juden deportieren müsse, ist es gut, es schnell zu tun." Der unbekannte Mitarbeiter war empört über dieses Gerücht. Man müsse das

gar nicht abstreiten; es sei so offensichtlich falsch, dass es sich selbst wider-
lege. Zum ersten Mal wurde das Gerücht am 19. Oktober von Marquess
Gregorio Serlupi ins Staatssekretariat getragen. Während der Razzia habe
ein Offizier oder Unteroffizier der Deutschen dieses Papstwort zu einer
Signora im Palazzo, Via Flaminia, Nr. 171, gesagt. Die unbekannte Frau
hatte während der Verhaftung einer jüdischen Familie lauthals angefangen
zu schimpfen. Daraufhin habe der Soldat ihr das besagte Zitat vorgehalten
und sich dabei auf eine Weizsäcker-Audienz bezogen.

Drei Tage später, am 22. Oktober, wurde das angebliche Papstwort ein
zweites Mal von dem anonymen Offizier geäußert. Diese erneute Behauptung war für den Mitarbeiter im Staatssekretariat der Anlass, eine Note
darüber zu verfassen.

Der ganze Vorgang mutet seltsam an. Es stellen sich Fragen. Der unbekannt gebliebene (Unter)Offizier behauptete nicht pauschal ein Papstwort
zu der Judendeportation, sondern er berief sich ausdrücklich auf Botschafter Weizsäcker – und das zweimal. Konnte ein niedriger Dienstgrad einfach ein Zitat „erfinden" und in Umlauf bringen? Botschafter Weizsäcker
war in der Stadt und hätte leicht dagegen disziplinarisch vorgehen können.
Es gibt keinerlei Hinweise dazu. Die Botschaft ist dem „Gerücht" nicht
entgegengetreten und auch der Vatikan verfolgte den ärgerlichen Vorgang
nicht weiter. In der offiziellen Aktenedition des Vatikans findet sich keine
weitere Note oder Reaktion dazu.

Von Kappler oder Priebke wurde aber das angebliche Papstwort nie
bestätigt. Auch in Berlin ist das „Gerücht" nicht aufgetaucht. Jedenfalls
gibt es keine Quellen dafür.

Die Herausgeber der Vatikan-Akten ADSS haben wenig zur Erhellung
des Vorgangs beigetragen. Der Leser wird sehr dürftig und unklar informiert. Die Fußnote zu dem oben erwähnten Dokument ist spärlich abge-
fasst, nahezu kryptisch. Was genau berichtete Marquess Serlupi? Wie informierte er das Staatssekretariat? In welcher Weise wurde die zweite Äußerung des Offiziers bekannt? Kam sie auch von Serlupi? Warum wurde
Substitut Montini nicht eingeschaltet? Und schließlich: Warum kombinier-
ten die Herausgeber das angebliche Pius-Zitat mit der sachfremden Äußerung des Stadtkommandanten General Stahel, dass er für die Razzia nicht
verantwortlich sei?

Solange die Akten des Pontifikats Pius XII. nicht freigegeben sind, kann
der Vorgang nicht näher aufgeklärt werden. Bis dahin ist es unangebracht,

näher zu spekulieren. Aus dem gesamten Verhalten Pius XII. kann aber abgeleitet werden, dass sein angebliches Razziawort äußerst wahrscheinlich erfunden wurde.

16. Oktober – gegen Mittag

* * *

Vorstoß beim Stadtkommandanten

Nach dem Weizsäckergespräch lief Papst Pius die Zeit davon. Jeden Augenblick wurden da draußen auf den Straßen Roms Juden verhaftet. Was konnte er jetzt noch tun ohne Lärm zu schlagen? Pius dachte an den Stadtkommandanten General Stahel. Vielleicht konnte der militärische Befehlshaber Roms eingreifen.

Bei dieser Überlegung hielt sich Pius erneut diskret im Hintergrund. Er wollte den Stadtkommandanten nicht persönlich sprechen und auch nicht zum Vatikan kommen lassen. Vielmehr sollte sein Verbindungsmann zu den deutschen Dienststellen, Pater Pancratius Pfeiffer, bei Stahel vorsprechen. Pater Pfeiffer stammte aus Bayern und war der Generalsuperior der Salvatorianer in Rom. Das internationale Ordenshaus mit dem Büro Pfeiffers lag nahe am Petersplatz in der Via della Conciliazione (wo der Orden heute noch residiert). Pius erteilte Pfeiffer den Auftrag, beim Stadtkommandanten das Missfallen des Papstes über die Judenverhaftungen zu bekunden und um eine Intervention zu bitten. Pater Pancratius machte sich noch am Vormittag auf den Weg.[6] General Stahel hatte neuerdings seine Befehlsstelle im Hotel Flora in der Via Veneto eingerichtet.

Die Stadtkommandantur war schon durch die Morgenmeldungen, die um sieben Uhr eintrafen, über die begonnene Razzia informiert. Bei der Lagebesprechung kurz danach wurde sie eigens erwähnt und zusammen mit den anderen Vorkommnissen (vor allem Luftangriffe auf Bahngleise außerhalb Roms) um 10.45 Uhr an den OB Süd Feldmarschall Kesselring gemeldet. Der entsprechende Eintrag im Kriegstagebuch lautet:[7]

In der vergangenen Nacht hat eine Aktion des deutschen Sicherheitsdienstes zur Aushebung der in Rom befindlichen Juden eingesetzt. Die
Aktion ist heute Nachmittag 1600 Uhr beendet. Zur Durchführung
sind die dem Deutschen Kommandanten unterstellten Polizei-Kompanien 5./15, 3./20 und 11./12 dem Sicherheitsdienst zur Verfügung gestellt. Wie die Aktion sich auswirken wird, ist noch nicht abzusehen.
Es ist anzunehmen, dass sie viele, uns feindlich gesinnte Italiener, wie
beispielsweise die Urheber der kürzlich vorgekommenen Sabotagefälle, zurückschrecken wird.
Für die Dauer der Abkommandierung der 5./SS-Pol.Rgt. 15 zur Aktion
gegen die Juden übernimmt ein Kommando des III./Fallschirmjäger
Rgt. 2 die Wache im Gefängnis Regina Coeli und an der Sendestation
Palomba. Nach Durchführung der Aktion übernimmt die 5./SS-
Pol.Rgt. 15 wieder die Wache in der Wehrmachtshaftanstalt Gefängnis
Regina Coeli.

Am nächsten Tag meldete die Stadtkommandantur um 10.30 Uhr an Kesselring:

Bei der Aktion zur Erfassung der in Rom lebenden Juden sind insgesamt 900 Juden aufgegriffen worden. Die verhältnismässig geringe
Zahl erklärt sich daraus, dass Abkömmlinge aus Mischehen nicht festgenommen worden sind. Die Aktion war um 1200 Uhr am Vortage beendet. Der Abtransport der Juden soll am 18.10. erfolgen. Zu Zwischenfällen irgendwelcher Art ist es nicht gekommen. Was die Aktion
sonst für Folgen haben wird, bleibt abzuwarten.

Pater Pfeiffer traf um die Mittagszeit am 16. Oktober bei der Stadtkommandantur ein. Er und Stahel konnten miteinander in ihrer gemeinsamen
deutschen Muttersprache reden. Wörtlich ist nicht bekannt, wie Pfeiffer
dem General die päpstliche Besorgnis und Bitte um Intervention vortrug.
Bekannt aber wurde, dass Stahel reserviert blieb und brüsk auf das Ansinnen des Paters reagierte. Pfeiffer gab die Antwort Stahels mit folgenden
Worten ans Staatssekretariat weiter: „Er werde sich mitnichten in die Verhaftung der Juden einmischen, sie sei der Gestapo übertragen. Daher wünsche er keine Beschwerden in dieser Sache."[8]

Das war deutlich. Der General verschanzte sich hinter den Zuständigkeiten. Als Wehrmachtskommandant habe er keine Befehlsgewalt über die örtliche SS und deren Gestapoaktionen. Daher sah er keine Möglichkeit die Razzia per Order zu unterbinden. Eine andere Antwort wäre auch kurios gewesen. Stahel wusste schließlich schon seit einigen Tagen, dass alsbald eine SS-Aktion steigen werde. Vermutlich kannte er auch den genauen Termin, da er Befehle für diesen Tag erteilte. Für den Samstag orderte er nämlich nahezu sämtliche Polizei-Sicherungskompanien für Dannecker ab, die er in Rom für sich selbst zur Verfügung hatte. In der angespannten Situation war das ein beträchtliches Risiko. Hätte es irgendwo eine größere Partisanenaktion gegeben, wäre Stahel in arge Bedrängnis geraten. Wegen der fehlenden SS-Polizei musste Stahel sogar vorübergehend Wehrmachtssoldaten zur Bewachung von Gestapogefangenen in Regina Coeli abstellen.

Wohl um sich abzusichern, ließ Stahel in der Morgenmeldung an seinen direkten Vorgesetzen Feldmarschall Kesselring sehr genau die Umgruppierung und die zeitweise Befehlsübertragung der Sicherungskompanien an die SS beschreiben.

Ähnlich reserviert wie gegenüber dem päpstlichen Abgesandten Pfeiffer wies General Stahel einen anderen Besucher an diesem Tag ab. Senator Riccardo Motta, der als Kommissar in der römischen Verwaltung arbeitete, hatte den Stadtkommandanten ebenfalls um Intervention zugunsten der Juden gebeten. Darüber informierte der Senator ein paar Tage später Monsignor Montini vom Staatssekretariat. In der Notiz schrieb Montini, dass Stahel auch Motta gegenüber auf seine „fremde Rolle" bei dieser deutschen Polizeiaktion verwiesen habe. Aber er habe einen Vertreter der SS zu Motta geschickt. Dieser sollte ihm einige Erklärungen geben. Motta berichtete, dass der SS-Mann alle Hoffnungen nahm. Keiner der Verhafteten würde je wieder in sein Haus zurückkehren.[9]

Wer dieser SS-Mann war, wurde nicht vermerkt. Ungewöhnlich ist, wie offen er sich zum Schicksal der römischen Juden bekannte. Senator Motta und Monsignor Montini werden es richtig verstanden haben: Eine Deportation auf Nimmerwiedersehen bedeutete nicht dauerhafte Umsiedelung, sondern Tod!

Formal verhielt sich Stadtkommandant Stahel korrekt. Er hatte keine unmittelbare Befehlsgewalt über die Judenrazzia, und er durfte sich nicht einmischen. Er hätte sich allenfalls im Vorfeld gegen die Abkommandierung fast aller seiner Sicherheitskräfte wehren können. Der Unterstützungsbefehl für das Sonderkommando Dannecker direkt aus dem RSHA war aber eindeutig. Das hatte für ihn Priorität.

Dennoch, insgeheim war Stahel wie alle deutschen Dienststellen vor Ort, gegen die Judenaktion. Wie schon erwähnt, hatte er gleich zu Beginn seiner Machtübernahme in Rom mit Botschafter Rahn eine Übereinkunft getroffen, die „Privat-Konkordat" genannt wurde. Gegenüber dem Vatikan und der Geistlichkeit in Rom sollten nicht nur alle Provokationen unterbleiben, sondern es sollte auch aktiv ein Vertrauensverhältnis aufgebaut werden. Eine Razzia unter den römischen Juden vor den Augen des Papstes war schädlich und risikoreich. Was konnte er als Stadtkommandant tun ohne seine Kompetenzen zu überschreiten?

Stahel versprach sich Hilfe von diplomatischer Seite. In einem KNA-Interview[10] aus dem Jahr 2000 berichtete Nikolaus Kunkel, der damals Leutnant im Stab der Kommandantur war, von einem entsprechenden Vorstoß seines Chefs. Stahel habe ihn beauftragt, einen versiegelten Brief zu Botschafter von Weizsäcker zu bringen. In dem Schreiben ersuchte er Weizsäcker alles in Berlin zu tun, damit die Maßnahme gegen die Juden zurückgenommen werde, so der General zu seinem Briefboten.

In der Botschaft händigte Leutnant Kunkel den Brief Weizsäcker persönlich aus. „Der Botschafter verließ dann den Raum und kam nach kurzer Zeit mit dem übermittelten, nun seinerseits versiegelten Schreiben zurück. Er bat mich, den Brief zurückzubringen und dem General auszurichten, dass er – Weizsäcker – in dieser Angelegenheit dem General ‚leider nicht dienlich sein könne'. An diese Formulierung erinnere ich mich genau. Als ich den Brief zurückbrachte, äußerte der General sich – vorsichtig ausgedrückt – in distanzierter Weise über den Botschafter. Der General hat dann noch mit Himmler telefoniert – aber das weiß ich nicht mit Bestimmtheit zu sagen."

Kunkel gab nicht genau an, wann er den Brief Stahels zu Weizsäcker brachte. War es am 16. Oktober oder davor? Beides ist möglich. Für einen frühen Termin spricht der Hinweis Kunkels über eine Besprechung Stahels mit seinen Stabsoffizieren kurz nachdem ihm die Ankunft des Sonderkommandos Dannecker bekannt geworden war. Der General habe seine Offiziere zusammengerufen und ihnen mitgeteilt, dass er gegen diese Maßnahme sei, weil sie nur Unruhe in der Bevölkerung auslösen würde. Um die Operation stoppen zu können, bräuchte er Verbündete, vor allem in Berlin. Daher hatte er sich an den Botschafter Weizsäcker gewandt, so Kunkel. Es kann somit gut sein, dass Stahel schon im Vorfeld der Razzia um diplomatische Unterstützung gebeten hatte. Ein hastiges Schreiben am Tag der Razzia ist ebenso möglich – wenn auch weniger wahrscheinlich. Diplomatische Eingaben über das Außenministerium verlangten Zeit. Am 16. Oktober war aber keine Zeit mehr. Die Razzia lief und das Ende war auf Nachmittag terminiert.

Wie dem auch sei. Weizsäcker hielt sich aus der diplomatischen Intervention heraus. Er sah es wohl für aussichtslos an, eine Judenaktion in Frage zu stellen, die von höchster Stelle befohlen war. Oder wollte er sich nicht die Finger verbrennen?

16. Oktober – Nachmittag

* * *

Ein eiliges Schreiben

An dem Razzia-Samstag kehrte in der Stadtkommandantur keine Ruhe ein. Nachdem General Stahel den päpstlichen Emissär Pater Pfeiffer und den italienischen Senator Motta achselzuckend zurückgewiesen hatte, musste er sich erneut mit der Angelegenheit beschäftigen. Diesmal war der Bittsteller nicht selbst gekommen. Er wandte sich schriftlich an den Stadtkommandanten.

Signiert ist das Schreiben von Bischof Alois Hudal, dem Rektor der deutschen Nationalkirche Santa Maria dell'Anima in Rom.

Der Text lautet:[11]

Herrn Generalmajor Stahel

Deutsches Kommando Rom

Ich darf hier eine sehr dringende Angelegenheit anschließen. Eben berichtet mir eine hohe Vatikanische Stelle aus der unmittelbaren Umgebung des Heiligen Vaters, dass heute morgen die Verhaftungen von
Juden italienischer Staatsangehörigkeit begonnen haben. Im Interesse
des friedlichen Einvernehmens zwischen Vatikan und deutschem Militärkommando bitte ich vielmals, eine Order zu geben, dass in Rom
und Umgebung diese Verhaftungen sofort eingestellt werden. Das
deutsche Ansehen im Ausland fordert eine solche Maßnahme und
auch die Gefahr, dass der Papst öffentlich dagegen Stellung nehmen
wird. Da in nicht zu ferner Zeit das Deutsche Reich den Vatikan für
bestimmte Aufträge benützen dürfte – ich weiß, dass bereits im März
getastet worden ist – würde ein grosser Schaden für die Sache des
Friedens herauskommen, wenn die Judenverfolgungen zu einem weiteren Dissens zwischen dem Vatikan und Reich führen würden.

Hudal war in der Stadt eine einflussreiche Persönlichkeit. Gern übte er sich
in der Rolle einer grauen Eminenz, die im Hintergrund Fäden zog. Politisch stand er der Ideologie des Nationalsozialismus nahe. Allerdings lehnte er die Rassenlehre und deren Umsetzung ab. Seit vielen Jahren schon
verfolgte er sein Herzensanliegen: den katholischen Glauben bzw. die Kirche mit dem Nationalsozialismus zu versöhnen. Allerdings stieß er bisher
weder mit seinem Grundsatzbuch[12], noch mit seinen Hinterzimmergesprä-
chen in Berlin und im Vatikan auf Interesse. Bis zu seinem erzwungenen
Rücktritt 1952 und weiter bis zu seinem Tod 1963 haftete ihm ein zwielich-
tiger Ruf an.

Bischof Hudal besaß in Rom viele Kontakte, die er reichlich ausnutzte.
In dem Brief heißt es, dass er von hoher vatikanischer Stelle – aus der Umgebung des Heiligen Vaters – über die Judenrazzia informiert worden sei.
Der Informant war Carlo Pacelli, Neffe Pius XII.[13] Der bürgerliche Pacelli
hatte in der Kurie des Vatikans verschiedene Ämter inne und stand öfters
in Kontakt mit Hudal.

Kam Carlo Pacelli aus eigenem Antrieb zu Hudal oder wurde er geschickt – wenn ja, von wem? Für die Verteidiger Pius XII. ist klar: Papst
Pius höchstpersönlich hatte seinen Neffen beauftragt, bei Hudal dringlich

vorzusprechen. Carlo sollte erreichen, dass der Bischof den Stadtkommandanten unter Druck setzte. Das sei die dritte Intervention Pius XII. gegen die laufende Razzia gewesen. Daher könne man dem Papst nie und nimmer Untätigkeit an diesem verhängnisvollen Samstag vorwerfen.

Wurde der Hudalbrief tatsächlich direkt aus dem Apostolischen Palast veranlasst? In den ADSS-Akten ist dazu nichts vermerkt. Laut Untersuchungsrichter Pater Gumpel SJ gibt es auch in den noch verschlossenen Aktenbeständen nichts Erhellendes darüber (mehrfache pers. Mitteilung an den Autor). Bischof Hudal hat nie behauptet, dass Carlo Pacelli von Pius XII. geschickt worden war. Von Pacelli selbst gibt es keine dokumentierte Aussage (gemäß Pater Gumpel).

Man kommt den wahren Urhebern des Hudalbriefes stärker auf die Spur, wenn man den weiteren Verbleib des Schreibens verfolgt. Es wurde nämlich alsbald vom Schreibtisch General Stahels weggeholt und noch am Abend des 16. Oktober nach Berlin ins Außenamt telegrafiert. Verantwortlich dafür war Gerhard Gumpert von der Deutschen Botschaft. Gumpert war ein Mitarbeiter mittleren Ranges in der Villa Wolkonsky. Eigentlich hätte sein Chef Konsul Moellhausen die Weiterleitung nach Berlin vornehmen müssen, aber der war zurzeit der Razzia nicht in Rom. So nahm sich Gumpert als ranghöchster Vertreter im Haus der Sache an.

Der Text des Briefes, den Gumpert ins Außenamt schickte, weicht leicht vom Originaltext des Hudalbriefes ab. Es heißt (Abweichungen *kursiv*):

„... Im Interesse des *guten bisherigen* Einvernehmens zwischen dem Vatikan und *dem hohen* deutschen Militärkommando, *das in erster Linie dem politischen Weitblick und der Großherzigkeit Eurer Exzellenz zu verdanken ist und einmal in die Geschichte Roms eingehen wird,* bitte ich vielmals, eine Order zu geben, dass in Rom und Umgebung diese Verhaftungen sofort eingestellt werden; *ich fürchte, dass der Papst sonst öffentlich dagegen Stellung nehmen wird, was der deutschfeindlichen Propaganda als Waffe gegen uns Deutsche dienen muss.*"[14] Auffällig sind der lobende Satzeinschub über den politischen Weitblick Stahels, die Umformulierungen und die Kürzung am Ende. Das brachte zwar keine Sinnänderung, ist aber doch ungewöhnlich.

Warum gab es diesen Eingriff in den Text? Durfte sich Gerhard Gumpert, der nicht-diplomatischer Mitarbeiter in der Botschaft war, einfach erlauben einen fremden Brief zu verändern, einen Brief, der vom namhaften Bischof Hudal stammte und vom Stadtkommandanten persönlich abgezeichnet wurde? Gumpert hatte sich doch die Aufgabe gestellt, nur das Eil-Schreiben in Berlin zur Kenntnis zu geben.

Warum mischte sich überhaupt die Villa Wolkonsky in den Vorgang ein? Und woher wusste man dort so zeitnah vom Hudalbrief an Stahel? Wieso ist in dieser Angelegenheit nicht die Vatikanbotschaft Weizsäcker tätig geworden? Schließlich ging es um die gravierende Frage nach einem möglichen Papstprotest gegen die Judenverfolgung.

Der US-amerikanische Autor Robert Katz gab in seiner Studie »Black Sabbath« dafür zum ersten Mal eine Erklärung.[15] Nicht Papst Pius und sein Neffe Carlo hätten den Brief angeregt, sondern es sei ein gemeinschaftliches Werk von Albrecht Kessel (Vatikanbotschaft) und Gerhard Gumpert (Deutsche Botschaft) gewesen. Am Vormittag der Razzia hätten die beiden überlegt, was man diplomatisch dagegen tun könne. Den besten Weg sahen sie darin, Berlin unmissverständlich die Gefahr eines Papstprotestes zu signalisieren. Daher hätten sie für den Stadtkommandanten General Stahel einen Brief entworfen und als Absender Bischof Hudal auserkoren. Katz stützt sich auf Interviews, die er im Juni 1967 mit Kessel und Gumpert führte. Kritiker zweifeln die Behauptung von Katz an. Entweder habe er sich etwas aus den Fingern gesaugt oder er hat die beiden Diplomaten schlicht missverstanden. Nahrung findet dieser Einwand durch die unklar dokumentierten Interview-Aussagen in der Katz-Studie. Tatsächlich ist die Zitierung bei Katz zu beanstanden. Er gibt die Interviewaussagen nicht wörtlich wieder.

Es ist einem seltenen Dokument zu verdanken, dass die Version von Katz im Kern tatsächlich der historischen Wahrheit entspricht. Es handelt sich um eine eidesstattliche Erklärung, die Gerhard Gumpert für den Weizsäcker-Prozess des Nürnberger-Kriegsverbrechertribunals gemacht hat. Gumpert beeidete seine Aussage sehr zeitnah am 2. April 1948 vor dem öffentlichen Notar Rath in Stuttgart. Die Erklärung ist bislang noch nicht vollständig veröffentlicht worden. Das lag wohl auch daran, dass das Dokument in den Tiefen des Archivs des Zeitgeschichtlichen Instituts München durch eine alte falsche Signatur verschollen gegangen ist.

Ich danke an dieser Stelle dem stellvertretenden Direktor Dr. Klaus Lankheit. Auf meine verwegene Bitte hin, das Dokument ausfindig zu machen, hat er sich persönlich auf die Suche begeben. Der Aufwand wurde belohnt; er fand das seltene Gumpert-Dokument und versah es mit einer aktuellen Signatur.[16]

In der Erklärung sagt Gumpert aus, dass er am Morgen der Razzia von seiner Sekretärin Anneliese Krüger über begonnene Judenverhaftungen unterrichtet worden sei. Er habe daraufhin sofort General Stahel angerufen. Doch dieser habe vorgegeben, nichts von der Aktion zu wissen.

Hatte Gumpert zu früh bei Stahel angerufen? Nach dem Protokoll des Kriegstagebuchs wurde der General erst beim Morgenbriefing offiziell von der angelaufenen Razzia unterrichtet. An diesem Tag wurden die eingegangenen Nachtmeldungen relativ spät, erst um 10.45, an den Oberbefehlshaber Kesselring weitergegeben. Meist waren die Meldungen schon um 9.30 fertig. Vielleicht aber verschanzte sich Stahel nur hinter der militärischen Geheimhaltung. Am Telefon eine SS-Geheimaktion zu bestätigen, die gerade erst anlief, könnte ihm zu heiß gewesen sein.

Wörtlich sagte Gumpert weiter zur Brieffrage aus:

Daraufhin telefonierte ich mit meinem befreundeten Kollegen von Kessel von der Vatikan Botschaft, um zu beraten, was zu tun sei. Wir kamen überein, dass er einen ihm vertrauten Würdenträger des Vatikans bitte, noch am Vormittag einen Brief bei General Stahel zu übergeben, in dem das Entsetzen des Vatikans und des Heiligen Vaters über die Massnahmen zum Ausdruck kommen sollte. Dieser Brief sollte dann die Basis für weitere Schritte an zentraler Stelle durch mich und seine Botschaft, also Herrn von Weizsäcker, bilden. Auf Veranlassung von Herrn von Weizsäcker wandte sich von Kessel an den Salvatorianer Pater Pankratius Pfeiffer, der auch tatsächlich gegen Mittag den Brief dem General Sta[h]el übergab. Darin stand ausser dem von mir Erwarteten noch, wenn die Abtransporte nicht sofort eingestellt würden, müsse man zum ersten Male seit Kriegsbeginn mit einer einseitigen Äusserung des heiligen Vaters rechnen.

3.) Mit dem Hinweis, dass es sich um eine eminent politische Angelegenheit handele, erbat ich den Brief von General Sta[h]el und telegrafierte entsprechend nach Berlin. Als das Telegramm gerade abgesetzt war, rief mich Herr von Weizsäcker selbst an und fragte: „ob der Brief schon da sei"? Daraufhin erbat von Weizsäcker den Brief und einen Durchdruck meines Telegramms, weil er selbst sofort nach Berlin berichten wolle.

Zum Schluss seiner Aussage betonte Gumpert, dass er am 16. Januar 1948 in Nürnberg gegenüber Dr. Einstein von der »prosecution« unter Eid dasselbe bekundet habe.

Es gibt keine Gründe, am Inhalt dieser eidesstattlichen Erklärung von Gerhard Gumpert zu zweifeln. Obwohl sich Gumpert nur knapp ausdrückte, dürfte sich – unterstützt durch die anderweitig bekannten Details – der Vorgang um den Hudalbrief folgendermaßen abgespielt haben:

Nachdem die Nachricht von der Judenrazzia die Villa Wolkonsky und die Vatikanbotschaft erreicht hatte, berieten sich Albrecht von Kessel und sein Freund Gerhard Gumpert. Sie suchten nach einem möglichen Schritt, der Berlin aufrütteln sollte. Dieser Schritt durfte aber keinen offiziellen Charakter haben. Berlin sollte von einer kirchlichen Quelle das deutliche Signal bekommen, dass Judenverhaftungen in Rom für den Vatikan nicht hinnehmbar seien. Der in Rom einflussreiche deutsche Bischof Hudal

Bischof Alois Hudal

Signierte den umstrittenen »Hudalbrief«

schien dafür besonders geeignet. In Berlin wusste man von Hudal und von seinen „Versöhnungsbemühungen" zwischen Katholizismus und Nationalsozialismus. Damit Bischof Hudal von einer vatikanischen Besorgnis im Brief sprechen konnte, mussten Kessel und Gumpert jemanden aus dem Umfeld des Staatssekretariats oder noch besser des Apostolischen Palastes beauftragen. Dafür bot sich Pius' Neffe Carlo Pacelli an. Die Vatikanbotschaft hatte Kontakt zu Pacelli, und dieser kannte Hudal gut. Die Kontaktaufnahme zu Carlo Pacelli fand noch am Vormittag statt. Er muss sich sofort bereit erklärt haben, den Auftrag auszuführen. Ob Kessel und Gumpert ihm einen Textentwurf für Hudal mitgaben, ist unklar. Vermutlich haben sie Pacelli nur mündlich instruiert. Das legt ihr nachträglicher Eingriff in den Text des Hudalbriefes nahe.

Pacelli sollte den Brief nicht selbst zur Stadtkommandantur bringen, sondern Pater Pfeiffer. Offensichtlich wusste die Vatikanbotschaft, dass Pfeiffer den päpstlichen Auftrag hatte, zu Stahel zu gehen. Diese Gelegenheit wurde aufgegriffen und Pfeiffer gebeten, gleich auch einen Brief von

Bischof Hudal zu übergeben. Vermutlich am späten Nachmittag dann erbat Gerhard Gumpert von General Stahel den Brief mit der Begründung, dass der Vorgang eine politische Dimension besitze. Berlin müsse davon Kenntnis haben. Am Abend telegrafierte Gumpert den Brief ins Außenamt Wilhelmstraße.

Pius XII. war am Vorgang des Hudalbriefes nicht beteiligt. Die vielfach vorgetragene Behauptung, dass der Papst höchstpersönlich seinen Neffen Carlo Pacelli zu Bischof Hudal geschickte habe,[17] um ultimativ eine Protestgefahr zu lancieren, ist nicht korrekt.

Selbst wenn Papst Pius an eine weitere Intervention gedacht hätte, wäre ein Vorstoß ausgerechnet über den zwielichtigen Bischof Hudal kaum eine Option gewesen. Schon seit einiger Zeit herrschte Eiszeit zwischen ihm und dem umtriebigen Rektor der Anima. Hudals NS-Einschätzung und ideologische Position, sein berechnendes Einschmeicheln und seine egozentrischen Winkelzüge waren unerträglich geworden. Ein Brief aus der Feder Hudals über die rote Linie des Vatikans an den Stadtkommandanten war für Pius sicherlich nur schwer vorstellbar. Das bestätigte mir sogar Pater Gumpel SJ in einem persönlichen Gespräch. In seinem Untersuchungsbericht (Positio) zur Seligsprechung Pius XII. konnte er die Umstände des Hudalbriefes nicht endgültig aufklären. Mir gegenüber betonte Pater Gumpel, dass das wohl nie möglich sein werde. Das sei aber nicht weiter schlimm, denn der Brief habe keinerlei Wirkung gehabt und wäre für die Razzia unbedeutend gewesen.[18]

Auch der mittlerweile verstorbene Vatikanhistoriker Robert Graham SJ, der Papst Pius immer verteidigte und sein Verhalten während der Judenrazzia rundum positiv beurteilte, hielt den Hudalbrief letztlich für mysteriös. Es könne nicht klar gesagt werden, wer der Initiator sei.[19]

16. - 18. Oktober

* * *

Ungestört

Dem Stadtkommandanten Stahel waren die Eingabe Pius XII. und der Hudalbrief höchst unangenehm. Gegen die Razzia konnte er nichts direkt tun, aber er konnte „zuständige Stellen" informieren. Am Sonntag, den 17. Oktober, schrieb er handschriftlich an Bischof Hudal zurück:[20]

> Bezüglich Ihrer Bemerkung, dass in Rom und Umgebungen Verhaftungen von Juden stattgefunden haben, kann ich Ihnen mitteilen, dass ich persönlich als Militärkommandant damit nichts zu tun habe. Es handelt sich dabei um eine reine Polizeiaktion, auf die ich keinerlei Einfluss habe, da meine Aufgaben auf rein militärischem Gebiete liegen. Trotzdem habe ich selbstverständlich Ihre Bedenken den zuständigen Stellen umgehend zur Kenntnis gebracht.

Grundsätzlich antwortete Stahel hier nicht anders als gegenüber Pater Pfeiffer und Senator Motta. Er sei für Polizeiaktionen militärisch nicht zuständig und könne somit nichts tun. Aber Meldung konnte und wollte er machen. In einer Notiz bemerkt Bischof Hudal einen telefonischen Rückruf Stahels am 17. Oktober:[21]

> Habe die Sache der hiesigen Gestapo und an Himmler unmittelbar sofort weitergeleitet, Himmler gab Order, dass mit Rücksicht auf den besonderen Charakter Roms diese Verhaftungen sofort einzustellen sind.

Order von Himmler, die Verhaftungen sofort einzustellen? Diese Telefonnotiz Hudals ist sensationell. War das die ersehnte Lösung? Gab es tatsächlich einen außerordentlichen Befehl Himmlers mit der Judenjagd aufzuhören – wegen des besondern Charakters der Stadt?

Der Gang der Ereignisse und die dazugehörigen Dokumente zeigen, dass es diesen Befehl nicht gab (vgl. dazu Kapitel 7). Die Razzia am 16. Oktober wurde planmäßig zu Ende geführt. Bis auf das letzte Haus im Ghetto und bis auf die letzte Judenadresse in Rom war die Liste Dannecker abgearbeitet worden. Das entsprechende Vollzugstelegramm Danneckers und

Kapplers ist klar. Die Razzia war so durchgeführt worden, wie der Plan es vorsah. Allein das Abtauchen einzelner Juden vor dem Zugriff hatte Probleme bereitet – besonders wenn hilfsbereite Römer Fluchtunterstützungen leisteten. Gegenbefehle oder irgendwelche neue Weisungen gab es nicht. Der reguläre Abtransport der Gefangenen wurde im Telegramm wie vorgesehen auf Montag, den 18. Oktober, terminiert.

In den nächsten Tagen wurden weitere kurze Funksprüche ans Reichssicherheitshauptamt geschickt. Sie meldeten die Abfahrt des Deportationszuges. Die Telegramme wurden wie die Dannecker-Kappler-Meldung vom britischen Geheimdienst dechiffriert und dem US-amerikanischen OSS zur Verfügung gestellt. [22]

Am 20. Oktober bestätigte General Harster, der unmittelbare Vorgesetzte Kapplers, von Rom aus den Judentransport. Harster war offensichtlich wie geplant noch bis Mittwoch in Rom geblieben. Die dienstliche Meldung der Deportation hatte er selbst in die Hand genommen. Er schrieb, dass der Transport mit der Nr. X70469 am 18. Okt. Rom verlassen habe und über Wien und Prag nach Auschwitz gehe. Bei Arnoldstein würde er die Grenze passieren. Ausdrücklich machte Harster darauf aufmerksam, dass für den Transport bis zum Ende der Fahrt eine Bewachung dringend erforderlich sei. Man möge daher entsprechende Vorsorge treffen.

Tags darauf schickte Dannecker eigens eine kleine Meldung an das unmittelbar zuständige Amt IV B4 (Eichmann-Referat) im RSHA. Der Transportzug habe Rom am 18. Okt. verlassen mit insgesamt 1007 Juden. Der Transportführer sei SS-Oberscharführer Arndze. Dieser habe ein Duplikat der Liste bei sich. Beim Namen „Arndze" lag ein kleiner Abhörfehler vor. Korrekt ist: Arndt. Er zählte zur Unteroffiziersgruppe, die Dannecker mit nach Rom gebracht hatte.

Die reguläre Deportation der römischen Juden erst am dritten Tag nach der Razzia zeigt, mit welcher Gelassenheit die Aktion zu Ende geführt wurde. Es gab zu keiner Zeit auch nur einen vorübergehenden Aufschub aus Berlin. Selbst die dreiste Internierung der tausend Razziaopfer in der Nähe des Vatikans am Samstag, am Sonntag und den halben Montag lang war für die SS kein Problem. Weder General Harster, noch Kappler, noch Dannecker haben sich dokumentiert darüber Gedanken gemacht.

17. Oktober – vormittags

* * *

Welche Rolle spielte bei dem Vorgang eigentlich Vatikanbotschafter Weizsäcker? An ihm vorbei konnte die Briefaktion nicht laufen. Er musste zumindest eingeweiht gewesen sein. Gumpert sprach in seiner Aussage sogar davon, dass Weizsäcker aktiv beteiligt war.

Öffentlich bekannte sich Weizsäcker am darauffolgenden Tag zum Hudalbrief. Am Sonntag, den 17. Oktober, schickte er zum Telegramm Gumperts ein eigenes hinterher. Weizsäcker schrieb:[23]

> Die von Bischof Hudal (vergl. Drahtbericht der Dienststelle Rahn vom 16. Oktober) angegebene Reaktion des Vatikans auf den Abtransport der Juden aus Rom kann ich bestätigen. Die Kurie ist besonders betroffen, da sich der Vorgang sozusagen unter den Fenstern des Papstes abgespielt hat. Die Reaktion würde vielleicht gedämpft, wenn die Juden zur Arbeit verwendet würden.
>
> Uns feindlich gesinnte Kreise in Rom machen sich den Vorgang zu Nutzen, um den Vatikan aus der Reserve herauszudrängen. Man sagt, die Bischöfe in französischen Städten, wo ähnliches vorkam, hätten deutlich Stellung bezogen. Hinter diesen könne der Papst als Oberhaupt der Kirche und als Bischof von Rom nicht zurückbleiben. Man stellt auch den viel temperamentvolleren Pius XI. dem jetzigen Papst gegenüber.
>
> Die Propaganda unserer Gegner im Ausland wird sich des jetzigen Vorgangs sicher gleichfalls bemächtigen, um zwischen uns und der Kurie Unfrieden zu stiften.

Was hat Weizsäcker bewogen, doch noch eine Warnung nach Berlin zu schicken? Hat er innerhalb eines Tages seine Meinung geändert? Am Vortag hatte er es noch gegenüber Kardinal Maglione abgelehnt, Berlin vom Krisengespräch im Staatssekretariat zu unterrichten und dringend Zurückhaltung angemahnt.

Die ersten Historiker, wie Hill und der Vatikanforscher Graham, die anhand der aufgetauchten Dokumente die Reaktionen des Botschafters während der Judenrazzia beleuchteten, haben von einem seltsamen und undurchsichtigen Verhalten Weizsäckers gesprochen.[24] Vordergründig hätte er dringend gebeten, jeden Schritt zu unterlassen, der Berlin aufschrecken könnte, intern habe er sich dennoch entschlossen, einen warnenden Brief von kirchlicher Seite zu kommentieren und zu unterstützen.

Weizsäcker mahnte mit drastischer Formulierung. Man habe es gewagt, „unter den Fenstern des Papstes" eine Judenrazzia durchzuführen. Die Kurie müsse darauf reagieren. Auch könne der Papst nicht hinter protestierenden Bischöfen, wie einigen französischen, zurückstehen. Zudem gebe es feindlich gesinnte Kreise, die den Anlass nutzen wollen, den weniger temperamentvollen Pius XII. aus der Reserve zu zwingen. Das Ausland werde sicherlich die Gelegenheit ergreifen und Unfrieden zwischen dem Reich und dem Vatikan stiften.

Bei genauem Hinsehen war Weizsäckers Unterstützung des Hudalbriefes nicht so merkwürdig wie es der erste Eindruck nahelegt. Nach seinem Krisengespräch mit Kardinalstaatssekretär Maglione wusste er, dass die Lage zum Zerreißen gespannt war. Würde der Vatikan der Deportation der Juden am Ende tatenlos zusehen? Jede offizielle Stellungnahme von welcher Seite auch immer konnte die Situation außer Kontrolle bringen. Er selbst wollte in seiner Eigenschaft als Botschafter die Reaktion des Vatikans nicht offiziell nach Berlin melden müssen. Aber eine indirekte Information, dass es hier in Rom auf Messers Schneide stehe, war Weizsäcker recht. Das dürfte auch der Grund sein, warum der Hudalbrief nicht von seiner Dienststelle, sondern von der Villa Wolkonsky aus weitergeleitet wurde. Zusätzlich blieb der Vatikan als Quelle außen vor. Die bloße Mitteilung einer privaten Einschätzung von dritter Seite hatte informellen Charakter.

Für Berlin blieb unklar, wie der Papst tatsächlich dachte und was er vorhatte. Weizsäcker konnte den Hudalbrief nach Gutdünken kommentieren und unterstützen – ohne offiziell werden zu müssen. Er musste nur sich selbst außen vor lassen. Im Schreiben vermied er denn auch jede Andeutung auf sein Krisengespräch mit Kardinal Maglione. Stattdessen mahnte er in Berlin an, dass der Vatikan von außen unter Druck stehe. Bestimmte Kreise wollten ihn subtil aus der Reserve locken und Pius XII. in Zugzwang bringen.

Weizsäckers Vorschlag, die Juden zur Arbeit zu verwenden und damit den Vatikan zu beruhigen, klingt in dieser Lage allerdings wie ein abenteuerlicher Wunschtraum. Glaubte der Botschafter tatsächlich, dass Ribbentrop auf den letzten Drücker in eine SS-Judenrazzia eingreifen würde? „Arbeit" für Juden, die auf der Deportationsliste zwecks Liquidierung stehen? Man merkt, wie aufgeschreckt Weizsäcker während der Razzia war. Er befürchtete ein vatikanisches Unwetter mit Sturzfluten. Sie konnten zum Dammbruch führen und das labile Gebäude der ausgleichenden Diplomatie in einem Rutsch wegspülen.

Papst Pius durfte jetzt nicht die Nerven verlieren und Berlin attackieren. Gegenüber Monsignor Montini, dem Substituten Pius XII., mahnte Weizsäcker an, dass ein vatikanischer Schuss nach hinten losgehen würde. Leidtragende seien die Juden, die man doch retten wolle. „... eine Äußerung des Papstes [würde] nur bewirken (...), dass die Abtransporte erst recht durchgeführt werden." Er kenne die Reaktion der eigenen Leute. Montini habe das verstanden, so Weizsäcker später.[25] Wann genau die Unterredung der beiden stattgefunden hat, ist nicht dokumentiert. Vermutlich aber war es am 16. Oktober als Weizsäcker zum Krisengespräch im Staatssekretariat war.

Eine Antwort von Außenminister Ribbentrop oder irgendeine Reaktion aus dessen Büro bekam Weizsäcker nie. Sein Telegramm wurde in der Berliner Wilhelmstraße vom Judenreferatsleiter Eberhard von Thadden (Inland II) schlicht zur Kenntnis genommen. Der Hudalbrief landete ebenfalls auf Thaddens Schreibtisch.

Einige Tage später, am 23. Oktober, leitete der Referatsleiter die beiden Telegramme zusammengefasst an Eichmanns Büro weiter. Einen Kommentar fügte Thadden nicht bei.[26] Bei seinem Prozess 1961 erinnerte sich Eichmann an den Brief Hudals. Er habe ihn seinem Chef General Müller vorgelegt.[27] Wie das Weizsäcker-Telegramm wurde auch der Hudalbrief im Ministerium und im Reichssicherheitshauptamt ohne Reaktion schließlich zu den Akten gelegt.

Ein paar Tage zuvor war es zu einer Besprechung zwischen dem Judenreferatsleiter Thadden aus dem Außenamt und Gestapochef Müller vom RSHA gekommen. Der Anlass des Treffens am 17. Oktober, einen Tag nach der Razzia in Rom, war der Fehlschlag der Judenaktion in Dänemark. Man wollte für die Länder Albanien, Kroatien, Italien sowie die bislang italienisch besetzten Teile Griechenlands und Frankreichs effizientere Maßnahmen absprechen.

In Punkto Italien drängte das Außenministerium auf eine schlagartige Aktion. Das verlange die besondere Stellung der katholischen Kirche dort. Man wollte unbedingt eine Vorabinformation wie in Dänemark vermeiden. General Müller sah diese Gefahr ein, jedoch würden die vorhandenen Kräfte nicht ausreichen, um in ganz Italien konzertiert zuzuschlagen. Müller wörtlich: „Man werde daher gezwungenermaßen mit der Aufrollung der Judenfrage unmittelbar hinter der Frontlinie beginnen und die Reinigungsaktion schrittweise nach Norden weitertreiben." [28]

Hinsichtlich der praktischen Durchführung der Aktion in Rom hatte Müller die Sorge, ob das mit den geringen Kräften und den eventuellen Warnungen von kirchlicher Seite glatt über die Bühne gehen würde. Diese Sorge erwies sich als unbegründet. Der Vatikan hatte keine Warnungen ausgegeben. Der unselige Goldcoup Kapplers und die Geheimhaltung Danneckers trugen ein Gutteil dazu bei. Auch mit den zur Verfügung stehenden Sicherheitskräften war es dank der abgeordneten Polizeikompanien nicht ganz so schlecht bestellt wie befürchtet. Die Liste Dannecker konnte abgearbeitet werden. Nur die zahlreichen Fluchtmöglichkeiten wegen schwacher Abriegelungen waren ärgerlich.

Die hochrangige Besprechung zwischen dem Außenamt-Vertreter Thadden und Gestapo-Chef Müller zeigt, dass man die große Schwachstelle in Italien deutlich gesehen hat: das praktische Unterlaufen von Judenaktionen vor Ort. Durch Warnungen und Einzelhilfe gingen sehr viele Juden durch die Lappen.

Hätte Papst Pius alle Hebel in Bewegung gesetzt, etwas von einer drohenden Judenrazzia zu erfahren, wenn er nur zwei und zwei zusammengezählt hätte, vorab gewarnt und für sichere Zufluchtsorte gesorgt hätte, wären die schlimmsten Befürchtungen in der Wilhelmstraße und der Prinz-Albrecht-Straße bestätigt worden. Es wäre zu einem zweiten „Dänemark" gekommen.

Erst Ende des Monats Oktober wird Weizsäcker erleichtert sein. Der Vatikan hatte sich ruhig verhalten. Es war nicht zu einer Karambolage gekommen. Am 28. Oktober schickte Weizsäcker beruhigt ein Telegramm nach Berlin: [29]

> Der Papst hat sich, obwohl dem Vernehmen nach von verschiedenen
> Seiten bestürmt, zu keiner demonstrativen Äußerung gegen den Ab-

transport der Juden aus Rom hinreißen lassen. Obgleich er damit rechnen muss, dass ihm diese Haltung von Seiten unserer Gegner nachgetragen und von den protestantischen Kreisen in den angelsächsischen Ländern zu propagandistischen Zwecken gegen den Katholizismus ausgewertet wird, hat er auch in dieser heiklen Frage alles getan, um das Verhältnis zu der deutschen Regierung und den in Rom befindlichen deutschen Stellen nicht zu belasten. Da hier in Rom weitere deutsche Aktionen in der Judenfrage nicht mehr durchzuführen sein dürften, kann also damit gerechnet werden, dass diese für das deutschvatikanische Verhältnis unangenehme Frage liquidiert ist.

Weizsäckers Hoffnung, dass künftig die Judenfrage in Rom keine Rolle mehr spielen würde und die heikle Frage nach einer Papstreaktion wohl „liquidiert" sei, war schon bei der Abfassung des Schreibens Makulatur. Die untergetauchten und umherirrenden Juden Roms wurden weiterhin von der Gestapo gejagt. Bis zur Befreiung der Stadt Anfang Juni 1944 werden noch einmal weit über eintausend Juden aufgriffen und ins KZ deportiert. Einige werden vor ihrem Abtransport den gewaltsamen Tod bei der Geisel-Massenerschießung in den Ardeatinischen Höhlen am 24. März finden.

Wegen der fortlaufenden Gefahr für die Juden blieb auch Pius XII. herausgefordert. Er musste sich nach der Razzia die alles entscheidende Frage stellen, ob er weitermachen wollte wie bisher. Sollte er sich dezent im Hintergrund halten und Berlin nicht auf die Füße treten? Sollte er der Judenverfolgung hier in Rom seinen Lauf lassen, weil er sowieso nichts dagegen tun konnte? Oder musste er aufstehen und sich vor die Juden stellen – ganz gleich was Hitler als Vergeltung tun würde?

Anfang August 1942

* * *

Beinah-Proteste und das Schicksal Edith Steins

Beim Krisengespräch am Samstagmorgen mit Botschafter Weizsäcker hatte Kardinalstaatssekretär Maglione die denkwürdigen Worte ausgesprochen (s.o.), „dass der Heilige Stuhl nicht genötigt werden dürfe, zu protestieren. Wann immer der Heilige Stuhl gezwungen sein sollte das zu tun, würde er sich hinsichtlich der Konsequenzen der göttlichen Vorsehung anvertrauen." Wo lag für Pius XII. die Grenze, an der er sich gezwungen sah seine Stimme zu erheben? Offensichtlich schien die Judenrazzia in seiner Stadt die rote Linie noch nicht zu überschreiten – trotz der klaren Ansage von Staatssekretär Maglione. Was musste passieren bis Pius keinen Schritt weiter ging und an der Reißleine seiner Schweigediplomatie zog?

In ihren Erinnerungen erzählte Schwester Pascalina Lehnert von einem merkwürdigen Vorfall gut ein Jahr vor der Judenrazzia in Rom. Zugetragen hatte er sich in der Küche des Apostolischen Haushaltes Anfang August 1942:[30]

> Man brachte die Morgenzeitungen in das Arbeitszimmer des Heiligen Vaters, der sich anschickte, zu den Audienzen zu gehen. Er las nur die Überschrift und wurde kreidebleich. Zurückgekehrt von den Audienzen – es war schon 13 Uhr und Zeit zum Mittagessen – kam der Heilige Vater, ehe er ins Speisezimmer ging, mit zwei großen, eng beschriebenen Bogen in der Hand in die Küche, wo die einzige Möglichkeit war, am offenen Feuer etwas zu verbrennen, und sagte: 'Ich möchte diese Bogen verbrennen, es ist mein Protest gegen die grauenhafte Judenverfolgung. Heute abend sollte er im Osservatore Romano erscheinen. Aber wenn der Brief der holländischen Bischöfe 40.000 Menschenleben kostete, so würde mein Protest vielleicht 200.000 kosten. Das darf und kann ich nicht verantworten. So ist es besser, in der Öffentlichkeit zu schweigen und für diese armen Menschen, wie bisher, in der Stille alles zu tun, was menschenmöglich ist.' – 'Heiliger Vater' erlaubte ich mir einzuwenden, 'ist es nicht schade, zu verbrennen, was Sie hier vorbereitet haben? Man könnte es vielleicht noch einmal brauchen.' – 'Auch ich habe daran gedacht', antwortete Pius XII., 'aber wenn man,

wie es immer heißt, auch hier eindringt und diese Blätter findet – und mein Protest hat einen viel schärferen Ton als der holländische –, was wird dann aus den Katholiken und Juden im deutschen Machtbereich? Nein, es ist besser, ihn zu vernichten.' Der Heilige Vater wartete bis die beiden großen Bogen vollständig verbrannt waren und verließ erst dann die Küche.

Schwester Pascalina spielt hier auf die tragischen Ereignisse in Holland im Sommer 1942 an. Die holländischen Bischöfe hatten sich gegen die angeordnete Maßnahme von Hitlers Statthalter Arthur Seyß-Inquart empört, im Juli 1942 systematisch mit der Deportation der Juden in den Niederlanden beginnen zu wollen. Gemeinsam mit anderen christlichen Kirchen schickten die katholischen Bischöfe am 11. Juli ein Protest-Telegramm an Seyß-Inquart. In diesem Telegramm[31] zeigte man sich „tief erschüttert" über die Anweisung, Männer, Frauen, Kinder und ganze Familien ins Deutsche Reich und die besetzten Gebiete zu deportieren: Weiter heißt es: „Das Leid, das dadurch über Zehntausende gebracht wird, das Bewußtsein, daß diese Verordnung dem tiefsten sittlichen Empfinden des Niederländischen Volkes widerstreiten, und vor allem das Widerstreiten dieser Verordnung gegen das, was Gott als Forderung der Gerechtigkeit und Barmherzigkeit aufgestellt hat, zwingt die Kirchen, an Sie die dringende Bitte zu richten, diese Verordnung nicht zur Ausführung zu bringen."

Statthalter Seyß-Inquart war nicht nur sehr ungehalten über dieses Telegramm, er war alarmiert. Er wollte unbedingt verhindern, dass die Kirchen diesen Protest öffentlich machten. Daher unterbreitete er den katholischen Bischöfen und den anderen Unterzeichnern noch im Juli ein aus seiner Sicht verlockendes Angebot: Wenn die Kirchen schweigen und ihren Protest vertraulich halten, werde man die christlich getauften Juden verschonen.[32]

Kein Abtransport von jüdischen Konvertiten, die Mitglieder einer Kirche geworden waren? Für Erzbischof De Jong von Utrecht und seine Mitbrüder war dieses Angebot nicht verlockend, sondern teuflisch. Verlangte der Reichskommissar tatsächlich, dass sie zur Rettung eigener Kirchenmitglieder die große Masse der Juden widerstandslos preisgeben sollten? Die Bischöfe erhoben im Namen des göttlichen Gebots der Gerechtigkeit und Barmherzigkeit ihre Stimme gegen ein Verbrechen an einer großen Menschengruppe. Durften sie da Unterschiede machen? Durften sie zur Rettung von ihnen nahestehenden Menschen eintreten und dafür die anderen bewusst ihrem Schicksal überlassen? Für Erzbischof De Jong war das keine Frage. Er stellte sich auf den Standpunkt: Wenn wir für die Juden eintreten, dann für alle und nicht nur für eigene Leute!

Alle katholischen Bischöfe in den Niederlanden schlossen sich diesem Standpunkt an.[33] Sie wollten keinen faustischen Pakt mit Seyß-Inquart schließen. Die Gläubigen im Lande mussten von der verwerflichen Maßnahme der deutschen Besatzungsmacht erfahren und vom bischöflichen Widerstand im Namen des Evangeliums. Am Sonntag, den 26. Juli, wurde in allen Kirchen das Protest-Telegramm an Hitlers Reichskommissar verlesen – zusammen mit einem kurzen Hirtenwort. Gleichzeitig ordneten die Bischöfe an, dass dieser Tag ein Buß- und Bettag in den Niederlanden sein sollte.[34]

Seyß-Inquart war sehr verärgert über den Kanzelprotest. In einer Besprechung mit seinen SS-Führern hob er die angebotene Rückstellung getaufter Juden auf und befahl ihre Deportation.[35] Der Befehlshaber der Sicherheitspolizei, SS-Oberführer (Oberst) Harster, bekam den Auftrag, die „katholischen Juden" festzunehmen und der Deportation zuzuführen. Gleichzeitig sollte Generalkommissar Fritz Schmidt am kommenden Sonntag auf einer Veranstaltung in Limburg die Repressalie öffentlich bekannt geben. Die Verhaftungsaktion startete am Sonntag, den 2. August, genau eine Woche nach dem Kanzelprotest. Betroffen war auch das Karmelkloster in Echt. Dort lebte seit über drei Jahren die jüdischstämmige Philosophin Edith Stein im Exil. Sie war 1933 in den Kölner Karmel eingetreten und hatte den Ordensnamen „Theresia Benedicta a Cruce" angenommen. Anfang 1939 siedelte Schwester Benedicta von Köln ins vermeintlich sichere Holland (Kloster in Echt) über. Ein halbes Jahr später kam ihre Schwester Rosa nach. Rosa war kein direktes Ordensmitglied (Tertiarin); sie wurde an der Pforte eingesetzt. Am späten Nachmittag des 2. August erschienen im Kloster zwei SS-Polizisten und fragten nach Edith Stein und ihrer Schwester.[36] Beide wurden aufgefordert sofort mitzukommen; nur fünf Minuten wollte man Schwester Benedicta geben, um aus der Klausur herauszukommen. Die Mutter Priorin war entsetzt und verhandelte mit der SS. Für Schwester Benedicta und Fräulein Rosa Stein sei der Wechsel in die Schweiz schon vorbereitet; der Karmel von La Pâquier wolle beide aufnehmen. Es würde nur noch die abschließende Reiseerlaubnis fehlen. Die SS wollte davon aber nichts wissen. Die beiden Frauen müssten jetzt sofort mitkommen. Es blieb nichts anderes übrig; Edith, Rosa und die Mutter Priorin mussten sich fügen.

Mit anderen verhafteten Konvertiten kamen Schwester Benedicta und Rosa zuerst in das Zwischenlager Amersfoort und einen Tag später in das neue Sammellager Westerbork. Vor dort fuhren die Züge in Richtung Osten ab. Am 7. August verließ ein großer Deportationszug Westerbork. Mit dabei waren Edith und Rosa Stein. Der Zug kam am 9. August in Auschwitz an. Dort verliert sich die Spur. Nach Recherchen des Auschwitzarchivs wurden die Geschwister Stein unmittelbar nach der Ankunft in die Gruppe für die Gaskammer in Birkenau eingeteilt. Das Todesdatum ist offiziell auf den 9. August festgesetzt worden.[37]

Schwester Pascalina spricht in ihrer Erinnerung von einer enorm hohen Anzahl von Vergeltungsopfern für den bischöflichen Protest: 40.000! Diese Zahl liegt weit über den tatsächlichen Verhaftungen katholischer Konvertiten. Der Utrechter Kirchenhistoriker Theo Salemink hat die Zahlen genau recherchiert und insgesamt 758 registrierte Katholiken jüdischer Herkunft in den Niederlanden ausgemacht. Davon wurden 245 verhaftet und letztlich 114 deportiert.[38] Als Pius XII. an dem Augustmorgen in einer Tageszeitung von der Vergeltungsaktion in Holland las, stieß er auf keine Zahl. Niemand wusste damals, wie viele katholisch getaufte Juden der SS-Rache zum Opfer fallen würden. Vermutlich gab es in verschiedenen Zeitungen kurze Notizen über die Rede von Generalkommissar Schmidt am 2. August in Limburg, in der er die Vergeltungsaktion öffentlich verkündigte. Zahlen nannte Schmidt mit Sicherheit nicht. Er wusste genau, dass nur ein paar hundert Juden in Frage kamen und nicht abschreckende Abertausende. Papst Pius war bestens mit den religiösen Zahlen-Verhältnissen in Europa vertraut. Er hatte dreißig Jahre diplomatische Erfahrung als Mitarbeiter im vatikanischen Staatssekretariat, als Außenminister des Papstes, als Nuntius in München und Berlin und als Kardinalstaatssekretär gesammelt. Wenn einer die geringe Konvertitenzahl von Juden gut schätzen konnte, dann er.

Offensichtlich hat sich Pius über die Vergeltung an sich erschreckt; die Höhe der Opfer war zweitrangig. Dass es überhaupt zu dieser Repressalie kam, reichte aus, um einen vorbereiteten Protest gegen die Judenverfolgung Berlins persönlich am offenen Herdfeuer zu verbrennen. Viele Verteidiger Pius XII. sehen in dem ganzen Vorfall den schlagenden Beweis dafür, dass der Papst notwendigerweise schweigen musste. Ein öffentlicher, scharfer Protest Pius XII. hätte Hitler zu unabsehbaren Vergeltungsreaktionen veranlasst. Nur durch kluge Zurückhaltung konnten schlimme Folgen verhütet werden. Doch das, was Pius *vor* seiner Küchenaktion tat, darf nicht einfach übersehen werden. An jenem Morgen in den Tagen nach dem 2. August kam er nicht in die Küche, um Schwester Pascalina die Notwendigkeit seines Schweigens darzulegen, sondern um etwas zu tun, nämlich einen ausformulierten Protest zu verbrennen. Noch am Tage wollte er ihn zur Veröffentlichung weitergeben.

Die beiden Blätter in der Hand Pius XII. sind so ungewöhnlich wie interessant. Was war in Papst Pius vorgegangen, dass er Anfang August 1942 seine Schweigediplomatie mit einem Paukenschlag aufgeben wollte? Die Abwägung »Für und Wider« hatte Pius schon hinter sich. Er überlegte nicht mehr, ob es opportun sei zu protestieren und ob er schlimme Folgen provozierte. Er hatte sich entschieden – so wie Erzbischof De Jong von Utrecht. Er wollte protestieren! Dass er im letzten Moment die Notbremse zog und seinen Protest in Asche verwandelte, kann man nicht mit der neuen Sachlage »Vergeltung in Holland« erklären. Auch schon vorher wusste Pius XII. um die Gefahr möglicher Repressalien. Dazu brauchte er keine Kenntnis über die tragischen Ereignisse in den Niederlanden. Schon am 13. Mai 1940 sagte er aufgebracht zum scheidenden Botschafter Mussolinis, Dino Alfieri, bei seinem Abschiedsbesuch:[39] „Wir müssten Worte des Feuers gegen solche Dinge schleudern [sc. Gräueltaten in Polen] und das einzige, was Uns hindert, das zu tun, ist das Wissen, dass Wir das Los der Unglücklichen noch verschlimmern würden, wenn Wir sprechen würden."

Vergeltungsangst und Vergeltungswissen bei Pius XII. hat auch der Holocaustinformant Don Scavizzi eindrucksvoll bestätigt. Während des zweiten geheimen Treffens im März 1942, bei dem Scavizzi von Massakern in der Ukraine und Polen berichtete, habe Pius erschüttert die Hände zum Himmel erhoben und gesagt:[40]

Sagen Sie allen, denen Sie es sagen können, ... dass ich mehrmals daran gedacht habe, den Nazismus mit dem Bannstrahl zu belegen, um die Bestialität der Vernichtung der Juden vor der zivilisierten Welt zu brandmarken. Wir haben von schwersten Drohungen der Vergeltung gehört, nicht gegen unsere Person, aber gegen die armen Söhne, die sich unter der nazistischen Herrschaft befinden. Durch verschiedene Vermittler sind eindringliche Bitten zu uns gelangt, dass der Hl. Stuhl keine drastische Haltung einnehmen möge. Nach vielen Tränen und vielen Gebeten bin ich zu dem Urteil gekommen, dass ein Protest von mir nicht nur niemandem nützen, sondern den wildesten Zorn gegen die Juden entfesseln und die Akte der Grausamkeit vervielfältigen würde, denn diese Menschen sind vollkommen wehrlos. Vielleicht hätte ein feierlicher Protest mir von der zivilisierten Welt ein Lob eingetragen, aber er hätte den armen Juden eine noch unversöhnlichere Verfolgung gebracht, als die es ist, unter der sie leiden.

Obwohl Pius von einem moralischen Urteil sprach, keinen Aufschrei wagen zu können, entschied er sich ein paar Monate später um. Anfang August formulierte er doch einen Protest und war fest entschlossen, ihn zu veröffentlichen. Der erneute Rückzieher vereitelte dann das Vorhaben.

Wie oft Pius nahe dran war, sein Schweigen aufzugeben und wieder neu überlegte, doch lieber zu schweigen, kann man nur vermuten. Kurienkardinal Eugène Tisserant, der guten Kontakt zu Pius XII. hatte, bestätigte in einem Interview mit *Tablet*, dass Pius mehrfach hin und her schwankte.[41] Auf die Frage, ob der Papst einen Protest gegen die Judenvernichtung vorhatte, antwortete Tisserant: „Ich denke das nicht nur, ich bin darüber sehr sicher. Mehr als einmal erwog er die Umstände und war am Punkt angelangt, die Tragödie öffentlich anzusprechen." Tisserant verwies auf ein Beispiel im Sommer 1942. Während einer Audienz mit einer deutschen Gruppe habe sich Pius entschlossen, sehr scharf und auf Deutsch die Verbrechen der Nazis und den Rassismus zu verdammen. Doch wenige Stunden vor der Audienz habe Pius seinen Text noch einmal genau gelesen und überdacht. Emotional engagiert trug er die Ansprache auch einer ihm nahestehenden Person vor. Dann plötzlich legte er die Seiten weg und sagte wörtlich: „Ich habe die Pflicht, die Dinge zu vereinfachen, nicht zu komplizieren." Er wollte die Opfer vor einem verrückten Nazi-Diktator retten, kommentierte Tisserant.

Nach dem August 1942 ist Pius XII. vorsichtiger geworden. Im Oktober 1942 gab er eine schmale Erklärung an die US-Regierung zur eigenen Holocaustkenntnis heraus und in der Weihnachtsansprache 1942 spielte er nur dürftig auf die Rassenopfer im Krieg an. Entschuldigend sagte Pius zu Pater Paolo Dezza SJ, dem damaligen Rektor der Päpstlichen Universität

Gregoriana: „Man beklagt, dass der Papst nicht spricht. Aber der Papst kann nicht sprechen. Wenn er es täte, würde die Situation schlimmer werden."[42]

Pius' alter Freund, Bischof Konrad von Preysing in Berlin, war sehr unzufrieden mit dem schwachen Weihnachtswort. In einem Brief bat er Pius, doch deutlicher für die Juden einzutreten. Gerade jetzt würde in Berlin eine letzte große Deportationswelle stattfinden. Der Papst dürfe die zunehmende Judenverfolgung im Reich nicht kleinreden, er müsse klare Worte finden. In seinem Antwortschreiben vom 30. April 1943[43] versuchte Pius zu erklären, warum er vorsichtig agieren müsse. Als Papst habe er unparteiisch zu bleiben. Er dürfe den Konflikt nicht durch einseitige Stellungnahmen verschärfen. Die Bischöfe vor Ort dagegen könnten und sollten entscheiden, was an Widerstand möglich sei und was nicht:

> Den an Ort und Stelle tätigen Oberhirten überlassen Wir es, abzuwägen, ob und bis zu welchem Grade die Gefahr von Vergeltungsmaßnahmen und Druckmitteln im Falle bischöflicher Kundgebungen sowie andere vielleicht durch die Länge und Psychologie des Krieges verursachten Umstände es ratsam erscheinen lassen, trotz der angeführten Beweggründe, ad maiora mala vitanda Zurückhaltung zu üben.

Ad „maiora mala vitanda", das heißt, um größere Übel zu verhüten, das war für Pius XII. die Leitlinie beim Abwägen der Faktoren. Ein paar Wochen später nannte er dieses Prinzip auch dem Kardinalskollegium in Rom. In der Ansprache vom 2.6.1943 sagte er: „Jedes Wort, […] und jede Unserer öffentlichen Kundgebungen musste von Uns ernstlich abgewogen und abgemessen werden im Interesse der Leidenden selber, um nicht ungewollt ihre Lage noch schwerer und unerträglicher zu gestalten."[44]

Gab es einen Ausweg aus diesem Dilemma? Von Pius selbst wissen wir, dass ihm das Abwägen »Für und Wider« ungeheuer schwer fiel. Im eben genannten Brief an Bischof Preysing in Berlin gestand er:[45] „Für den Stellvertreter Christi wird der Pfad, den er gehen muß, um zwischen den sich widerstreitenden Forderungen seines Hirtenamtes den richtigen Ausgleich zu finden, immer verschlungener und dornenvoller." Angesichts der außergewöhnlichen Grausamkeiten in diesem Krieg sei die Linie der Unparteilichkeit kaum durchzuhalten.

Ähnlich formulierte es Pius in persönlichen Briefen an andere deutsche Bischöfe. Ende Januar 1943 schrieb er an Kardinal Michael Faulhaber in München:[46] „Der gegenwärtige Krieg hat für den Heiligen Stuhl eine unsagbar schwierige Lage entstehen lassen, in der eine Unsumme von politischen und religiös-kirchlichen Fragen sich in steigendem Masse und für den Uneingeweihten kaum mehr übersehbar gegenseitig überschneiden und durchkreuzen." In einem Brief an Erzbischof Josef Frings von Köln (3. März 1944), klagte er von der „schier unentwirrbare[n] Verschmelzung von politischen und weltanschaulichen Strömungen, von Gewalt und Recht (im gegenwärtigen Konflikt unvergleichlich mehr als im letzten Weltkrieg), sodass es oft schmerzvoll schwer ist, zu entscheiden, ob Zurückhaltung und vorsichtiges Schweigen oder offenes Reden und starkes Handeln geboten sind."[47] Und im Brief (9.2.1944) an den Passauer Bischof Simon K. Landersdorfer bemerkte Pius:[48] „Was Uns aber noch unvergleichlich mehr bestürzt, ist der unauflösliche Gegensatz, das Sichüberkreuzen von zwei, drei sich widersprechenden Richtungen in politischen und kirchlich-religiösen Fragen, die der Krieg aufwirft, und die Notwendigkeit für den Heiligen Stuhl, sich in vorsichtiges Schweigen zu hüllen, wo an sich energisches Handeln geboten wäre, und dies dauert schon einige Jahre an, wenn man die Gesamtheit aller Katholiken in den verschiedenen Ländern berücksichtigt."

Offensichtlich spürte Pius XII. sehr genau, auf welch unsicherem Fundament sein Schweigen stand und wie ambivalent er das Abwägen aller Faktoren vornahm.[49] Von daher wundert es nicht, dass er bei der Frage »protestieren oder schweigen« öfters hin- und her schwankte.

Erklären die vielfältigen Bedenken und die Unsicherheit Pius XII., warum er sich bei der Judenrazzia so sehr im Hintergrund hielt? Sah er überhaupt noch Handlungsmöglichkeiten?

Pater Paolo Dezza, der in einer Rede 1964 den oben erwähnten Satz Pius XII. über das „Nicht-reden-können" überlieferte, sagte am Ende seiner Ausführungen, dass man zwei Dinge auseinanderhalten müsse: zum einen das ehrenwerte Motiv von Pius, Schlimmeres zu verhüten, zum anderen die sachliche Debatte darüber. An der gewissenhaften Absicht Pius XII. sei nicht zu zweifeln, so Dezza. Doch historisch müsse man die Frage stellen, ob dieses Motiv der damaligen Situation angemessen war. Vermutlich hätte der Vorgängerpapst Pius XI. anders entschieden, meinte Dezza.

Wie eine andere Entscheidung aussehen konnte, machten Erzbischof De Jong und seine Mitbrüder in den Niederlanden vor. De Jong hat die Vergeltung weder blind noch naiv provoziert. Ihm und den anderen Bischöfen war klar, dass den katholisch getauften Juden Unheil drohte – wie der großen Masse aller Juden. Beide Gruppen saßen gemeinsam in einem Boot. Hitlers Statthalter Seyß-Inquart ließ es auf einen Abgrund zusteuern. In dieser Situation haben sich die Bischöfe moralisch verpflichtet gesehen, keinen Unterschied zu machen. Sie mussten für alle in diesem Boot eintreten und nicht nur für eigene Leute. Das war ethisch korrekt entschieden. Der Kirchenhistoriker Salemink, der die Vorgänge im Juli-August 1942 recherchierte, kommt zu demselben Schluss.[50] Ausdrücklich verweist er auch darauf, dass die Bischöfe ihren Protest nachträglich rechtfertigten und dass Erzbischof De Jong im Frühjahr und Frühsommer 1943 erneut Protestaktionen startete – alles im Wissen um die Vergeltung und evtl. neuer Vergeltungen.

Selbst die verhaftete Edith Stein lehnte es noch kurz vor ihrer Deportation aus Westerbork ab, Sonderrechte für sich in Anspruch zu nehmen. Ein Mithäftling, der in der Lagerverwaltung tätig war, bot ihr an, etwas für ihre Rettung zu tun. „Tun Sie das nicht, warum soll ich eine Ausnahme erfahren. Ist dies nicht gerade Gerechtigkeit, daß ich keinen Vorteil aus meiner Taufe ziehen kann? Wenn ich nicht das Los meiner Schwestern und Brüder teilen darf, ist mein Leben wie zerstört", war ihre Antwort.[51] Und zu einem andere Angestellten des Judenrates im Lager sagte sie: „Wir fügen uns wieder zu den Brüdern und Schwestern unseres Volkes in der Stunde ihrer Not, und vielleicht können wir ihnen helfen."[52]

Nach der Razzia am Samstag war es noch nicht zu spät für eine kraftvolle Rettungsaktion. Oder glaubte Pius XII. wie Christus am Kreuz gebunden zu sein und nur leiden zu können?[53]

6. Allein gelassen

17. Oktober 1943

* * *

Hilfe?

Die verhafteten Juden im Collegio hatten keine Möglichkeit von draußen Hilfe zu erbitten. Ihnen blieb nichts anderes übrig als zu warten. Vielleicht würde es dem einen oder anderen gelingen Versorgungsgüter oder Nachrichten zu überbringen. Jene, die das Glück hatten, der Razzia zu entkommen, quälte das Schicksal der Gefangenen. Was würde sie erwarten? Würden sie in den nächsten Stunden schon abtransportiert? Wohin? Würde man sie je wieder sehen? Viele blickten angespannt zum Vatikan. Wenn jetzt einer noch helfen konnte, dann Papst Pius.

Bei humanitärem oder religiösem Interesse war der Hl. Stuhl stets bereit, in begründeten Einzelfällen zu intervenieren – was christlich selbstverständlich ist. Man könnte annehmen, dass es für den Bischof von Rom und „Schutzherrn" der jüdischen Gemeinde genug humanitär-religiöse Gründe für jeden Einzelnen der über eintausend gefangenen Juden unten am Tiber gab. Doch das Diktat der diplomatischen Zurückhaltung und des offiziellen Schweigens hatte nicht nur tragische Folgen für den Lauf der Razzia, sondern auch für die konkrete Hilfeleistung gegenüber den Opfern.

Von den Bedingungen im Collegio ließ sich Papst Pius nicht aus erster Hand unterrichten. Er hielt sich zurück und setzte auf seine diplomatischen Schritte. Das schien ihm für die Situation angemessen.

So kam es, dass nur aufgrund der Bitte von dritter Seite ein gewisser Don Igenio Quadraroli aus dem Staatssekretariat dem Collegio einen kurzen Besuch abstattete. Eine oder mehrere unbekannte Personen hatten Don Quadraroli gebeten, für bestimmte Leute Nahrungsmittel zu überbringen. Unmittelbar nach seinem Besuch am Sonntagvormittag verfasste er einen Bericht an den Substituten Mgr. Montini:[1]

Quadraroli schrieb, dass es ihm durch Fürsprache dritter Personen gelungen sei, einen Blick ins Collegio zu werfen und ein Lebensmittelpakt für eine bestimmte Person zu hinterlassen. Wer diese Fürsprecher waren, die sich für den Priester einsetzten, wer ihm das Paket für einen Gefangenen überreichte und wer ihn geschickt hatte, notierte Don Quadraroli nicht. Er berichtete aber über die Zustände, die ihm vor Augen kamen. Sprechen durfte er mit niemandem:

„Ich habe sie von Ferne gesehen, wie sie in den Hallen kauerten und sie Schlange standen nach Brot. Ich bemerkte, wie eine arme Frau Zeichen an eine SS-Wache gab; ihr kleines Kind müsse auf die Toilette. Ich sah wie die Wache das streng ablehnte. Ich sah ebenfalls, wie ein Auto mit medizinischem Personal vom [Krankenhaus] S. Spirito herausfuhr. Man hatte sie zur Versorgung von verprügelten Menschen gerufen. Beim Hinausgehen bemerkte ich eine arme Frau, die Frühgeburtswehen litt.

Kurz darauf traf ich eine Hebamme vom Krankenhaus, die notfallmäßig gerufen wurde. Sie fragte mich, wie ich es geschafft habe, hier hereinzukommen. Es scheint, wie einige Außenstehende sagen, die die Internierten kennen, dass sich hier auch getaufte, gefirmte und katholisch verheiratete Personen befinden."

Dieser kurze Bericht ist erschütternd. Eine Reaktion oder Antwort Montinis gab es nicht – danach auch keinen offiziellen Sondergesandten. Zu keinem Zeitpunkt ließ Pius XII. deutsche Stellen kontaktieren, um für die Gefangenen im Collegio Militare wenigstens Erleichterung zu erreichen. Man hielt es wohl für besser, sich bedeckt zu halten, um die Situation und die Diplomatie mit der Vatikanbotschaft nicht zu verkomplizieren.

In einem Punkt allerdings wurde das Staatssekretariat tätig. Ausschlaggebend war wohl die Bemerkung Don Quadrarolis, dass sich auch getaufte und katholisch verheiratete Personen unter den gefangenen Juden befänden. Bis zum nächsten Tag erstellte man eine Liste von insgesamt 29 Personen, für die es „ein besonderes Interesse" gab. Am Montagabend wurden die Namen Botschafter von Weizsäcker überreicht.[2] Da war es freilich schon zu spät. Der Zug war unterwegs. In Rom konnte Weizsäcker nichts mehr tun, vorausgesetzt, er wollte überhaupt etwas tun. Am Samstag hatte er beim Krisengespräch mit Kardinal Maglione deutlich gesagt, dass er sich nicht in eine von höchster Stelle befohlene SS-Aktion einmischen könne und wolle. Allenfalls über das Außenamt in Berlin hätte Weizsäcker ein besonderes päpstliches Interesse für die 29 Juden anmelden können. Das ist aber nach Aktenlage nicht geschehen.

Verstand das Staatssekretariat unter „besonderem Interesse" getaufte und kirchlich verheiratete Juden? Eine genaue Erklärung fehlt. Vier Tage später wird man fünf weitere Personen Botschafter Weizsäcker melden und der Liste hinzufügen. Da es sich bei diesen eindeutig um getaufte Juden handelt, wie aus einer Notiz des Staatsekretariats zu entnehmen ist, dürften das die anderen auch gewesen sein.[3] Woher hatte man die Namen der Verhafteten? Die offizielle Zählliste war SS-intern und stand allein Dannecker und Kappler zur Verfügung. Vielleicht meldeten Priester aus Pfarrgemeinden einzelne Namen oder Angehörige hatten sich direkt an den Vatikan gewandt. Womöglich lagen im Vatikan auch Listen von konvertierten und getauften Juden Roms. In diesem Fall konnte man aber nur vermuten, dass die Betroffenen in die Fänge der SS geraten waren.

Die Beschränkung auf die insgesamt 34 Personen war problematisch. Wie wollte man das bevorzugte päpstliche Interesse an der Freilassung jener rechtfertigen? Ihre Namen waren mehr oder weniger zufällig bekannt geworden. Doch alle der rund eintausend Verhafteten waren in derselben Lage und derselben Todesnot. Konnte man guten Gewissens für 34 eintreten und rund tausend andere übergehen?

17. Oktober – vormittags

* * *

Ein brisantes Dokument

Während der Razzia hatten die römischen Juden gehofft, dass der Papst ins Räderwerk der Deutschen eingreifen würde. Er war sicherlich zeitnah über die angelaufene Razzia unterrichtet worden! Doch es geschah nichts an dem Samstag. Ungestört hatte die SS eine jüdische Familie nach der anderen abgeholt. Die Soldaten waren erst aus dem Ghetto verschwunden, nachdem sie die letzte Wohnung auf ihrer Liste durchsucht und geräumt hatten. Das gleiche galt für die fliegenden Kommandos in den Straßen Roms.

Am nächsten Tag blickten die Juden, die sich verbergen konnten, sehnsuchtsvoll auf den Vatikan. Alle, die am Vortag erwischt worden waren von der SS, waren noch in der Stadt. Schnell hatte sich herumgesprochen, dass die vielen hundert Menschen im Collegio Militare am Tiberufer zusammengepfercht waren. Das musste auch dem Vatikan bekannt sein. Solange sie noch dort waren, konnte der Papst für sie eintreten, konnte sie retten. Waren sie erst einmal abtransportiert, würde sie niemand mehr zurückholen können. Die Zeit drängte. Jede Stunde, die verstrich, gab der SS länger Gelegenheit die Deportation vorzubereiten und durchzuführen.

In dieser angespannten und hilflosen Situation wandte sich eine Gruppe jüdischer Familien direkt an den Papst. Die Familien waren der Razzia entkommen und in Verstecken untergetaucht. Sechs Männer und eine Frau traten als ihre Sprecher auf. Gemeinschaftlich verfassten sie einen bewegenden Hilferuf direkt an Pius XII. Die Sprecher und ihre Familien baten nicht für sich selbst oder für andere abgetauchte Juden in der Stadt. Eindringlich erflehten sie Hilfe für die im Collegio Militare gefangenen Juden. Der Pontifex dieser Stadt und des Erdkreises müsse sofort mit seiner ganzen Autorität handeln. Die Deportation der Menschen drohe von einem Moment zum anderen.

Der Brief wurde am Sonntagmorgen, den 17. Oktober, in einem Versteck geschrieben. Er ist säuberlich auf der Schreibmaschine getippt und knapp eineinhalb Seiten lang. Handschriftlich signiert haben: Angelo Piperno, Mario Mieli, Ugo di Nola, Giacomo Pontecorvo, Giulia Piperno Pontecorvo, Andrea Ricardelli und Tullio Di Veroli. Stilistisch ist das Schreiben in einem gedrechselten Italienisch gehalten. Und man gab sich große Mühe, den Papst mit „höfischen" Wendungen ansprechen. Zwei der Unterzeichneten waren Rechtsanwälte. Noch am Sonntag wurde der Brief heimlich zum Vatikan gebracht und im Staatssekretariat übergeben.

Der gemeinschaftliche Hilferuf direkt an Pius XII. ist ein außergewöhnliches Zeugnis. Es belegt, wie intensiv die Juden auf päpstliche Rettung hofften und wie untätig Pius XII. blieb vor der größten Herausforderung seines Pontifikats.

In der offiziellen vatikanischen Aktensammlung zum zweiten Weltkrieg sucht man vergeblich nach dem Hilferuf. Die herausgebenden Vatikanhistoriker hatten allen Grund, den Brandbrief nicht zu veröffentlichen. Der Vorgang ist zu peinlich. In ADSS wird nicht einmal ein einziger Satz aus dem Brief zitiert. Nur in einer Fußnote wird kryptisch der Hinweis auf ein kollektives Schreiben israelitischer Familien gegeben.[4] Nähere Angaben werden nicht gemacht: keine Bemerkung zum Inhalt und nichts zum Adressaten. Indirekt erschließen kann der Leser nur, dass es sich hier um irgendeinen Bittbrief handeln muss.

Das Dokument ist nach wie vor im Archiv des vatikanischen Staatssekretariats unter Verschluss. Wegen der allgemeinen Archivsperre ab 1939 gibt es für den Historiker keine reguläre Möglichkeit, den jüdischen Hilferuf einzusehen. Dennoch ist es mir gelungen eine vollständige Kopie des brisanten Briefes in die Hände zu bekommen.[5] Ich danke mehreren Personen, die „außerhalb des Dienstweges" mein Anliegen freundlich unterstützten.

Im Anhang des Buches dokumentiere ich das italienische Original als Faksimile. In Übersetzung lautet der vollständige Text:

Heiliger Vater,
Einer großen Gruppe von nahen Angehörigen israelitischer Familien ist es bis heute gelungen, sich den tragischen Maßnahmen durch die deutsche Besatzungsautorität zu entziehen. Wie Eurer Heiligkeit zweifellos bekannt ist, wurden gestern Nacht und gestern Vormittag Alte, Kranke, Frauen, Kinder und Säuglinge, schuldig nur wegen ihrer jüdischen Religionszugehörigkeit, in ihren Häuser verhaftet. Wir erflehen im Namen der Barmherzigkeit Eurer Heiligkeit, im Rahmen des Möglichen, Ihre sofortige und erhabene Intervention zur Linderung der

Leiden, der verlorenen Verhafteten und der gequälten Familien. Als Vater aller vertreten Sie über allen religiösen Glauben hinweg alle ihre Söhne.

Wir wagen nicht Eurer Heiligkeit vorzuschlagen, welches Mittel in diesem tragischen Moment am besten geeignet sein könnte, um den gequälten Seelen zu helfen, die zu Hunderten im alten Collegio Militare an der Via della Lungara gesammelt sind. Von einem Moment zum anderen ist ein Abtransport an einen unbekannten Ort zu befürchten. Wir flehen deshalb, dass Sie diese äußerst beängstigende Maßnahme verhindern und dass es uns möglicherweise erlaubt wird, wenigstens Nachrichten von den Verhafteten zu bekommen oder Kleidung, Nahrung und anderes, was am notwendigsten fehlt, zu überreichen.

Unter den betroffenen und leidenden Unterzeichner dieses Appells gehören unter anderen die Kinder des verstorbenen Professor Comm. Settimio Piperno (eng verwandt mit der Familie Mieli, wohnhaft in der Via Padova 43, zu denen zwei Kinder von sechs und drei Jahren gehören, die Opfer der harten Maßnahme geworden sind). Eure Heiligkeit können sich vielleicht an die enge Freundschaft erinnern, die ihren Vater Comm. Filippo, ehrenden Andenkens, mit Prof. Piperno verband. Er war auch viele Jahre Kollege im Stadtrat von Rom. Sollte nicht diese Erinnerung, auch wenn die Verbindung nur schwach und lange her ist, wenn möglich, das unbegrenzte und großmütige Mitleid Eures weiten und erbarmungsvollen Herzens stärken.

Deswegen appellieren die Unterzeichneten vertrauensvoll und erwarten getrost Ihre päpstliche Intervention.

Mit unvergesslicher Dankbarkeit,
Eurer Heiligkeit ergebenst

Rom 17. Oktober 1943

[Hier handschriftlich die oben genannten Personen]

Der verzweifelte Appell berührt sehr. In der historischen Stunde schwerster Bedrohung der jüdischen Gemeinde Roms erflehten die Schreiber nicht nur von Pius XII. als dem großherzigen „Vater für alle" eine Intervention im Namen der Barmherzigkeit, sondern sie erinnerten Pius auch an alte Familienbeziehungen. Sie sprachen als Römer den Römer Eugenio Pacelli an. Dessen Vater Filippo Pacelli sei auch freundschaftlich eng mit Settimio Piperno verbunden gewesen, dem Vater von zwei Unterzeichneten des Briefes.

Die Hilferufenden machten eine klare Ansage: Papst Pius muss sofort eingreifen! Er muss noch an diesem Sonntag den befürchteten Abtransport der römischen Juden verhindern. Trotz des Zeitdrucks und der akuten Gefahr blieben die Absender „realistisch". Sie drängten Pius nicht, auf Biegen und Brechen die Verhafteten zu befreien. Die Formulierung im Schreiben, dass sie es nicht wagen Pius im Rahmen des Möglichen das am besten geeignete Mittel vorzuschlagen, ist mehr als Höflichkeit. Den Hilfesuchenden ist klar: Papst Pius unterliegt Einschränkungen; er kann Berlin in freier Mittelwahl nicht einfach zwingen, die Juden freizulassen oder nur ihre Deportation auszusetzen. Aber die Briefsschreiber zweifeln nicht daran, dass sie dem Pontifex zutrauen, überhaupt etwas unternehmen zu können. Als Papst habe er gewiss die Macht, für die Menschen im Collegio wirksam einzutreten; er müsse nur ernsthaft wollen. Vorauseilend bedanken sich die Absender schon für die erwartete Hilfe.

Es ist nicht bekannt, um wie viel Uhr der Brandbrief zum Vatikan kam und wer ihn entgegengenommen hatte. Später als früher Nachmittag dürfte es kaum gewesen sein. Papst Pius sah in der Regel abends wichtige Papiere und Korrespondenzen durch, die ihm immer aktuell zusammengestellt wurden. An Werktagen kam noch die Morgenaudienz meistens mit dem Substituten Mgr. Montini dazu. An diesem Sonntag nach der Razzia sah Pius den Brief noch nicht. Er wurde ihm von Montini erst bei der Morgenbesprechung Montagfrüh (18. Okt.) vorgelegt.

Nach allem, was man über die akribische Arbeitstechnik von Pacelli weiß, las er den Brief gewiss Zeile für Zeile durch.[6] Ironie des Schicksals: Ein paar hundert Meter weiter lief zu diesem Zeitpunkt der Transport der verhafteten Juden vom Collegio zum Deportationsbahnhof Tiburtina und weiter nach Auschwitz. Die Befürchtung im Brief, dass jeden Augenblick eine Deportation drohe, wurde gerade Realität. Zwar war die späte Vorlage des Briefes nicht Pius' Schuld, aber er hatte es versäumt, die Judenrazzia in seiner eigenen Diözese sofort zur Chefsache zu machen. Hätte er eilig alle Fäden bei sich zusammenlaufen lassen und alle Entscheidungen bei sich gebündelt, wäre der Brief früher in seine Hände gelangt. Das hätte in der Sache allerdings nichts geändert.

Nach der Lektüre des Briefes wies Pius seinem Substituten[7] knapp an: „Wissen lassen, dass man tue, was man kann." Tun, was man tun kann? Offensichtlich klingelten selbst am dritten Tag nach der Razzia und nach Vorlage dieses flehentlichen Appells versteckter Juden immer noch keine Alarmglocken bei Pius XII. Er hielt sich weiterhin persönlich raus. Mehr als seine vorsichtige und sehr enggehaltene Auftragsdiplomatie vom Samstag wollte er nicht riskieren. Pius blieb untätig.

So nahm der Verwaltungsvorgang seinen Lauf. Ein Mitarbeiter im Staatssekretariat notierte zwei Tage später am 20. Oktober: „Im Bittschreiben ist nirgendwo eine Adresse angezeigt. Daher ist es nicht möglich zu antworten."[8] Was für eine seltsame Bemerkung. Natürlich wollten und mussten die Briefschreiber anonym bleiben. Das hätte auch Pius wissen müssen als er Mgr. Montini die Weisung gab, den Leuten mitteilen zu lassen, das man ja schon was unternommen habe. Die Briefschreiber waren mit ihren Familien in Rom untergetaucht. Eine Absenderadresse wäre ein zu hohes Risiko gewesen. Außerdem verlangten die Sprecher keine Korrespondenz mit sich. Sie baten stellvertretend für die über eintausend Gefangenen im Collegio Militare. Deren Adresse war klar – gerade zwei Autominuten vom Apostolischen Palast entfernt. Um diese sollte sich der Pontifex Roms kümmern.

Gab es an diesem Montagvormittag für einen Papst etwas Wichtigeres als alle Hebel in Bewegung zu setzen, um die Juden Roms zu retten? Jetzt war die letzte Gelegenheit nachzuholen, was am Samstag und Sonntag versäumt wurde.

Der erste Schritt wäre die erneute Alarmierung von Botschafter Weizsäcker gewesen. Das Ultimatum vom Samstag stand noch im Raum. Pius hätte zudem unverzüglich seinen Nuntius in Berlin kontaktieren können, damit er sofort interveniere. Auch ein Kontakt zum Hauptquartier Feldmarschall Kesselrings, zur SD-Dienststelle Kappler in der Via Tasso und zum Stadtkommandanten General Stahel war angezeigt. Den militärischen Befehlshabern und der SS-Dienststelle musste Pius unmissverständlich klarmachen, dass er eine Deportation der Juden auf keinen Fall hinnehmen werde. Gegenüber Berlin hätte Pius entschlossen auftreten müssen. Um die Razziajuden zu retten, musste er ohne Wenn und Aber signalisieren, dass er sich schützend vor die jüdische Gemeinde Roms stellt, notfalls weltöffentlich. Das Berliner Außenamt – und letztlich Hitler – hätten dann die schwere Entscheidung treffen müssen, ob sie wegen der römischen Juden eine unabsehbare Konfrontation mit dem Vatikan, der katholischen Kirche weltweit und eine internationale Empörung eingehen wollten.

Je früher Pius die rote Linie gezogen hätte, desto eher hätte Berlin nachgeben können – zähneknirschend. Das gilt besonders für die Vorbereitungsphase der Razzia seit Mitte September. Pius war sehr gut über die laufenden Deportationen im besetzten Europa informiert gewesen. Aufgrund seines umfangreichen Wissens war ihm klar, dass Hitler nach der Machtübernahme in Rom die Juden dieser Stadt verlangen würde. Pius hatte fünf Wochen Zeit gehabt, um schon im Vorfeld der Razzia zu handeln. Doch er ließ die Zeit untätig verstreichen.

Als Ultima Ratio blieb die persönliche Intervention am Deportationsbahnhof. Wäre Papst Pius mit Kurienvertretern und Botschafter Weizsäcker zum Bahnhof gefahren und mit seiner ganzen Autorität dort aufgetreten, hätte niemand dagegen etwas tun können. In einem Interview habe ich Erich Priebke in Rom eigens auf diese Möglichkeit angesprochen und um seine Meinung gebeten.[9] Der ehemalige stellvertretende SS-Chef und engste Mitarbeiter Kapplers sagte frank und frei, dass der Verladeoffizier Dannecker am Bahnhof nichts gegen den Papst hätte unternehmen können. Ihm wäre nur die sofortige Meldung an seine Vorgesetzten übriggeblieben. Die Information, dass der Papst am Bahnhof den Zug aufhielte, hätte Dannecker an das Reichssicherheitshauptamt zu Eichmann und dessen Chefs Gestapogeneral Müller und Amtsleiter Kaltenbrunner telegrafieren müssen. Zeitgleich wären General Harster in seiner Eigenschaft als BdS in Italien, General Wolff als oberster Polizeiführer für Italien und SD-Chef Kappler informiert worden. Letztlich hätte Berlin entscheiden müssen, was geschehen sollte, so Priebke. Eichmann, Müller und Kaltenbrunner waren keine diplomatischen Entscheidungsträger. Dafür brauchten sie Weisungen von Regierungsseite. Im Falle Rom und Papst konnte nur Hitler definitiv entscheiden.

Hätte Papst Pius an diesem Montag alle Hebel in Bewegung gesetzt und wäre er sogar selbst am Bahnhof aufgetaucht, um die Abfahrt des Zuges zu unterbinden, hätte er die Juden Roms retten können. Ohne ausdrücklichen Befehl von Hitler konnte man vor Ort nicht gegen den Papst vorgehen. Der Vatikan war von Berlin als neutraler Staat diplomatisch anerkannt, und der Papst genoss als „Staatsoberhaupt" international garantierte

Gegen die Autorität Pius XII. am Bahnhof Tiburtina hätte nur Hitler vorgehen können.

(Foto aus: Pio XII, Libreria Ed. Vaticana, von M. Marchione, S. 163)

Immunität. Um Gewalt gegen den Papst einzusetzen, brauchte man den Befehl vom Führer. Bei einer deutlichen diplomatischen Kampfansage an dem Montag hätte Pius XII. Hitler die Botschaft geschickt: »Die Juden kommen frei oder du musst mich mit ihnen deportieren!«

Es ist zwar unwahrscheinlich, dass Hitler überstürzt Gewalt gegen Papst Pius befohlen hätte, aber es war denkbar. Sein Plan einer Vatikanbesetzung und Verhaftung des Papstes war zu diesem Zeitpunkt noch aktuell. Wäre es dazu gekommen, hätte Pius XII. ein wahres Zeugnis heroischer Tugend gegeben: Schutz der Juden Roms mit seinem Amt und seinem Leben!

16. Oktober – abends

* * *

Die Vollzugsmeldung der SS

Am Abend des 16. Oktober verfassten Hauptsturmführer Dannecker und SS-Chef Kappler eine Meldung über die stattgefundene Razzia. Die beiden gaben zu Protokoll, dass die Judenaktion in Rom ordnungsgemäß durchgeführt wurde und dass nach einer Identitätsüberprüfung rund eintausend Personen zur Deportation bereitstünden. Dieses Telegramm gilt als ein bedeutendes Dokument für die Shoa in Italien und speziell der römischen

Judenrazzia. Es ist vollständig erhalten geblieben und wird im Bundesarchiv verwahrt.

Die Vollzugsmeldung wurde als geheimer und verschlüsselter Funkspruch am Sonntag, den 17. Oktober, um 11.15 Uhr aus der Via Tasso ins Amt VI. (SD-Ausland) an das Reichssicherheitshauptamt in Berlin abgeschickt. Die Meldung trägt die Unterschrift von Kappler. Einen Tag später wird der vollständige Wortlaut von Berlin aus an den höchsten SS- und Polizeiführer in Italien Wolff zur Kenntnisnahme weitergeleitet.

Wörtlich lautet es (Schriftbild beibehalten):[10]

Dringend : Geheim !

SS-Obergruppenführer
u. General der Waffen-SS Wolff   Sofort vorlegen !

z.Zt. H o c h w a l d .

Obergruppenführer !
    Aufträge an SS-Obersturmbannführer Kappler. Rom befehlsgemäss durchgegeben. SS. Ostubaf. K. meldet:

1.)   SS-Brigadeführer H a r s t e r ist Sonnabend abend in Rom eingetroffen und gedenkt bis Dienstag abend, evtl. bis Mittwoch früh zu bleiben.
2.) Ist von K. Sonntag 11,15 durch Funk Meldung über Judenaktion an Amt VI (sechs) E durchgegeben worden. Erkundeter Wortlaut nachstehend.

3.) Lage im Allgemeinen unverändert.

Wortlaut des Funkspruches SS-Ostubaf. Kappler aus Rom vom 17.10. 11,15 Uhr:

Judenaktion heute nach büromässig bestmöglichst ausgearbeitetem Plan gestartet und abgeschlossen. Einsatz sämtlich verfügbarer Kräfte der Sicherheits- und Ordnungspolizei. Beteiligung der italienischen Polizei war in Anbetracht der Unzuverlässigkeit in dieser Richtung unmöglich. Dadurch Einzelfestnahmen innerhalb der 26 Aktionsbezirken nur in rascher Folge möglich. Abriegelung ganzer Straßenzüge sowie in Anbet-

racht Charakters der offenen Stadt als auch der unzulänglichen Gesamtzahl von 365 deutschen Polizisten nicht durchführbar. Trotzdem wurden
im Verlauf der Aktion, die von 05,30 Uhr 14,00 Uhr dauerte, 1 259 Personen in Judenwohnungen festgenommen und in Sammellager in hiesiger
Militärschule gebracht. Nach Entlassung der Mischlinge, der Ausländer
einschl. eines Vatikanbürgers, der Familien in Mischehen einschl. jüdischen Partners, der arischen Hausangestellten und Untermietern verblei-
ben an fest zuhaltenden Juden 1007. Abtransport Montag, 18.10 09,00
Uhr. Begleitung durch 30 Mann Ordnungspolizei. Verhalten der italienischen Bevölkerung eindeutig passiver Widerstand, der sich in grosser
Reihe von Einzelfällen zur aktiven Hilfeleistung steigerte. In einem Fall
z.B. wurden die Polizisten an der Wohnungstür von einem Faschisten mit
Ausweis und Schwarzhemd empfangen, der eindeutig die Judenwoh-
nung erst eine stunde zuvor als seine angeblich eigene übernommen hatte. Die Verschiebungsversuche der Juden bei Eindringen deutscher Polizisten in das Haus in Nachbarwohnungen war eindeutig zu beobachten
und dürfte verständlicherweise in zahlreichen Fällen vorgekommen sein.
Antisemitischer Teil der Bevölkerung trat während der Aktion nicht in
Erscheinung, sondern ausschliesslich die breite Masse, die in Einzelfällen
sogar versuchte, die Polizisten von den Juden abzudrängen. Von der
Schusswaffe wurde in keinem Falle Gebrauch gemacht.

i.A.
gez. Richnow   gez. Kappler
SS-Oberscharführer   SS-Obersturmbannführer.

Berlin, den 18.10.1943

F.d.R.
[Unterschrift Richnow]
SS-Oberscharführer

Einzelne Punkte des Telegramms sind aufschlussreich. Dannecker beklagt
den passiven Widerstand und die aktive Fluchthilfe in der römischen Bevölkerung. Das erwähnte Beispiel mit dem Faschisten in Uniform und
Ausweis (vgl. Signor Notani) war Wasser auf die Mühlen jener, die selbst
den Bündnisgenossen nicht über den Weg trauten. Deswegen beteiligte
man die italienische Polizei auch nicht an der Razzia.

Als Gesamtergebnis der Aktion werden exakt 1259 Personen angegeben. Nach der Überprüfungs- und Freilassungsaktion wären 1007 Verhaftete übriggeblieben, die nun zur Deportation bereitstünden. Gleichzeitig werben Dannecker und Kappler zwischen den Zeilen um Verständnis, dass nicht mehr Juden festgesetzt werden konnten. Der büromäßig bestmöglichst vorbereitete Plan musste vor Ort mit zu vielen Schwierigkeiten kämpfen.

Hinsichtlich der Zahl „1007" sei hier an die Überprüfung und leichte Korrektur des Historischen Archivs der jüdischen Gemeinde Roms erinnert. Nach deren Recherche wurden insgesamt 1015 Personen deportiert. Einschließlich des vergessenen Opfers Abramo Bonomi waren es letztlich genau 1016 Menschen, die in den Zug nach Auschwitz kamen. Der Unterschied zu den im Telegramm angegebenen 1007 Personen erklärt sich hauptsächlich dadurch, dass das Neugeborene und andere Babys nicht eigens mitgezählt wurden.

Interessant im Telegramm ist noch der anfängliche Hinweis, dass SS-Brigadeführer Harster am Abend des 16. Oktober in Rom eingetroffen sei. General Harster war der neue Gestapo-Chef für ganz Italien mit Sitz in Verona. Er war damit der unmittelbare Vorgesetzte von Kappler. In einer Zeugenaussage nach dem Krieg betonte Harster, dass sein Aufenthalt im Oktober ein Antrittsbesuch in Rom war. Planmäßig habe er im Herbst 1943 alle Außenkommandos in Italien aufgesucht, um sich als der neue Befehlshaber zu präsentieren und um das jeweilige Amt kennenzulernen. In der Aussage wollte sich Harster nicht an die Judenrazzia erinnern.[11] Er gab aber zu, dass er sicherlich von Kappler über die Aktion unterrichtet wurde. Aus Anlass der Razzia sei er auf keinen Fall nach Rom gereist und er habe auch nichts damit zu tun gehabt. Tatsächlich war Harster befehlsmäßig für die Judenaktion nicht zuständig. Dannecker und sein Kommando waren über die Köpfe der örtlichen Befehlshaber Wolff, Harster und Kappler direkt vom RSHA geschickt und bevollmächtigt worden. General Harster wäre nur gefordert worden, wenn es in Rom zu Unruhen unter der Bevölkerung gekommen wäre. Dann hätte er zusammen mit dem Stadtkommandanten und Kappler vor Ort eine Lösung finden müssen.

Dennoch war die Anwesenheit Harsters in Rom ausgerechnet während der Judenrazzia pikant. Denn er war es, der vor gut einem Jahr als Gestapo-Chef in Holland die Vergeltung an katholisch getauften Juden wegen eines Kirchenprotestes mitverantwortete. Damals fiel auch Edith Stein mit ihrer Schwester in die Fänge der SS.[12]

Der Abtransport der rund eintausend Juden im Collegio wurde auf Montag, den 18. Oktober festgelegt. Am Morgen vor dem Transport zum Bahnhof sprach Dannecker zu den Leuten. Dolmetscher Wachsberger sollte alles genau übersetzen. Wachsberger erinnerte sich, dass er dazu auf einen Tisch steigen musste. Dannecker sagte:[13]

„Ihr werdet jetzt in ein Arbeitslager nach Deutschland geschickt. Die Männer arbeiten, während die Frauen die Kinder hüten und Hausarbeit verrichten. Wenn ihr Geld und Schmucksachen bei euch habt, kann das eure Situation verbessern. Liefert das Geld und den Schmuck hier bei der Transportleitung ab. Das Guthaben wird für euch verwaltet werden. Jeder Jude, der Geld oder Schmuck versteckt, das sage ich euch, wird nach der Entdeckung des Betrugs sofort erschossen. So, nun nehmt den Schmuck in die rechte Hand und das Geld in die linke. Bildet eine Schlange und überreicht mir alles."

Bei der Übergabe der Wertsachen sah Wachsberger, wie Dannecker das eine oder andere schöne Schmuckstück in seiner Tasche verschwinden ließ, statt es in die Kasse zu legen. Ihm selbst gelang es, zwei Ringe zu retten, die er in seinen Schuhen versteckte.

Das Misstrauen der Menschen im Collegio war groß. Sagte der SS-Mann Dannecker die Wahrheit? Sollte es tatsächlich zum Arbeiten nach Deutschland gehen? Oder war das Ziel der Osten? Kämen sie vielleicht in ein Konzentrationslager, von denen es so viele Gerüchte gab? Würden sie je wieder zurückkommen? Dass ein schweres Schicksal auf sie wartete, war den Erwachsenen klar, doch mit dem Schlimmsten rechneten nur die Wenigsten. Die Deutschen konnten doch nicht einfach unschuldige Italiener, die offiziell ihre Verbündeten waren – wenn auch Juden – irgendwie dem Tod überliefern. Vielleicht würde es auch noch Hilfe geben, von italienischen Behörden oder vom Papst.

18. Oktober – früher Nachmittag

* * *

Unbeachtet – Deportation aus Rom

Pünktlich am Montagmorgen des 18. Oktober begann die Evakuierung des Collegio. Lastwagen standen bereit, um die Juden quer durch die Stadt zum Verladebahnhof Tiburtina im Osten Roms zu karren.

Wie bei der Razzia zwei Tage zuvor wurden die Gefangenen zur Eile getrieben und rüde auf die Wagen verladen. Beim ersten Transport begann gerade der Morgen zu dämmern. Die Fahrt ging den Corso Vittorio Emanuele entlang, an der Piazza Venezia vorbei, durch Quirinal und Esquilin in Richtung Tiburtina. Am Bahnhof steuerten die Lastwagen den Eingang für Warenlieferungen an. Abseits vom normalen Publikumsverkehr wurden die Gefangenen an einer Rampe ausgeladen. Dort stand ein Güterzug mit achtzehn Wagons bereit. Die Türen waren schon aufgeschoben.[14]

Für die Gefangenen war der Anblick der Waren- und Viehwagons ein Schock. Sollten sie in diese dunklen Karren eingepfercht werden – für eine Fahrt bis nach Deutschland oder noch weiter? Die bewaffneten SS-Wachen erstickten jeden Widerstand im Keim. Den Menschen blieb nichts anderes übrig als einer nach dem anderen in die Wagons zu klettern. Pro Wagen wurden fünfzig bis sechzig Personen gerechnet. Dann ist kaum noch Platz. Sobald ein Wagon voll war, wurde er zugeschoben und verriegelt. Nur ein kleines vergittertes Fenster gewährte jetzt noch Kontakt nach draußen. Als Toilette gab es pro Wagen einen Eimer.

Der Pendelverkehr zwischen dem Collegio und dem Tiburtina-Bahnhof dauerte den ganzen Vormittag über. Es mussten 1015 Menschen quer durch Rom gekarrt werden. In Windeseile verbreitete sich die Nachricht in der Stadt, dass die Juden auf dem Weg zur Station Tiburtina seien. Einige Verwandte und Freunde wagten es im Schutz der Anonymität des normalen Publikumsverkehrs und Neugieriger an den Bahnhof zu kommen. Vielleicht konnten sie einen Gruß winken. Doch die Verladerampe war zu abgelegen. Sie ließ keinen Einblick zu.

Signora Costanza Sermoneta gelang es jedoch bis zur Rampe vorzudringen.[15] Sie war die Mutter und Ehefrau von einigen Verhafteten, die gerade verladen wurden. Die Signora nutzte den Augenblick aus, als eine Wache unaufmerksam war. Während der Razzia am Samstagvormittag hatte sie sich außerhalb Roms aufgehalten. Sie wollte auf dem Land irgendetwas zum Essen organisieren. Als sie ins Ghetto zurückkam, fand sie ihre Wohnung leer. Ihr Mann und ihre fünf Kinder waren verschwunden. Schnell bekam sie die Nachricht, dass ihre Familie – wie viele andere – einer SS-Razzia zum Opfer gefallen sei. Signora Sermoneta tauchte unter und fahndete über das Wochenende nach dem Schicksal ihrer Lieben. Das fliegende Gerücht am Montagmorgen von der Deportation aller Juden von Tiburtina aus alarmierte sie im höchsten Grad. Wenn sie jetzt noch zu ihrer Familie kommen wollte, war der Bahnhof die einzige Chance.

Auf der Rampe nahm Signora Sermoneta keine Rücksicht auf sich. Verzweifelt lief sie am Zug entlang und rief laut nach ihrer Familie. Sie wollte zu ihr und mitfahren. Als sie den Wagon erreichte, aus dem ihr Mann antwortete, schlug sie mit den Fäusten gegen die Holzwand und schrie: „Faschisten!, Faschisten! Öffnet! Ich will auch mit!" Ihr Mann flüsterte ihr von innen zu, dass sie still sein und schnell weglaufen solle. Doch Costanza ließ sich nicht beruhigen. Sie trommelte weiter an die Tür. Jetzt wurde die Wache aufmerksam und lief herbei. Die Soldaten wollten die Signora barsch verscheuchen. Doch sie flehte die Wache inständig an, mitfahren zu dürfen. Ihr „Wunsch" wurde erfüllt. Die Soldaten öffneten den verriegelten Wagen, ließen die Frau hinaufklettern und verschlossen erneut die Tür.

Auf dem Bahnsteig kontrollierte und dirigierte Dannecker die Verladung der Juden. Vor der Abfahrt des Zuges gab er den begleitenden Wachsoldaten den Befehl, jeden Fluchtversuch durch Waffengebrauch zu vereiteln.[16] Er selbst fuhr nicht mit. Der kommandierende Transportunteroffizier war SS-Unterscharführer Arndt. Unterstützt wurde er von zwei weiteren SD-Männern. Zur Bewachung waren etwa 15 Soldaten aus der 5. SS-Polizeikompanie abgestellt. Die Kompanie war bei der Razzia im Stadtgebiet Roms eingeteilt gewesen. Zugwachtmeister Klapp befahl die fünfzehn Polizeisoldaten. Klapp bewachte mit seinen Leuten und den drei SD-Männern den Zug bis Auschwitz. In Auschwitz musste er mit seinen Leuten den Zug verlassen, bevor er geräumt wurde. Klapp konnte

Ein Original-Deportationswagen
Gedenkstätte Bergen-Belsen

nicht sehen, wohin die Juden gebracht wurden. Später in einer Aussage bezeugte Klapp: „Während der Rückfahrt nach Rom habe ich aber den Transportführer vom SD in Rom gefragt, was denn nun mit den Juden geschehen würde. Daraufhin gab mir dieser SS-Unterscharführer sinngemäß zur Antwort; die Juden seien schon alle durch den Schornstein gegangen."[17]

Zur Mittagszeit waren alle Juden aufgestiegen und eingeschlossen. Für den SD und die Wachsoldaten standen zwei Personenwagons bereit, jeweils einer an der Spitze und am Ende des Zuges. Die SD-Männer quartierten sich vorne ein, die Wachsoldaten bezogen den hinteren Wagon. Gegen 13.30 bekam der Lokführer Quirinio Zaza den Auftrag, den Zug loszufahren – Richtung Norden. Kontakt mit den eingesperrten Juden durfte Zaza nicht aufnehmen. Um 14.05 bewegte sich der Zug aus dem Bahnhof.

In den Wagons befanden sich insgesamt 1016 Menschen im Alter von 1 Tag bis 90 Jahre. Der unerwartete Zustieg von Signora Sermoneta hatte die Anzahl der Deportierten auf die Endzahl 1016 Personen erhöht (Frauen und Mädchen: 600; Männer und Jungs: 415; das Geschlecht des Babys ist nicht bekannt. 273 waren Kinder unter fünfzehn Jahren, 58 davon unter drei Jahren. 82 Personen waren über sechzig Jahre, 6 davon über fünfundachtzig. Fast neunzig Prozent der Deportierten waren in Rom geboren worden, drei kamen aus Berlin, einer aus Breslau.[18] Gewisse Prominenz hatte der pensionierte Admiral und

Gedenktafel am Bahnhof Tiburtina

Kämpfer im ersten Weltkrieg Augusto Capon. Zudem war sein Schwiegersohn der damals schon sehr bekannte Kernphysiker und Nobelpreisträger (1938) Enrico Fermi. In den USA war Fermi zu dieser Zeit wesentlich an den Vorbereitungen zum Bau der ersten Atombombe beteiligt. Capon war zusammen mit Arminio Wachsberger im Wagon. Während der Fahrt sagte Capon: „Sie werden uns alle töten." Wachsberger fragte, wieso er das sage; er solle doch nicht solchen Unsinn reden. „Nein, sagte er, ich habe Radio London und Radio Warschau gehört. Ich weiß, dass sie uns alle töten. Du kannst dich vielleicht retten, du kannst Deutsch." Danach diktierte Capon Wachsberger sein Testament.[19]

Nicht weit außerhalb der Stadtgrenze Roms wurde der Zug von zwei alliierten Tieffliegern ausgemacht und beschossen. Einige der Insassen glaubten, die Attacke gelte ihrer Befreiung. Hoffnung keimte auf. Doch nach einem Schusswechsel mit der Begleitwache drehten die beiden US-Flieger ab. Tragischerweise wurde während der Attacke einer von den Juden tödlich verletzt. Vermutlich handelte es sich um Signor Ugo di Nepi. Er war der erste von mehreren Todesfällen auf dem Transport.[20] Schon bald starb auch die älteste Frau an den Strapazen, die 90-jährige Signora Rothschild. Sie war im Wagon von Arminio Wachsberger. Er gab an, dass sie ihren Leichnam bis nach Auschwitz bei sich hatten. Vor der Stadt Orte in der Nähe des Bolsena-Sees musste der Zug wegen eines Haltesignals stoppen. Lokführer Zaza nutzte die Gelegenheit, um nach Schäden am Zug zu sehen. Zahlreiche Juden, die ihn durch Schlitze sahen, baten ihn austreten zu dürfen. Zaza meldete die Bitte dringlich an die Wachen weiter. Sie erlaubten daraufhin zwei oder drei Wagons zu öffnen. Ein paar junge Leute nutzen die Gelegenheit und versuchten über das offene Feld zu fliehen. Doch die Warnschüsse einer Wache vereitelten den Plan schon im Ansatz.

Die Fahrt ging weiter. Gegen 18.00 Uhr wurde Florenz erreicht. Dort verließ Zaza die Lok und fuhr nach Rom zurück. Die Wagons hatten sich an diesem sonnigen Tag mit den vielen Menschen darin stark aufgeheizt. Es war stickig und das wenige Wasser musste streng eingeteilt werden. Die Hoffnung, dass die Wagen geöffnet würden, zerschlug sich. Die Transportleitung verbot das Lüften und das abermalige Austreten von Leuten. Es gab auch kein zusätzliches Wasser. Die Fahrt ging rasch weiter. Über Nacht quälte sich der Zug oft sehr langsam die Apenninen hinauf. In der Bergregion war es empfindlich kalt. Am nächsten Morgen, den 19. Oktober, wurde an der Station Ferrara kurz haltgemacht. Die Begleitsoldaten sprangen ab und inspizierten die Wagons.

Der Stationsleiter Mario Tagliati in Ferrara wollte genauer sehen, was es sich mit dem Zug auf sich hatte. Vorsichtig näherte er sich den Wagons. Plötzlich wurde er aus einem Wagen heraus angesprochen. Es war l'Ingegnere Tedeschi. Tedeschi stammt aus Ferrara und hatte einen Bruder, der ein hoher Mitarbeiter bei der italienischen Staatsbahn war. Signor Tedeschi bat den Stationsleiter, seinem Bruder eine Nachricht zukommen zu lassen. Hastig beschrieb er einen Zettel. Er konnte ihn gerade noch hinaus werfen, bevor der Zug wieder Fahrt aufnahm. In zwei Sätzen teilte Tedeschi seinem Bruder mit, dass er nach Deutschland deportiert werde und dass seine Verwandten informiert werden sollten.[21]

19. Oktober – mittags

* * *

Ein unplanmäßiger Stopp und ein Hilferuf

Zur Mittagszeit erreichte der Zug Padua. Jetzt musste wegen eines technischen Problems irgendwo an den Wagons gestoppt werden. Der Schaden war nicht gravierend und konnte schnell behoben werden.

Auf der Bahnstation hielt sich gerade die Rot-Kreuz-Schwester Lucia De Marchi auf. Sie bemerkte rasch, dass der Güterzug voller Menschen war, die dringend versorgt werden mussten. Aus den Wagen drangen verzweifelte Rufe nach Wasser und immer wieder Wasser. Signora De Marchi fing an, mit den Wachen zu verhandeln. Sie sollten die Wagons öffnen lassen für Wasser, Nahrung und Medikamente. Doch die Transportleitung stellte sich stur. Keine Öffnung, kein Wasser.

De Marchi ließ sich nicht abweisen und argumentierte lautstark mit den Wachen. Italienisch-faschistische Milizen, die am Bahnhof ihrerseits Wache standen, wurden aufmerksam und mischten sich ein. Sie unterstützen die Rot-Kreuz-Schwester. Warum sollten die Menschen im Zug nichts zu trinken bekommen? Die Antwort eines Soldaten war so kurz wie zynisch-verachtend: „Das sind Juden."

Die Diskussion zog sich hin. Vielleicht war die Zugwache von dem Flucht-versuch beim Stopp vor Orte gestern so alarmiert, dass kein Risiko mehr eingegangen werden sollte. Doch Signora De Marchi und die faschistischen Milizen insistieren weiter. Sie wurden dabei zunehmend von Neugierigen umringt. Schließlich eskalierte die Situation. Ein Milizionär drohte aufge-bracht mit seiner Waffe und schrie: „Juden oder nicht Juden, sie sind Men-schen. Wir befehlen euch, ihnen zu trinken zu geben, ansonsten töten wir euch."[22] Diese Explosion des unbekannten Milizionärs war überaus mutig. Sie hätte auch ins Auge gehen können. Doch in dieser Situation zählte nur eins: Menschlichkeit. Nach langen Sekunden der Stille zwischen den Kont-rahenten hörte man den deutschen Befehl, dass die Wagen geöffnet wer-den sollten. Allerdings durften pro Wagon nur wenige Juden aussteigen, um Wasser und Verpflegung zu holen. De Marchi schrieb später in ihr Ta-gebuch:[23]

> Um 12 Uhr hielt unangekündigt an unserem Hauptbahnhof ein Zug mit
> internierten Juden aus Rom. Nach langen Diskussionen gab man uns die
> Erlaubnis zur Hilfe. Um 13 Uhr öffneten sie die Wagons, die seit 28 Stun-
> den verschlossen waren! In jedem Wagon waren ungefähr fünfzig Perso-
> nen zusammengedrängt: Kinder, Frauen, Alte, junge Menschen und Er-
> wachsene. Niemals zuvor wurde unseren Augen ein so schauerliches
> Spektakel geboten. Es sind Stadtmenschen, die aus ihren Häusern gezerrt
> wurden, ohne Gepäck, ohne Beistand, willkürlich zusammengewürfelt,
> ausgehungert und durstig. Wir fühlten uns kraftlos und unzulänglich ge-
> genüber deren Bedürfnisse, wir sind paralysiert durch bebendes Mitleid,
> durch einen Terror, der alle beherrscht: die Opfer, das Zugpersonal, die
> Zuschauer, das Volk.

Jene, die Kraft genug hatten, kletterten aus ihren Wagons und füllten alle Gefäße, die sie bei sich hatten, mit Wasser. Weitere Rot-Kreuz-Mitarbeiter kamen herbei und leisteten Ersthilfe. Außerdem veranlassten sie die Säu-berung der verdreckten Wagen, übergaben Nahrungsmittel und etwas Medikamente.

Die Überlebende Settimia Spizzichino sagte später,[24] dass sie im Wagon wie die Heringe lagen. Ein Mann habe versucht, mit einem Messer ein kleines Loch in den Boden zu bohren, damit man wenigstens „Pipi" nach

draußen machen konnte. Aber viel gebracht habe es nicht. Der Bretterbo-
den war zu dick und das Messer zu klein.

Für Settimia war die Fahrt doppelt anstrengend. Sie war kränklich. Außerdem weinte und schrie die eineinhalbjährige Rosanna ihrer Schwester
Ada sehr viel. Settimia wurde rührend von ihrer Mutter gepflegt und aufgebaut. Die von den Rot-Kreuz-Schwestern gereichte warme Suppe konnte
Settimia essen. Die Mutter tröstete sie. Bei der Ankunft würde es bestimmt
einen Doktor geben, der nach ihr sehe. Signora Spizzichino bemerkte später ironisch-bitter:[25] „Tatsächlich war ein Doktor da, als ich ankam ... es
war Mengele!"

Nach etwa eineinhalb Stunden wurden die Juden wieder in die Wagons befohlen. Die Hektik auf dem Bahnhof war groß und die Situation
unübersichtlich. Die Wachen konnten nicht mehr alle im Auge behalten.
Eine kleine Gruppe war weiter weg gegangen, um bei einem Brunnen
Wasser zu schöpfen. Bei der Rückkehr fanden sie ihren Wagen schon verriegelt. Sie klopften und wollten zu ihren Familien aufsteigen. Als Wachsoldaten das mitkriegten, wurden sie angeschnauzt. Sie sollten verschwinden. Man hielt sie für penetrante Helfer, die wieder einen Wagen öffnen
wollten. Der Übersetzer Arminio Wachsberger beobachtete interessiert die
Szene aus der Nähe. Sein letzter Wagon in der Reihe war noch offen. Er
kannte die Leute und wusste, dass sie zum Transport gehörten. Obwohl
die späten Rückkehrer darauf bestanden, in den Zug zu kommen, blieb die
Wache hart. „Kein Eingang!", schnauzte ein Soldat auf Deutsch. Da entdeckten die Leute ihren Übersetzer aus dem Collegio und riefen ihn um
Hilfe. Wachsberger solle den Deutschen klar machen, dass ihre Angehörigen da drin seien und sie von ihnen gewiss identifiziert werden könnten.
Auf Wachsbergers Einrede gab die Wache nach. Sie öffneten den Wagon
und fragten, ob alle zusammengehörten. Die Angehörigen bestätigten das
sofort. Nach dem Krieg sagte Wachsberger resigniert: „Ach, hätten die gewusst, dass sie uns alle ins Schlachthaus bringen!"[26]

Nachdem der Zug leicht angefahren war, kam unvermittelt der Befehl
zum Stopp. Der Grund war der 16-jährige Leone Sabatello. Er hatte sich
noch schnell zum Austreten in die Büsche geschlagen und das Schließen
der Wagons verpasst. Beim Abfahren des Zuges überkam ihn Panik. Er
rannte nebenher und verlangte, aufsteigen zu dürfen. In einem Interview
lange nach dem Krieg erzählte Leone, warum er nicht die Gelegenheit zur
Flucht nutzte. Die Deutschen hatten gedroht, alle Angehörigen zu erschie-

ßen, falls einer abhauen würde. Leones große Familie und weitere Verwandte waren im Zug. Außerdem habe sein Vater immer wieder betont, dass die deportierten Juden alle ein kleines Stück Land im Osten bekämen um es zu bearbeiten.[27]

Ein junger Mann mit Namen Lazzaro Sonnino hatte keine Verwandten im Wagon und wollte auf jeden Fall fliehen. Während des Stopps auf dem Bahnhof manipulierte er solange am Schloss der Wagontür herum, bis es funktionsuntüchtig war. Als der Zug wieder eine Weile ruhige Fahrt aufgenommen hatte, stemmte sich Lazzaro mit aller Kraft gegen die Rolltür und schaffte es tatsächlich sie aufzuschieben. In einem günstigen Moment sprang er ab. Er fiel hart und kullerte am Bahngleis entlang. Doch er konnte sich wieder aufrappeln. Die anderen im Wagen sahen ihn noch wankend in Zugrichtung laufen, dann verloren sie ihn aus den Augen.

Ob Lazzaro sich bei dem Sprung verletzt hatte, konnten sie nicht sehen. Die weit offene Tür führte unter den anderen im Wagon kurzfristig zu einer Diskussion. Sollte man es dem jungen Mann nachmachen? Letztlich wollte aber keiner den gefährlichen Sprung wagen oder man wollte seine Lieben nicht zurücklassen. Einmütig beschlossen sie, die Tür wieder zuzuschieben.[28]

Während des Aufenthaltes des Deportationszuges in Padua befanden sich auf dem Bahnsteig auch Reisende. Außerdem waren laufend Neugierige aus der Stadt gekommen. Viele Juden nutzten die Gelegenheit, um verdeckt mit diesen Leuten Kontakt aufzunehmen. Einigen gelang es. Sie machten auf ihre schlimme Lage aufmerksam und flehten, zum Bischof von Padua zu gehen. Er solle den Papst unterrichten. Trotz der begonnenen Deportationsfahrt mit dem unbekannten Ziel und der scharfen Bewachung hofften viele Juden noch auf Hilfe durch den Papst. Vielleicht konnte er wenigstens ihr Los erleichtern.

Es ist nicht bekannt, von wem der Paduaner Bischof Agostini informiert wurde; aber die Nachricht hat ihn erreicht. Am 25. Oktober schrieb er einen kurzen Brief an Kardinalstaatssekretär Maglione.[29] Vor ein paar Tagen sei ein Deportationszug mit Personen jüdischer Rasse durch Padua gekommen. Die Juden hätten sich in einem erbärmlichen Zustand befunden und sie hätten gefleht, den Papst zu unterrichten. Er könnte bestimmt irgendwie helfen. Nach Agostinis Meinung wollten die Juden vor allem Gebet und Segen.

Warum brauchte der Bischof geschlagene sechs Tage für seine knappe Notiz nach Rom? Es ist kaum vorstellbar, dass Agostini später als einen Tag Verzögerung über das traurige Ereignis am Bahnhof unterrichtet wurde. Der Deportationszug der römischen Juden und der Streit mit der SS zwischen der faschistischen Miliz und dem hiesigen Roten Kreuz war Stadtgespräch. Es ist auch ziemlich absonderlich, dass Bischof Agostini der Meinung war, die Juden hätten in dieser Situation vor allem („soprattutto") um Gebet und Segen des Papstes gefleht. Hatte sich der fromme Gottesmann das zurechtgelegt, um sich und den Heiligen Stuhl aus der tätigen Verantwortung zu stehlen?

Pius XII. reagierte nicht auf den Brief. Er ließ weder bei Botschafter Weizsäcker insistieren, noch beim eigenen Nuntius Orsenigo in Berlin.

Am selben Tag als Bischof Agostini seinen Brief an den Vatikan verfasste, schrieb in gleicher Angelegenheit Pater Tacchi Venturi aus Rom ans Staatssekretariat.[30] Pater Tacchi war der langjährige Verbindungsmann des Vatikans zur italienischen Regierung. In den letzten Tagen habe er immer lauteres Flehen zwecks Informationen über das Schicksal der Juden gehört, die dem barbarischen Akt der Deutschen zum Opfer gefallen seien. Es müsse doch möglich sein in Erfahrung zu bringen, wohin die „vielen, vielen Juden, darunter auch Christen – Männer und Frauen, Jugendliche, Alte und Kinder – barbarisch wie Schlachtvieh in der letzten Woche aus dem Collegio Militare abtransportiert wurden." Dringend bat Pater Tacchi um offizielle Schritte des Hl. Stuhls. Selbst wenn das kein Erfolg brächte, würde ein solcher Schritt ganz gewiss die Verehrung und die Dankbarkeit gegenüber dem Heiligen Vater, der immer für die Rechtlosen eintrete, anwachsen lassen. Pater Tacchi war ungehalten. Schon am Tag der Razzia hatte er sich vergeblich mit der Bitte ans Staatssekretariat gewandt, ob man nicht allgemeine Informationen über die Verhafteten erlangen könne.[31]

Am 27. Oktober notierte Monsignor Dell'Acqua, ein Mitarbeiter der I. Sektion im Staatssekretariat: Er wisse, dass Monsignor Brini aus der II. Sektion schon eine kleine Liste von betroffenen Personen gesammelt habe und dass einige spezielle Fälle bereits Botschafter Weizsäcker nahegelegt worden seien. Man sollte aber eine neue gesamte Liste der deportierten Juden erstellen und sie bei einem persönlichen Termin dem Botschafter übergeben. Dabei müsste dem Botschafter ein ausdrückliches Interesse des Hl. Stuhls nach Information über den Verbleib der Juden signalisiert werden.[32]

Der Vorstoß Dell'Acquas blieb an der Spitze des Staatssekretariats vorerst ungehört. Auch Papst Pius schaltete sich nicht ein. Man wollte nicht von der Regel abweichen, dass nur in begründeten Einzelfällen aus humanitärem oder religiösem Interesse diplomatisch interveniert werden sollte. Doch Ende Oktober wurde der Druck auf den Vatikan immer stärker. Jetzt kamen auch aus den Reihen der untergetauchten Hinterbliebenen zahlreiche Bitten um Aufklärung des Schicksals der Abtransportierten und um die Möglichkeit Hilfsgüter schicken zu können.

Eindrucksvoll ist das Schreiben vom untergetauchten Rabbi Panzieri im Namen der übriggebliebenen Gemeinde Roms.[33] Am 27. Oktober wandte er sich persönlich an Pius XII. und erflehte Hilfe. Die Angehörigen hier in Rom wollten ihren Lieben irgendwo in der Ferne wenigstens warme Sache schicken. Der Winter stehe vor der Tür und die Deportierten hätten nur Sommerkleidung dabeigehabt. So viele Frauen, Säuglinge, Kleinkinder und Alte seien darunter. Der Rabbi schloss mit den Worten: „Helfen Sie diesen Leuten, heiligster Vater, helfen Sie uns! Der große und gute Gott kann Ihren Beitrag mit großzügiger Gnade vergelten." Eine Reaktion auf diesen Bittbrief Panzieris ist nicht dokumentiert.

Drei Tage später, am 30. Oktober, sprang auch ein Diplomat den Hilfesuchenden zur Seite. Es war Joen-Carlsson Lagerberg, der schwedische Botschafter in Italien. Er war persönlich ins Staatssekretariat gekommen, um etwas über das Schicksal der römischen Juden zu erfahren.[34] Wisse der Vatikan, wohin die Deportierten gebracht worden seien? Im Staatssekretariat konnte man dem Botschafter nicht weiterhelfen. Der Transport war wie vom Erdboden verschluckt. Lagerberg ging nicht, ohne deutlich zu signalisieren, dass er eine Stellungnahme des Hl. Stuhls zu den „menschenverachtenden Maßnahmen" gegen die Juden Roms wünsche. Ein solch öffentlicher Akt würde ausgesprochen gut aufgenommen werden. Es erübrigt sich zu sagen, dass der Wunsch Botschafter Lagerbergs in den langen Gängen des Vatikans restlos verhallte.

Erst lange drei Wochen nach der Razzia und zehn Tage nach dem Hilferuf von Padua, rang man sich im Vatikan dazu durch, von allen deportierten Juden etwas in Erfahrung zu bringen. Am 6. November wandte sich Kardinalstaatssekretär Maglione schriftlich an Botschafter Weizsäcker.[35] Er begann sein Schreiben mit einer ungewöhnlich bemühten capitatio benevolentiae: „Der Seelenadel Eurer Excellenz ermutigt mich, Sie zu bitten, ob es Ihnen nicht möglich ist …". Maglione trug im Namen vieler Hinterbliebener und Freunde, die sich unablässig an den Vatikan wandten, die Bitte vor, Nachrichten über die kürzlich Deportierten aus der Stadt zu erhalten. Vielleicht wäre es dann auch möglich, dass die Hinterbliebenen materielle Hilfe schicken könnten. Wenn der Botschafter einen entsprechenden Schritt bei seinen Vorgesetzten unternehme, könnte er dem Hl. Stuhl helfen, das Los so vieler Familien zu erleichtern. Diese zarte Anfrage war eine schwere und späte Geburt. Warum hatte das so lange gedauert und warum trat der Vatikan nicht massiver auf?

Weizsäcker war froh über die Zurückhaltung des Vatikans. Er wollte den Konflikt um die Judenrazzia möglichst klein halten. Daher vermied er es auch eine offizielle Antwort zu geben. Er zog es vor, während eines informellen Gesprächs mit Monsignor Montini seine Meinung kundzutun. In einer Note des Staatssekretariats vom 15. November hieß es, dass der Botschafter Mgr. Montini über die Aussichtslosigkeit von Nachforschungen und Hilfen für die deportierten Juden unterrichtet habe. Der Verfasser der Note fragte am Schluss, ob man dennoch weitere eingehende Anfragen dem Botschafter übergeben solle? Montini bemerkte dazu knapp: Versuchen wir es trotzdem.[36]

Die formalen Anfragen im Behördenstil konnten Weizsäcker nicht aus der Reserve locken. Er hielt die unerquickliche Angelegenheit auf diplomatischer Sparflamme bzw. beließ es beim Achselzucken. Etwas anderes wäre es gewesen, wenn sich Papst Pius persönlich eingeschaltet hätte, wenn er selbst verlangt hätte, über das Schicksal der römischen Juden aufgeklärt zu werden. Pius hätte dazu auch seinen Nuntius Orsenigo in Berlin einschalten können. Bei einer solchen diplomatischen Offensive wären Weizsäcker und Berlin in Zugzwang geraten.

Wollte Pius XII. einen Eklat vermeiden? Er wusste ja sehr genau, was mit den Juden seiner Stadt geschehen würde: todbringende Zwangsarbeit in einem KZ für die wenigen Starken und Ermordung der Frauen und Kinder, der Alten und Schwachen durch Erschießen oder Vergasung.

19. - 22. Oktober – nachts

* * *

Nach Auschwitz

Von Padua aus ging die Deportationsfahrt weiter Richtung Alpen, über Bozen zum Brenner. Dort wurde das italienische Lokpersonal von Deutschen abgelöst und die Wagons wurden durchgezählt. Wachsberger erinnerte sich, dass der Deutsche seinem Kollegen nach draußen Zahlen zurief mit dem Zusatz „Stück", so als würde er Vieh zählen. Wachsberger erschütterte und ängstigte diese Aktion.[37]

Ursprünglich sollte die Wachmannschaft an der Grenze durch eine neue Wache ersetzt werden. Doch das klappte nicht. Bei einem Halt in Bozen wurde Transportleiter Arndt aus Rom angewiesen bis nach Auschwitz mitzufahren. Über Innsbruck ging es weiter nach Norden an Passau vorbei. Allmählich ließen die verzweifelten Rufe der zahlreichen Kinder in den Wagons nach. Anfangs hätten sie aus Angst, aus Hunger und Durst geweint und gejammert. Nun machte sich ihre Schwäche bemerkbar. Sie ließ die Kinder nach und nach verstummen, so Wachsberger erinnernd.

Erst am Donnerstagabend wurde Fürth im Wald erreicht, an der Grenze zum damaligen Reichsprotektorat Böhmen und Mähren. Dort durften Rot-Kreuz-Schwestern die Gefangenen mit Gerstensuppe versorgen. Wachsberger fragt die Schwestern: „Wo bringen sie uns hin? Wo bringen sie uns hin?" Doch niemand antwortete. Die Frauen gaben die Suppe absolut schweigend aus.[38]

Der Transport fuhr weiter bis zur slowakischen Grenzstadt Ostrava. Dort gab es eine kleine Station, die augenscheinlich nur zur „Hygiene" von Durchgangstransporten kurz vor dem Zielort benutzt wurde. Die Juden durften aussteigen und zur Latrine gehen. Jetzt war es nicht mehr weit bis Auschwitz. Der Zug fuhr am Freitag, den 22. Oktober um 23 Uhr auf das Gelände des KZs ein. Zu dieser Stunde durfte niemand aussteigen. In den verschlossenen Wagons mussten alle bis zum Morgen warten.

Wachsberger wachte beim Morgengrauen auf und schaute durch die vergitterte Luke. Über Fabrikgebäuden jenseits des Lagers entdeckte er Ballons in der Luft, die zur Flugabwehr angebracht waren. Er weckte sein 5-jähriges Töchterchen Clara, damit sie die Ballons bewundern konnte. Als das Kind durch die Luke schaute, wurde eine SS-Wache auf das Mädchen aufmerksam. Der Soldat bückte sich, nahm einen Stein und warf ihn in Richtung Gesicht des Kindes. „Der Stein traf nicht, weil das Gitter ihn abhielt, aber nach dieser barbarischen Geste an einem unschuldigen Wesen kapierte ich definitiv, dass wir an der Schwelle zur Hölle angekommen sein mussten."[39]

Bald danach hörte man den deutschen Befehl auf dem Bahnsteig: „Alle aussteigen!" Die Türen der Wagons wurden aufgeschoben. Draußen standen bewaffnete SS-Wachen, die laut und unmissverständlich die Leute herausriefen. Es war genau eine Woche her, seit die Razzia begonnen hatte. Nach der Internierung im Collegio waren die Menschen fünf Tage und fünf Nächte unterwegs gewesen. Die wenigen Stopps des Zuges konnten die katastrophalen Verhältnisse in den Viehwagons nur leicht lindern. In Wachsbergers Wagen lag immer noch die verstorbene 90-jährige Signora Rothschild. Sie war nach zwei Tagen gestorben. Unterwegs hatte es keine Möglichkeit gegeben, die Leiche auszuladen. In anderen Wagons gab es auch Todesfälle. Wie viele es insgesamt waren, ist nicht bekannt.

Auf der Rampe wurden die jetzt noch gut tausend Menschen eng zusammengehalten. Da näherte sich eine Gruppe von hohen Offizieren. Unter ihnen waren der Lagerkommandant Rudolf Höss und der berüchtigte Lagerarzt Josef Mengele. Die beiden wollten es sich nicht nehmen lassen, die „prominente Fracht" aus Rom persönlich zu begrüßen. Zum ersten Mal kamen italienische Juden in Auschwitz an, dazu noch welche, die man dem Papst vor der Nase weggeschnappt hatte.

Mittlerweile begannen Sträflinge damit, alle Habseligkeiten aus den Wagen und aus den Händen der Leute wegzunehmen. Auf Proteste antworteten einige leise und auf Deutsch, dass ihnen bald alles wiedergegeben werde. Wachsberger fragte auf allen Sprachen, die er konnte, auf Deutsch, Jiddisch, Englisch und Französisch, wo sie hier seien und was jetzt geschehe. Einer der Sträflinge flüsterte ihm auf Französisch zu: „Ich kann nicht zu dir sprechen, aber wenn sie dich nach deinem Alter fragen, dann bist du weniger als dreißig."[40]

Als Höß und Mengele nach einem Übersetzer fragten, meldete sich Wachsberger. Sie befahlen ihn auf einen Tisch zu steigen und Folgendes zu übersetzen: »Dies hier ist ein Arbeitslager und die Endstation des Transportes. Jeder darf seiner Gewohntheit nach arbeiten. Die Frauen, Kinder und Schwachen können in einem nahegelegenen Lager mit leichter Arbeit leben. Lastwagen werden sie dorthin fahren. Abends dürfen sich die Familien sehen.« Danach sagte Mengele zu Wachsberger, dass er jetzt jeden Einzelnen überprüfen werde, ob dieser gesund genug sei für Arbeit. Er würde dazu zwei Gruppen bilden. Die eine sollte mit den Lastwagen fahren, die dort drüben bereitstünden, die andere sollte vorerst hier stehenbleiben. Wachsberger instruierte seine Leidensgenossen.

Mengele setzte sich an einen Tisch und wies Wachsberger an sich neben ihn zu stellen. Dann begann die Selektion. Wie üblich wurde dabei keine Rücksicht auf Familienbande genommen. Mengele entschied nur nach Alter und Augenschein des Gesundheitszustandes über rechts oder links. Wachsberger vermutete, dass einige allein wegen ihres kleinen Bartes, der in fünf Tagen gewachsen war, in die Gruppe zu den Alten geschickt wurden.

Bis auf einen kleinen Vorfall verlief die Selektion ruhig. Die unzertrennlichen Brüder Michele und Alberto Amati sollten auseinandergerissen werden. Mengele schickte den jüngeren Alberto (13 Jahre) zu seiner Großmutter auf die Seite der „Schwachen". Michele (17 Jahre) dagegen kam zu seinem Onkel in die Arbeitergruppe. Alberto wollte jedoch unbedingt zu seinem Bruder und versuchte zweimal zu ihm hinüberzulaufen. Eine SS-Wache stoppte den Jungen jedes Mal mitleidslos und trieb ihn zurück. Michele wird überleben. Anfang April 1945 befreien ihn US-Truppen im Lager Buchenwald.[41] Bruder Alberto musste ins Gas.

Der ebenfalls überlebende 18-jährige Lello Di Segni sagte später aus, dass er in die Reihe zu seinem Vater kam, der Reihe der Arbeitsfähigen. Seine Mutter, seine kleine Schwester, seine zwei Brüder und seine Großmutter waren auf der anderen Seite. Er hoffte, sie am Abend sehen zu können. Deshalb rief er keinen Gruß hinüber. Viele Jahre danach bemerkte Lello tief bedrückt: „Ich habe nicht einmal 'ciao' gesagt."[42]

Auch die Familie Spizzichino wurde getrennt. Die Mutter Grazia und ihre Tochter Ada mit der kleinen Rosanna kamen zur Vergasungsgruppe und die Töchter Settimia und Gentile zu den Arbeitsfähigen. Settimia überlebte nur durch Zufall. Beim Aussteigen aus dem Wagon trug sie Rosanna auf dem Arm. Settimia rückblickend:[43]

„ 'Gib sie mir' – sagte Ada. ‚Aber nein, sie ist eingeschlafen, lass sie bei mir.' Wir diskutierten noch als wir aus dem Zug stiegen. ‚Also gut' – sagte ich und gab ihr die Kleine. Ich konnte mir nicht vorstellen, dass ich über mein Leben und das meiner Schwester sprach. ... Gerade als die Kleine auf dem Arm ihrer Mutter war, kam ich an einem Offizier vorbei, der mich mit einer Reitpeitsche berührte: ‚Dort hin' – befahl er. Später erfuhr ich, dass dieser Offizier Mengele war, der Henker von Auschwitz. Ein Soldat packte mich am Arm und zerrte mich in eine der Gruppen, in der Frauen meines Alters waren, unter ihnen auch Giuditta. Meine Mutter, Ada und Rosanna blieben in der anderen Gruppe. Ich wollte sie nicht gehen lassen und fing an zu schreien. Meine Mutter sagte: ‚Mach kein Theater! Sie bringen uns doch nicht gleich um!'"

Am Ende schätzte Wachsberger, dass Mengele etwa 600 Menschen als zu schwach, zu alt, zu jung oder zu krank befunden hatte und etwa 450 als noch arbeitsfähig.

Die Aussortierten begaben sich zu den Lastwagen und stiegen auf. Mengele rief Wachsberger für eine Ansage: »Die Laster fahren jetzt zu einem zehn Kilometer entfernten Lager zur Desinfektion. Jeder, der sich selbst zu schwach fühlt, den Weg zu Fuß zu gehen, ist freigestellt auch auf die Wagen zu klettern.« Das ließen sich viele nicht zweimal sagen. Zum einen wollten getrennte Familien unbedingt gleich zusammenbleiben, zum anderen waren die meisten zu erschöpft für einen längeren Fußmarsch.

So liefen rund zweihundert Personen hinüber zu den Selektierten. Auf diese Weise mischten sich zahlreiche kräftige junge Männer und Frauen in der Todesgruppe. Auch Wachsberger wollte hinüber. Auf einem der Lastwagen war seine Frau Regina mit Töchterchen Clara. Mengele hielt Wachsberger jedoch zurück. „Du bleibst hier!" Auf die Frage warum, sagt Mengele: „Du bist der einzige, der Deutsch kann."[44] Seine Frau und Tochter sollte Wachsberger nie wieder sehen.

Nach der Matrikel-Liste, die in Auschwitz erhalten geblieben ist, wurden 149 Männer und 47 Frauen ins Lager aufgenommen. Wenn man (geschätzt) fünf Todesfälle und den Flüchtling Lazzaro Sonnino abzieht, sind von ursprünglich 1016 Deportierten 814 Personen sofort zur Gaskammer nach Auschwitz-Birkenau gebracht worden.[45] Diese verhältnismäßig hohe Zahl angesichts der rund eintausend Menschen aus dem Zug erklärt sich durch Mengeles Angebot, freiwillig die Laster nach Birkenau besteigen zu dürfen.

Einige Zeit später fragte Wachsberger bei Mengele nach, warum er den Arbeitsfähigen erlaubt habe, auf die Wagen der Selektierten zu klettern. Mengele antwortete: „Das waren Faule, die Angst vor einem Marsch von 10 km hatten."[46] Mengele konnte sich offensichtlich in seinem zynisch gewordenen und moralisch verwahrlosten Weltbild keine anderen Gründe vorstellen.

Was sich in Birkenau bei den Gaskammern abspielte, wurde kurz nach dem Krieg durch Zufall bekannt. Zu dem berüchtigten Sonderkommando dort gehörte damals der jüdische Tscheche David Kravat. 1946 traf der jüdische Historiker Michael Tagliacozzo, der bei der römischen Razzia entwischen konnte, David Kravat bei der gemeinsamen Ausreise nach Palästina. Kravat erzählte Tagliacozzo näher die Umstände von der Vergasung der römischen Juden. Tagliacozzo fertigte eine schriftliche Variante an. Selbst veröffentlichte er aus Pietät – wie er sagte – kein Wort davon, aber er stellte Robert Katz die Aussage für sein Buch »Black Sabbath« zur Verfügung.[47]

Kravat berichtete: In Birkenau war der Transport der Selektierten schon erwartet worden. Man hatte dem Sonderkommando tags zuvor mitgeteilt, dass etwa zweitausend reiche italienische Juden hier erwartet würden. Doch die Gruppe, die ankam, war weniger als halb so groß und von Reichtum war nichts zu sehen. Diese Italiener trugen dazu Kleider, die viel zu leicht und unangemessen waren für das hiesige Klima. Der Konvoi wurde in zwei Gruppen aufgeteilt. Die eine Gruppe wurde zum Eingang der Gaskammer geführt, die andere musste derweil hinter einem Wall warten.

Kravat wörtlich:

Es war schwer, ihnen klarzumachen, was sie tun sollten. Das kam durch den Sprachunterschied, diese Italiener sprachen nur Italienisch. Die SS versuchte die übliche Geschichte von Duschen zu erklären. Niemand verstand das, und es trat Verwirrung auf. Dann brüllte ein älterer, gut gekleideter Mann mit vielen Medaillen etwas in Deutsch, das ich nicht verstand. An diesem Punkt wurde die Gruppe nervös und erregt. Einige Kinder versuchten ihren Platz zu wechseln und schlossen sich kleinen Personengruppen an. Viele waren erfolgreich und hielten sich eng aneinander. Plötzlich gab es lautes Geschrei von einer Frau. Einer von der SS kam herbei, schlug sie mit einem Prügel und zerrte das Kind weg, das bei ihr war. Das Kind wurde in den Eingang des Baus geschoben. Dasselbe taten andere SS-Leute mit anderen Frauen. Jetzt fingen alle an, hinein zu gehen; die Arbeit wurde einfacher. Vor dem Eingang sah ich ein junges Mädchen liegen mit einem verletzten Kopf.

Ich habe nur mit der ersten Gruppe gesprochen. Die zweite Gruppe wartete nicht weit entfernt. Sie konnten weder sehen noch hören, was geschah, denn es gab einen Wall und einige Bauten, die sie von uns trennten. Und dann war noch das übliche Chaos im Camp jeden Morgen, das jedes andere Geräusch untergehen ließ.

Nachdem jeder eingetreten war, liefen die Dinge wie bei jeder anderen Eliminierung ab.

Ob die römischen Juden zu den jeweils baugleichen neueren Gaskammern in Birkenau (1943 in Betrieb gesetzt) mit den Krematorien II + III oder IV + V gefahren wurden, ist nicht klar. Die Bauten II/III hatten jeweils große Kammern; die beiden anderen unterschiedliche Größen. Da man aber rund zweitausend selektierte Menschen erwartete, spricht mehr dafür, dass die großen Kammern angefahren wurden.

Im Vorraum der Gaskammer mussten sich die Menschen vollständig entkleiden. Danach wurden sie gleich weiter in einen Raum von 7x30 m geleitet. An der Decke waren Duschkopf-Imitate installiert. Falls diese große Kammer benutzt wurde, gab sie den rund 400 Menschen noch die Möglichkeit sich aneinander vorbei zu bewegen. Wenn man die Hölle in einer Vergasungskammer noch steigern wollte, dann auf diese Weise. Da auf die Dauer die beiden großen Kammern zu viel Blausäure „kosteten" und oft „ineffizient" arbeiteten, wurden sie Ende 1943 durch eine Trennwand in zwei Hälften geteilt. Im Oktober waren sie jedoch noch original.

Nach dem Einschluss der ersten Gruppe wurde Zyklon B Granulat von außerhalb über die Decke in vier Gittersäulen hinab geschüttet. Diese Todessäulen waren unmittelbar neben Beton-Trägerpfeilern hochgezogen. Das Blausäure-Granulat dampfte umso besser aus, je höher die Raumtemperatur war. In der Regel ersticken die Opfer innerlich nach 5 - 15 Minuten.

Etwa nach einer halben Stunde wurde die Kammer geöffnet und durch ein Gebläse (bei den großen Kammern) belüftet. Kravat und seine Leidensgenossen begannen damit, die sterblichen Überreste der römischen Juden mit selbst gefertigten Haken herauszuziehen und die Kammer von den Folgen der Todeskämpfe zu reinigen. Bevor man die Leichen per Aufzug direkt ins darüberliegende Krematorium fuhr, wurden die Toten noch auf Wertgegenstände und Goldzähne abgesucht.

Das Krematorium III in Auschwitz-Birkenau
(auschwitz.org/photogallery)

Nachdem der erste Durchgang abgeschlossen war, ging Kravat zum Eingang, wo die zweite Gruppe wartete: Die Leute „waren ruhig und ahnungslos über ihr Schicksal. Diesmal konnte ein Mitgefangener Kravats etwas Italienisch und erklärte alle Anweisungen der SS sehr gut. Daher gingen alle friedlich hinein."

Hinterher diskutierten die Wache und einige aus dem Sonderkommando die hohe Anzahl junger Leute bei den Todeskandidaten. Kravat: „Die SS erklärte uns später, dass die jungen Leute sofort eliminiert wurden, weil sie sich gleich als der Faulheit zugeneigt erwiesen hätten. Damit seien sie ungeeignet für die Arbeit gewesen. Ein paar Tage später erzählte mir ein anderer SS-Mann, dass sie sofort eliminiert wurden, weil es Badoglio-Juden waren, die auf den König geschworen hatten. Dieser sei auch jüdischer Abstammung und habe Mussolini gestürzt."

Am 23. Oktober 1943 um die Mittagszeit endete der Passionsweg der meisten römischen Juden. Genau eine Woche zuvor waren sie bei der Razzia gefangen worden. Für die arbeitsfähig empfundenen Römer ging der Weg weiter durch die Hölle von Auschwitz und andere KZs.

23. Okt. 1943 - Apr. 1945

* * *

Überlebende

Von den ursprünglich 1016 deportierten römischen Juden werden nur sechzehn am Leben bleiben und zurückkehren. Das einzige Kind, das bis zur Befreiung überleben konnte, war die 13-jährige Fiorella Anticoli.[48] Sie befand sich zuletzt in Bergen-Belsen. Zufällig geriet sie auf ein Foto von Überlebenden, das ein amerikanischer Fotograf am 26. April 1945 in Bergen-Belsen machte. Das Bild ging durch die Weltpresse und in Rom erkannte ihr Vater seine Tochter Fiorella. Allerdings kam es zu keinem freudigen Wiedersehen. Fiorella starb Ende Mai im Krankenhaus Belsen an den Folgen der langen KZ-Haft.

Die Überlebenden und Zurückgekehrten sind:[49]

1. Amati, Michele, (19 J.)
2. Anticoli, Lazzaro, (33 J.)
3. Camerino, Enzo, (17. J.)
4. Camerino, Luciano, (19 J.)
5. Di Segni, Cesare, (46 J.)
6. Di Segni, Lello, (19 J.)
7. Efrati, Angelo, (21 J.)
8. Efrati, Cesare, (18. J.)
9. Finzi, Sabatino (18. J.)
10. Nemes, Fernando, (24 J.)
11. Piperno, Mario, (29.)
12. Sabatello, Leone, (18 J.)
13. Sermoneta, Angelo, (32 J.)
14. Sermoneta, Isacco, (33 J.)
15. Spizzichino, Settimia, (24J.)
16. Wachsberger, Arminio (32 J.)

Arminio Wachsberger war nach einer Odyssee durch verschiedene KZs schließlich in Dachau gelandet. Kurz bevor die Amerikaner das Lager befreiten, musste er mit anderen Juden und Italienern auf einen Transport in

Richtung Alpen. Durch glückliche Umstände und mit Hilfe eines „realistischen" Transportfeldwebels erlebte Wachsberger seine Befreiung in Tutzing. Dass seine Frau und seine kleine Tochter tot waren, wusste Wachsberger. Mengele selbst hatte es ihm gesagt. Irgendwann hatte sich Wachsberger in einem passenden Moment getraut, den Doktor nach seiner Familie zu fragen. Er hatte die Hoffnung, dass sie in einem nahegelegenen Lager lebten. Doch Mengele antwortete kurz: „Deine Familie existiert nicht mehr." Wachsberger gibt diesen Satz in seiner Erinnerung im Originalton Deutsch wieder. Ihm schossen Tränen in die Augen und er fragte nur: „Was, warum?" „Ihr seid Juden", war die lapidare Antwort.[50]

Wieder in Italien erfuhr Wachsberger, dass auch seine Mutter ein paar Monate später als er (April 1944) in die Fänge der SS geraten und im KZ gestorben war.

Cesare Di Segni war mit 46 Jahren der Älteste der Rückkehrer. Als er in Rom in seine Wohnung kam, fand er sie leer vor. Keiner seiner Lieben war mehr da. Er legte sich in ein Bett und weinte zwei Wochen lang. Kurze Zeit später erfuhr Cesare aber, dass sein Sohn Lello, der mit ihm bei der Razzia gefangen und deportiert wurde, überlebt hatte. Sie konnten sich glücklich in die Arme schließen.[51]

Einen Weinkrampf in der Wohnung bekam auch der 18-jährige Cesare Efrati als er sein ehemaliges Zuhause im Stadtteil Rom-Tiburtina aufsuchte. Die Wohnung war von Dieben ausgeraubt worden. In Cesare stieg unbändige Wut hoch; dieser „Spott der Geschichte" war einfach zuviel. Am liebsten hätte er die Welt in Stücke gehauen. Doch als er bemerkte, dass die Diebe alles bis auf das Bild seiner Mutter davongetragen hatten, überfiel ihn eine feierliche Rührung. Entkräftet sackte er in einer Ecke zusammen und weinte sich die Seele aus dem Leib.[52]

Tragisch verstarb viele Jahre später 1966 Luciano Camerino. Durch ein enormes Herbst-Hochwasser des Arno war auch die Florenzer Synagoge schwer in Mitleidenschaft gezogen worden. Signor Camerino gehörte zu einer Gruppe von Freiwilligen, die vor Ort Aufräumarbeiten durchführen wollten. Als Luciano die Synagoge betrat, erlebte er ein grausames Gefühls-Flashback. Beim Anblick der Verwüstungen rief er spontan aus: „Mein Gott, das sieht ja aus wie in Auschwitz!" Daraufhin fiel er tot auf den verschlammten Fußboden der Synagoge. Signora Eloisa Ravenna stand als Zeugin in seiner Nähe. Der überraschende Tod des augenscheinlich gesunden Signor Camerino bewegte damals die Gemeinde in Florenz sehr.[53]

Wie erwähnt war die einzige überlebende Frau aus der römischen Razzia Settimia Spizzichino. Sie wurde wie Fiorella in Bergen-Belsen am 15. April 1945 von den Engländern befreit.

Kurz bevor die Rote Armee Auschwitz erreichte, war Settimia mit anderen auf einen der berüchtigten Todesmärsche in Richtung Westen gezwungen worden.[54] Zu Fuß ging es nach Bergen-Belsen (Lüneburger Heide). In der Endphase des Krieges gab es in diesem Lager kaum noch eine funktionierende Verwaltung. Es sei dort für sie schlimmer gewesen als in Auschwitz, sagte Settimia. In Auschwitz hatte sie eine organisierte Hölle erlebt, in Bergen-Belsen eine chaotische. Der Tod sei überall gewesen und hätte zu jeder Tages- wie Nachtzeit die Menschen dahingerafft. Regelmäßige Essensrationen gab es nicht mehr, die Krankenversorgung und die innere Lagerstruktur waren zusammengebrochen. Kannibalismus habe sich breit gemacht.

Bevor die Engländer das Lager befreiten, musste Settimia noch einmal in außergewöhnlicher Form um ihr schwaches Leben kämpfen. Einige Soldaten hatten angefangen planlos auf Gefangene und Baracken zu schießen. Settimia sagte sich, dass nur Lebende Zielscheibe sein könnten, nicht aber Tote. So rannte sie zu einem aufgetürmten Leichenhaufen und suchte Schutz bei den Toten. Wie lange sie dort kauerte, schlief und bewusstlos war, konnte sie nicht sagen. Am 15. April, an ihrem 24. Geburtstag, hörte sie die Stimme eines Mithäftlings:

Gedenkstätte Bergen-Belsen; symbolisches Grab der Geschwister Margot und Anne Frank.

Margot und Anne starben in Bergen-Belsen kurze Zeit nach Settimias Ankunft in der chaotischen Hölle.

„Die Alliierten sind gekommen, komm raus!" Settimia wollte das nicht glauben. Sie hatte Angst ihren sicheren Hort zu verlassen. „Es ist der 15. April – sagte er. Da glaubte ich ihm. Sie waren gekommen. Wir waren frei."

Nach fünf Monaten des Aufpäppelns und Wartens wurde Settimia mit anderen Italienern repatriiert. Als der Zug am Brennerpass die italienische Grenze passierte, brach spontan Applaus im Wagen aus. Settimia glaubte zu träumen. Vor knapp zwei Jahren war sie genau hier in Gegenrichtung nach Auschwitz gefahren worden. Jetzt fuhr sie frei nach Hause.

Der Zug kam am römischen Bahnhof Tiburtina an. Es war der Deportationsbahnhof. Seltsamerweise habe sie keinerlei Emotionen verspürt, sie wollte nur weg, schrieb Settimia. Zielstrebig steuerte sie das alte Ghetto und die Via della Reginella an. „Als ich in die Straße einbog, rief ich: ‚Mama, ich bin es, ich bin hier.' Ich hoffte gegen alle Möglichkeit, dass auch sie zurückgekehrt war."

Settimia wurde rasch erkannt und überschwänglich begrüßt. Ihre Schwester Gentile mit der kleinen Laetizia und Schwester Enrica waren da. Sie stürzten aus dem Haus, sie weinten, umarmten und küssten sich. Etwas später kam ihr Vater Mose. Vor dieser Begegnung hatte Settimia Angst. Sie wusste, was er fragen würde. Mose umarmte wortlos seine Tochter Settimia mit festem Griff. Als er losließ, kam die Frage: Wo ist ihre Mutter, seine Frau Grazia, wo sind die Schwestern Ada mit dem Enkelchen Rosanna und Giuditta? Wisse sie auch etwas über den Bruder Pacifico? Settimia log und sagte, sie wisse nichts. Sie seien bei der Ankunft im Lager getrennt worden. Doch der Vater wusste Bescheid, so Settimia. Er fragte nie wieder.

Signora Spizzichino bei einem Besuch in Auschwitz 1999.
(aus: Spizzichino: Gli anni rubati)

Signora Spizzichino machte es sich zur Lebensaufgabe die Erinnerung an die Shoa wach zu halten. Dabei suchte sie besonders den Kontakt zu Jugendlichen. Bei unzähligen Besuchen in Schulklassen überall in Italien erzählte sie von ihrem Leben und Überleben: als Jüdin in Rom und in Auschwitz/Bergen-Belsen. Settimia starb am 3. Juli 2000 im Alter von 79 Jahren.

Von Pius XII. oder von einem seiner Nachfolger wurde Signora Spizzichino nie empfangen. Es gibt dazu jedenfalls weder einen Bericht noch eine Selbstauskunft. Eine erste Gelegenheit hätte es zwei Monate nach der Heimkehr Settimias gegeben. Am 29. November 1945 empfing Pius eine größere Gruppe von jüdischen Überlebenden der Shoa in einer Audienz.[55] Settimia fehlte – so wie auch andere aus der geringen Schar überlebender Leidensgenossen.

Nach dem Bericht im Osservatore Romano (30.11.1945) und nach den eigenen Worten von Pius in seiner Ansprache waren jene geladen bzw. gekommen, die ihre Dankbarkeit gegenüber dem Papst ausdrücken wollten. Der Osservatore zitierte aus dem schriftlichen Begehren: Es ist „die höchste Ehre, dem Heiligen Vater persönlich danken zu können für seine Großzügigkeit, die er den Verfolgten während der schrecklichen Periode des Nationalsozialismus erwiesen hat."

In seiner kurzen Rede ging Pius nicht näher auf die Judenverfolgung der Nazis ein. Er beklagte nur allgemein die Abgründe des Hasses, die der Wahnsinn der Verfolgung aufgerissen habe und wies auf die Treue der Kirche gegenüber den Geboten Gottes hin. Pius endete mit den Worten: „Ihr habt das Unheil und die Bisse des Hasses gespürt; aber inmitten eurer Angst habt ihr auch den Segen und die Zartheit der Liebe erfahren, einer Liebe, die nicht aus irdischen Motiven erwächst, sondern aus einem tiefen Glauben an den himmlischen Vater. Dessen Sonne scheint über alle, jedweder Sprache und Rasse, und seine Gnade ist offen für alle, die den Herrn in Geist und Wahrheit suchen." Danach erbat er den Segen über die Anwesenden, die mit so offenherziger Dankbarkeit gekommen seien.

Pius' Hinweis auf die Sonne, die über alle scheine, stammt aus der Bergpredigt Jesu im Zusammenhang mit dem Gebot der Feindesliebe (Mt 5,43ff). Jesus fand es wichtig, gleich im Anschluss an sein Wort über die auf alle unterschiedslos scheinende Sonne Gottes anzufügen: *„Wenn ihr nämlich nur die liebt, die euch lieben, welchen Lohn könnt ihr dafür erwarten? Tun das nicht auch die Zöllner? Und wenn ihr nur eure Brüder grüßt, was tut ihr damit besonderes? Tun das nicht auch die Heiden?"*

Ohne Zweifel durfte Pius gern die Dankbarkeit von Juden entgegennehmen und ihnen ein Grußwort sagen. Doch als der Stellvertreter Christi hätte sich Papst Pius auch um eine weitere Einladung bemühen müssen: für die, die ihm zürnten oder nur grollten, für die Verlassenen und Enttäuschten, die einsam nach Auschwitz Entführten und Überlebenden der Judenrazzia Roms.

Warum Settimia Spizzichino und andere Leidengenossen nicht zur Privataudienz im November 1945 geladen waren und warum Papst Pius nie Kontakt zu den jüdischen Rückkehrern seiner Bischofsstadt suchte, – es gibt bis heute keinerlei Hinweise von keiner Seite – weiß nur er selbst und der Himmel.

7. Ein Mythos entsteht

9. Oktober 2008

* * *

Vom Retter Pius XII.

In den drei dunklen Tagen der Judenrazzia hatte sich Pius XII. auffällig zurückgehalten. Er schwieg und ließ schweigen. Er bremste die Aktivitäten der Kurie und vermied jede Konfrontation mit Berlin. Es schien, als wäre er von der politischen Bildfläche abgetaucht und für niemanden ansprechbar.

Selbst von seinem engsten Mitarbeiter Substitut Montini, seinem Sekretär Pater Leiber SJ und von seiner stets aufmerksamen Haushälterin Schwester Pascalina ist kein einziges Wort zu den Ereignissen der Razzia, der Internierung und Deportation der Juden Roms überliefert. Besonders Schwester Pascalina wusste in ihren Erinnerungen viele Details aus der Kriegszeit zu berichten, doch die dramatischsten Tage im Pontifikat Pius XII. werden wortlos übergangen. Außer der knappen Bemerkung im Gesprächsprotokoll mit Botschafter Weizsäcker gibt es auch keinen weiteren Hinweis von Staatssekretär Maglione oder Unterstaatssekretär Tardini.

Vielleicht wäre das Wegducken Pius XII. während der SS-Aktion eine an den Rand gedrängte Episode der Kriegsgeschichte geblieben, wenn nicht ein Seligsprechungsverfahren eröffnet worden wäre. Der gesuchte „heroische Tugendgrad" in Glaube, Hoffnung und Liebe verlangt eine vorbildliche Leuchtkraft gemäß dem Wort Christi: *Ihr seid das Licht der Welt.* Jeder Schatten verdunkelt das Licht und konnte ein gefährlicher Stolperstein sein auf dem Weg zur Kanonisierung.

Es wundert daher nicht, dass im aufgeheizten Klima der bevorstehenden Seligsprechung Pius XII. große Anstrengungen unternommen wurden für eine makellose Biografie Eugenio Pacellis. Abgesehen von den Mühen, das Schweigen Pius XII. zum Holocaust abzuwiegeln, konzentrierte man sich auf eine Umdeutung der Vorgänge während der SS-Judenrazzia (näher zu „man" vgl. weitere Ausführungen). Herausgekommen ist ein Mythos, der Pius XII. zum Retter der Juden Roms hochstilisiert. Der Mythos gibt sich nicht damit zufrieden, die schmerzliche Wahrheit über die drei dunklen Tage im Oktober 1943 nur zu verharmlosen. Er biegt die Rolle Pius XII. ins Gegenteil. Auf den Punkt gebracht lautet er:

> Papst Pius XII. hat durch sein schnelles und wohlüberlegtes Handeln während der Judenrazzia einen vorzeitigen Abbruch der Maßnahme erreicht und damit mindestens 7000 Juden vor dem Zugriff der SS bewahrt. Gleichzeitig leitete er sofort eine umfassende päpstliche Rettungsaktion ein, indem er die Türen aller kirchlichen Einrichtungen für die Verfolgten öffnete. Tragischerweise war es für die bereits anfänglich Verhafteten zu spät. Für sie konnte er beim besten Willen nichts mehr tun.

Als quasi offizielle Version des Vatikans wurde der Mythos zuletzt in der weltweit gezeigten Ausstellung OPUS IUSTITIAE PAX. EUGENIO PACELLI – PIUS XII. (1976-1958) dem Publikum propagiert. Papst Benedikt XVI. hatte diese Ausstellung im Rahmen der Feierlichkeiten zum 50. Todestag Pius XII. (9. Okt. 2008) angestoßen. Sie wurde unter großer medialer Aufmerksamkeit von Herbst 2008 bis Sommer 2009 zuerst in Rom, dann in Berlin, München und New York gezeigt. Federführend für die Ausstellung war das Päpstliche Komitee für Geschichtswissenschaften unter Leitung ihres damaligen Präsidenten und heutigen Kardinals Walter Brandmüller sowie eines kirchenprominenten Ehrenpräsidiums. Den Vorsitz des Ehrenpräsidiums hatte der erste Mann der vatikanischen Kurie übernommen, Kardinalstaatssekretär Tarcisio Bertone.

Auf der Ausstellungstafel Nr. 51 hieß es unter dem Thema »Vatikanische Judenhilfe«:[1]

> Die Rettung der römischen Juden lag dem Papst in besonderer Weise am Herzen. Das zeigt sich vor allem bei der Gelegenheit der Razzia, die am 16. Oktober 1943 von dem Kommandanten der Sicherheitspolizei, Kappler, befohlen wird. Von den 1259 verhafteten Juden werden 1007 nach Auschwitz deportiert. Jedoch finden nach Schätzungen von Pinchas Lapide von den rund 9600 Juden, die sich in diesem Moment in Rom aufhielten, 8500 Zuflucht in Konventen, religiösen Häusern, päpstlichen Universitäten und sogar in Wohnräumen des Papstes.

Angemerkt sei, dass der Hinweis über einen Befehl Kapplers nicht korrekt ist. Das musste dem Geschichtskomitee mit dem umfänglichen wissenschaftlichen Beirat eigentlich bekannt gewesen sein.

Anhand der Angaben auf der Tafel konnte jeder Besucher der Ausstellung eine Rechnung aufmachen und schlussfolgern: Nur rund 1000 von insgesamt 9600 Juden konnte die SS durch eine Razzia schnappen; 8500 wurden vom Papst gerettet. 252 Juden sind irgendwie von der Deportation verschont worden. Eine Intervention des Vatikans? Der Abtransport der Razziaopfer nach Auschwitz musste eine schnelle Nacht- und Nebelaktion gewesen sein – ohne Kenntnis und Eingriffsmöglichkeit des Papstes. Von einem Abbruch der Razzia wird hier nicht direkt geredet. Aber es lag für den Betrachter nahe, dass Papst Pius ein Gegenspieler der SS-Häscher war und im Wettlauf mit ihnen Juden rettete. Sein Erfolg war überwältigend.

Die These vom Retter Pius XII. und die Behauptungen auf diesem Plakat sind manipulativ und geschichtsverfälschend. Ereignisse werden erfunden, einzelne Vorgänge vermischt und Zeiträume zusammengedrängt. Herauskommt ein heroisches Bild von Papst Pius, das ihm alle Ehre machen soll wegen seines ebenso umsichtigen, wie mutigen und erfolgreichen Eintretens für die verfolgten Juden Roms.

Wie effektiv die manipulierte Razziadarstellung selbst fachkundige Besucher irreführen konnte, zeigt beispielhaft ein Artikel der *Frankfurter Allgemeinen Zeitung* über die Ausstellung. Unter dem Titel „Korrektur einer schwarzen Legende"[2] bemerkte das renommierte Blatt im einführenden Text: „Hat der Papst zum Holocaust geschwiegen? Eine vatikanische Ausstellung erinnert an einfache Tatsachen und widerlegt damit nur die plumpesten Bosheiten gegen das Kirchenoberhaupt." Das einschränkende „nur" macht auf die weiterhin ungelöste Frage nach dem Wirken Pius XII. als „Morallehrer der Menschheit" aufmerksam.

Der Artikel wurde vom FAZ-Redakteur Patrick Bahners geschrieben, der von Hause aus Historiker ist. Bahners hält den Versuch des Päpstlichen Geschichtskomitees für gelungen, die schwarze, diffamierende Legende über Pius XII. „mit einfachen, aber durchaus wirkungsvollen Mitteln" zu korrigieren. In Bezug auf die Razzia und die Verfolgung der römischen Juden schreibt er: „In diesem Fall wirkt nämlich schon die knappe Darstellung elementarer Tatsachen aufklärend. Als die Deutschen 1943 Rom besetzten, konnten die meisten römischen Juden gerettet werden, weil der Papst ihnen in kirchlichen Gebäuden Zuflucht bot." Dass Herr Bahners den

Ausstellungsmachern auf den Leim ging und seinen Lesern Aufklärung durch Fakten bezeugt, ist ihm nicht groß vorzuwerfen. Allenfalls gewisse Blauäugigkeit gegenüber vatikanischer Geschichtsschreibung muss ihm vorgehalten werden.

Die Hauptverantwortung trägt das Päpstliche Komitee für Geschichtswissenschaft. Deren verschleiernde wie verdrehende Präsentation der Vorgänge rund um die römische Judenrazzia führt zwangläufig in die Irre. Der Betrachter der Schautafel hatte keine Möglichkeit, die Darstellung eines kämpferischen Pius XII. anzuzweifeln, der überaus erfolgreich einen kräftigen Strich durch die SS-Judenrazzia machte. Höchstens der eine oder andere sehr aufmerksame Besucher konnte misstrauisch werden.

Bei zwei Plakaten zuvor nämlich (Nr. 49) mit der Überschrift: *Die deutsche Besatzung Roms* hat sich ein kleiner, aber wunderlicher Fehler eingeschlichen. Im ersten Satz hieß es: „Nach der Unterzeichnung des Waffenstillstandes zwischen der Regierung Badoglio und den alliierten Truppen, besetzten deutsche Truppen am 10. September 1543 [sic!] die Stadt Rom." Dass bei der redaktionellen Durchsicht der Plakate niemand den 400-Jahre-Fehler bemerkte oder es für nötig befand, ihn auszumerzen, ist kurios. Auch im über zweihundertseitigen Begleitbuch zur Ausstellung, das von Päpstlichen Geschichtskomitee herausgegeben wurde und in dem alle Plakate dokumentiert sind, ist der Fehler übernommen worden.[3] Warum ließ man bei dem so sensiblen Datum der Nazi-Okkupation Roms, das für Juden und Papst zum Alptraum wurde, keine größere Sorgfalt walten? Zusätzlich delikat wird der Fehler durch einen historischen Zufall: 1543 veröffentlichte Martin Luther seine üble Schmähschrift gegen die Juden.[4] Viele Funktionäre im nationalsozialistischen Machtapparat verwiesen unverhohlen bis augenzwinkernd auf diese Schrift des Reformators, wenn es darum ging die NS-Judenpolitik zu verteidigen. Medienwirksam tat dies Julius Streicher als Angeklagter im Nürnberger Hauptkriegsverbrecherprozess. Streicher war der langjährige Herausgeber und fleißiger Artikelschreiber des einflussreichen NS-Hetzblattes *Der Stürmer*.

Angemerkt sei aber vor allem die suggestive wie instinktlose Bildpräsentation auf der besagten Schautafel Nr. 51. Auf einem großformatigen Foto sah der Besucher Papst Pius vor einer Gruppe von Männern im Vatikan eine Ansprache halten. Der Kommentar dazu: „Foto der Audienz Pius XII. für Juden, die die Vernichtungslager überlebt haben." Direkt unter dem Foto wurde der Betrachter über die Judenrazzia am 16. Oktober 1943 und dem rettenden Eingreifen des Papstes informiert. Einleitend hieß es, dass die Rettung der römischen Juden dem Papst ein besonderes Herzensanliegen war.

Das Foto stammt von der schon erwähnten Audienz Pius XII. am 29. November 1945. Zu der Audienz waren überlebende Juden aus KZs vorgelassen. Doch bei dieser Audienz kam kein einziger Teilnehmer aus der kleinen Schar der Überlebenden der römischen SS-Razzia. Weder Settimia Spizzichino noch andere, die zu diesem Zeitpunkt schon wieder in Rom waren, sind geladen worden. Entschuldigend möge man nicht vorbringen, dass zu diesem frühen Zeitpunkt der Vatikan unmöglich von Rückkehrern römischer Juden gewusst haben konnte. Tatsächlich hatte der Vatikan schon in den Kriegsjahren einen international kooperierenden Suchdienst für Kriegsgefangene und Flüchtlinge eingerichtet.

Die Schautafeln der Ausstellung über Pius XII.

(Berlin, 2009) zur Tragödie in Rom.

Wenn Papst Pius von überlebenden Juden der römischen Deportation wirklich etwas hätte wissen wollen, hätte er auch etwas erfahren. Er brauchte nur wenige Hebel in Bewegung setzen. Ein, zwei Anrufe aus dem vatikanischen Informationsbüro oder aus dem Staatssekretariat innerhalb Roms hätten vermutlich ausgereicht. Die jüdische Gemeinde hatte sich gleich nach der alliierten Befreiung Anfang Juni 1944 aus dem Untergrund heraus zaghaft neu formiert. Doch zwischen dem Stuhl Petri und der Synagoge gab es keine offizielle Kommunikation.

17. Jan. 2010

* * *

Offizielle Verteidigung

Es floss noch viel Wasser den Tiber hinunter, bis der Boden bereitet war für amtliche Kontakte zur römischen Judengemeinde. Nach dem Aufbruch des II. Vatikanischen Konzils mit der wegweisenden Erklärung NOSTRA AETA-TE dauerte es noch gut zwei Jahrzehnte bis ein Papst die Synagoge zu Rom besuchte. Den historischen Schritt machte Johannes Paul II. am 13. April 1986. In seiner Ansprache beklagte er ausdrücklich jegliche Form der Verfolgung von Juden und des Judenhasses – von welcher Seite auch immer.

Auf die SS-Razzia 1943 ging Johannes Paul nicht direkt ein. Er sprach allgemein von einem hohen Blutzoll, den die jüdisch-römische Gemeinde im Krieg bezahlen musste. Doch sei es „sicher eine bedeutungsvolle Geste gewesen" – so der Papst weiter – „als sich in den dunklen Jahren der Rassenverfolgung die Pforten unserer Ordenshäuser, unserer Kirchen, des Römischen Seminars, Gebäude des Heiligen Stuhles und des Vatikanstaates selbst weit geöffnet haben, um so vielen von ihren Verfolgern gehetzten Juden in Rom Zuflucht und Rettung zu bieten."[5] Die tragischen Ereignisse während der Razzia und die später erfolgte Asylaktion verknüpfte Johannes Paul hier noch nicht. Er bezog sich insgesamt auf die Jahre der Verfolgung in Italien bis April 1945.

Beim zweiten Besuch eines Papstes sollte aber die Razzia und Pius XII. Thema werden. Am 17. Januar 2010 stattete der deutsche Papst Benedikt XVI. der römischen Synagoge einen offiziellen Besuch ab. Vier Wochen zuvor hatte er per Dekret den heroischen Tugendgrad Eugenio Pacellis bestätigt und verkündet. Damit hatte er das seit 1964 laufende Seligsprechungsverfahren für Pius XII. quasi abgeschlossen. Jetzt fehlt nur noch die Anerkennung eines Heilungswunders. Die tugendhafte Biografie Pacellis steht nicht mehr zur Disposition.

Die Rede Papst Benedikts in der Synagoge wurde mit großer Spannung erwartet. Würde er etwas zu Pius XII. und zur Razzia sagen? Von Vertretern der Gemeinde wünschte der Vatikan keine Bemerkungen zu Papst Pius bzw. zu seiner Seligsprechung. Man erwartete, dass die jüdische Gemeinde den gesamten Casus »Pius XII.« als interne Angelegenheit der katholischen Kirche betrachte.

Doch der Präsident der Gemeinde, Riccardo Pacifici, hielt sich nicht an diese einseitige Erwartung. Als er in seiner Ansprache[6] auf die Shoah zu sprechen kam, machte er auch eine kritische Bemerkung zu Pius XII. Während des Krieges hätten besonders in Italien zahlreiche Klöster und Konvente tausende Juden in ihren Reihen versteckt. Das sei unter Lebensgefahr der Beteiligten geschehen. Ihnen allen gelte für diese großherzige Tat ein ganz besonderer Dank. Angesichts dessen sei das Schweigen Pius XII. zur Shoah schmerzhaft. Pacifici weiter: „Vielleicht konnte er die Todeszüge nicht stoppen, aber er hätte ein Signal geben können, ein Wort des Trostes und der menschlichen Solidarität an all jene unserer Brüder und Schwestern, die in die Öfen von Auschwitz transportiert wurden." Dass Papst Benedikt am Largo 16 ottobre, dem Razzia-Sammelpunkt am Theater des Marcellus, den Opfern seine Referenz erwies, hob Pacifici ehrend hervor.

Später wird sich der Vatikan verschnupft zeigen über die seiner Ansicht nach unangemessene Bemerkung zu Pius XII. vor den Ohren Papst Benedikts und der internationalen Presse. Verschnupft? Man kann nur den Kopf schütteln. Riccardo Pacifici hatte sich sehr zurückgehalten und bloß einen minimalen Wunsch an Pius XII. geäußert: Wenigstens ein Wort des Trostes und der Solidarität! Die Nerven in punkto Pius XII. müssen im Vatikan wirklich blank liegen.

In seiner Synagogenansprache hielt sich Benedikt an das vorbereitete Manuskript. Er vermied es, die Bemerkung Pacificis zu kommentieren.

In der Rede[7] ging Benedikt deutlich auf die NS-Judenverfolgung und die Shoah ein. Noch schärfer als Johannes Paul II beklagte er jeglichen Antisemitismus, insbesondere aus den Reihen der Kirche. Er bat um Vergebung und erinnerte an die päpstliche Vergebungsbitte zur Jahrtausendwende (26. März 2000). Dann kam Benedikt auf die SS-Razzia am 16. Oktober zu sprechen:

> Wie könnte man an diesem Ort nicht an die römischen Juden erinnern, die aus diesen Häusern vor diese Mauern gezerrt und mit schrecklicher Qual in Auschwitz getötet wurden? Wie ist es möglich, ihre Gesichter, ihre Namen, die Tränen, die Verzweiflung von Männern, Frauen und Kindern zu vergessen? Die Vernichtung des Volkes des Bundes Mose, die in Europa unter der nazistischen Herrschaft zunächst angekündigt und dann systematisch geplant und durchgeführt wurde, hat an jenem Tag tragischerweise auch Rom erreicht. Leider blieben viele gleichgültig, aber viele, auch unter den italienischen Katholiken, reagierten, gestärkt durch den Glauben und die christliche Lehre, mutig und öffneten die Arme, um den verfolgten und fliehenden Juden zu helfen, oft unter Gefahr für ihr eigenes Leben. Sie verdienen ewige Dankbarkeit. Auch der Apostolische Stuhl entfaltete damals eine Hilfstätigkeit, oft verborgen und diskret.

Papst Benedikt war deutlich: Als Hitlers Schergen ihre Hand nach den römischen Juden ausstreckten, sie aus ihren Häusern rissen und ins Todeslager deportierten, sei der Heilige Stuhl nicht gleichgültig geblieben. Er habe reagiert und Hilfe geleistet – so wie viele Gläubige und Katholiken, die dabei ihr Leben riskierten. Dass die Hilfe des Papstes oft „verborgen und diskret" geschah, war der Vermeidung größeren Leids geschuldet. Das betonte Benedikt erläuternd in einer Rede zum 50. Todestag Pius XII. im Herbst 2008. Papst Benedikt lehnte sich hier an die Linie der Pius-Präsentation der Vatikanischen Ausstellung an. Er verknüpfte die SS-Razzia zeitlich mit dem Beginn der päpstlichen Hilfe für die Juden. An dem 16. Oktober, als die tödliche Verfolgung in Rom einsetzte, sei Pius XII. in einer Reihe mit jenen gestanden, die aus ihrem Glauben heraus die Arme helfend geöffnet hätten. Eine Differenzierung des Geschehens in eine Zeit des päpstlichen Zauderns während der Razzia und der Zeit danach lässt Benedikt nicht gelten. Die allgemeine Botschaft vom Retter Pius XII. schließt ein „vor" und „danach" aus.

Ähnlich zeitlich pauschal argumentiert der Grundsatzartikel „Schweigen und Unterlassungen zur Zeit der Shoah" vom 14. August 2009 im *Osservatore Romano*.[8] Der Aufsatz stammt von Raffaele Alessandrini, einem langjährigen Mitarbeiter und Redakteur des päpstlichen Blattes. Alessandrini beklagte in seinem längeren Artikel das Schweigen der Alliierten und ihre Versäumnisse bei der Rettung verfolgter Juden. Ganz anders dagegen habe sich Pius XII. verhalten. Er habe gehandelt, als es um die Rettung der Juden ging. Während der neun langen Monate der deutschen Besatzung in Rom vom 8. September 1943 bis 4. Juni 1944 hätte Papst Pius dafür gesorgt, dass sich insgesamt zehntausend Juden vor den Deutschen in Sicherheit bringen konnten. Sie wurden in zahlreichen Klöstern und im Vatikan versteckt. Die SS-Razzia am 16. Oktober überging Alessandrini mit Schweigen – sehr irritierend für einen kundigen Leser. Vermutlich passte der schwarze Samstag, Sonntag und Montag nicht so recht in die Aufsatzlinie. Denn über eintausend Juden, die vor den Augen des Pius XII. gefangen und deportiert wurden, sind auch mit einer Retterlegende im Rücken schwer zu vermitteln.

9. Apr. 2010

* * *

Kirchliches Filmprojekt: Pius XII.

Die Botschaft vom Judenretter Pius XII. wurde 2009 in einem aufwändig produzierten italienisch-deutschen Filmprojekt mit dem Titel SOTTO IL CIELO DI ROMA wirkungsvoll in Szene gesetzt.[9] Am 1. November 2010 wurde der Film als TV-Zweiteiler komplett in der ARD unter dem Titel „Pius XII." ausgestrahlt. Kurz zuvor hat ihn RAI UNO in Italien gesendet. Thematisch behandelt das Werk nur die Razzia und die nachfolgende Rettungsaktion bis zur Befreiung Roms.

Man könnte leicht über das Drehbuch eines Pius-Filmes hinwegsehen, wenn es eine reine Privatproduktion wäre. Doch der Zweiteiler ist ein gemeinschaftliches Werk der kirchennahen Filmgesellschaft Lux Vide (Rom) und der sich in kirchlicher Hand befindenden Tellux (München). Die Produktion wurde vom Vatikan unterstützt durch Gewährung des Einblicks in die vertraulichen Seligsprechungsakten, durch den Zugang zu eigenen Räumlichkeiten und PR-Maßnahmen – wie z.b. durch einen Besuch Benedikt XVI. beim Set.

Die Filmpremiere fand am 9. April 2010 in Castel Gandolfo vor Papst Benedikt und hochrangigen Kurienvertretern statt. Die Hauptdarsteller des Films waren ebenfalls anwesend. Nach der Aufführung hielt Benedikt eine Ansprache zu dem Werk. Das Vatikanische Pressebüro meldete am nächsten Tag die Schlagzeile: „Pius XII.: Ein großer Lehrer des Glaubens, der Hoffnung und der Liebe". Der Originaltext ist in verschiedenen Sprachen auf dem Vatikanserver veröffentlicht:[10]

URAUFFÜHRUNG DES FILMS ÜBER PIUS XII. "UNTER DEM HIMMEL VON ROM"

WORTE VON BENEDIKT XVI.

Apostolischer Palast in Castel Gandolfo
Freitag, 9. April 2010

Liebe Freunde!
Ich freue mich sehr, daß ich an der Uraufführung des Films »*Unter dem Himmel von Rom*« teilnehmen konnte, einer internationalen Koproduktion, in der die grundlegende Rolle des ehrwürdigen Dieners Gottes Pius XII. für die Rettung Roms und vieler Verfolgter in den Jahren 1943 bis 1944 dargestellt wird. Auch wenn das Werk dem populären Genre zuzurechnen ist, will es jene dramatischen Ereignisse und die Gestalt des »*Pastor Angelicus*« im Licht der neuesten Forschungen rekonstruieren. Ich danke …

Derartige Werke – die unter Verwendung der modernsten Mittel für das breite Publikum gedacht sind und zugleich darauf zielen, Personen oder Geschehnisse des vergangenen Jahrhunderts zu illustrieren – haben vor allem für die jungen Generationen einen besonderen Wert. Für den, der in der Schule bestimmte Ereignisse gelernt hat und vielleicht auch etwas darüber gehört hat, können Filme wie dieser nützlich, anregend und eine Hilfe sein, eine gar nicht weit zurückliegende Epoche kennenzulernen, die aber leicht vergessen werden kann angesichts der bedrohlichen Ereignisse der jüngsten Geschichte und einer zersplitterten Kultur.

...

Es liegt mir aber am Herzen, vor allem zu betonen, dass Pius XII. der Papst war, der als Vater aller in Rom und in der Welt der Nächstenliebe vorstand, insbesondere in der schwierigen Zeit des Zweiten Weltkriegs. ...

Der Primat der Caritas, der Liebe – die das Gebot Jesu ist: das ist das Prinzip und der Schlüssel zum Verständnis des gesamten Werks der Kirche, *in primis* ihres universalen Hirten. Die Nächstenliebe ist der Grund jeder Handlung, jedes Beitrags. Sie ist der letzte Grund, der die Gedanken und konkreten Gesten bestimmt, und ich freue mich, daß auch aus diesem Film dieses einheitsstiftende Prinzip deutlich wird. Ich erlaube mir, diese Lesart vorzuschlagen im Licht jenes authentischen Zeugnisses dieses großen Lehrmeisters des Glaubens, der Hoffnung und der Liebe, der Papst Pius XII. war.

Das Lob Benedikts für den Film ist eindrücklich und seine Empfehlung besonders für die Jugend der Welt klar. Dieser nützliche und anregende Film zeige nicht nur die fundamentale Rolle Pius XII. im besetzten Rom, sondern helfe auch die Zeit im Zweiten Weltkrieg überhaupt zu verstehen. Vorbildlich habe Pius in Rom (und weltweit) den Vorsitz der tätigen Nächstenliebe angeführt – das Erkennungszeichen der Kirche allgemein und des Papsttums im Besonderen. Starke Worte.

Kurz vor der Ausstrahlung in Deutschland kam auch von deutschen Bischöfen und vom Direktor der arrivierten Bonner Kommission für Zeitgeschichte (Forschungen zum Katholizismus im 19./20. Jahrhundert), Prof. Hummel, eine Empfehlung für den Film. Hummel erkannte außer bei einer Zahlenangabe zu den verhafteten Juden in Holland keine Fehler im Film und resümierte: „Aber die wissenschaftlichen Erkenntnisse der letzten Jahre wurden sehr präzise berücksichtigt und werden durchaus glaubwürdig dargestellt."[11]

Trotz der geballten kirchlichen und professoralen Rückendeckung wurden in das Drehbuch gravierende historische Schnitzer eingearbeitet. Vorweg ist anzumerken, dass wichtige Personen, die vor und hinter den Kulissen mit der Razzia zu tun hatten, gar nicht vorkommen: wie der SD- und Sipo-Chef Roms Herbert Kappler, Botschaftsrat Albrecht von Kessel, Konsul Eitel F. Moellhausen und Kardinalstaatssekretär Luigi Maglione. Dass SS-General Wolff die Stelle von Kappler einnahm, kann man aus dramaturgischen Gründen vielleicht verzeihen, doch die Darstellung des Stadtkommandanten General Stahel als ausgesprochen papst-konzilianter Offizier ist unhistorisch. Stahel war nicht katholisch – wie im Film und sonst in Rom gern behauptet, sondern alt-katholisch. Er wurde auch nie in den Vatikan eingeladen, schon gar nicht zu Pius XII. persönlich. Im Gegenteil. Stahel ließ über Botschafter Weizsäcker schon eine Woche nach Amtsantritt persönlich bei Substitut Montini sondieren, ob er nicht als Ausdruck guten Willens ein Besuch im Staatssekretariat abstatten dürfe.[12] Vielleicht erhoffte sich Stahel bei diesem Besuch eine Audienzzusage bei Papst Pius. Weizsäcker machte keinen Hehl daraus, dass er gegen einen Besuch sei. Es könnte Gerede geben. Das Begehren Stahels wurde im Staatssekretariat zu den Akten gelegt und nicht weiter verfolgt. Nie setzte der General auch nur einen Fuß in den Vatikan – allein in den Petersdom dürfte er privat gegangen sein. In Wahrheit zeigte Pius XII. keinerlei Interesse, den Kommandanten seiner Stadt zu treffen.

General Stahel schlug auch nicht den Wunsch des Judenjägers Dannecker nach genügend SS-Polizeikräften aus. Vielmehr stellte er ihm alles zur Verfügung, was er in Rom irgendwie frei machen konnte. Weil Stahel für den Tag der Razzia keine Sicherungskompanien mehr hatte, mussten sogar Wehrmachtssoldaten vorübergehend Bewachungsaufgaben der SS im Hauptgefängnis Regina Caeli übernehmen. Es kam auch nicht zu einer Auseinandersetzung zwischen dem Kommandanten und Dannecker am Deportationsbahnhof. Am Ende des ersten Filmteils fährt Stahel nach einem Alarmruf aus dem Apostolischen Palast eigens zum Bahnhof hinaus, um dem Transport aufzuhalten. Doch Dannecker lässt ihn abblitzen. Es gäbe einen höheren Befehl zur sofortigen Deportation.

Korrekt ist, dass Stahel Vorbehalte gegen die Razzia hatte und deswegen wahrscheinlich auch mit Himmler telefonierte. Einen Stoppbefehl der Razzia allerdings erwirkte Stahel nicht.

Mit dem dennoch behaupteten Abbruch der Razzia leitet der Film den Mythos vom Judenretter Pius XII. ein. Der wohlüberlegte und massive Vorstoß des Papstes bei General Stahel habe das Leben von tausenden von Juden gerettet. Zehntausend Juden vermute man in Rom, so sagte es Dannecker zu Beginn des Films. Es seien auch viele Flüchtlinge aus anderen Ländern darunter. Doch Rom werde ihnen zur Falle werden. Laut Drehbuch durchkreuzte Pius diesen großen perfiden Plan am Tag der Razzia. Wegen der Intervention gelang es der SS nur etwas mehr als ein Zehntel der Juden Roms zu verhaften. Dank Pius blieb die große Mehrzahl einstweilen verschont.

Um nachträglich viele von den festgesetzten Juden „legal" frei zu bekommen, entwirft Pius im Film rasch die Idee, bei den Deutschen auf die Freilassung von (falschen) Passinhabern, „Halbjuden" und jüdisch Verheirateten zu pochen. So geschah es. Zahlreiche Verhaftete musste Dannecker wieder freisetzen. Was hier rettungswirksam Pius XII. zugeschoben wird, war in Wahrheit von Dannecker selbst initiiert worden. Er hielt sich an die Vorschriften. Korrekterweise sollten nur »Volljuden« deportiert werden.

In der Filmdarstellung lässt Dannecker den Rest der Gefangenen handstreichartig in einen Deportationszug verfrachten und noch am Abend abtransportieren. Dem Zuschauer wird der Eindruck vermittelt, dass Papst Pius keine zeitliche Möglichkeit blieb, weitere Schritte zu unternehmen. Tatsächlich aber hat Dannecker die Juden erst am dritten Tag in aller Ruhe zum Deportationsbahnhof Tiburtina karren lassen.

Kurios in diesem Zusammenhang ist die Film-Mitteilung von Substitut Montini an Pius spät in derselben Nacht des überstürzten Abtransportes: Der Zug habe jetzt Deutschland erreicht. Mehr hätte man nicht in Erfahrung bringen können. Der Heilige Vater habe alles getan, was in seiner Macht stand. Wiederum soll der Zuschauer den Eindruck gewinnen, dass es für Pius keine zeitliche Möglichkeit gab, den Deportationszug aufzuhalten. Wie stellt sich das Drehbuch eine Güterzugfahrt von rund 600 km nach Norden über die Alpen innerhalb von ein paar Stunden vor? Züge können nicht fliegen.[13] Tatsächlich war der Zug volle zwei Tage unterwegs bis zum Brennerpass. In dieser Zeit und auch später zeigte Pius kein Interesse am fahrenden Todeszug. Er hatte die eintausend Menschen schlicht aufgegeben.

Wie sehr der Film bemüht ist, Pius XII. als einen besorgt-aufmerksamen und aktiv eingreifenden Papst vorzustellen, zeigt besonders der Vorfall der Golderpressung durch SS-Chef Kappler. Weil die tatsächlichen Ereignisse dem Filmpublikum nicht zu vermitteln sind, sah man sich auch hier gezwungen das Drehbuch fiktional umzuschreiben.

In der Filmsszene »Der Papst und das Gold« wird der jüdische Gemeindeleiter persönlich von Pius XII. in Privataudienz empfangen. Pius zeigt sich geehrt. Er wisse, wie schwer es den Juden Roms falle, den Papst um Hilfe bitten zu müssen. Was das fehlende Gold angehe, werde er sich sofort darum kümmern, so Pius. Die Gemeinde brauche keine Sorge mehr haben.

Dann zitierte Pius XII. Worte aus dem Buch Genesis (Kap. 15), wo Gott mit Abraham seinen Bund schloss: „Und Gott kam zu Abraham und sagte: Fürchte dich nicht Abraham. Ich bin dein Schild und dein sehr großer Lohn." Der Gemeindeleiter zitierte daraufhin die anschließende Verheißung, dass die Nachkommen Abrahams so zahlreich sein werden wie die Sterne am Himmel. Pius lächelte und dem Gemeindeleiter standen die Tränen in den Augen.

Diese Szene ist anrührend geschrieben und umgesetzt. Sie weckt beim Zuschauer große Sympathie. Pius XII. ist nicht nur außergewöhnlich entgegenkommend und aktiv hilfsbereit, er ist auch theologisch überaus offenherzig. Er beschwört den immerwährenden Bund Gottes mit dem Stammvater Abraham.

Doch die historische Wahrheit schrieb andere Zeilen. Pius XII. hatte sich nicht persönlich um die Goldbitte gekümmert und zu keinem Zeitpunkt empfing er einen Vertreter der Gemeinde. Er ließ nicht einmal nachfragen, als er von der SS-Erpressung erfuhr, wie die als arm geltende römische Synagoge die Forderung erfüllen wollte. Pius wartete passiv bis er gebeten wurde und ließ dann über Dritte immer nur „mitteilen". Selbst als Oberrabbi Zolli eigens in den Vatikan gekommen war, sah Pius keinen Anlass, ihn persönlich zu empfangen. Der Vermögensverwalter Nogara lief zwischen Zolli und Papst hin und her.

Auch das Abrahamzitat mit der Bundeszusage Gottes ist sonderbar. Bis zur umwälzenden Neuorientierung im Verständnis des Judentums am Ende des II. Vatikanischen Konzils (1962-65) galt es in Theologie und Kirche als ausgemacht, dass Gott den Bund mit seinem ersten Volk aufgekündigt hatte. Das sei geschehen, weil die Juden den Messias Jesus Christus nicht anerkennen wollten und weil sie sich am Ende des „Gottesmordes" mit Selbstverfluchung schuldig gemacht hätten. Erst 1965 wird das Konzil nach heftigem innerkirchlichem Tauziehen und harten Kontroversen die immerwährende Gültigkeit des Abrahambundes zwischen Gott und seinem ersten Volk eingestehen.[14] In den vierziger Jahren war das noch theologische Zukunftsmusik.

Wie tief Pius XII. im religiösen Antijudaismus verwurzelt war, zeigt eine wichtige Bemerkung in seiner Weihnachtsansprache 1942 an die Kardinäle und Kurienprälaten. Mitten in der Ansprache kam Pius auf die Klage Christi über Jerusalem zu sprechen. Jesus habe Tränen vergossen über die „starre Verblendung" und „hartnäckige Verleugnung" Jerusalems, die es in die „Schuld bis zum Gottesmord" geführt habe.[15]

Selbst papstkonziliante Historiker schütteln an dieser Stelle den Kopf.[16] Man fragt sich, was in aller Welt Papst Pius bewogen hat, die geschichtlich und theologisch hoch belasteten antijudaistischen Vokabeln *starr, verblendet, hartnäckig, schuldig des Gottesmordes* aufzuwärmen? Diese Verdikte sind seit über einem Jahrtausend wesentliche Triebfedern für allgemeinen Judenhass, Judenunterdrückungen und schlimmste Verfolgungen. Kein Geringerer als Josef Ratzinger sagte in seiner Zeit als Präfekt der Glaubenskongregation zum jüdischen Vernichtungsfeldzug Hitlers drastisch: „Der christliche Antisemitismus hatte bis zu einem gewissen Grad den Boden dafür bereitet, das kann man nicht leugnen."[17] Warum fand es Papst Pius für nötig diesen unheilvollen christlichen Bodensatz in einer amtlichen Ansprache neu zu kultivieren – mitten in einem tobenden Völkermord an den Juden?

Auch ohne die unhistorische theologische Position zum nicht gekündigten Bund Gottes mit den Juden, die man Pius XII. in den Mund gelegt hat, wäre es eine päpstliche Sternstunde gewesen, wenn er einen Vertreter der jüdischen Gemeinde empfangen hätte. Pius hatte allen Grund über seinen Schatten zu springen. Die offen vorgetragene Deportationsankündigung Kapplers war nicht nur ein Affront gegen den Hl. Stuhl, das Leben von zweihundert Juden seiner Bischofsstadt war bedroht. Wenigstens hätte er Kontakt zu Botschafter Weizsäcker aufnehmen und bei der örtlichen Dienststelle Kappler intervenieren müssen. Doch Papst Pius zog es vor im Hintergrund zu bleiben – wie bei der Razzia in vierzehn Tagen.

Ist es verwunderlich, dass es nach Ausstrahlung des Films auf RAI von jüdischer Seite in Rom eine harsche Reaktion gab? In einem Interview, das als Artikel in der Hauszeitschrift *Shalom* veröffentlicht wurde,[18] kritisierte Oberrabbiner Di Segni die Pius-Darstellung scharf als „propagandistisches Blech". Das Werk habe nur apologetischen Charakter und verfolge eine politische wie moralische Rechtfertigung Pius XII. „Zu viele Auslassungen, zu viele Fehler, zu sehr unkritisch", so Di Segni zusammenfassend. Außerdem verwahrte sich der Rabbi gegen eine unverkennbar naive Vorführung von Juden in der Geschichte.

Zwischen den Zeilen des Interviews ist deutlich zu merken, dass das Trauma während der Judenrazzia vom Papst allein gelassen worden zu sein, immer noch sehr aufwühlt.

1997 - heute

* * *

Ursprung und Promotion des Mythos

Bei der Suche nach der Herkunft und den Werbeträgern der Retterlegende stößt man auf Vatikanhistoriker und ihre Schüler.

Den Startschuss für den Mythos gab Pierre Blet SJ. Er ist einer der vier privilegierten Jesuitenhistoriker, die von Papst Paul VI. den Auftrag zur Herausgabe einer Dokumentensammlung (ADSS) zum Casus Pius XII. bekam. 1997 veröffentlichte Blet eine Art Zusammenfassung aller herausgegebenen Bände, in der er zum ersten Mal von einem plötzlichen und vorzeitigen Ende der Razzia sowie von Judenrettungen durch die päpstliche Intervention sprach.[19] Er tat dies allerdings noch vorsichtig und ohne nähere Angaben. Belege führt er keine an, woher auch. Zwei Jahre später schlug Pater Gumpel SJ, der Relator im Seligsprechungsprozess Pius XII., in die gleiche Kerbe. In einem Beitrag zum Buch John Cornwells: *Hitler's Pope*, der von der internationalen ZENIT News Agency mit Sitz in Rom verbreitet wurde, sprach auch er von einem plötzlichen Stopp der Razzia. Der Stopp sei gekommen, nachdem man erst rund eintausend der insgesamt geplanten achttausend Juden verhaftet hatte.[20] Stadtkommandanten Stahel hätte bei Himmler einen Abbruch der Deportation erreicht. Auf Weisung Pius XII. seien daraufhin tausende von Juden in kirchlichen Häusern versteckt worden.

Die beiden Vorstöße von Pater Blet und Pater Gumpel wurden kurz vor Abschluss des richterlichen Untersuchungsergebnisses im Seligsprechungsprozess Pius XII. vom römischen Jesuitenhistoriker Pater Sale SJ zur Retterlegende ausformuliert. Ende 2003 veröffentlichte er in der einflussreichen Hauszeitschrift der Jesuiten *Civiltà Cattolica* einen Artikel über die Nazibesetzung und die Deportation der römischen Juden.[21] Darin behauptet Sale, es sei allein Papst Pius zu danken, dass die rund 8000 Juden Roms bei der Razzia in „wunderbarerweise" gerettet wurden. Nach der Intervention des Papstes bei Botschafter von Weizsäcker und bei Bischof Hudal sei die Verhaftungsaktion ebenso schnell eingestellt worden wie sie begonnen habe. Für die schon in den ersten Stunden verhaftete Gruppe hätte man dagegen nichts mehr unternehmen können.

Nach diesem Artikel wurde in kath. Pressemeldungen weltweit z.B. getitelt: „Pius XII. verhinderte SS-Aktionen gegen die Juden Roms." *(Kathpress)* oder: „Jesuit journal cites new evidence that Pius XII saved Jews" *(Catholic News Service)* [22] In der Kathpress-Meldung hieß es:

> Eine neue Facette der Haltung Papst Pius XII. zur Shoah hat die italienische Jesuitenzeitschrift »La Civiltà Cattolica« aufgedeckt. Der Papst habe von der SS-Razzia im jüdischen Wohnviertel Roms erst am Morgen des 16. Oktober 1943 gehört, als die Aktion fast abgeschlossen und die Betroffenen bereits in Polizei-Arrest waren. Wie die »Civiltà Cattolica« unter Berufung auf neue Dokumente schreibt, habe der Papst sofort beim deutschen Botschafter Ernst von Weizsäcker interveniert und mit einem öffentlichen Protest gedroht. So rasch, wie die Initiative begann, habe sie auch aufgehört, und das Leben von 8.000 römischen Juden sei ‚wunderbarerweise' gerettet worden. Im Fall der zuvor bei der Aktion gefangenen jüdischen Menschen sei nichts mehr zu machen gewesen, schreibt Jesuitenpater Giovanni Sale.

Zur Überschrift dieser Nachricht, zum Inhalt und zum Verweis auf angeblich neue Dokumente ist nur eines zu sagen: aus der Luft gegriffen!

Pater Sale wiederholte die Rettungslegende in seinem ein Jahr später erschienenen gewichtigen Buch *Hitler, la Santa Sede e gli ebrei.* Dort variiert er leicht den Gang der Ereignisse.[23] Er behauptet, dass es bereits eine nächtliche Razzia vom 15. auf den 16. Oktober gegeben habe. Erst nach Abschluss dieser ersten Welle sei Pius unterrichtet worden. Sofort habe der Papst die Initiative ergriffen, denn weitere Wellen durfte es nicht geben. Durch seine diplomatischen Interventionen habe Pius den Stopp der gesamten Aktion erreicht. So kam es zu einem abrupten Abbruch der gerade erst angelaufenen Judenrazzia. Der Großteil der Juden Roms wurde verschont. Zu dieser neuen Variante, die das Rettungshandeln Pius XII. noch deutlicher herausstellt, ist das Gleiche zu sagen wie zur internationalen Pressemeldung: haltlos und irreführend.

Vor allem Pater Gumpel wird nicht müde für die Rettungslegende Werbung zu machen. Ein Schülerkreis von ihm bzw. Historiker, die Gumpel nahestehen, unterstützen und publizieren die These gern:[24] Beispielhaft zu nennen sind Ronald Rychlak und Patrick J. Gallo (USA), Michael Hesemann (Deutschland), Andrea Tornielli und Antonio Gaspari (Italien). Besonders zu erwähnen ist in diesem Zusammenhang die umtriebige, internationale *Pave the Way Foundation* (USA) mit Gary Krupp an der Spitze. Diese Stiftung mit Sitz in New York hat sich offensichtlich seit 2008 zur Hauptaufgabe gemacht, mit allen Kräften die volle Rehabilitierung, die Seligsprechung und die Erhebung Pius XII. zum Gerechten unter den Völkern voranzutreiben. In der Holocaustgedenkstätte Yad Vashem soll sein Name an der *Wall of Honor* für alle Zeiten eingemeißelt sein und ins ehrende Gedächtnis der Menschheit eingegraben werden. Alle diese Autoren und die Stiftung trommeln kräftig für die Rettungslegende. Sie werben in Medien und versuchen bei anderen Autoren Gehör zu finden. Ich unterstelle den jesuitischen Historikern, die den Mythos aus der Taufe gehoben haben und unverdrossen favorisieren, keine unlauteren Motive. Wahrscheinlich trübte und trübt der immense Druck einer Rechtfertigung Pius XII. den objektiven Blick auf die drei dunklen Tage im Oktober 1943.

Der Rettermythos wurde von der offiziellen vatikanischen Position gern aufgenommen. Pius XII. als mutiger Retter der Juden Roms in der größten Not war genau die heroische Tugendtat, die man für eine reibungslose Seligsprechung brauchte. Der Untersuchungsbericht *(Positio)* von Pater Gumpel SJ über Pius XII. wurde vom vielköpfigen Gremium der Kongregation für Selig- und Heiligsprechungen im Mai 2007 einstimmig bestätigt und das päpstliche Geschichtskomitee unter der Leitung von Walter Brandmüller war dankbar für die geklärte Sicht auf die Ereignisse der Judenrazzia. In der oben erwähnten Piusausstellung sorgte das Komitee für eine publikumswirksame Präsentation der Retterlegende.

Ich habe mich in Rom zweimal mit Prof. Brandmüller über Pius XII. und die Vorgänge während der Razzia unterhalten.[25] Bedenken, die ich vorbrachte, wies Brandmüller zurück. Zuletzt, mit Kardinalswürde ausgestattet, sagte er mir klipp und klar, dass die Vorgänge der Judenrazzia in Rom vollständig aufgeklärt seien. Es gäbe dazu nichts mehr zu ermitteln. Weitere Forschungen zu diesem Thema seien zweck- und fruchtlos.

Trotz der pauschalen These kann Kardinal Brandmüller nicht für die gesamte seriöse Forschung sprechen. Beispielhaft zu nennen ist der römische Historiker und Karls-Preis-Träger Andrea Riccardi. In seiner Studie *L'inverno più lungo* (2008), in der er die Umstände der Judenrazzia kurz resümiert, hält er sich vornehm zurück. Riccardi stellt hinter die Behauptung des vorzeitigen Razziastopps ein Fragezeichen. Es könnte sich um einen „Mythos" handeln.[26]

Papst Benedikt bekam den Vorgang »Pius XII.« im Mai 2007 offiziell auf den Schreitisch gelegt. Das hochrangige Gremium der Kongregation für die Heiligsprechungen und das päpstliche Geschichtskomitee präsentierten ihm die Ergebnisse von Pater Gumpel und den assoziierten Jesuitenhistorikern als angeblich gesichertes Faktum. Seither berief sich auch Papst Benedikt pauschal auf den „Judenretter" Pius XII. Dabei unterschied er nicht zwischen dem Verhalten seines Vorgängers vom 1. Sept. 1939 bis zum Abschluss der römischen Razzia (18. Okt. 1943) und der Zeit danach, als Pius spät die Reißleine zog und Juden Asyl in kirchlichen Häusern anbot (vgl. Punkt: Alternativlos?). Ein Beispiel dafür ist Benedikts Ansprache am 18. September 2008 in Castel Gandolfo. Der Anlass war ein Symposium der oben genannten *Pave the Way Foundation* über den rastlosen Einsatz Pius XII. für verfolgte Juden. In der Ansprache an den Präsidenten der Foundation Gary Krupp und die Teilnehmer des Symposiums bemerkte Papst Benedikt zu seinem Vorgänger: „Man erkennt so, daß er, wo immer es möglich war, keine Mühen gescheut hat, zu ihren Gunsten [sc. Juden] einzugreifen – entweder direkt oder mittels Anweisungen an Einzelpersonen oder Institutionen der katholischen Kirche."[27]

In gewisser Hinsicht muss man Papst Benedikt in dieser Sache in Schutz nehmen. Josef Ratzinger ist von Hause kein Kirchenhistoriker, sondern Dogmatiker. Er musste sich darauf verlassen, was seine Mitarbeiter ihm als historische Fakten präsentierten. Allenfalls gewisse Naivität kann man Benedikt vorhalten. In seiner Zeit als Präfekt der Glaubenskongregation war er auch mit dem Fall „Pius XII." befasst und hatte Zugang zu vertraulichen Informationen. Mit gutem Grund konnte er misstrauisch sein über die allzu glatte Darstellung des Verhaltens Pius XII. während der Razzia. Sie passt so gar nicht zum Bild, das Pius vor dem 16. Oktober 1943 zeigte.

16. Oktober 1943

**

Kein Razziastopp durch Pius XII.

Vielleicht wird der Mythos vom mutigen Judenretter Pius XII. deshalb so hartnäckig verteidigt und propagiert, weil die historische Wahrheit zu schmerzlich ist:

Pius XII. sorgte nicht für einen Abbruch der SS-Judenrazzia vor seiner Haustür und er bewahrte nicht die Juden Roms vor der Deportation nach Auschwitz. Seine zarten diplomatischen Interventionsversuche am Tag der Razzia waren fehlgeschlagen. Weitere Interventionen hielt er für aussichtslos und diplomatisch unangemessen. Daher unternahm er keine Schritte zur Befreiung der verhafteten und vorübergehend internierten Juden im Collegio Militare. Der Deportationszug verließ ohne pontifikalen Widerstand die Ewige Stadt – sechzig lange Stunden nach Beginn der Razzia. Nicht einmal eine päpstliche Missbilligung wurde ausgesprochen.

Alle gegenteiligen Behauptungen sind falsch. Das gilt vor allem für die unverdrossen vorgetragene These, dass Pius XII. den Razziastopp erreichte und damit den Großteil der römischen Juden vor dem Zugriff der SS bewahrte.

Sämtliche Fakten und Dokumente rund um die Razzia belegen: Es kam zu keinem vorzeitigen Stopp! Die Razzia wurde ordnungsgemäß beendet und jeder Jude auf der Liste Dannecker abgehakt.

Der ungestörte Vollzug der Judenaktion und die Deportation der Verhafteten wurden mehrfach nach Berlin gemeldet. Es gibt keinerlei andere Belege oder irgendwelche Gegenbefehle.

Es gibt sie nicht in den Akten des Außenamtes Ribbentrop, nicht im internen Schriftverkehr des Reichssicherheitshauptamtes und nicht aus dem Feldhauptquartier Himmlers. Es gibt sie nicht in den Dokumenten über den SS- und Polizeiführer Italiens General Wolff, nicht beim Befehlshaber der Sicherheit in Italien General Harster, nicht beim Sipo- und SD-Chef Roms Kappler und nicht im penibel geführten Kriegstagebuch von Stadtkommandant General Stahel.

Auch Leutnant Kunkel im Ia Stab Stahels, der mit seinem Chef die Razzia kritisch beobachtete, gab in seinem Interview im Jahr 2000 keinen Hinweis auf einen Befehlsabbruch zur Razzia, obwohl er danach gefragt wurde. Er sprach nur davon, dass die Juden Wind von der Sache bekommen hätten und sich sehr viele verstecken konnten; dadurch sei Sand ins Getriebe der SS-Aktion geraten. Dieser "Sand" wurde im Vollzugstelegramm von Dannecker und Kappler sogar amtlich bestätigt.

Es gibt ferner keine Aussagen zu einem Razziastopp in den Nachkriegsprozessen von Kappler, Weizsäcker, Eichmann, Harster, Wolff, Boßhammer (betr. Dannecker) und Priebke. Es gibt keine Belege im Beweisfundus der entsprechenden Prozesse. Beteiligte SS-Offiziere (Eisenhut, Hack) und die kommandierenden Hauptleute der Polizeikompanien 5 und 11 (Seiler und Holzapfel) sowie die an der Razzia beteiligten Polizeisoldaten (z.B. Bauer, Börner, Breuer, Busche, Fritsch, Klapp, Gehrcke, u.a.) sprachen in Vernehmungen von einer ungestörten Razzia, die normal abgewickelt wurde. Besonders Untersturmführer Eisenhut hatte nach dem Krieg großes Interesse daran, seine Rolle als kommandierender SS-Offizier bei den Verhaftungen im Ghetto zu relativieren. Ein Befehl von ganz oben zum Rückzug hätte ihn aus seiner Sicht gleich doppelt entlastet. Es hätte die unmittelbare Verantwortung Himmlers gezeigt und nur ein Bruchteil der zu verhaftenden Juden wäre auf sein Konto gegangen. Doch in den diversen Vernehmungen hatte Eisenhut nichts in diese Richtung angedeutet. Er blieb in den Straßen des Ghettos bis die letzte Wohnung auf der Liste Dannecker ausgehoben war.

Ferner gibt es schließlich keinerlei Notizen zu einem Razziastopp in den Abhörprotokollen des genau überwachten Funkverkehrs Berlin-Rom beim britischen bzw. US-amerikanischen Geheimdienst.

Wer einwendet, dass es vielleicht doch einen Beleg gebe, der verloren gegangen sei oder noch nicht entdeckt wurde, sollte sich vom Lauf der Ereignisse überzeugen lassen. Die Razzia blieb ungestört. Das gleiche gilt für die Internierung der Verhafteten übers Wochenende. Auch die Verladung und Deportation aus Rom verlief nach Plan.

Es gibt letztendlich keinerlei Bemerkungen in den Memoiren oder schriftlichen Erinnerungen von unmittelbar oder mittelbar Beteiligten gegen die Dokumentenlage und gegen einen ordnungsgemäßen Verlauf der gesamten Aktion. Es gibt sie nicht bei SS-Hauptsturmführer Priebke, nicht bei Konsul Moellhausen oder seinem Chef Botschafter Rahn, nicht beim SS-Verbindungsoffizier in Rom Dollmann oder von überlebenden Razziaopfern bzw. Beobachtern der Razzia.

Es gibt gleichfalls keine Hinweise in diversen Aussagen oder Interviews nach dem Krieg von Albrecht Kessel, Eitel F. Moellhausen, Karl Wolff, Albert Kesselring oder Erich Priebke. In meinem Gespräch in Rom mit Priebke habe ich den einstigen stellvertretenden Gestapochef und Vertrauten Kapplers ausdrücklich auf diesen Punkt angesprochen (desgleichen auch im vorbereitenden Schriftwechsel). Priebke bestätigte mir noch einmal, dass es keinen Stoppbefehl von Himmler oder sonst aus dem RSHA gab.

Auch Kappler selbst, der im Zuständigkeitsstreit mit Dannecker sehr großes Interesse an einer abgebrochenen Razzia gehabt hätte, sprach in seinen Prozessen und den diversen Vernehmungen bis 1971 nie von einer Order Himmlers.

Ein weiterer, wichtiger Beleg für den ungestörten Ablauf der Judenaktion ist auch die nachträgliche Verhaftung von drei Personen im Hotel Bernini (Kap. 4 / *Die Festgenommenen und ein vergessenes Opfer*). Der Zugriff aufgrund einer verspäteten Information erfolgte erst nach Mitternacht in der ersten oder zweiten Stunde des Sonntags, 17. Oktober. Das waren 11-12 Stunden nach dem Ende der Razzia in den Straßen Roms. Es ist ausgeschlossen, dass der stets linientreue und überaus gehorsame Hauptsturmführer Dannecker entgegen eines ausdrücklichen Befehls seines höchsten SS-Dienstherrn Himmler zu einer Judenverhaftung schritt. Dannecker hätte den brisanten Eilbefehl Himmlers nicht einfach unterlaufen können. Die

Bernini-Verhaftung war öffentlich und hatte viele Mitwisser. Der Zeuge und Teilnehmer an der Verhaftung, SS-Untersturmführer Eisenhut, nannte in seiner Aussage nicht die geringsten Bedenken bei Dannecker und Kappler hinsichtlich einer Judenverhaftung im Rahmen der römischen Razzia.

Auch nur ein Gerücht von einer nachträglichern, befehlswidrigen Verhaftung an die Ohren des Stadtkommandanten General Stahel oder an den SS-Befehlshaber der Sicherheit in Italien, General Harster, der sich ausgerechnet zu dieser Zeit in Rom aufhielt, hätte für den Judenjäger Dannecker das Ende seiner Karriere bedeutet. Und eine Bestätigung der Bernini-Verhaftung hätte ihm ein SS-Kriegsgericht eingebracht. Abgesehen davon wäre es Kappler sehr gelegen gekommen, wenn er den lästigen Eindringling der Befehlsverweigerung hätte bezichtigen können.

Die Beweislage für eine ungestörte Durchführung der Razzia und gegen ihren vorzeitigen Stopp ist überwältigend. Ich habe die Quellenbelege deshalb so akribisch recherchiert, weil die Behauptung, dass Pius XII. einen Abbruch der Judenverhaftungen bewirkt habe, in die von Benedikt XVI. akzeptierte *Positio* zur Seligsprechung geschrieben wurde und zum zentralen Argument der Pius-Verteidigung aufgestiegen ist – bis hinauf in papstamtliche Stellungnahmen.

Die Judenjagd in Rom und im noch nicht befreiten Italien ging nach der Razzia ungestört weiter.[28] Es ist korrekt, dass es keine große Razzia mehr in Rom gab. Aber das war weder beabsichtigt noch möglich. Nach der Aktion am 16. Oktober gab es keine „registrierten" Juden mehr in der Stadt. Sie waren alle auf der Flucht. Sie verließen Rom oder tauchten dort unter, wo immer es ging, lebten illegal, wechselten die Verstecke und hofften, nie in eine Straßenkontrolle der SS oder auch nur der faschistischen Polizei zu gelangen. Eine weitere Razzia in Rom war daher unmöglich. Es sei denn, man hätte mit sehr großen SS-Polizeiverbänden ganze Stadtteile abgeriegelt und systematisch durchkämmt. Angesichts der Sicherheitslage in der Stadt und der geringen Kräfte war das mehr als unrealistisch. Wenn man dennoch mit großer Kraftanstrengung eine Razzia organisiert hätte, dann wären zu allererst die für die Besatzung brandgefährlichen kommunistischen Partisanen Zielgruppe gewesen.

Schon im November wird die Mussoliniregierung auf Druck, mindestens aber „Wunsch", Berlins eine Polizeiverordnung mit Gesetzeskraft erlassen, dass Juden ausnahmslos in Konzentrationslager zu verbringen sind. Ihr Vermögen sei einzuziehen.[29] Mit dieser Verordnung im Rücken wurden ab sofort alle Juden „legal" im gesamten von Deutschen besetzten Italien gejagt. Auch in Rom gab es bis zur Befreiung Anfang Juni 1944 zahlreiche Verhaftungen von Juden, die zufällig oder durch Verrat in die Fänge der Gestapo fielen. Besonders das *Centro di Documentazione Ebraica Contemporanea* (CDEC) in Mailand hat in mühevoller und jahrelanger Kleinarbeit den Namen aller Verhafteten nachgespürt und sie dokumentiert. Dort und im *Jüdischen Museum* in Rom kann man zum Beispiel viele alte Verhaftungskarten der Gestapo sehen, wo unter der Rubrik „wegen" fett »JUDE« geschrieben steht. Die Daten liegen alle nach dem 16. Oktober 1943. Eine umfangreiche Dokumentation von Interviewaussagen Überlebender der italienischen Shoa legte jüngst Marcello Pezzetti in Zusammenarbeit mit dem CDEC vor.[30] Darunter sind viele, die in Rom nach dem 16. Oktober verhaftet wurden. Insgesamt waren es noch einmal rund eintausend Menschen.[31]

Die kurze Telefonnotiz von Bischof Hudal, dass Himmler den sofortigen Stopp der Verhaftungen befohlen habe, ist noch mysteriöser als der Hudalbrief selbst. Hatte Hudal die Meldung schlicht erfunden? Dafür hätte er eine Menge Gründe gehabt. Wie schon erwähnt, hatte sich Hudal durch seinen jahrelangen Kampf um ideologische Versöhnung des wahren Nationalsozialismus mit dem katholischen Glauben und durch sein zweifelhaftes Benehmen mehr und mehr isoliert. Hudal suchte ständig nach Anerkennung und Profilierung. Die Judenrazzia war dafür ein guter Anlass. Wenn er – und sonst niemand in Rom – den Abbruch der Razzia aufgrund seines Briefes vermelden konnte, hätte ihm das Reputation beim Vatikan eingebracht.

Eine Erfindung aus der hohlen Hand ist aber sehr unwahrscheinlich. Vielmehr dürfte Hudal bei seinem Telefonat mit Stahel diesen missverstanden haben. Als Stahel mit Himmler telefoniert hatte, konnte er beruhigt worden sein: Die Razzia sei beendet. Er brauche sich keine Sorgen wegen Unruhen in der Stadt machen. Wenn General Stahel am Sonntag, den 17. Oktober, das Monsignor Hudal in irgendeiner Form mündlich mitteilte, entsprach es der Lage. Seit Samstagnachmittag gab es ja keine Verhaftungen mehr. Alle adressbekannten Juden Roms waren angefahren worden.

Hudal könnte aus Unkenntnis der tatsächlichen Vorgänge die Mitteilung Stahels aus dem Himmlertelefonat als „Abbruch" missverstanden oder in diese Richtung gedeutet haben.

Zehn Tage nach dem Telefonat Stahels mit Himmler bekam Stahel von seinem Vorgesetzten Feldmarschall Kesselring den Befehl, sich im Führerhauptquartier zur weiteren Verwendung zu melden. Damit war Stahel nach knapp zwei Monaten sein Stadtkommando wieder los. Das lässt sich nur mit einer Verärgerung Himmlers über einen örtlichen Befehlshaber erklären, der sich erlaubte eine SS-Judenaktion kritisch zu beurteilen. Allerdings bezog sich Stahel dabei nicht auf die Gefahr eines päpstlichen Protestes, sondern argumentierte rein militärisch. Das gesteht Pater Gumpel zu, der diese Information von dem damaligen Oberst Dietrich von Beelitz aus dem Stab von Kesselring erhielt.[32] Beelitz war Verbindungsoffizier zum Führerhauptquartier gewesen und hatte die Abberufung Stahels unmittelbar mitbekommen. Bei seinem Abschiedsbesuch in Kesselrings Hauptquartier habe Stahel Oberst Beelitz von seinem Telefonat mit Himmler erzählt. Er habe argumentiert, so Stahel, dass das frontnahe Rom wegen der explosiven Stimmung einerseits ein Sicherheitsrisiko sei, andererseits aber dringend als ruhige Nachschubbasis für die Truppen gebraucht würde. Wegen der Judenrazzia könnte es in der Bevölkerung zu Unruhen kommen, die die Versorgung der Front im Süden gefährden würde.

General Stahel wurde nicht, wie gern behauptet, an die Ostfront strafversetzt, wo er alsbald gefallen sei. Er wurde vielmehr in eine mehrmonatige „Führerreserve" geschickt. Im Sommer 1944 bekam er wieder ein Kommando als Kampfkommandant der Festung Wilna und anschließend als Befehlshaber von Warschau. Während eines weiteren Kampfkommandos in Rumänien geriet er in russische Gefangenschaft. Wegen seiner Zeit als Befehlshaber in Warschau während des Aufstandes wurde er als Kriegverbrecher angesehen und bis 1955 festgehalten. Allerdings starb Stahel kurz vor seiner schon beschlossenen Freilassung.

Mit einer missverständlichen Deutung der telefonischen Bemerkung Stahels war Bischof Hudal in guter Gesellschaft. Auch der britische Gesandte beim Hl. Stuhl, Sir D'Arcy Osborne, saß einer Falschmeldung auf. Am 31. Oktober schrieb er ans Foreign Office über die Reaktion von Kardinal Maglione am Tag der Razzia: „Gleich nachdem er von den Verhaftungen der Juden in Rom gehört hatte, sandte der Kardinalstaatssekretär nach dem Deutschen Botschafter und formulierte eine Art Protest. Der Botschafter griff sofort ein, mit dem Ergebnis, dass eine große Anzahl freigelassen wurde."[33]

Osborne bezieht sich auf jene Verhafteten, die nach der Überprüfung im Collegio auf freien Fuß gesetzt wurden. Wir haben schon gesehen, dass diese Aktion eine vorschriftsmäßige Identitätsprüfung von Dannecker war. Weizsäcker war hier nicht tätig geworden. Auch der britische Historiker und Osborne-Experte Owen Chadwick bemerkte in diesem Zusammenhang, dass der Gesandte hier einer Illusion aufgesessen ist.[34] Die Quelle der Meldung stammte zweifellos aus dem vatikanischen Staatssekretariat. Osborne lebte im Vatikan und hatte keine Verbindung zum feindlichen Botschafter Weizsäcker. Offensichtlich war Staatssekretär Maglione irrtümlich der Meinung, dass die Freilassung der rund zweihundertfünfzig Personen aus der Internierung auf Weizsäckers Goodwill-Konto ging.

Hätte man sich im Staatssekretariat die Mühe gemacht der Sache näher nachzugehen, wäre rasch geklärt worden, dass die Aktion im Collegio intern abgewickelt wurde nach Befehlslage und „Rassenvorschrift".

16. Okt. 1943ff

* * *

Nicht auf der Agenda

Pius XII. und sein Staatssekretariat zeigten sehr wenig Interesse an den Vorgängen in der nahen Militärschule. Pius ließ niemanden dort hinschicken, um nach den gefangenen Juden zu sehen oder um wenigstens Hilfsgüter bringen zu lassen. Ein solcher Bote hätte auch unmittelbar Informationen über die Lage dort erkunden können. Zeit dafür war genug – über fünfzig Stunden. Doch außer dem erwähnten Don Quadraroli, der nicht im Auftrag des Papstes, sondern auf Bitten eines unbekannten Dritten im Collegio auftauchte, um ein Nahrungsmittelpaket für bestimmte

Leute zu überreichen, ließ sich niemand dort sehen: Vermutlich spielte aber Pater Pfeiffer eine Rolle im Hintergrund. Wie genau sie aussah, kann man nur aus seinen Notizen erschließen.[35]

Nach einer Bemerkung des britischen Gesandten D'Arcy Osborne scheint dieser die Untätigkeit schon am Montag, den 18. Oktober, missbilligend angesprochen zu haben. Er nutzte die Gelegenheit in einer Privataudienz um 9 Uhr vormittags. Zu dieser Zeit wurden unweit vom Audienzzimmer die internierten Juden gerade durch Rom zum Tiburtina-Bahnhof transportiert. Aus vatikanischer Quelle ist nicht bekannt, worüber die beiden alles gesprochen haben.[36] Aber von Osborne gibt es einen kleinen Bericht ans Foreign Office.[37] Daraus geht hervor, dass er Pius XII. auf die Kraft seiner moralischen Autorität angesprochen habe. Es sei die Meinung einer ganzen Reihe von Leuten, so Osborne zu Pius, dass er seine eigene moralische Autorität unterschätze, ebenso wie den zurückhaltenden Respekt der Nazis aufgrund der hohen Zahl von Katholiken in Deutschland. Osborne schloss dieser Meinung an. „Ich drängte ihn, das zu bedenken in Fällen zukünftiger Ereignisse, die einen Anlass geben könnten für einen härteren Kurs." Pius antwortete nichts darauf. Was ist ihm wohl bei der Vorhaltung Osbornes über die hohe moralische Autorität des Papstes durch den Kopf gegangen?

John Cornwell spricht in seinem Buch *Hitler's Pope* von einer päpstlichen Privataudienz des ständigen US-Vertreters Harold Tittmann am Deportationstag (18. Okt.) Cornwell beklagt, dass nach dem Bericht Tittmanns Papst Pius mit keinem Wort auf die gerade stattgefundene Tragödie eingegangen sei. Vielmehr habe sich Pius nur um die Sicherheit in Rom vor den kommunistischen Partisanen große Sorgen gemacht.[38] In seiner längeren Erwiderung auf Cornwell geißelte Pater Gumpel diese Behauptung. Die besagte Audienz sei nicht am 18. Oktober gewesen, sondern vier Tage zuvor, als die Razzia noch gar nicht begonnen hatte. Deshalb habe Pius auch gar nichts dazu sagen können.

Das ist korrekt. Doch damit ist Pius XII. nicht entlastet. Statt Tittmann war Minister Osborne beim Papst. Und bei dieser Privataudienz ließ sich Pius nicht auf das Thema der Razzia ein.

Übrigens bekam die Audienz Tittmanns am 14. Oktober doch noch Bedeutung für die Tage unmittelbar nach der Razzia. Nach der päpstlichen Audienz hatte Tittmann das Staatssekretariat um Präzisierungen gebeten über frühere Zusicherungen seines Chefs Myron Taylor bezüglich der Rücksichten der US-amerikanischen Regierung auf das italienische Volk. Tittmann brauchte die Präzisierungen, weil er in der Audienz von Pius darauf angesprochen worden war. Der Papst hatte sich bei ihm beschwert, dass das italienische Volk nicht den Zusicherungen gemäß behandelt würde, die die US-Regierung gegeben habe. Man habe doch klar gesagt, die Amerikaner seien die Freunde der Italiener. Mgr. Montini legte die Bitte Tittmanns am Freitag, den 22. Oktober, Pius XII. vor. Pius antwortete, dass man sehen soll, was Botschafter Taylor zum fraglichen Sachverhalt schriftlich hinterlassen habe.[39] An diesem Freitag war der Deportationszug noch unterwegs nach Auschwitz. Hatte Pius XII. zu dieser Zeit keine anderen Sorgen als sich um nebensächlichen diplomatischen Schriftverkehr zu kümmern? Anstatt artig Weisung auf die Bitte Tittmanns zu geben, hätte Pius dem amerikanischen Vertreter wenigstens jetzt Informationen zur Judenrazzia zukommen lassen müssen. Das wäre nicht einmal umständlich gewesen. Tittmann wohnte wie Minister Osborne auf dem Vatikangelände. Und am Samstag, den 23. Oktober, kam Tittmann sogar persönlich ins Staatssekretariat zu einem Termin mit Kardinal Maglione. Pius XII. zog es vor, zu schweigen und schweigen zu lassen. Die Judenaktion in Rom sollte auch bei den Alliierten nicht an die große Glocke gehängt werden.

Es überrascht nicht, dass ebenfalls in der vatikanischen Hauszeitung *L'Osservatore Romano* kein Wort von der Judenrazzia in der Heiligen Stadt Rom auftauchte. Der *Osservatore* wurde von Papst Pius redaktionell eng kontrolliert – seit seiner Amtszeit als Kardinalstaatssekretär ab Februar 1930. Am Platz konnte es nicht gelegen haben. In der Sonntagsausgabe vom 17. Oktober wird alles Mögliche berichtet: auf der ersten Seite z.B. Bemerkungen zur Entwicklung der ungarischen Landwirtschaft und zu Zollstatistiken der Schweiz, Nachrichten über Proteste in Lissabon und die Politik in Argentinien und Spanien. Sogar eine Notiz über die Inspektionsreise von Feldmarschall Rundstedt in Frankreich ist zu finden. Auf den Seiten zwei bis vier kann man viel über das musikalische Gesamtwerk von Asprilio Pacelli lesen, über das Ableben (am frühen Sonntagmorgen) eines Journalistenkollegen, über Gedanken zum Filmwesen und jede Menge Erbauliches. Natürlich war auch Platz für Werbung mit Bildern: Seife, automatische Waschtröge, Bleistifte, verschiedene Geschäfts- und Privatanzeigen.

Andere Zeitungen und Nachrichtenagenturen brachten sofort Meldungen über die SS-Razzia heraus. Obwohl sich Konsul Moellhausen von der Deutschen Botschaft zurzeit nicht in Rom aufhielt, wurde er von mehreren Zeitungsredaktionen angerufen. Man wollte von ihm Näheres über das Geschehen am Tiber erfahren.[40] Allerdings konnte Moellhausen nicht weiterhelfen. Was hinderte die Vatikanzeitung über die Tragödie der Judenverschleppung in der Diözese des Papstes angemessen zu berichten? Auch in den folgenden Tagen sah es nicht anders aus. Kein Wort über die Juden. Der Supergau für den Bischof von Rom und Stellvertreter Jesus Christi stand nicht auf der Agenda.

Die einzige Stellungnahme im Osservatore Romano war ein Hinweis auf die unermüdliche Hilfstätigkeit des Hl. Vaters angesichts der zunehmenden Kriegsleiden. Der Artikel wurde genau eine Woche nach der Razziatragödie veröffentlicht. Botschafter Weizsäcker hielt es für Wert, den Text nach Berlin zu schicken. In seinem Kommentar zeigte sich Weizsäcker erleichtert: Es scheine, dass die unangenehme Judenfrage hier in Rom erledigt sei:[41]

Von vatikanischer Seite jedenfalls liegt hierfür ein bestimmtes Anzeichen vor. Der *Osservatore Romano* hat nämlich am 25./26. Oktober an herausragender Stelle ein offiziöses Kommuniqué über die Liebestätigkeit des Papstes veröffentlicht, in welchem es in dem für das vatikanische Blatt bezeichnenden Stil, d.h. reichlich gewunden und unklar, heißt, der Papst lasse seine väterliche Fürsorge allen Menschen ohne Unterschied der Nationalität, Religion und Rasse angedeihen. Die vielgestaltige und unaufhörliche Aktivität Pius XII. habe sich auch in letzter Zeit infolge der vermehrten Leiden so vieler Unglücklicher noch verstärkt.

Gegen die Veröffentlichung sind keine Einwendungen umso weniger zu erheben, als ihr Wortlaut, der anliegend in Übersetzung vorgelegt wird, von den wenigsten als spezieller Hinweis auf die Judenfrage verstanden werden wird.

Die Erleichterung Weizsäckers ist verständlich: Kein Wort zur Judenrazzia und keine Missbilligung der Deportation von über eintausend Menschen drei Tage später. Stattdessen der wohlmeinende Hinweis auf die Fürsorge des Hl. Vaters über alle Unterschiede hinweg.

Verstärkte karitative Liebe ohne Unterschied? Kann man noch minimaler über die selbstverständliche Pflicht eines Papstes sprechen? Die Pflicht zur Liebe wo Not ist und selbstredend ohne Vorbehalte, ist jedem Christenmenschen ins Herz geschrieben, jedem. Das ist keine exklusive Haltung, die besonders erwähnt werden müsste.

Warum musste das Papstblatt Ende Oktober die universale Liebestätigkeit des Hl. Vaters eigens lobend herausstellen?[42] Ich kann mir nur einen gewichtigen Grund für diese Allerweltsnachricht denken: ein verdecktes Signal für die Oberen der Klöster und kirchlichen Häuser Roms. Dieses „Signal" könnte die angelaufene bedingungslose Aufnahme flüchtender Juden unterstützen und päpstlich legitimieren; zum Kirchenasyl vgl. näher die folgende Schlussbemerkung.

Wie man die Tragödie der Judenrazzia melden konnte, zeigte die Untergrundpresse in Rom. Leone Ginzburg zum Beispiel schrieb in *Italia Libera*:[43]

> Die Deutschen sind eine Nacht und einen Tag lang in Rom herumgekreuzt und haben Italiener aus ihren Häusern gerissen. Die Deutschen wollen uns weiß machen, dass diese Leute Ausländer und von anderer Rasse sind. Aber wir empfinden sie als von unserem Fleisch und von unserem Blut. Mit uns haben sie gelebt, gekämpft und gelitten. Es waren nicht allein die starken Männer, die in Wagons gesperrt und in ihr Schicksal geschickt wurden, es waren Alte, Kleinkinder, Frauen und Babys. Es gibt kein einziges Herz, dass nicht schaudert beim Gedanken an dieses Schicksal.

Schon ein paar ähnliche Worte im Osservatore Romano hätte den sehnlichen Wunsch vieler Juden erfüllt, wenigstens „ein Signal ... ein Wort des Trostes und der menschlichen Solidarität" vom Pius XII. zu bekommen.[44]

Selbst im vatikanischen Staatssekretariat schüttelte der eine oder andere betreten den Kopf über das Desinteresse im Hause. Bezeichnend dafür ist die Note eines Mitarbeiters vom 25. Oktober.[45] Der in der vatikanischen Aktensammlung nicht namentlich aufgeführte Assistent schrieb, dass der Militärkaplan der italienischen Polizei in Rom, Pallottiner-Pater Giancarlo Centioni, heute Morgen zu ihm ins Staatssekretariat gekommen sei. Pater Centioni wollte vertrauliche Informationen weitergeben, die er vom deutschen Militärkaplan für die SS hier in Rom erhalten habe. Er stehe in enger

Verbindung mit diesem Kaplan. In einem vertraulichen Gespräch habe der deutsche Priester ihm einige schreckliche Eindrücke über die stattgefundene Deportation der Juden erzählt und über „die Untätigkeit der kirchlichen Autorität bei diesem traurigen Ereignis." Er halte es für seine Pflicht, so der Büromitarbeiter weiter, dem Monsignor Substitut (Montini) das in opportuner Weise mitzuteilen. Mgr. Montini schrieb vier Tage später die knappe Notiz auf die Vorlage, dass Seine Heiligkeit getan habe, was er konnte.

Dieser Vorgang wirft zusätzlich Licht auf die blasse Rolle Pius XII. während der Judenrazzia. Der deutsche Militärpriester konnte zwar nicht wissen, was im Vatikan alles lief, dafür sah er aber unmittelbar die Abläufe und Reaktionen auf der anderen Seite der SS-Polizei. Von dort her schien der Vatikan, schien der Papst von der Bildfläche verschwunden. Man merkt dem Schreiben des vatikanischen Mitarbeiters deutlich an, wie peinlich und wie schmerzlich das von allen drei Beteiligten empfunden wurde.

Aus der vatikanischen Aktensammlung ist nicht zu ersehen, ob dem Schriftstück eine Anlage beigefügt wurde, wo Einzelheiten angeführt wurden. Falls nicht, ließ der Mitarbeiter aber durch die Blume erkennen, dass er sie auf Nachfrage ausbreiten könne. Doch Montini zeigte kein Interesse daran. Der Vorgang endete sang- und klanglos.

Die Sprachlosigkeit im Vatikan und bei Papst Pius sollte nie enden. Bereits unmittelbar nach dem Krieg drängte der neue französische Botschafter beim Heiligen Stuhl, der bekannte Philosoph und Thomas v. Aquin Experte Jacques Maritain auf ein Wort Pius XII.[46] Maritain hatte nicht allein die römische Judenermordung im Auge. Er forderte dringend eine grundsätzliche Stellungnahme. Der Papst müsse jetzt als oberster Lehrer der katholischen Welt Worte finden für den monströsen Genozid am europäischen Judentum, für die Ursachen und für eine klare Position des Katholizismus. Maritain war Pius XII. sehr freundlich zugeneigt. Er zeigte Verständnis für dessen öffentliche Zurückhaltung während des Krieges. Doch nach dem Ende Hitlers gebe es dazu keinen Grund mehr. Papst Pius könne jetzt all das nachholen und sagen, was er hätte sagen müssen, was er hätte sagen wollen.

Am 16. Juli 1946 erhielt Maritain eine päpstliche Privataudienz. Pius XII. war schon informiert über das Anliegen des Botschafters. Maritain hatte über Substitut Mgr. Montini, mit dem er als sein alter Lehrer eng verbunden war, sein Begehren dem Papst vorgetragen. In der Audienz blieb

Pius XII. einsilbig. Er antwortete dem Botschafter knapp, dass er bereits zum Thema gesprochen habe. Mehr gäbe es nicht zu sagen. Pius bezog sich auf seine Ansprache am 29. November 1945 vor einer Delegation jüdischer Überlebender (vgl. oben und Kap. 6).

Maritain war sehr enttäuscht. Der Ansprachetext war viel zu allgemein gehalten und unangemessen selbstlobend. Statt einer tieferen Reflexion der moralischen Katastrophe der Judenvernichtung, verwies Papst Pius knapp auf seine Grundposition: „Eingedenk ihrer religiösen Mission kann die Kirche nicht anders als weise Zurückhaltung üben gegenüber einzelnen Problemen politischen und territorialen Charakters." Die Kirche lege allerdings, so Pius weiter, durch ihre Verkündigung humanitärer Prinzipien die Basis für die Lösung dieser Probleme.

Das im Osservatore Romano veröffentlichte Foto der Audienz
von Holocaust-Überlebenden im Nov. 1945.
(aus: Pio XII, Libreria Ed. Vaticana, von M. Marchione, S. 91)

Von einer aufrichtigen Reflexion der moralischen Katastrophe der Juden-vernichtung sind die wenigen Worte der Ansprache weit entfernt. Maritain wollte sich damit nicht abfinden. Er versuchte weiterhin, Pius XII. ein „echtes" Wort abzuringen. Doch seine Bemühungen schlugen fehl. Bald bat der Botschafter um Ablösung und Entlassung aus dem diplomatischen Dienst.

Bis zu seinem Tod im Oktober 1958 kam Pius XII. nie auf den Holocaust und nie auf die Tragödie der jüdischen Gemeinde vor den Toren des Vatikans zu sprechen. Konsequent vermied er jede Stellungnahme; sogar Anspielungen ging er aus dem Weg. Verdrängte er die bittere Wahrheit über sein Verhalten in den drei dunkelsten Tagen seines Pontifikats?

An der Schwelle zur Seligsprechung Pius XII. rund fünfzig Jahre später konnten die Ereignisse während der römischen Judenrazzia aber nicht mehr verdeckt bleiben. Was damals geschah, ist beispielhaft für die gesamte Rolle Pius XII. gegenüber dem Holocaust vor dem 18. Oktober 1943. Es beantwortet die Gretchenfrage, was Pius zur Rettung der Juden Rom in höchster Todesnot unternommen hat. Wundert es, dass der Vatikan allzu gern an einem geschichtsklitternden Mythos mitstrickte, der Pius XII. zum Retter stilisiert?

Wird es je zur ehrlichen Aufarbeitung der eigenen Geschichte kommen?

Es bleibt vorerst Papst Franziskus überlassen, wie im Casus „Pius XII." und seiner endgültigen Seligsprechung verfahren werden soll. Es ist zu hoffen, dass Franziskus die unhistorischen und verklärenden Ergebnisse kritischer sieht als sein unmittelbarer Vorgänger. Es ist auch zu hoffen, dass er das nachholt, was Pius XII. und die Nachfolgepäpste bislang versäumt haben: wenigstens einmal an einem Jahrestag der unseligen Razzia zu den Juden Roms zu gehen, um zusammen mit ihnen zu beten, zu weinen und um Vergebung zu bitten.

Am Ende der Ausführungen wage ich es, diese Bitte in einem offenen Brief Papst Franziskus ans Herz zu legen.

Resümee

Alternativlos?

Während des Krieges hatte es unzählige Judenrazzien überall im besetzten Europa gegeben. Doch keine Razzia war so bedeutsam und so brisant wie jene am 16. Oktober 1943 in der Ewigen Stadt.

Bis zum Herbst 1943 war für Pius XII. der Holocaust weit weg gewesen. In Italien hatte es keine regulären Deportationen gegeben. Doch über Nacht wurde der Vatikan von den Ereignissen überrollt. Hitlers Häscher waren in die Stadt eingedrungen und nötigten Pius zum Handeln. Die Juden seiner Bischofsstadt waren in höchster Todesgefahr – wenn er sie nicht aktiv rettete, würde er sie ihren Mördern preisgeben. Pius musste sich entscheiden.

War es nicht selbstverständlich, dass Pius XII. alles daransetzte, um die Verhaftung und Deportation der Juden Roms zu verhindern? Er hätte sich dazu offen vor die Jüdische Gemeinde stellen und eine rote Linie ziehen müssen. Doch ein solcher Schritt widersprach seiner Diplomatie der leisen Töne: keinen Bruch mit Berlin riskieren, Hitler nicht herausfordern, peinlich auf Neutralität achten, sich zurückhalten in Wort und Schrift und keine unbedachten Schritte wagen. Pius hoffte, so das Kirchenschiff einigermaßen heil durch die aufgewühlte See in diesem Krieg steuern zu können und die Leiden der Verfolgten nicht zu mehren.

Als am Morgen des 16. Oktober ein Unwetter über Rom hereinbrach, versuchte Pius seinen vorsichtigen diplomatischen Kurs beizubehalten. Er ließ Botschafter Weizsäcker und Stadtkommandant Stahel nur sein Missfallen übermitteln und die Hoffnung, dass der eine oder andere die Aktion stoppen könne. Sowohl Weizsäcker als auch Kommandant Stahel schüttelten sofort mit dem Kopf. Sie erklärten sich für nicht zuständig – was korrekt war. Zudem bat Botschafter Weizsäcker das Gespräch nicht an das Außenamt nach Berlin melden zu müssen. Er wollte vermeiden, dass die Judenaktion in Rom diplomatisch hochkochte. Das war auch im Sinne von Pius. Daher musste der Kardinalstaatssekretär nicht lange überlegen. Weizsäcker bekam umgehend die Erlaubnis zum Schweigen.

Pius legte Wert darauf, persönlich nicht in Erscheinung zu treten. Das Krisengespräch mit Botschafter Weizsäcker führte Kardinal Maglione. Angesichts der dramatischen Situation in den Straßen Roms war das ungewöhnlich – freundlich ausgedrückt. Auch sonst vermied Pius XII. jedes persönliche Auftreten während der Judenrazzia und an den Tagen danach. Er schien wie abgetaucht. Wer hoffte, dass er hinter den Kulissen wenigstens die Fäden diskreter Diplomatie zöge, wurde enttäuscht. Nach der traurigen Akten- und Zeugenlage unternahm Pius nichts: keinen Kontakt zum Befehlshaber Feldmarschall Kesselring, kein Versuch eines Kontaktes zum Sipo-Chef Kappler und keine Alarmierung von Nuntius Cesare Orsenigo in Berlin. Im Vatikan gab es keinen Krisenstab, keine Notfallpläne und nicht einmal ein knappes, unverdächtiges Kommuniqué zu den Vorgängen. Pius schwieg und ließ schweigen.

Er habe keine andere Wahl als zu schweigen und still zu halten, so seine Selbstauskunft zu verschiedenen Zeiten während des Krieges. Auf dem Höhepunkt des Streits um Hochhuths Schauspiel »Der Stellvertreter« verteidigte Monsignor Montini, mittlerweile Kardinal in Mailand, die Schweigelinie seines ehemaligen Chef mit drastischen Worten.[1] Ein Protest „wäre nicht nur unnütz, sondern auch gefährlich gewesen. ... Hätte Pius XII., als Hypothese, das getan, was Hochhuth ihm vorwirft nicht getan zu haben, wäre es zu solchen Repressalien und solchem Schäden gekommen, dass nach Kriegsende derselbe Hochhuth ... ein anderes Drama hätte schreiben können, ein viel realistischeres und interessanteres als jenes von ihm so tüchtig und so unglücklich in Szene gesetztes – nämlich das Drama des Stellvertreters, der aus politischer Prahlerei oder aus psychologischer Unvorsichtigkeit die Schuld hätte, über die schon so sehr gequälte Welt noch größeres Unheil entfesselt zu haben, nicht so sehr zu seinem eigenen als zum Schaden unzähliger unschuldiger Opfer."

Im oben erwähnten Verteidigungsfilm über Pius XII. (SOTTO IL CIELO DI ROMA) fiel es entsprechend Mgr. Montini zu, am Razziatag den aufgebrachten polnischen Botschafter Papée zu beruhigen. Papée hatte Pius XII. vergeblich bedrängt, seine Stimme zu erheben und öffentlich gegen die SS-Aktion vorzugehen (was allerdings unhistorisch ist). Montini zog danach Papée ins Vertrauen und klärte ihn über die tragischen Ereignisse in Holland Anfang August 1942 auf (vgl. Kap. 5/Schluss). Damals hätten als Vergeltung für ein Protestwort der katholischen Bischöfe viertausend Juden (sic!) ihr Leben verloren. Der Papst könne jetzt bei der Razzia nur schweigen, sonst würde er den Tod von weitaus mehr Juden provozieren, so Montini.

Wie zwingend war dieses Argument? In großen Kreisen der historischen Forschung ist das Schweigen zur Vermeidung größeren Unheils das Argument aller Argumente geblieben – bis hinauf zu Benedikt XVI. Emeritus. Papst Franziskus hat sich dazu noch nicht geäußert. In seinen informellen Gesprächen aber mit seinem Freund Rabbi Abraham Skorka (Buenos Aires), die er als Kardinal vor wenigen Jahren führte, gibt es eine Bemerkung dazu. Auf die Frage Skorkas, was er zum Verhalten der Kirche während der NS-Zeit/Shoa sage, antwortete Kardinal Bergoglio u.a.: „In Form von Kritik habe ich später gehört, dass die Kirche nicht all das sagte, was sie hätte sagen sollen. Manche sind der Meinung, wenn sie das getan hätte, wäre die Reaktion viel schlimmer gewesen und man hätte niemanden retten können. Um einige Juden zu retten - heißt es -, fielen die Erklärungen vorsichtiger aus. Wer weiß, ob wir mehr hätten tun können."[2] Auffällig ist die behutsame Wortwahl Bergoglios. Er macht sich die Rechtfertigung nicht zu eigen, sondern zitiert sie als würde er unentschieden zu ihr stehen. Und sein nachdenkliches „Wer weiß" (Quién sabe si podríamos haber hecho algo más) spricht für sich.

Hatte Pius XII. tatsächlich keine andere Wahl? Musste er sich während der Razzia im Hintergrund halten und den Dingen ihren Lauf lassen? Waren sein Schweigen und sein Nicht-Eingreifen alternativlos?

Wir haben gesehen, dass Pius lange Zeit unsicher war, ob seine verdeckte und zurückhaltende Diplomatie der richtige Weg sei. Mehrmals war er nah dran gewesen, die Schweigeposition aufzugeben und vor die Weltöffentlichkeit zu treten. Doch letztlich hatte immer wieder die Furcht gesiegt, einen fatalen Schritt zu tun. Ab der Vergeltungsaktion in Holland Anfang August 1942 schließlich legte er die Frage nach einem möglichen Protest sogar auf Eis. In der Folgezeit konnte er sich nur eine schmale Erklärung zum Holocaustwissen an die US-Regierung abringen (10. Okt. 1942), und in der Weihnachtsansprache drei Monate später erlaubte er sich nur eine allgemein gehaltene, dürre Klage über Rassenopfer in diesem Krieg. Beide Male umging Pius sein Wissen über eine gigantische Mordorgie an den Juden im Osten; er wiegelte sprachlich ab und rechnete die Zahlen dramatisch herunter.[3]

Glaubte Pius XII. wirklich mit Schweigen und beschwichtigender Strategie die Problematik der Judenvernichtung aussitzen zu können?

Der Lauf der Geschichte nahm darauf keine Rücksicht. Am Morgen des 16. Oktober 1943 hatten die Ereignisse Pius zu einer Entscheidung unmittelbar über Leben und Tod gezwungen. Warum er sich selbst in dieser Situation an seine verschwiegene Diplomatie klammerte und die Juden Roms eher in den Tod ziehen ließ als Berlin die rote Karte zu zeigen, ist nicht zu verstehen. Es ist auch deshalb nicht zu verstehen, weil Pius in der folgenden Woche nach dem Desaster eine große Hilfsaktion für die übriggebliebenen Juden Roms startete. Er hob die Klausuren von Klöstern auf und ordnete die Aufnahme flüchtiger Juden an, die Verstecke suchten. Gleiches sollten auch andere kirchliche Einrichtungen tun, etwa Studienhäuser oder Seminare. In den exterritorialen Liegenschaften des Vatikans und im Vatikan selbst, einschließlich Castel Gandolfo, wurden ebenfalls Flüchtlinge aufgenommen.[4] Zwar gab es in den Exterritorialen und auf dem Vatikangebiet nicht viel Platz, aber der symbolische Wert der Aufnahme von Juden war immens. Über den Stadtkommandanten General Stahel ließ Pius eine Schutzklausel erwirken, die an die Türen von Klöstern und kirchlichen Häusern gehängt wurde. In der Schutzverfügung hieß es, dass das Haus religiösen Zwecken diene und Durchsuchungen oder Beschlagnahmungen unzulässig seien.[5]

Die umfangreiche Rettungsaktion für untergetauchte und flüchtige Juden in Rom ist mittlerweile historisch kaum noch umstritten.[6] Es gibt zwar keine schriftlichen Belege, die Pius XII. als Urheber auszeichnen, aber Zeugnisse von Beteiligten und Geretteten lassen keinen anderen Schluss zu.[7] Der ehemalige Richter im Fall Pius XII., Pater Gumpel SJ, bestätigte mir persönlich, dass er in seinem Untersuchungsbericht (Positio) Aussagen von Emissären aufgenommen habe, die damals im Auftrag des Papstes in einzelne Klöster gingen, um die päpstliche Order weiterzugeben. Insgesamt waren rund einhundertfünfzig klösterliche Einrichtungen und eine gewisse Zahl anderer kirchlicher Häuser an der päpstlichen Asylaktion beteiligt. Nach Schätzungen konnten so über viertausend Juden im Zeitraum bis zur Befreiung Roms vor dem Zugriff der SS gerettet werden.[8]

Die Asylaktion Pius XII. für flüchtige Juden war außerordentlich riskant. Berlin hätte allen Grund gehabt, das zu unterbinden. Völkerrechtlich waren nicht so sehr die Juden im Vatikan oder in exterritorialen Gebäuden das Problem, sondern die »Klosterjuden«. Da diese auf dem Boden eines kriegführenden Staates versteckt waren, verstieß die Aktion gegen internationale Abkommen und gegen die Lateranverträge.[9] Dennoch, weder das Außenamt Ribbentrop in Berlin, noch das RSHA Himmler, noch Hitler persönlich intervenierten gegen das Kirchenasyl in Rom.

Man könnte annehmen, dass Berlin bzw. Kapplers Sipo- und SD-Dienststelle in Rom nichts oder nichts Gesichertes über versteckte Juden in kirchlichen Häusern der Stadt wusste. Doch das ist nicht korrekt. Schon Ende Oktober 1943 beklagte sich Botschafter Weizsäcker im vatikanischen Staatssekretariat, dass er aus Deutschland Nachrichten habe über Flüchtlinge in der Città del Vaticano – darunter seien auch Juden.[10] Und Anfang November sagte Kapplers Stellvertreter Hauptsturmführer Priebke zum Verbindungsmann Pius XII., Pater Pancratius Pfeiffer, dass sie hier in Rom eine Anzeige gegen den Vatikan vorliegen hätten. Dort gäbe es eine Kommission, die zentral Flüchtlinge auf religiöse Häuser verteilen würde. Pater Pfeiffer fragte besorgt, ob an umlaufenden Gerüchten über Durchsuchungen der SS in religiösen Häusern etwas dran sei. Priebke verneinte das. Aber er ließ durchblicken, dass das nicht so bleiben müsse.[11]

Ich habe Priebke in meinem längeren Interview 2009 ausdrücklich danach gefragt, was er und Kappler damals wussten. Priebke: „Natürlich wussten wir, dass Juden in kirchlichen Häusern untergetaucht waren, aber wir haben die Souveränität der Kirche respektiert". Auf meine Nachfrage, ob denn nie ein Befehl aus Berlin gekommen sei, in die Häuser und Klöster zu gehen, um die Juden herauszuholen, antwortete Priebke: „Nein, nie". Das sind keine nachträglichen Schutzbehauptungen Priebkes. Die Vorgänge in Rom bis zur Befreiung durch die Alliierten am 4. Juni 1944 bestätigen das. Es war nie zu einer SS-Aktion gegen ein Kloster gekommen.

Allein die damals umtriebige so genannte „Koch-Bande", eine paramilitärische italienische Faschistengruppe um Pietro Koch, unternahm zwei Test-Razzien im Seminar „Russicum" (Dez. 1943) und im Kloster Sankt Paul vor den Mauern (Febr. 1944).[12] Die Anlässe der Aktionen waren nicht, verborgene Juden aufzustöbern, sondern untergetauchte italienische „Verräter" (Politiker, Soldaten) zu erwischen. Natürlich nahm Koch bei der Razzia auch Juden fest, wenn seine Männer auf sie trafen. Der Vatikan protestierte beide Male gegen die Verletzung der Integrität der Häuser, insbesondere bei der Aktion gegen das exterritoriale St. Paul Kloster.[13] Weizsäcker wies den Protest zurück, deutsche Stellen hätten nichts damit zu tun gehabt – das war korrekt.

Nach der Februarrazzia kam es auch durch die Kochbande nicht mehr zu Durchsuchungen in kirchlichen Häusern. Nachträglich wurde von keinem einzigen Juden bekannt, dass er von der deutschen Sipo oder von italienischer Polizei aus einem Kloster herausgeholt worden wäre.

Die umfassende Schutzaktion Pius XII. nach der Judenrazzia war ein mutiger und richtiger Schritt. Er rettete damit das Leben vieler Juden, die sonst bei Straßenkontrollen, durch Denunziationen oder Verdachtsdurchsuchungen in die Fänge der SS geraten wären. Mutig war der Schritt, weil Pius nicht unbedingt davon ausgehen konnte, dass Hitler die kirchlichen Häuser respektieren würde. Bis Ende Mai 1944 konnte noch der Befehl kommen, die Klöster auszuheben. Auch mit Vergeltungsaktionen musste Pius rechnen. Es gab zwar berechtigte Hoffnung, dass die ganze Sache gut ausgehen werde, aber sicher konnte Pius nicht sein. Dennoch entschied er sich für das Asyl und gegen seine Angst, einen fatalen Schritt zu tun.

Das Verhalten Pius XII. ist erstaunlich. Wie kam er dazu, sich jetzt doch vor die (restlichen) Juden seiner Stadt zu stellen und einen ernsthaften Konflikt mit Hitler zu riskieren? Während der Razzia vom 16.-18. Okt. hatte er das noch peinlich vermieden. Es gibt keine Selbstaussagen zu diesem Wandel und keine erläuternden Bemerkungen aus seiner Umgebung. Schwester Pascalina, die ihm am nächsten stand, berichtet in ihren Erinnerungen nur von der umfassenden klösterlichen Hilfsaktion Pius XII.[14] Zum Wagnis, das er jetzt bereit war einzugehen im Gegensatz zur Scheu vor eben diesem Wagnis während der Razzia, verlor Pascalina kein Wort. Stattdessen verwies sie demonstrativ auf die tragischen Folgen des Protestes der holländischen Bischöfe. Ähnlich umschiffte Pius' Privatsekretär, Pater Leiber SJ, das Problem: großes Lob für die mutige Asylaktion, Mahnung an die Holland-Vergeltung zu denken und keine Reflexion über die Brisanz und Widersprüchlichkeit der Vorgänge.[15]

Dieser Umgang mit der Thematik ist beispielhaft für etliche Historiker und Autoren, die dem Argument »schlimmere Folgen« (ad maiora mala vitanda) höchste Priorität einräumen.

Aufmerksame Beobachter sind irritiert: Einerseits verweist man eindringlich auf die Vergeltung nach dem Kanzelwort zugunsten der Juden in Holland und betont, dass Pius gut daran tat, von einem Protest abzulassen – denn die möglichen Folgen eines solchen Schritts wären unabsehbar gewesen. Andererseits rühmt man Pius XII. dafür, dass er eine Hilfsaktion für die römischen Juden startete, die schwere Konsequenzen hätten auslösen können.[16] An Konfliktpotenzial übertraf das Kirchenasyl das holländische Kanzelwort um einiges.

„Martyrium kann man nicht befehlen", das sagte mir Untersuchungsrichter Gumpel SJ in einem Gespräch über die Gefahr schlimmer Folgen durch einen päpstlichen Protest.[17] Pater Gumpel nannte mir ein klassisches Argument: Papst Pius durfte mit gutherzigen Entscheidungen andere Menschen nicht in Todesgefahr bringen und ein Lebensopfer von ihnen verlangen. Sein Leben für eine gerechte Sache in die Waagschale zu werfen, könne nur jeweils der Betroffene selbst. Über dessen Kopf hinweg, dürfe man ihn nicht ins Martyrium führen. Dieses Argument ist nur unter strenger moraltheologischer Auslegung im Hinblick auf den individuellen Verdienst- bzw. Heiligkeitscharakter korrekt. Nicht korrekt ist es in der weitläufigen Praxis der Gesellschaft, wo immer wieder von Menschen wegen ihres Berufes oder Standes Lebenseinsatz verlangt wird – während des zweiten Weltkrieges übrigens von nahezu allen Soldaten.

Mit der Asylentscheidung hat Papst Pius genau das getan, was seine Verteidiger stets als verantwortungslos bezeichnen, nämlich das Leben Dritter gefährdet. Zahlreiche Ordensleute und Leiter in religiösen Einrichtungen schwebten zusammen mit den versteckten Juden permanent in Gefahr. Wäre es zum Ausheben von Klöstern gekommen, hätten viele für die rechtswidrige Judenaufnahme bezahlen müssen. Ihnen drohten KZ und Todesstrafe. Wie ernst die Klöster die Gefahr eines „Gestapobesuchs" genommen haben, zeigen die diversen Vorsichtmaßnahmen und Notfallpläne zur Flucht der Versteckten.

Wundert es, dass viele Verteidiger Pius XII, die im Motiv *ad maiora mala vitanda* höchstes Verantwortungsbewusstsein sehen, dem immensen Risiko für die zahlreichen Ordensleute an der Basis kaum Beachtung schenken? Die Gefahr für Leib und Leben, die Pius ihnen abverlangte, sperrt sich gegen die vordergründig populäre Verantwortungsthese.

Durch den überraschenden Schutz der untergetauchten Juden Roms lieferte Pius XII. selbst den besten Beleg dafür, dass er auch während der Razzia die Juden hätte retten können. Seine schützende Hand wäre sogar weniger problematisch und risikoreich gewesen als das folgende Kirchenasyl. Gleiches gilt für die getroffene Entscheidung, Anfang August 1942 das Schweigen zu brechen und eine päpstliche Protestverlautbarung gegen den NS-Judenmord zu veröffentlichen. Angesichts der furchtbaren Nachrichten, die ihn von mehreren Seiten erreicht hatten, war Pius bereit gewesen seine Bedenken hinter sich zu lassen und Vergeltungen in Kauf zu nehmen. Die Notbremse in letzter Minute ändert nichts am Faktum, dass er eine Handlungsalternative gesehen hatte und entschlossen war, sie auszuüben. Erinnert sei auch an ähnliche Vorkommnisse und Beinah-Entschlüsse in den vergangenen Kriegsjahren.[18]

Die Optionen Pius XII. waren zu keinem Zeitpunkt des Krieges alternativlos. Das hatte er auch theoretisch reflektiert. Mehrfach stellte er Überlegungen zur Frage des Abwägens in ethischen Konfliktfällen an. Dabei zeigte er unmissverständlich die Grenzen von reinen Schaden-Nutzen-Analysen auf. In einer Grundsatzansprache vor der Vereinigung katholischer Richter zum Beispiel, formulierte er Richtlinien für Konfliktfälle.[19] Gleich beim ersten Punkt schärfte er den Richtern ein, dass sie für jedes Urteil, das sie festsetzen, mitverantwortlich seien hinsichtlich der Folgen. Sie dürften die Verantwortung nicht einfach auf die schlechten Gesetze oder deren Urheber abwälzen. Wer eine konkrete Entscheidung fälle, sei Mitverursacher. Davon könne er sich nicht dispensieren.

Sei man gezwungen, ein ungerechtes Gesetz anzuwenden, müsse der Richter sehr genau die Umstände und Folgen bewerten. Pius drückte sich sehr vorsichtig aus: Die nachteiligen Folgen des Urteilsspruchs müsse der Betroffene „vernünftigerweise" akzeptieren können zur Abwendung eines größeren Schadens oder zur Sicherung eines wichtigeren Gutes. Dabei sei zu beachten: „Je schwerer die Folgen ... sind, desto wichtiger und allgemeiner muss das Gut sein, das geschützt, oder der Schaden, der vermieden werden soll." Allerdings, so Pius weiter, gebe es Fälle, wo die Vermeidung schlimmer Folgen oder die Erreichung eines höheren Gutes keine Anwendung finde. Diese Fälle seien dann gegeben, wenn unveräußerliche (christliche) Werte auf dem Spiel stünden. Der katholische Richter müsse selbst den Anschein vermeiden, dass solche Werte (wie z.B. aktuell umstritten: das unauflösliche Eheband) zur Disposition stehen würden.

In einer bislang wenig beachteten, aber umso aufschlussreicheren Passage eines Briefes mitten im Krieg an den deutschen Bischof Bornewasser von Trier gab Pius weitere Beispiele für Werte, die es lohnen unbedingt angestrebt zu werden. Der Anlass des Briefes waren einige furchtlose Verlautbarungen des Bischofs im Jahre 1941. Pius schrieb:[20]

Es ist wohl schon geäussert worden, dass solche offenen und weithin hörbaren Bischofsworte nur wieder Vergeltungsmassnahmen zur Folge hätten. Wir meinen, dass Vergeltungsmassnahmen, selbst wenn sie hart sein und nicht allein den Bischof, sondern vielleicht noch mehr andere treffen sollten, das Gute nicht aufwiegen können, dass bischöfliche Worte wie die deinen in den Katholiken (und sicher auch in vielen Nichtkatholiken) wirken.

Im Einzelnen nennt Pius „heilige Gottesfurcht, Stärkung des Glaubens, Mut zu dessen offenem Bekenntnis, Zusammenhalt, Schärfung des Gewissens für das, was christlich und nicht christlich sei. Das ist deutlich.

Pius lobte Bischof Bornewasser für seine Protestworte, obwohl er mit harter Vergeltung rechnen musste. Aber wegen des Guten, das erreicht würde, dürfte man Vergeltungsmaßnahmen ruhig in Kauf nehmen. Der renommierte Vatikanhistoriker Pater Pierre Blet SJ zeigte sich in seinem Grundsatzbuch über Pius und den zweiten Weltkrieg leicht verwundert über diese Worte. Offensichtlich seien für Pius XII. hinsichtlich seiner Maxime »größere Übel verhindern« nicht allein mögliche Repressalien wichtig gewesen. Auch die „Missdeutungen, die die Gläubigen erschüttern könnten" wären bedeutsam.[21]

Man kann Pius' Aufzählung der guten Folgen, die ein Protest oder Widerstand auslösen können, sinngemäß erweitern. Auch der Schutz von Leib und Leben Verfolgter zählt darunter, denn unabhängig von den geistlichen Werten, gehört zum Kernauftrag der Kirche auch das Wohlergehen von Bedrückten und Hilfsbedürftigen. Deren Schutz, so Pius, dürfe nicht nur von einer Schaden-Nutzen-Bilanz abhängen. Wer sich allein von der Aufrechnung utilitaristischer Nöte und Schäden leiten ließe, begehe einen schweren Fehler. Diesem würde die „feste Grundlage einer strengen und unbedingten Verpflichtung" fehlen.[22] Das ist eine erstaunliche Wortwahl. Ebenso erstaunlich schlussfolgert der gewiefte Diplomat Pius XII.: Eine solche Einstellung „schafft jenen Boden, auf dem der Betrug des unfruchtbaren Kompromisses, der Versuch, sich auf Kosten anderer zu retten, und auf alle Fälle das Glück des Angreifers gedeihen." Das sagte Pius in der Radioweihnachtsansprache von 1948 zum Thema »christlicher Friedenswille« gegenüber totalitären Regimen, die Gewalt ausüben.

Die grundsätzlichen Bemerkungen zu den Juristen, zu Bischof Bornewasser und in der Ansprache über das Abwägen von Konsequenzen klingen wie eine Selbstkritik an der eigenen Haltung gegenüber dem NS-Gewaltregime. Das war jedoch nicht Pius' Absicht. Er wollte lediglich deutlich machen, dass man bei der Entscheidungsfindung in Konfliktsituationen nicht routinemäßig allein die Folgen pro und contra abwägt und die „günstigste" Variante wählt. Sind unveräußerliche Werte betroffen, müssen sie energisch angestrebt oder unter Hinnahme von Opfern verteidigt werden.[23]

Bei der Razzia in Rom war die Situation für Pius XII. eindeutig. Er wusste, dass das Leben der gefangenen Juden aufs Höchste bedroht war. Blieben die Menschen in der Hand der SS, war ihnen der Tod sicher.

Durfte Papst Pius als Bischof von Rom auch nur einen Augenblick zögern? Ihm war klar: Wenn er hier und jetzt nicht kraftvoll handelte, würde er die Juden seiner Stadt in den Tod ziehen lassen. Er konnte sich nicht länger hinter diplomatischen Erwägungen verstecken, die ihm notwendig erschienen – scheinbar notwendig. Er musste die Kraft für eine Gewissenentscheidung aufbringen, die sich nicht in endlosem Abwägen, Räsonieren und wieder Abwägen verlor und die nicht von Furcht diktiert war. Er brauchte Mut für ein Risiko, das Leben rettete. Es ging nicht darum, dass er die Augen verschließen sollte vor den Konsequenzen. Im Gegenteil, es ging darum, die auf dem Spiel stehenden Werte, Ziele und Folgen neu zu justieren. Das konnte bedeuten, dass man zur Rettung der römischen Juden Opfer verlangen musste – von sich selbst und von anderen.

Bei seiner Entscheidung zum Kirchenasyl wenige Tage später hat Pius genau das getan. Er hätte das auch für die über eintausend jüdischen Menschen jeden Alters in seiner Stadt tun können, tun müssen. Als er am Montag, den 18. Oktober, die todgeweihten Juden ihrem Schicksal überließ, hatte er dazu weder den Mut noch das Vertrauen.

Selbst als ihn der dramatische Hilferuf von den untergetauchten Juden erreichte, konnte er sich nicht zum Handeln entschließen. Die Schreiber des Brandbriefes deuteten unmissverständlich an, dass die gefangenen Juden dem unter die Räuber gefallenen Mann im Gleichnis Jesu vom Barmherzigen Samariter (Lk 10) ähneln. Die Menschen seien im Collegio Militare zusammengepfercht und hilflos den Deutschen ausgeliefert. Die Schreiber flehten den Stellvertreter Jesu an, nicht achtlos vorüberzugehen. Er müsse sich den Opfern zuwenden und tatkräftig helfen. Der Papst sei doch der Vater aller; wie könne er noch zögern! Man kann es nicht verstehen. Pius zeigte sich unbeeindruckt. Er blieb dabei. Eine Hilfsaktion für die gefangenen Juden kam nicht in Frage, sie war ihm zu riskant.

War es Zufall oder eine Prophetie der Geschichte, dass ausgerechnet an dem Montag, als der Hilferuf Pius erreichte, die Kirche in Rom und auf dem ganzen Erdenrund das Fest des Evangelisten Lukas nach liturgischem Kalender feierte? Nur im Lukasevangelium steht die provokante Geschichte vom barmherzigen Samariter und dem Reisenden, der unter die Räuber gefallen war. Was ging Pius wohl durch Kopf und Herz, als er an diesem Tag den Evangelisten Lukas ehrte?

Der unbeantwortete Brief belastet Pius XII. sehr. Das Dokument bezeugt, dass er selbst die Rettung von Menschen aus akuter Todesnot dem Maßstab »diplomatische Vorsicht« unterordnete.

Gab es in den drei dunklen Tagen während der Judenrazzia für den Stellvertreter Christi und Nachfolger Petri einen anderen Dienst als sich schützend vor die todgeweihten Menschen seiner Bischofsstadt zu stellen?

Epilog

Papst Franziskus und der 16. Oktober 2013

In der ersten Ausgabe dieses Buches (Ende Juli) habe ich an dieser Stelle einen Offenen Brief an Papst Franziskus veröffentlicht.[1] Darin bat ich Franziskus herzlich, an den Gedenkfeierlichkeiten der Jüdischen Gemeinde zum 70. Jahrestag der Razzia am 16. Oktober teilzunehmen:

„Bitte gehen Sie an diesem Gedenktag zu den Juden Roms. Beten Sie mit ihnen, weinen Sie mit ihnen und teilen Sie ihr Leid. Es ist auch das Leid der Kirche! Noch nie hat einer Ihrer Vorgänger das Jahresgedächtnis gemeinsam mit seinen älteren Schwestern und Brüdern begangen und mit ihnen getrauert. ... Bitte gehen Sie am 16. Oktober zu den Juden Ihrer Bischofsstadt. Spenden Sie Trost und schenken Sie ein Zeichen der Liebe. Die Menschen gedenken ihrer Eltern und Großeltern, ihrer Schwestern und Brüder, als sie verlassen den Weg in den Tod antreten mussten. Damals haben die Verschleppten Hilfe und Trost vom Stellvertreter Christi bitterlich vermisst. Öffnen Sie jetzt einen Weg zur Vergebung."

Obwohl Franziskus am 16. Oktober nicht an der Gedenkfeier[2] teilnahm, zeigte er lebendige Anteilnahme und Versöhnungsbereitschaft. Am 11. Oktober empfing er eine große Delegation der Jüdischen Gemeinde Roms mit Oberrabbiner Riccardo Di Segni an der Spitze. Franziskus sprach mit Rabbi Di Segni unter vier Augen und hielt danach eine Ansprache[3] an die Delegation. Gleichzeitig wurde eine Botschaft[4] von ihm zum 70. Gedächtnistag der Deportation schriftlich übergeben.

Am Jahrestag des 16. Oktober empfing Franziskus Enzo Camerino, einen Überlebenden der nach Auschwitz deportierten römischen Juden. Signor Camerino war damals 17 Jahre alt. Dies war ein symbolträchtiges Treffen und eine wichtige Geste von Papst Franziskus.

Die päpstliche Botschaft zum 70. Jahrestag lautet:

Sehr geehrter Herr Oberrabbiner,
werte Mitglieder der jüdischen Gemeinde von Rom,

ich möchte mich durch meine spirituelle Verbundenheit und mein Gebet mit Ihnen zum 70. Jahrestag der Deportation der Juden Roms im Gedenken vereinen. Während wir in Gedanken zu den tragischen Stunden im Oktober 1943 zurückkehren, ist es unsere Pflicht, uns das Schicksal dieser Deportierten vor Augen zu halten, uns in ihre Angst, ihren Schmerz und ihre Verzweiflung hineinzuversetzen, um sie nicht zu vergessen. So bleiben sie in unserer Erinnerung und in unserem Gebet mit ihren Familien, Verwandten und Freunden lebendig, die über den Verlust geweint haben und bestürzt waren über die Barbarei, zu der Menschen fähig sein können.

Das Gedenken an ein Ereignis bedeutet jedoch nicht einfach nur Erinnerung, es beinhaltet auch und insbesondere unser Bemühen, die Botschaft zu verstehen, die uns dadurch heute vermittelt wird. Denn das Gedenken an die Vergangenheit soll uns in der Gegenwart eine Lehre sein und zum Licht werden, das den Weg in die Zukunft erleuchtet. Der Selige Johannes Paul II. hat geschrieben, dass das Gedenken eine notwendige Funktion ausüben soll und "zum Aufbau einer Zukunft beiträgt, in der die unsagbare Schandtat der Shoah niemals mehr möglich sein wird" (Einleitender Brief zum Dokument: Päpstliche Kommission für die religiösen Beziehungen zu den Juden, Wir erinnern. Eine Reflexion über die Shoah, 16. März 1998) und Benedikt XVI. sagte im Konzentrationslager Auschwitz: "Das Vergangene ist nie bloß vergangen. Es geht uns an und zeigt uns, welche Wege wir nicht gehen dürfen und welche wir suchen müssen" (Ansprache, 28. Mai 2006).

Das heutige Gedenken könnte daher als ein zukünftiges Gedenken bezeichnet werden, ein Appell an die neuen Generationen, dass ihr Leben nicht verflacht, dass sie sich nicht von Ideologien betrügen lassen und niemals das Böse rechtfertigen, auf das wir stoßen, dass sie nicht nachlassen in der Wachsamkeit gegen Antisemitismus und Rassismus, egal woher sie stammen. Mein Wunsch lautet, dass solche Initiativen sich mit Netzwerken der Freundschaft und Geschwisterlichkeit zwischen Juden und Katholiken in unserer geliebten Stadt Rom verbinden und sie stärken.

Der Herr sagt durch den Mund des Propheten Jeremia: "Denn ich, ich kenne meine Pläne, die ich für euch habe - Spruch des Herrn -, Pläne des Heils und nicht des Unheils; denn ich will euch eine Zukunft und eine Hoffnung geben" (29,11). Die Erinnerung an die Tragödien der Vergangenheit mögen allen eine Verpflichtung sein, mit all unseren Kräften die Zukunft mitzugestalten, die Gott bereitet und für uns und mit uns aufbauen will.

Shalom!
Aus dem Vatikan, 11. Oktober 2013

Gleich zu Beginn seiner Botschaft findet Papst Franziskus Worte tiefen Mitgefühls. Er spricht von der Angst, dem Schmerz und der Verzweiflung bei den Deportierten sowie vom Weinen der Familien, der Verwandten und Freunde über diese Barbarei.

Ähnlich formulierte es Franziskus in seiner Ansprache an die Delegation der Jüdischen Gemeinde am 11. Oktober.[4] Zusätzlich bemerkte er, dass er sich als Bischof von Rom ganz besonders der Jüdischen Gemeinde dieser Stadt nahe fühle.

Fortführend beklagte Franziskus die jahrhundertelange, prekäre Geschichte zwischen der römischen Kirche und den ansässigen Juden. Sie sei »oft von Unverständnis und auch echten Ungerechtigkeiten geprägt« gewesen sei. „Paradoxerweise", so Franziskus weiter, habe „die gemeinsame Tragödie des Krieges gelehrt, unseren Weg zusammen zu gehen. In wenigen Tagen erinnern wir uns an den 70. Jahrestag der Deportation der römischen Juden. Wir halten Gedenken und beten für die vielen unschuldigen Opfer und ihre Familien

Papst Franziskus trifft
Enzo Camerino[5]
am 16. Oktober 2013

dieser menschlichen Barbarei. Es wird auch Gelegenheit sein, unsere Aufmerksamkeit gegenüber allen Formen der Intoleranz und des Antisemitismus aufrecht zu erhalten, damit sie nie wieder zum Leben erwachen, unter keinem Vorwand. Ich habe es schon mehrmals gesagt, und ich wiederhole es jetzt gern: Es ist ein Widerspruch, dass ein Christ Antisemit ist. ... Der Antisemitismus sollte verbannt sein aus dem Herzen und Leben jedes Mannes und jeder Frau!"

Die offenherzigen Treffen, die päpstliche Botschaft und die Ansprache waren große Gesten von Papst Franziskus. Die Jüdische Gemeinde fühlt sich nicht nur wahrgenommen in ihrem erinnernden Schmerz, sondern auch einfühlsam angenommen vom amtierenden Papst. Nach den starken Worten und den persönlichen Audienzen ist es nicht mehr ausschlaggebend, dass Franziskus oder einer seiner Nachfolger zukünftig an öffentlichen Gedenkstunden der Judenrazzia teilnehmen wird. Was am 11. und 16. Oktober geschehen ist, bleibt für immer ein Zeichen.

Das verdichtete Zeitfenster

Eine ungenaue historische Formulierung bei der Ansprache an die Jüdische Delegation ist aber zu bedauern. Franziskus sagte: „Wir wissen, dass viele religiöse Einrichtungen, Klöster und selbst die Päpstlichen Basiliken ihre Tore für eine brüderliche Aufnahme von Juden geöffnet haben! Sie stützten sich auf den Willen des Papstes."

Anders als bei den sehr persönlich gehaltenen Worten über die menschliche Tragik der Razzia und den zu ziehenden Lehren, musste sich Franziskus auf das verlassen, was ihm die vatikanische Sprachregelung zur kirchlichen Klosterhilfe vorgibt. Der offizielle Standpunkt verdichtet die deutsche Besatzung von Anfang September 1943 bis Anfang Juni 1944 zu einem einzigen Zeitfenster. Das heißt, was in dieser Zeit an kirchlicher Hilfe geschah, lässt sich pauschal in einem Satz sagen.

Wir haben aber gesehen, dass die Zeitabschnitte vor der Razzia, während der Razzia und danach sorgsam zu unterscheiden sind. In allen drei Phasen reagierte Pius XII. unterschiedlich auf die jeweilige Bedrohungslage der Juden. Der mutige Schritt des allgemeinen Kirchenasyls für Schutz suchende Juden gehört in den dritten Abschnitt und nicht in den ersten oder zweiten. Für die Vatikanhistorik ist es nicht nur bequem, sondern auch höchst ehrenhaft für Pius XII., wenn man den Schutz der verfolgten Juden allgemein und undifferenziert behaupten kann.

Radio Vatikan beeilte sich entsprechend in der Meldung über die Ansprache von Papst Franziskus die Bemerkung einzufügen:[6] „Franziskus verteidigte indirekt die Rolle seines Vorgängers Pius XII. während der Judenverfolgungen im Dritten Reich. In der 'dunklen Stunde' [gemeint: Razziatage] habe es die christliche Gemeinschaft von Rom 'verstanden, den Brüdern in Schwierigkeiten eine helfende Hand zu reichen'."

Solange die undifferenzierte These von der Judenrettung in Rom nicht revidiert wird, ist es für Papst Franziskus kaum möglich, andere Formulierungen zu gebrauchen. Ich hoffe, Franziskus wird seinen Spielraum nutzen und wie beim JAHRESTAG 16. OKTOBER neue Wege gehen in der historischen Beurteilung der „dunklen Stunde Roms".

Anhang

Dank

Es gibt viele Menschen, denen ich herzlich danken möchte. Ohne ihre freundliche Unterstützung und ihr Interesse wäre diese Studie nicht in dieser Form entstanden.

Mordechay Lewy, der ehemalige Botschafter Israels am Hl. Stuhl (2008-12), half mir ein schwer zu beschaffendes Zeitzeugnis in die Hände zu bekommen. Der Archivleiter des Instituts für Zeitgeschichte/München, Dr. Klaus Lankheit, suchte persönlich nach einer „verschollenen" eidesstattlichen Erklärung und Dr. Claudia Steur vom Dokumentationszentrum Topographie des Terrors/Berlin stellte mir wertvolle Unterlagen zur Verfügung.

Ausgesprochen hilfsbereit waren die Mitarbeiter in diversen Bundes- und Landesarchiven. Meine Suche nach bestimmen Zeugenaussagen in Ermittlungsverfahren und nach anderen Prozessdokumenten war oft sehr speziell.

Besonders bedanke ich mich beim Berliner Nuntius Erzbischof Jean-Claude Périsset und beim Freiburger Generalvikar Fridolin Keck. Sie unterstützten mich bei der Suche nach Dokumenten und haben mir Türen geöffnet – oder versucht zu öffnen.

Für eine Kopie des Brandbriefes untergetauchter Juden an Pius XII. aus dem verschlossenen Teil des vatikanischen Geheimarchivs zum zweiten Weltkrieg danke ich mehreren Personen. Sie haben mir außerhalb des Dienstweges sehr geholfen und es geschafft, dass mir der Chef der zweiten Sektion im Staatssekretariat, Erzbischof Dominique Mamberti, den Hilferuf für Forschungszwecke ausnahmsweise zur Verfügung stellte.

Der Untersuchungsrichter zu Pius XII., Prof. Pater Gumpel SJ und der Vatikanhistoriker Kardinal Brandmüller empfingen mich stets bereitwillig in Rom und diskutierten mit mir offenherzig. Andere Würdenträger haben es vorgezogen, meine Gesprächsbitten mit Schweigen zu quittieren oder abzulehnen.

Der mittlerweile verstorbene ehemalige SS-Hstf. Erich Priebke ließ sich zweimal in Rom von mir interviewen. Er gab mir wichtige Einblicke in die Arbeit des römischen Sipo- und SD-Amtes Kappler. Trotz seines hohen Alters mühte er sich um detaillierte Erinnerungen.

Neben vielen anderen, die mir offen ihre Meinung zum Streitfall »Papst Pius XII.« und zur Judenrazzia gesagt haben, danke ich insbesondere dem Historiker Prof. Thomas Brechenmacher, dem ehemaligen Bundesverfassungsrichter Prof. Ernst-Wolfgang Böckenförde und den mittlerweile verstorbenen Kurienkardinälen und Zeitzeugen Pater Augustin Mayer und Pater Alfons Stickler,

Ein lieber Gruß an Dottoressa Naike D'Alberto, die mich geduldig bei der Übersetzung schwieriger italienischer Dokumente mit Rat und Tat begleitete. Molte grazie!

Der herzlichste Dank zum Schluss gilt meiner Frau. Sie ließ sich immer wieder erweichen, eine Textvariante nach der anderen zu lesen. Ihr Spürsinn für unklare Formulierungen und ihre Vorschläge waren für mich unschätzbar.

Der Hilferuf untergetauchter Juden an Pius XII. am Sonntag, den 17. Oktober 1943 (im noch verschlossenen Archiv des Staatssekretariats).

Santo Padre ,

Un notevole gruppo di stretti congiunti di famiglie israelitiche che sono riusciti fino ad oggi a sottrarsi al tragico provvedimento adottato dalle autorita' Tedesche occupanti in conseguenza del quale , nella notte e nella mattina di ieri , come e' indubbiamente noto a Vostra Santita' , vecchi , infermi , donne , bambini e lattanti , rei soltanto di appartenere alla religione ebraica , sono stati strappati dai loro focolari domestici , invocano dal= la Misericordia della Santita' Vostra , che al di sopra di ogni fede religiosa , rappresenta il Padre Comune di tutti i suoi figli, il Vostro rapido ed Augusto intervento per lenire , nei limiti del possibile , le sofferenze di questi poveri derelitti colpiti e dei loro straziati famigliari.

Noi non osiamo suggerire a Vostra Santita' quale possa essere in questo tragico momento il mezzo piu' atto per venire incontro a queste povere anime marto= riate raccolte gia' in numero di parecchie centinaia nei locali dell' ex Collegio Militare di Via della Lungara , donde si teme da un momento all' altro il trasporto in altre localita' ignote e s' implora per= tanto che venga evitato questo piu' angoscioso provvedimento e che possibilmente sia permesso almeno aver loro notizie e far pervenire indumenti , cibarie e quanto altro possa essere ritenuto di estrema necessita'.

Fra i colpiti e dolenti firmatari di questo appello

vi sono , tra gli altri , i figlioli del defunto

Professor Comm. Settimio Piperno , (strettamente

imparentati con la famiglia Mieli abitante in Via

Padova 43 , tra cui due bambini di sei e tre anni

sono rimasti vittime del duro provvedimento) che la

Santita' Vostra potrebbe forse ricordare per i rap=

porti di intima amicizia che lo legavano alla Venerata

Memoria del Vostro Genitore Comm. Filippo , di cui

fu anche per molti anni apprezzato collega nel

consiglio comunale di Roma.

Possa anche questo , sia pur tenue e lontano legame ,

rafforzare , se possibile , la infinita e generosa

pieta' del Vostro gran cuore misericordioso , a cui

i sottoscritti fanno appello fidenti benedicendo

al Vostro Augusto intervento.

Con animo indimenticabilmente riconoscente ,

della Santita' Vostra devotissimi

Roma 17 Ottobre 1943

AA.EE.SS. Italia (1939-1946), Pos. 1054 P.O., Fasc. 739 K, ff 66-67.

Meldung des US-amerikanischen Geheimdienstes OSS (Bern) nach Washington über die abgefangenen Telegramme Moellhausens vom 6. Oktober an Hitler und an Reichsaußenminister Ribbentrop persönlich über die drohende Judenrazzia in Rom – zweiter Abs. (NA, RG 226, entry 220, Box 463)

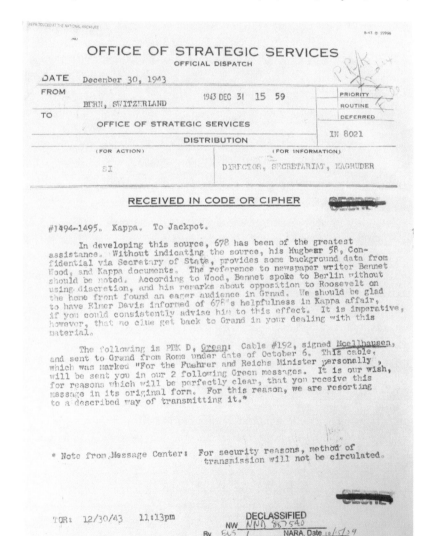

Von den Alliierten abgehörte Nachricht vom BdS Italien (SS-General Harster) über den abgefahrenen Deportationszug mit röm. Juden nach Auschwitz. (Harster to Berlin, 20. Oct. 1943, decode 7732, NA, RG 226 Entry 122, Misc. X-2 Files, box 1, folder 5-Italien Decodes)

```
7732
    GROUP XIII/52
    ROME TO BERLIN
    RSS 160/20/10/43.          «
    [?]  on 9138 kcs.              1100 GMT      20/10/43.
    CT 2010/1130/43.

    Request express W/T despatch to B.d.S VIENNA and
    B.d.S.PRAGUE. Transport of Jews from ROME left
    ROME on 18th at 0900 hours with transport No.
    X70469 and is travelling via ARNOLDSTEIN to
    AUSCHWITZ. Since the ORPO escort detachment is
    urgently required at this end, please find out
    times of passing through and arrange relief of the
    escort detachment by ORPO from your      area.


            Dr.HARSTER. SS Brigadef. and Gen.
         (Countersigned) Major der Pol.
```

* * * * * * * * * * * * * *

Eine zentrale Aussage (Vernehmungsauszug) des ehemaligen SS-Sturmführers Eisenhut; kommandierender Offizier im Abschnitt „Ghetto".

```
Ich kann dazu folgendes sagen: Ich habe lediglich während
des Krieges eine grössere Judenfestnahme mitgemacht; das
war im Herbst 1943 in Rom. Das Kommando, das diese Festnahme-
aktion leitete, stand unter Führung des damaligen Sturmfüh-
rers Dannecker. Ich habe dazu Ausführungen in meiner verant-
wortlichen Vernehmung bereits gemacht. Hierzu möchte ich er-
gänzend angeben: Es ist richtig, dass ich bereits in Berlin
mit Dannecker zusammengetroffen bin, kurz bevor wir nach
Italien abreisten. Er fuhr dann mit einem PKW zur Sammelstelle
in Innsbruck vor. Dort habe ich ihn wiedergetroffen. Dort
```

- 2 -

- 2 -

stiessen auch ein Untersturmführer und etwa 4 oder 5 Unterführer zu uns. Auf den Namen des Untersturmführers kann ich
mich nicht mehr besinnen; auch wenn mir vorgehalten wird,
dass er als Familiennamen einen männlichen Vornamen wie
etwa Ernst oder Günther gehabt haben soll, so sagt mir das
heute nichts mehr. Ich kann mich auch jetzt nicht auf seinen Namen besinnen. Er war von grosser Statur, ich schätze
seine Grösse auf etwa 1,84 m. Woher er stammte, kann ich
nicht sagen. Er war ein ruhiger Typ. Er schien auch an seiner ganzen Aufgabe und an seinem Einsatz uninteressiert zu
sein. An Namen der 4 oder 5 Unterführer kann ich mich auch
nicht mehr erinnern. Wenn mir vorgehalten wird, dass einer
dieser Unterführer ein Scharführer ███████ war, so kann ich
mit diesem Namen keine Erinnerung an eine bestimmte Person
verbinden. Wir sind, wie ich bereits in meiner früheren Vernehmung geschildert habe, von Innsbruck aus zur Dienststelle
des damaligen BdS Italien in Gardone am Gardasee in Marsch
gesetzt worden. Dort haben wir uns kurze Zeit in der Dienststelle des Befehlshabers Dr. Harster aufgehalten. Ich erinnere mich, dass Hauptsturmführer Dannecker eine Unterredung
mit Dr. Harster gehabt hat. Ich habe Einzelheiten dieser
Unterredung nicht in Erinnerung, erinnere mich aber noch,
dass bei irgendeiner Gelegenheit Dannecker gegenüber Dr.
Harster betonte, dass er auf Befehl von Berlin in Italien
tätig werde. Dr. Harster hat daraufhin sinngemäss erwi-dert,
dass er aber dann auf jeden Fall über die Aktionen Danneckers
unterrichtet werden möchte. Ich hatte damals den Eindruck,
als wenn das Kommando Dannecker für Dr. Harster ein sozusagen
überraschender Besuch aus Berlin war. Ich meine, dass er sich
sinngemäss geäussert hat, dass er über alles unterrichtet
werden möchte und dass er nicht möchte, dass innerhalb
seines Befehlsbereichs irgendein Kommando „herumkreuze", von
dem er nichts wisse. Wir haben uns dann nicht lange in Gardone aufgehalten, sondern uns auf den Marsch nach Rom gemacht. Es kann ungefähr Ende September oder Anfang Oktober gewesen sein, als wir in Rom eintrafen. Wir meldeten uns bei
Kappler und wurden auch in der Dienststelle von Kappler untergebracht. Ich habe in Erinnerung, dass im Park der Deutschen Botschaft eine Baracke sich befand, in der Kapplers

- 3 -

- 3 -   *179*

Diensträume lagen. Die 4 oder 5 Unterführer wurden in
einem Haus untergebracht, in dem an einer Tür das
Schild "Polizeiattaché" stand. Dannecker, der Untersturmführer und ich waren, wie bereits in meiner früheren Vernehmung geschildert, im Hotel Berkini in Rom
untergebracht. Die Aktion gegen die jüdische Bevölkerung wurde von Dannecker vorbereitet. Wer zu seiner
Hilfe herangezogen worden ist, weiss ich nicht. Ich
erinnere mich aber, dass Listen aufgestellt waren in
deutscher und italienischer Sprache, in der die Personen aufgeführt waren, die als zu verhaftende Juden in
Betracht kamen. Ich hatte den Eindruck, dass die Vor-
arbeit, d.h. die Feststellung der Anschriften der Juden,
die Aufstellung der Listen, durch italienische Dienststellen gemacht worden war. Inwieweit das auf Anweisung
von Kappler geschah oder mit Hilfe von Angehörigen seines Kommandos gemacht wurde kann ich nicht sagen. Die
jüdische Bevölkerung wurde dann an einem Tag festgenommen so wie ich es bereits in meiner früheren Vernehmung geschildert habe. Die Festgenommenen wurden in
einem Gebäude, das militärischen Charakter hatte, untergebracht. Ich würde diesen grossen Raum heute als eine
Art Reitsaal charakterisieren. Ich meine, dass die Gefangenen etwa 2 Tage dort verblieben sind. Ich erinnere
mich nämlich, dass sie registriert wurden und dass ihnen
Geld und Wertsachen abgenommen wurden. Diese Wertsachen
und eventuell auch festgenommenes Geld sind später, als
ich von Rom nach Verona versetzt wurde, von dem Untersturmführer und mir im PKW mit nach Verona genommen und
dort dem Hauptsturmführer Rad<u>el</u>heer/von der Verwaltungs-
abteilung übergeben worden. Die Angehörigen des Kommandos Dannecker, nämlich die Unterführer, waren meines
Wissens nur in der Sammelstelle eingesetzt. Jedenfalls
halte ich das für möglich, weil in dem Bereich, in dem
ich eingesetzt war, keiner unserer Unterführer mit eingesetzt worden war. Ich habe in meiner früheren Vernehmung gesagt, dass ich in Erinnerung habe, dass zwei
Wehrmachtsbataillone bei der Festnahmeaktion eingesetzt
waren. Ich kann das nicht mit voller Sicherheit behaupten. Es waren grünuniformierte Einheiten. Nachdem mir

- 4 -

343

Zeugenaussage von SS-Hauptscharführer Kurt Fritsch (Name geändert),
Vernehmung im *NS-Verfahren Italien:* LKA NW, Stuttgart 30.4.1964.
Fritsch war nach eigenen Angaben Anfang Oktober 1943 nach Rom ge-
kommen – als Verstärkung zum Aufbau der SS-Dienststelle. In den ersten
Wochen sei er direkt beim „Büro Kappler" (Villa Wolkonsky) eingesetzt
worden.

Vernehmungsauszug:

Frage: Herr ▬▬▬▬ nach den bisherigen Ermittlungser-
           gebnis sind am 18.10.1943 1007 Juden aus Rom abtrans-
           portiert worden. Diese Juden wurden zuvor durch ein
           Sonderkommando in Rom festgenommen. Nach den bisherigen
           Aussagen von Angehörigen des AK Rom besteht kein Zweifel
           darüber, daß diese Aktion unter Beteiligung von Ange-
           hörigen des AK Rom durchgeführt worden ist. Die von
           Ihnen geschilderte Goldaktion dürfte vor der Festnahme-
           aktion und dem Abtransport der 1007 Juden durchgeführt
           worden sein. Können Sie sich an diese große Festnahme-
           aktion im Stadtgebiet von Rom erinnern. Waren Sie evtl.
           in irgend einer Weise zur Durchführung dieser Juden-
           aktion eingesetzt?

Antwort: Ich glaube, daß ich auch dazu etwas sagen kann. Vorweg
           muß ich aber erklären, daß mir bis zum heutigen Tage
           nicht bekannt war, daß eine so große Anzahl von Juden
           in Rom zu meiner Zeit festgenommen und abtransportiert
           worden ist. Ich erinnere mich daran, daß ein SS-Sonder-
           kommando um diese Zeit in Rom eintraf, sie waren nicht
           bei uns untergebracht, und mir ist der Name des Kommandos
           nicht erinnerlich. Wenn mir jetzt das Kommando D a n n -
           e c k e r genannt wird, dann ist das für mich keine
           ausreichende Gedächtnisstütze. Ich weiß zwar, daß es sich
           bei diesem Sonderkommando um eine Einheit gehandelt
           haben soll, die zuvor an der Ostfront eingesetzt gewesen
           ist. Zum gleichen Zeitpunkt, als sich das Kommando in
           Rom aufhielt, waren italienische Polizisten damit beauf-
           tragt, in den Räumen des AK Rom die behördlichen Melde-
           unterlagen hinsichtlich der Wohnungen der in Rom ansässige
           Juden zu überprüfen.

Auf welche unmittelbare Weisung die italienischenPoli-
zisten diese Arbeit verrichteten, ist mir nicht bekannt.
Gut erinnerlich ist mir aber, daß die Italiener diese
Arbeit in Klausur verrichten mussten, d.h., sie durften
während ihrer Tätigkeit das Gebäude im AK Rom nicht verlassen. Es war ein kleinerer Saal, in dem die Italiener
die Aussonderung vornahmen. Angehörige unserer Dienststelle mussten den Eingang zu diesem Saal überwachen.
Ich selbst habe diese Wahrnehmungen im Dienstgebäude
machen können. Zwei bis drei Tage waren die Ttaliener
mit der Aussonderung beschäftigt.

Frage: Ist Ihnen bekannt, ob die italienischen Polizisten
diese Aussonderung nur in Klausur vorgenommen haben,
oder ob zu irgendwelchen Zeiten die Klausur aufgehoben
worden ist.

Antwort: Ich glaube nicht, daß die Klausur aufgehoben worden ist,
jedenfalls kann ich mich sehr gut daran erinnern, daß
die Italiener den Befehl erhalten haben, solange in dem
kleinen Saal zu bleiben, bis daß sie mit der Aussonderung
fertig geworden sind. Ob K a p p l e r oder sein Vertreter diese Weisung gegeben haben, entzieht sich aber
meiner Kenntnisse. Diese Aussonderung war die Vorbereitung
für eine Festnahmeaktion, an der auch Beamte des AK Rom
dienstlich beteiligt worden sind. Um die gleiche Zeit,
also wohl nach Abschluß der Aussonderung, erhielten Angehörigen des AK Rom Zettel mit Adressen von Personen, die
festzunehmen seien. Ich selbst bin im Rahmen dieser Festnahmeaktion als Fahrer eines Dienst-Pkw's von S c h ü t z
eingesetzt worden. Ich fuhr also zwei Kameraden unserer
Dienststelle, an deren Namen ich mich heute nicht mehr erinnern kann. Diese Kameraden hatten eine Liste bei sich,
mit den Adressen von in Rom lebenden Personen, die laut
Weisung von S c h ü t z in ihren Wohnungen aufgesucht
und festgenommen werden sollen. Mit persönlich war nicht
bekannt, daß es sich bei den auf der Liste aufgeführten

Personen um Juden handelte. An Hand des Adressenmaterials
auf der erwähnten Liste bin ich nun die Wohnungen der betroffenen Personen abgefahren. Soweit ich mich heute noch
erinnern kann, waren es mindestens fünf Stellen und höchste
zehn Stellen, die von meinen beiden Kameraden und mir
angefahren worden sind. In keinem Falle ist es uns aber
gelungen, die zur Festnahme bestimmten Personen in ihren
Wohnungen anzutreffen. Darüber waren wir alle sehr erstaunt und hielten es einfach nicht für möglich. Ich erinnere mich noch sehr gut daran, daß wir damals davon
sprachen, daß die Juden zuvor irgendwie benachrichtigt
worden sind. Nach Beendigung dieser Aktion habe ich aber
erst erfahren können, daß a diese Festnahmen in Rom sich
gegen die Juden gerichtet haben. Wie gesagt, mir ist die
Anzahl der in Rom festgenommenen Juden bis zum heutigen
Tage überhaupt nicht bekannt gewesen. Die in Rom ange-
troffenen und festgenommen Juden sind nicht der Dienststelle des AK Rom zugeführt worden, weshalb mir unbekannt
geblieben ist, in welchem Umfange die Juden erfaßt worden
sind, und was schließlich mit ihnen geschehen ist. Mir
ist unbekannt geblieben, in welchem Umfange das von mir
erwähnte Sonderkommando an der Festnahmeaktion in Rom beteiligt gewesen ist. Da unser Personalbestand beim AK Rom
seinerzeit jedoch noch sehr gering war, dürfte die Haupt-
last der Judenfestnahmen nur hur bei diesem Sonderkommando
gelegen haben. Welche unmittelbare Rolle K a p p l e r
hierbei gespielt hat, weiß ich nicht. Ich kann also nicht
sagen, ob K a p p l e r die oberste Leitung und auch die
Verantwortung für diese Aktion gehabt hat. Immerhin hat
aber S c h ü t z meinen beiden namentlich nicht bekannten
Kameraden den Befehl gegeben, Personen an Hand der vorbereiteten Liste, festzunehmen. Heute weiß ich aber nichts
mehr, wohin evtl. festgenommene Personen eingeliefert bzw.
hingebracht werden sollten. Über das Schicksal der festgenommenen Personen kann ich keinen Angaben machen.

Aussage des ehemaligen Zugwachtmeisters Emil Klee (Name geändert),
5. Polizeikompanie des SS-Pol.Reg. 15 (Razziateilnehmer); Vernehmung im
NS-Verfahren Italien: LKA NW, Recklinghausen 18.11.1965, in: LArch Berlin,
B Rep. 057-01, Nr. 3880.

Vernehmungsauszug:

... ...

Zum Gegenstand des hier erörterten Verfahrens kann ich aufgrund
persönlicher Erinnerung Angaben machen. Ich erinnere mich an die
Judenaktion in Rom, die im Herbst 1943 durchgeführt worden ist.
Ich habe nur eine einzige Aktion dieser Art erlebt. Ich erinnere
mich daran, daß wir eines Tages sehr früh am Morgen in unserer
Unterkunft in dem Kloster an der Via Salaria geweckt wurden.
Wir mußten, wie beim Appll, auf dem Hof der Unterkunft antreten.
Wir wurden in einzelne Trupps ôn etwa 8 bis 40 Mann aufgeteilt.
Ich kann nicht mit Sicherheit sagen, wer von den beiden Offizieren
diese Aufteilung vornahm, doch ist es wahrscheinlich, daß Hauptmann ▓▓▓▓▓▓▓ diese Aufteilung vornahm. Für den bevorstehenden Einsatz waren auch die Kraftfahrzeuge unserer Kompanie aufge-
fahren. Bevor wir den Hof der Unterkunft verliessen, war uns
allen unbekannt, welcher Einsatz uns bevorstand. Ich möchte
wohl behaupten, daß weder Hauptmann ▓▓▓▓▓▓▓ noch ein
anderer Vorgesetzter uns vor Abfahrt zu den Einsatzstrassen uns
über den eigentlichen Grund der Maßnahmen unterrichtet haben.
Ich wurde einer Gruppe von etwa 8 bis 40 Leuten zugeteilt. Wir
fuhren sodann zu einer mir nicht mehr bekannten Strasse in der
Innenstadt von Rom. Hier mußten wir absteigen und wurden erneut
in Festnahmetrupps aufgeteilt. An dieser Stelle kamen wir auch
mit Angehörigen der Sicherheitspolizei oder des SD in Rom in

- 8 -

Berührung. Diese Leute, die der Dienststelle des SS-Sturm-
bannführers K a p p l e r unterstanden haben sollen, trugen
weisse beschriebene Zettel in Händen, die sie an uns, also
an den Festnahmetruppe, aushändigten. Auf diesen Zetteln waren
nämlich die Namen derjenigen Personen vermerkt, die wir in
ihren Wohnungen aufsuchen und festnehmen sollten. Heute weiß
ich nicht mehr, ob die Namen nun mit der Maschine oder mit der
Hand geschrieben waren. Jedenfalls erhielt auch ich so einen
Zettel, auf dem der Name eines älteren Ehepaares geschrieben
stand. Ich erinnere mich daran, daß ich erst unmittelbar
vor Beginn der Festnahmen erfahren habe, daß der Einsatz sich
gegen Juden richtete. Ich möchte meinen, daß ich,und natürlich
auch meine Kameraden, von der Judenaktion durch die Leute von
der Sicherheitspolizei oder von SD erfahren habe, als diese
die Zettel austeilten. In der Strasse, wo wir zum Einsatz
kamen, waren auch noch andere Kameraden von meiner Kompanie
eingesetzt. Ich ging also mit noch einem Kameraden in das
betr. Haus und fand in einer der oberen Etagen das benannte
jüdische Ehepaar auch vor. Ich überprüfte anhand der Personalien auf der Liste von der Sicherheitspolizei die Identität. Sodann sagte ich der Frau, die etwa 70 Jahre alt gewesen
sein mag, daß sie und ihr Ehemann in 30 Minuten abgeholt
würden. Eine nähere Erklärung über den Grund dieser Maßnahme
gab ich der Frau nicht. Mir war von einem der mir unbekannten
Leute von der Sicherheitspolizei oder dem SD erklärt worden,
die Juden kämen zu einem Arbeitseinsatz nach Deutschland.
Ich wunderte mich jedoch, daß auch so alte Menschen, wie
das Ehepaar, ebenfalls festgenommen werden sollten. Der Ehemann,
der ebenfalls etwa 70 Jahre alt gewesen sein kann, lag erkrankt
zu Bett. Die Ehefrau setzte diesen Mann in seinen Rollstuhl und
mit diesem wurde er auf die Strasse zu unserem Kraftfahrzeug
gebracht. Mein Kollege hat der Frau beim Transport geholfen.
Der Name des Kollegen ist mir noch erinnerlich, es war der
damalige Zugwachtmeister ▬▬▬▬▬▬▬▬▬▬▬ der aus
Düsseldorf stammte. Ich weiß nicht, ob ▬▬▬▬▬▬▬
noch am Leben ist. ▬▬▬▬▬ wurde im Februar 1945 fahnenflüch-

- 7 -

tig und ich habe ihn seither aus dem Auge verloren. Er war
zunächst Reservist, ist aber noch während des Krieges in den
aktiven Polizeidienst übernommen worden.

Die Wohnung wurde nach dem Verlassen von mir verschlossen, den
Schlüssel mußte ich befehlsgemäß dem Beamten der Sicherheitspolizei, der bei dem Kraftwagen wartete, aushändigen. Vorher
war angeordnet worden, daß die Wohnungsschlüssel in einen
Briefumschlag gesteckt werden sollten, auf dem die betr.
Adressen niedergeschrieben werden mußte. Genau so habe ich
also gehandelt. Nach meiner Auffassung war diese Aktion gegen
die Juden in Rom von der Sicherheitspolizei bzw. dem SD vorbereitet. Ich habe das schließlich daraus schliessen können,
weil wir ja auch von Männern der Sicherheitspolizei oder des
SD die Namen der betroffenen Juden genannt bekommen haben.
Ich wunderte mich allerdings damals bereits über den angeblichen
Grund der Aktion, denn ich konnte mir nicht vorstellen, warum
auch alte Menschen festgenommen werden sollten für einen Arbeitseinsatz in Deutschland. Der alte Mann war zudem auch noch krank
und vermutlich auch dauernd bettlägerig. Ich habe zuerst den
kranken Mann auch nicht aus dem Bett holen wollen, denn ich
war der festen Überzeugung, daß dieser Mann wirklich krank war.
Deshalb bin ich auch zu dem SD-Beamten gegangen, der den Einsatz
in der betr. Strasse offensichtlich leitete. Ich möcte meinen,
daß dieser mir völlig unbekannte SD-Mann oder Sicherheitspoli-
zist den Dienstgrad eines SS-Oberscharführers gehabt hat, denn
auf seinem schwarzen Kragenspiegel trug er einen oder zwei
Sterne. Diesem Manne trug ich also die Tatsache vor, daß der
Jude wirklich krank sei und dementsprechend nicht transport-
fähig wäre. Der SD-Mann gab mir aber zur Antwort, daß mmmh auf
Kranke keine Rücksicht genommen werden könne, denn alle Juden
müßten festgenommen werden. Ich sah deshalb keine andere Möglichkeit, als den kranken Mann in seinem Rollstuhl aus der
Wohnung und aus dem Haus bringen zu lassen, was die Ehefrau
und mein Kollege ▆▆▆▆▆▆▆ besorgten. An unserem Kraftwagen, ein IKW, übergaben wir das Ehepaar demjenigen SD-Mann,
den ich von der Krankheit des Juden unterrichtet habe. ▆▆▆
und ich erhielten sodann von dem SD-Mann noch eine Adresse. - 8 -

Erklärung des ehemaligen Hauptscharführers Wilhelm Gehrcke, SD/Sipo
Verona (Razziateilnehmer); LArch Berlin, B Rep. 057-01, Nr. 3879.
Siehe S. 192ff.

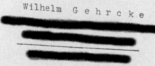

Hamburg, den 20. 4. 1965

Wilhelm G e h r c k e

An

die Sonderkommission Hamburg.

Betrifft: Aktionen gegen die Juden im Rom im Jahre 1943.

Anliegend überreiche ich zu meiner Vernehmung vom 14. 4.
1965 - SK. 235/65 - eine Fotokopie meiner Tagebucheintragung
zum dortigen Vorgang.

Obwohl die Dramatik des ganzen Vorgangs, die große Angst
damals auf beiden Seiten, mein Schicksal in der Zwischenzeit
- insbesondere die nicht zu durchschauenden Hintergründe meiner
Entlassung aus dem Polizeidienst - und die Befragung dazu nach
mehr als 20 Jahren, mein normales Denken fast übersteigt,
erkläre ich, daß meine Tagebucheintragung bei Gott und meinem
reinen Gewissen wahr ist; in meinem Gesamtverhalten von 1933
bis 1945 damals zu unrecht gequälten Menschen zu helfen - aus
allergrößter Not zu befreien - aber nur ein kleines Ereignis
von vielen ähnlichen dieser Art in meinem Leben gewesen ist.

Meinen Erinnerungen in meinem Tagebuch habe ich
folgenden Text vorangesetzt:

" Was ich hier niederschreibe geschieht so, daß ich es
vor Gott und meinem Gewissen beschwören kann und auch im Grabe
darüber meine Ruhe finden kann.

Es soll so sein, daß es auch nach meinem Ableben als
amtsähnliches Dokument genutzt werden kann.

Was mir aus der Erinnerung nicht einwandfrei ganz
bestimmt klar ist, will ich unterstreichen.

Ich wollte dieses und auch manches andere Geschehen
vergessen.

Ich will kein Held sein !

Hamburg, den 14. 6. 1964
gez. Unterschrift (Wilhelm Gehrcke)

Auszug aus dem Kriegstagebuch General Stahels; Morgenmeldung vom 16.10.1943 (Bl. 1/handschriftl. Deckbl.; Meldung: Bl. 101f).

Der Deutsche Kommandant von Rom

Kriegstagebuch vom 10.9. 1943
bis 31.12. 1943

* * * * * * *

In der vergangenen Nacht hat eine Aktion des deutschen Sicherheitsdienstes zur Aushebung der in Rom befindlichen Juden eingesetzt. Die Aktion ist heute Nachmittag 1600 Uhr beendet. Zur Durchführung sind die dem Deutschen Kommandanten unterstellten Polizei-Kompanien 5./15, 3./20 und 11./12 dem Sicherheitsdienst zur Verfügung gestellt. Wie die Aktion sich auswirken wird, ist noch nicht abzusehen. Es ist anzunehmen, dass sie viele, uns feindlich gesinnte Italiener, wie beispielsweise die Urheber der kürzlich vorgekommenen Sabotagefälle, zurückschrecken wird.

Für die Dauer der Abkommandierung der 5./SS-Pol.Rgt. 15 zu der Aktion gegen die Juden übernimmt ein Kommando des III./Fallschirmjäger Rgt. 2 die Wache im Gefängnis Regina Coeli und an der Sendestation Palomba. Nach Durchführung der Aktion übernimmt die 5./SS-Pol.Rgt. 15 wieder die Wache in der Wehrmachthaftanstalt Gefängnis Regina Coeli. Die Wache an der Sendestation Palomba wird zunächst von den Fallschirmjägern weitergestellt.

Fortsetzung Auszug Kriegstagebuch;
Morgenmeldung vom 17.10.1943 (Bl. 104). In der gestrigen Meldung steht
die Uhrzeit: 16.00 Uhr für das voraussichtliche Ende der Razzia. Jetzt wurde 12 Uhr an Stahel gemeldet. Das war nicht ganz exakt; laut der offiziellen
Vollzugsmeldung Dannecker/Kappler nach Berlin ist das Ende auf 14 Uhr
terminiert.

* * *

17. 10. 1943.

0700 Uhr.   Eingang der Morgenmeldungen.

Anlage.

1030 Uhr.   Morgenmeldung an O.B.Süd.

Anlage.

Bei der Aktion zur Erfassung der in Rom lebenden
Juden sind insgesamt 900 Juden aufgegriffen worden.
Die verhältnismässig geringe Zahl erklärt sich daraus, dass Abkömmlinge aus Mischehen nicht festgenommen worden sind. Die Aktion war um 1200 Uhr am Vortage
beendet. Der Abtransport der Juden soll am 18.10. erfolgen. Zu Zwischenfällen irgendwelcher Art ist es
nicht gekommen. Was die Aktion sonst für Folgen haben
wird, bleibt abzuwarten.

Anmerkungen

Bei der Suche nach der vollständigen bibliografischen Angabe der Belege ist die Unterscheidung in die Gruppen: **a) Dokumenteneditionen, b) Zeitzeugnisse, c) Verfahrens- u. Prozessakten** und **d) Sekundärliteratur** zu beachten.

Beidseitig eingerückte und abgesetzte Texte im Buchblock sind immer Zitate, obwohl sie ohne Anführungszeichen versehen sind; die satztechnische Sonderstellung kennzeichnet die Texte als Zitate.
Einige Zitate im Buchtext sind sinngemäß bzw. leicht zusammengefasst. Diese sind dort abweichend statt mit Gänsefüßchen-Anführungszeichen mit Chevrons (Möwchen) gekennzeichnet; die Belegstelle des zugrunde liegenden Zitats ist hier genau angegeben. Die angegebenen Internetseiten sind auf dem Stand 22. Mai 2013, ausgenommen abweichende Angaben.

Prolog / Einleitung

1 Debenedetti: Am 16. Oktober, S. 6.

2 Ebd.

3 Benedikt XVI.: Licht der Welt, S. 137.

4 Ebd., S. 136.

5 So in einem Spiegelinterview vom 26.5.2007 mit dem Titel: „Ein satanischer Feigling" (*Der Spiegel*, 22/2007, S. 158f). Das Stück *Der Stellvertreter* wurde am 20.2.1963 auf der freien Volksbühne Berlin im Theater am Kurfürstendamm von Piscator uraufgeführt; mittlerweile gibt es die 38. Aufl. in Buchform bei Rowolth.

6 Brechenmacher: Pius XII. und die Juden, in: Die kath. Kirche in Dritten Reich, hrsg. v. Ch. Köster/M.E. Ruff, S. 123-141, hier 123 (basiert auf: ders.: Der Vatikan und die Juden, insb. Kap. 8, S. 202ff).

7 Friedländer: Pius XII. (Nachwort auf den Seiten 206-226).

8 Ebd., S. 226.

9 Ebd., S. 136f.

10 Prononciert mit dieser Wortwahl immer wieder der Untersuchungsrichter im Seligsprechungsprozess Pius XII., Prof. Pater Gumpel SJ. (z.B. in: Filmreportage: Geheimnis Geschichte. Der Papst und die Nazis - Was wollte Pius XII.? Erstausstrahlung: ARD, 26.3.2009). Schon früh im Zuge der ersten Hochhuth-Debatte

Kardinal Battista Montini in seinem Leserbrief in *The Tablet* / 6. Juli 1963. Jüngst dazu ähnlich der vatikanische Staatssekretär Kardinal Bertone in einer Rede über Pius XII.: The Victim of a "Black Legend".

11 Benedikt XVI.: Licht der Welt, S. 136.

12 Das Schwergewicht der moraltheologischen Argumentation lag und liegt weiterhin bei der kompromisslosen Verteidigung von Werten und Ablehnung „in sich" schlechter Taten (intrinsece malum). Hinsichtlich der Folgenabwägung übte die kirchliche Moral immer große Zurückhaltung. Siehe beispielhaft die neuere Moralenzyklika *Veritatis Splendor* von Johannes Paul II. (1993), deutsch: http://www.vatican.va/edocs/DEU0080/_INDEX.HTM.

13 Zu dieser zentralen These vgl. Kapitel 7 (Ein Mythos entsteht).

14 Näher zum Film vgl. ebenfalls Kap. 7. Die Ausstrahlung in Deutschland (ARD) fand am 1./2. Nov. 2010 statt. *Sotto il cielo di Roma* ist eine Produktion von Lux Vide (Italien) und Tellux (München) in Kooperation mit RAI (Itl.) mit dem Bay. Rundfunk.

15 Deutlich: Interview in: *Shalom* (Monatszeitschrift der jüd. Gemeinde Roms), 4. Nov. 2010; vgl. z.B.: Standardartikel im CORRIERE DELLA SERA: http://www.corriere.it/spettacoli/10_novembre_01/ebrei-polemica-pio_4281fbf4-e5fc-11df-b5c0-00144f02aabc.shtml (Abruf 1.8.2012).

16 Die Quellen lassen sich grob in drei große Bereiche untergliedern (exakte Belege siehe w.u.): I. Zeugnisse aus persönlichen Erinnerungen (Tagebücher, Memoiren, polit. Schriften) und Dokumente kirchlicher (Vatikan), militärischer, politischer und geheimdienstlicher Art; II. Vernehmungen/Aussagen im Rahmen von NS-Nachkriegsprozessen bzw. Untersuchungsverfahren wie die komplexen Verfahren „Oberitalien" (Dortmund) und „Reichssicherheitshauptamt" (Berlin) sowie die Prozesse Kappler und Eichmann und wenige andere separate Verfahren/Prozesse; III. Zeugnisse von unmittelbar Betroffenen der römischen Razzia: während der Aktion Entkommene o. lebend nach dem Krieg Zurückgekehrte.

Kapitel 1: Roms neuer Herr

1 Detailliert und aufschlussreich die vierteilige Spiegelserie des US-amerikanischen Fachjournalisten Peter Tompkins, der 1943/44 OSS-Agent in Italien/Rom war: Scheidung auf Italienisch, in: *Der Spiegel* Nr. 11-14, (1967); Moellhausen: Gebrochene Achse, S. 38ff.

2 Zu den Texten der Bekanntgabe und den vorausgehenden Schriftwechseln siehe: http://www.ibiblio.org/pha/war.term/093_01.html.

3 Rahn: Ruheloses Leben, S. 228f.

4 Näher: Schröder, J.: Italiens Kriegsaustritt 1943. Die deutschen Gegenmaßnahmen im italienischen Raum: Fall "Alarich" und "Achse", Reihe: Studien und Dokumente zur Gesch. des Zweiten Weltkrieges, Bd. 10, Göttingen u.a. 1969, S. 196ff. Grundsätzlich zur Machtübernahme: Klinkhammer, L.: Zwischen Bündnis und Besatzung. Das nationalsozialistische Deutschland und die Republik von Salò 1943 - 1945, Tübingen 1993.

5 Heiber, H. (Hg.): Hitlers Lagebesprechungen. Die Protokollfragmente seiner militärischen Konferenzen 1942-1945, Stuttg., 1962, S. 329.

6 Goebbels: Tagebücher, Bd. 9, S. 171 (27.7.43).

7 ADSS 7, Dok. 389, S. 613.

8 Ebd., Dok. 387, S. 611.

9 Ebd., Dok. 392, S. 616. Der Vorschlag war von der ital. Botschaft gekommen.

10 Neuere Darstellung: Majanlathi, A./Guerrazzi, A. O.: Roma occupata 1943-1944 (Kap. 2). Im Netz z.B.: http://www.storiaxxisecolo.it/cronologia/cronoresroma/cronoresrom.html.

11 ADSS 7, Dok. 393, S. 617.

12 Ebd., Dok. 394, S. 617f.

13 In: Papst Pius XII. und der Holocaust, TV-Reihe: Vatikan: Die Macht der Päpste (Teil 1), von Guido Knopp, ZDF, Mainz 1997.

14 ADSS 7, Dok. 394, S. 618.

15 Ebd., Dok. 397, S. 619f.

16 Ebd., Dok. 399, S. 621.

17 Die *Pontificia Commissione di Assistenza* wurde von Pius XII. im April 1944 gegründet. Sein Faktotum Pascalina Lehnert sollte von Beginn an die offiziell beauftragten Monsignori bei der Arbeit unterstützen. Rasch stieg Pascalina aber zur unersetzlichen Dirigentin des Hilfswerks auf. Vgl. z.B. Schad: Gottes mächtige Dienerin, S. 110f; Lehnert: Ich durfte ihm dienen, S. 103ff.

18 ADSS 7, Dok. 430, S. 664f.

19 Ebd., Dok. 448/449, S. 682ff.

20 Ebd., Dok. 401, S. 622f.

21 Bundes-Militärarchiv Freiburg, Pers 6/934.

22 Kriegstagebuch, S. 49.

23 Rahn: Ruheloses Leben, S. 230.

24 Kriegstagebuch, S. 84f.

25 Rahn: Ruheloses Leben, S. 233.

26 Zu Priebke vgl. seine Selbstbiographie „Vae Victis", die in Lebenslauffragen historisch korrekt ist. Die vielfach im Netz vorhandenen Seiten zu Priebke sind in der Regel mit Vorsicht zu genießen. Sie sind oft parteiisch zugunsten Priebkes gefärbt.

27 Zur lupenreinen NS-Polizeikarriere und Polizeiarbeit Harsters vgl. die neueste Publikation: Ritz, Christian: Schreibtischtäter vor Gericht. Das Verfahren vor dem Münchner Landgericht wegen der Deportation der niederländischen Juden (1959-1967), Paderborn u.a. 2012.

28 Priebke bestätigte auf meine Nachfrage im Interview (2009) den hochrangigen V-Mann im Vatikan. Aber selbst ihm habe Kappler den Namen nicht verraten. Er könne daher keine Angabe dazu machen.

29 Homepage: http://www.viatasso.eu

30 Kappler musste sich in Rom vor einem Militärgericht verantworten. Urteilsverkündung: 20.7.1948; Urteil des Berufungsgerichts: 25.10.1952 (BArch-L, B 162/20741).

31 Zum aufsehenerregenden Prozess in Italien nach seiner Auslieferung 1995 muss in erster Linie auf italienische Publikationen verwiesen werden: z.B. Deut. Nationalbibliothek (SW „Priebke" ausreichend). Auf der Webseite des ital. Verteidigungsministeriums ist der Justizvorgang Priebke dokumentiert: http://www.difesa.it/GiustiziaMilitare/RassegnaGM/Processi/Priebke_Erich/Pagine/default.aspx.

32 Interviews mit Priebke am 5. Juni 2009 und 30. Mai 2012 in seiner bewachten Wohnung in Rom.

33 Die Aussage Wolffs ist außer in den verschlossenen Seligsprechungsakten Pius XII. nur noch bei Gariboldi dokumentiert (Pio XII, Hitler e Mussolini, S. 214-217). Gariboldi war als Rechtsanwalt in der Strafsache Contessa Elena Pacelli Rossignani gegen Robert Katz (wg. Beleidigung Pius XII.) tätig. Im Rahmen der Prozessführung hatte Gariboldi Einsicht in die Aussage Wolffs. Neuerdings stellt auch die *Pave the Way Foundation* auf ihrer Homepage eine Kopie der Originalaussage Wolffs zur Verfügung (http://www.ptwf.org/Projects/Education/PPXII%20Document%20Page%20.htm). Die angegebenen Zitate stammen aus dieser original deutschen Aussage. Der

Text zeigt, dass die italienische Übersetzung als Beweisstück vor Gericht (vgl. Gariboldi) sehr sorgfältig erstellt wurde.

34 Ebd.

35 Ebd.

36 Hill: Weizsäcker-Papiere, S. 337.

37 ADSS 11, Dok. 142, S. 256ff, hier 260.

38 Weizsäcker: Erinnerungen, S. 346.

39 Hill: Weizsäcker-Papiere, S. 340.

40 ADSS 7, Dok. 277, S. 465ff

41 Ebd., Dok. 278, S. 467f.

42 Vgl. Knigge: Der Botschafter, S. 20f.

* * *

Kapitel 2: Führerbefehl

1 Das Datum ergibt sich aus der Analyse eines Zeitfensters, in dem der Befehl erteilt worden sein muss.

2 Befragung Kapplers/Militärgerichtsprozess 1947/48, Bl. 54r; Befragung zum Eichmann-Prozess 1961, Bd. V, S. 1965.

3 Text nach Tagliacozzo, La Communità di Roma, S. 9f (veröffentlicht für das Mailänder Dokumentationszentrum: Centro di Documentazione Ebraica Contemporanea). Zu den zwei Befehlen für eine Judenrazzia vgl. auch Kapplers Befragungen, ebd.

4 Befragung Kapplers zum Eichmann-Prozess, ebd.

5 Wiederholte Aussage Kapplers in seinen Befragungen zu seinem eigenen Prozess, zum Eichmann- und zum Boßhammerprozess (vgl. die drei angegeb. Aussagen). Das Militärgericht in Rom (1948) schenkte der Behauptung keine Glaubwürdigkeit. Doch im Rückblick aus größerem Abstand und unter Würdigung der gesamten Vorgänge im Herbst 1943 - vor allem auch wegen der mehrfachen Bestätigung der Behauptung durch dritte Personen (Mitarbeiter der Sipo Roms und Konsul Moellhausen) - ist Kapplers ablehnende Haltung zu einer

frühen Razzia in Rom glaubwürdig. Man beachte „frühe Razzia": Kappler war nicht grundsätzlich dagegen; er hatte nur ernste Sicherheitsbedenken während einer noch unsicheren Romlage.

6   Gemeint: SS-Hauptsturmführer Theodor Dannecker. Näher zu Dannecker weiter unten.

7   Die diskriminierenden Rassengesetze wurden im Nov. 1938 in Kraft gesetzt. Näher z.B.: Thomas Schlemmer/Hans Woller: Der italienische Faschismus und die Juden 1922-1945, in: *Vierteljahresschrift für Zeitgeschichte* 53 (2005), Nr. 2, S. 165-201, hier 181ff; Sarfatti: La Shoa in Italia, S. 77ff.

8   Erhebung im Jahre 1938. Vgl. Sarfatti: ebd., S. 51.

9   Anatomia, S. 48. Die Berechnung geht von den Zahlen aus 1938 aus. Vermutlich sind aber in den Kriegszeiten mehr Juden aus Rom weggezogen/geflüchtet als umgekehrt. Daher ist eine leicht geringe Größe wahrscheinlicher.

10   Moellhausen: Gebrochene Achse, S. 81f.

11   Ebd., S. 82; auch: Moellhausen: Aussage Prozess Kappler am 11.6.1948.

12   Ebd., S. 83.

13   Ebd., S. 83f.

14   Ebd., S. 84; auch: Moellhausen: Aussage Prozess Kappler, S. 131.

15   Erklärung abgedruckt in der Dokumentation: Der Fall Kappler, S. 61.

16   Moellhausen: Gebrochene Achse, S. 85.

17   Ebd., S. 86.

18   Foà: Bericht, in: Cronaca, S. 13; auch: Foà: Aussage Processo Kappler am 11.6.1948 (dort sprach Foà von „Polen" als Bestimmungsort für die angedrohte Deportation).

19   Ebd., S. 14; Foà: Processo Kappler, ebd.

20   Ebd., (Foà: Bericht).

21   Der Casus Zolli hatte in der jüdischen Gemeinde Roms und in ganz Italien mehr als nur Befremden ausgelöst. Besonders rückblickend auf den Herbst 1943 wurde gegenseitig viel schmutzige Wäsche gewaschen. Näher z.B. Zolli: Der Rabbi von Rom; Coen: 16 ottobre 1943, S. 43ff;

22   Anatomia, S. 29; Katz: Black Sabbath, S. 82,86; Waagenaar: Il Ghetto, S. 311.

23   Foà: Bericht, in: Cronaca, S. 14.

24   Interviewaussage gegenüber Katz am 13.9.1967, (Black Sabbath, S. 86).

25   Interviewaussage gegenüber Katz am 6.12.1967, (Black Sabbath, S. 85).

26   Zolli: Der Rabbi von Rom, S. 227 und schriftliche Versicherung von Giorgo Fiorentino, in: ebd., S. 232f; Roma, 16 ottobre 1943, S. 29.

27   Zolli, ebd. S. 228. Zolli kam dann gegen 14 Uhr zurück.

28 Modigliani: I Nazisti a Roma dal diario di un ebreo, S. 16.

29 Foà: Bericht, in: Cronaca, S. 18.

30 ADSS 9, Dok. 353, S. 494f.

31 Insgesamt waren es rd. 80 kg, vgl. Waagenaar: Il Ghetto, S. 312 und Coen: 16 ottobre 1943, S. 37. Der nicht gebrauchte Rest wurde sicher verwahrt. Nach dem Krieg hat die Gemeinde das überschüssige Gold als Beihilfe zur Gründung des Staates Israel verwendet.

32 Vgl. Anatomia, S. 29.

33 Lehnert: Ich durfte ihm dienen, S. 117: „man brachte das Gold zur Auslösung der Geiseln". Von welchem Vorgang spricht Pascalina hier? Meint sie die Golderpessung Kapplers mit der Geiseldrohung? Das ist zu vermuten, denn eine andere Goldauslösung während des Krieges ist nicht bekannt geworden. Falls Pascalina auf die Kappleraktion anspielte, gab sie keine korrekte Information. Denn Pius hatte nur die Leihgabe von 15 kg in Aussicht gestellt, die dann aber nicht benötigt wurde.

34 Foà: Bericht, in: Cronaca, S. 16.

35 Kappler: Befragung zu seinem Prozess in Rom, Blatt 61.

36 Ebd.

37 Vom alliierten Geheimdienst dechiffrierter Brief Kapplers: NA, RG 226, entry 122, Misc. X-2, Files, box 1, folder 5 – Italian Decodes (7256) und Aussage Kapplers zur Goldübergabe und zu Hartl: Prozess 1947, Blatt 62.

38 Kappler, ebd. Bl. 62f.

39 Cronaca, S. 7.

40 Ebd., S. 17f.

41 Sorani: Tagebuch, in: Cronaca, S. 36.

42 Dokumentiert von Bottazzi: Da Roma ad Auschwitz, S. 137f.

43 Foà: Bericht, in: Cronaca, S. 16 (Zitat sinngemäß).

44 Kappler: Vernehmung zu seinem Prozess in Rom: Anatomia, Blatt 65. Wahrscheinlich handelte er sich bei dem fraglichen „Mayer" um Obersturmbannführer Waldemar Meyer, der für den ERR tätig war und der gute Kontakte nach Rom hatte. Er gehörte aber nicht zum Stab Stahels, wie Kappler vermutete. Vgl. dazu: Hansjakob Stehle: Bischof Hudal und SS-Führer Meyer. Ein kirchenpolitischer Friedensversuch, in: *Vierteljahreshefte für Zeitgeschichte* 37 (1989), Heft 2, S. 302-316.

45 Zum Raub des ERR von Büchern/Bibliotheken näher: Peter M. Manasse: Verschleppte Archive und Bibliotheken. Die Tätigkeit des Einsatzstabes Rosenberg während des Zweiten Weltkrieges, St. Ingbert 1997.

46 Bericht von Commissario straordinario Silvio Ottolenghi vom 12.7.1944, in: Anatomia, S. 31.

47 Foà: Bericht, in: Cronaca, S. 20; Sorani: Tagebuch, in: Cronaca, S. 36.

48 Sorani: ebd., S. 37.

49 Ebd., S. 38.

50 Debenedetti: Am 16. Oktober, S. 26.

51 Foà: Bericht, in: Cronaca, S. 23.

52 Vgl. Pugliese, St. G.: Bloodless Torture: The Books of the Roman Ghetto under Nazi Occupation, in: Libraries & Culture (Univ, of Texas Press), Vol. 34 (1999), Nr. 3, S. 241-253, hier: 249f.

53 Moellhausen: Gebrochene Achse, S. 81f.

54 Das Moellhausen-Telegramm ist dokumentiert z.b. in: ADAP, Serie E, Bd. VII, Dok. 18, S. 31.

55 Zu Moellhausens Irrtum über das genaue Datum vgl. Katz, der Moellhausen interviewte: The Möllhausen Telegram, S. 232; Black Sabbath, S. 136. Das frühere Datum ergibt sich auch aus der Aussage Moellhausens im Prozess Kappler am 11.6.1948. Moellhausen gab an, dass er vor der Kenntnis der Golderpressung mit Kappler bei Kesselring war.

56 PA AA Inland II g, Nr. 192, 5789/E 421.524; dok. v. Friedländer: Pius XII., S. 180f.

57 NA, RG 226, Entry 210 Box 463 (Dulles to OSS, 30.12.1943).

58 Gebrochene Achse, S. 87.

59 ADAP, Serie E, Bd. VII, Dok. 18, Anm. 2, S. 31 (= PA AA Inland II g, Nr. 372, 5789/E 421 521).

60 Gebrochene Achse, S. 90.

61 NA, RG 226, entry 122, Misc. X-2, Files, box 1, folder 5 – Italian Decodes (7185).

62 Ebd., Decode: 7244.

63 Ebd., Decode: 7458; englisches Original dokumentiert bei Breitman u.a,: U.S. Intelligence, S. 80; auch Katz: Rom , S. 103.

64 Zeugenaussage W. Schlinge: Vernehmung im *NS-Verfahren Italien*, StA, Dortmund 12.9.1963.

65 Vgl. Steur: Dannecker, S. 22ff.

66 Zu Boßhammer vgl. Berger: Selbstinszenierung eines 'Judenberaters' vor Gericht - Friedrich Bosshammer und das 'funktionalistische Täterbild; detailliert: Anklageschrift und Urteil des Kammergerichts Berlin.

67 Steur: Dannecker, S. 150.

68 Aussagen von Hack im *NS-Verfahren Italien*, StA, München 14.8.1963 und Kehlheim 26.11.1964.

69 Eisenhut: Vernehmung im *NS-Verfahren Italien*: StA, Stuttgart 18.9.1963.

70 Ders.: Vermerk der StA Stuttgart über die Auswertung des Ermittlungsverfahrens gegen Eisenhut.

71 Michaelis: Mussolini and the Jews, S. 362, Katz: Black Sabbath, S. 157.

72 Kappler: Befragung zu seinem Prozess in Rom; Bl. 66/67.

* * *

Kapitel 3: Tödliches Schicksal

1   Kessel: Der Papst und die Juden, in: Raddatz (Hg.): Summa iniuria, S. 168.

2   Ders.: Vernehmung im *NS-Verfahren RSHA*, Landgericht Essen am 4.5.64.

3   Kessel: Ebd. (Anm. 1), S. 168f.

4   Ebd., S. 169.

5   Moellhausen: Gebrochene Achse, S. 88.

6   Vgl. Befragung Kapplers 1947: Anatomia, Blatt 66; Eichmannbefragung 1961: Trail V, S. 1966.

7   Debenedetti: Am 16. Oktober, S. 19.

8   Tagliacozzo: La Communità di Roma, S. 18.

9   Interview doku. bei Barozzi: I Percorsi della sopravvienza, S. 101.

10 Ebd.

11 Katz: Black Sabbath, S. 136, (Interview am 13.6.1967).

12 ADSS 7, Dok. 430, S. 664f.

13 Vgl. dazu die Bemerkungen zu einem „Gerücht" über ein Wort Pius XII. zu Weizsäcker hinsichtlich einer Judendeportation aus Rom (Kap. 5 / ADSS 9; Dok. 383, S. 519).

14 Zur Thematik näher: Pundik, H.: Die Flucht der dänischen Juden 1943 nach Schweden, Husum 1995 (orig.: Ders.: Det kan ikke ske i Danmark. Jødernes flugt til Sverige i 1943, Munksgaard 1993); Kaufmann, H.: Die Nacht am Øresund, Gerlingen 1994 (orig.: Ders.: Hvorfor er denne nat anderledes end alle andre naetter, Kopenhagen 1968).

15 Im Geleitwort von Hans Hedtoft zum Buch: Bertelsen, A.: Oktober 1943. Ereignisse und Erlebnisse der Judenverfolgung in Dänemark, München 1960, S. 13; weitere Zitate: S. 14.

16 YadVashem:
http://www1.yadvashem.org/yv/en/righteous/stories/duckwitz.asp; politisch zu Duckwitz: Gedenken an Georg Ferdinand Duckwitz 1904-1973, hrsg. vom Auswärtigen Amt, Berlin 2004.

17 ADSS 9, Dok. 336, S. 480f.

18 Ebd., S. 481.

19 Interview des Zeugen Don Brunacci z.b. bei Rychlak: Righteous Gentilies, S. 219f.

20 ADSS 9, Dok. 356, S. 496.

21 Ebd., Dok. 338, S. 482f. Riccardi (L'inverno più lungo, S. 106) vermutet abweichen von ADSS, dass der schweizer Rechtsanwalt Stefan Schwamm in Vertretung der jüdischen Gemeinde im Vatikan vorsprach. Riccardi belegt seine Vermutung nicht näher.

22 Vgl. dazu Hinweise im Epilog. Während der monatelangen Besatzungszeit gab es nur zwei eigenmächtige „Überfälle" von einer italienischen Faschistengruppe (sog. Koch-Bande). Die deutschen Sicherheitskreise hielten sich grundsätzlich aus Aktionen gegen kirchliche Einrichtungen heraus.

23 Memorandum doku. in: Friedländer: Pius XII., S. 102ff (dazu das Anschreiben Riegners und Lichtheims an Bernardini, S. 101).

24 ADSS 8, Dok. 314, S. 466. Vgl. auch Riegner, G.: Niemals verzweifeln. Sechzig Jahre für das jüdische Volk und die Menschenrechte, Göttingen 2001.

25 Text online:
http://www.jewishvirtuallibrary.org/jsource/Holocaust/Riegner.html; zum Telegramm vgl. Cohen, Raya: Das Riegner-Telegramm - Text, Kontext und Zwischentext, in: Tel Aviver Jahrbuch für deutsche Geschichte 23 (1994), S. 301-324.

26 Text: : http://www.jewishvirtuallibrary.org/jsource/Holocaust/riegner1.html.

27 ADSS 5, Anm. 1, S. 722 in Verbindung mit Dok. 488 ebd. Text in: FRUS 1942-III, S. 775f, online: http://digicoll.library.wisc.edu/cgi-bin/FRUS/FRUS-idx?type=article&did=FRUS.FRUS1942v03.i0014&id=FRUS.FRUS1942v03&isize =M.

28 ADSS 8, Dok. 493, S. 665.

29 Ebd.

30 Ebd., Dok. 497, S. 670.

31 Ebd., Dok. 507, S. 679.

32 FRUS 1942-III. S. 776f.

33 German Policy of Extermination of the Jewish Race: The Department of State Bulletin 7/1942, Nr. 182, 19.12.1942, S. 1009.

34 AAS, XXXV (1943) Serie II, Vol. X, S. 9-43; doku. auch in: ADSS 7, Dok. 71, S. 161-167; Vatikanserver: http://www.vatican.va/holy_father/pius_xii/speeches/1942/documents/hf_p-xii_spe_19421224_radiomessage-christmas_it.html.

35 FRUS 1943 II, S. 911ff (deut. Übersetzung nach Friedländer: Pius XII., S. 97).

36 Zur Ausstellung vgl. den offiziellen Präsentationsband: Opus Iustitiae Pax. Eugenio Pacelli – Pius XII. (1986-1958), im Auftrag des päpstlichen Komitees für Geschichtswissenschaft.

37 Blasius, R: Teufelsaustreibung aus der Ferne. Pius XII., die nationalsozialistische Judenverfolgung und die Weihnachtsansprache des Jahres 1942, in: *FAZ*, 29.01.2009, Nr. 24, S. 7.

38 Manzo: Scavizzi, S. 131; Notiz Mgr. Tardinis: ADSS 5, Dok. 151, S. 317.

39 Seligsprechungsakten S. 241f (*Summarium Documentorum*, 1994), in: ebd., S. 205-247.

40 Manzo: Scavizzi, S. 216.

41 Zum Massaker in Babi Jar am 29./30. Sept. 1941 gibt es zahlreiche Veröffentlichungen. Vgl. z.B: Wiehn, E. R. (Hrsg.): Die Schoáh von Babij Jar. Das Massaker deutscher Sonderkommandos an der jüdischen Bevölkerung von Kiew 1941. Fünfzig Jahre danach zum Gedenken, Konstanz 1991.

42 Geier, Swetlana: Ein Leben zwischen den Sprachen. Russisch-deutsche Erinnerungsbilder. Aufgezeichnet von Taja Gut, 3. Aufl., Dornach 2010, S. 78.

43 Manzo: Scavizzi, S. 221.

44 Ebd., S. 126.

45 Diese Bemerkung machte Scavizzi in einem Artikel der römischen Zeitschrift *La Parrocchia* in der Ausgabe Mai 1964. Sie wurde in die Seligsprechungsdokumentation übernommen (Manzo: ebd., S. 130).

46 Manzo: ebd., S. 229f. Zweiter Bericht abgeschlossen »Ostern« 1942.

47 Doku. von Manzo: Scavizzi, S. 160h.

48 Ebd., S. 239. Dritter Bericht abgeschlossen 12. Mai 1942.

49 Ebd., S. 244f. Vierter Bericht abgeschlossen am 7.10.1942. Hinweis: Im abgedruckten Text bei Manzo steht: „... altre due millioni di ebrei". Es scheint hier eine kleiner Druckfehler vorzuliegen „o" statt „a" bei altre (= oltre).

50 In Dok. 374 (Bd. 8) werden ohne Zusammenhang viereinhalb Zeilen aus dem zweiten Bericht zitiert, und zu Dok. 496 (ebd.) gibt es nur eine Fußnote, in der ein Auszug aus dem letzten Rapport zitiert wird.

51 Graham, R.: Pius XII: Years of Praise Years of Blame, in: Suppl. *Catholic League Newsletter* 11, Vol. 16, Nr. 2 (Dez. 1989). Vgl. auch A.R. Butz: Robert Graham and Revisionism, in: *The Journal of Historical Review*, März/April 1988, S. 24-25. Butz berichtet von persönlichen Kontakten zu Graham hinsichtlich der Frage nach dem Wissen des Vatikans über die "Ausrottung" der Juden. Nach Butz war Graham sehr vorsichtig und misstraute Behauptungen über das Wissen des Vatikans. Z.B. zeigte er Butz eine Flugschrift von der „Polish Labor Group" aus New York von 1943. Die Gruppe hatte Kontakt zum polnischen Untergrund in der Stadt Oswiecim (Auschwitz). Das Flugblatt bezeichne das Lager Auschwitz als „Camp of Death" und spreche nicht von „exterminations", betonte Graham bedeutungsvoll, (S. 25).

52 Blet: Pius XII., S. 170.

53 Ebd., S. 81, 86.

54 Im Interview von J. Mersch (*Kirchl. Umschau*, Nov. 2000) Pater Gumpel wörtlich: „Man wußte, daß eine große Zahl von Juden »nach Osten« deportiert wurde, aber sogar die amerikanische Regierung fragte Ende 1942 im Vatikan an, ob er diese Zahlen bestätigen könnte. Sie glaubte es auch nicht. In der Geschichte ist es immer so, wenn Leute sich nicht in die Situation hineindenken, in der damals Menschen gelebt haben. Kein Mensch wußte damals etwas Genaueres, auch die Amerikaner nicht, geschweige denn von 6 Millionen Juden, die vernichtet werden sollten. Dazu gibt es eine hochinteressante Zeugenaussage im kanonischen Prozeß über Pius XII. von Cardinal Wyszinsky. Er wurde gefragt:»Was wußten Sie damals, was im Ghetto oder im Konzentrationslager geschah?« Er erklärte unter Eid:»Es gingen Gerüchte, aber die haben wir einfach nicht geglaubt. Erst nach dem Krieg haben wir die Wahrheit erfahren.«"

55 ADSS 8, Dok. 432, S. 601f.

56 ADSS 3a, Dok. 137, S. 240.

57 ADSS 3b, Dok. 406, S. 625-29.

58 Akten Deutscher Bischöfe; Bd. 5, S. 790 (Brief: S. 770-801).

59 Zu Karl Jäger vgl. die neue Studie von Wette, W.: Karl Jäger. Mörder der litauischen Juden. Mit einem Vorwort von Ralph Giordano, Frankfurt 2011.

60 ADSS 3b, Dok. 448, S. 694-96.

61 Akten Deutscher Bischöfe, Bd. 5, S. 675-78).

62 Das hat Jana Leichsenring bei Archivrecherchen in Diözesanarchiv Berlin für ihre Dissertation herausgefunden. Es gibt mehrere Mitteilungen Sommers, die nahezu wörtlich aus dem Wannsee-Protokoll bzw. den Nachfolgekonferenzen stammen (Leichsenring, J.: Die Katholische Kirche und "ihre Juden". Das "Hilfswerk beim Bischöflichen Ordinariat Berlin" 1938 - 1945, Berlin 2007, S. 232ff).

63 Gerstein fasste am 4. Mai 1945, nach seiner Gefangennahme durch die Franzo-
    sen, schriftlich einen Bericht über seine Erlebnisse im August 1942 in Tübingen
    ab. Der Bericht ist zahlreichen Publikationen und auf zahlreichen Seiten im In-
    ternet zugänglich; z.B.: http://www.ns-archiv.de/verfolgung/gerstein/gerstein-
    bericht.php.

64 Gerstein schrieb in seinem Bericht vom 4. Mai 1945, dass er in Berlin mit einem
    „Dr. Winter" Kontakt aufgenommen hätte, dem Syndikus von Bischof Preysing.
    Alles spricht dafür, dass dieser Dr. Winter, den es im Umfeld von Preysing
    nicht gab, Dr. Sommer war. Gersteins Namenserinnerung nach fast drei Kriegs-
    jahren an diese einmalige Begegnung ist noch erstaunlich gut; es sei ihm nach-
    gesehen, wenn er aus „Dr. Sommer" „Dr. Winter" machte.

65 Friedländer: Pius XII., S. 119.

66 Desbois, P.: Porteur de mémoires. Sur les traces de la Shoah par balles, Neuilly-
    sur-Seine 2007 (deutsch: Der vergessene Holocaust. Die Ermordung der ukrai-
    nischen Juden. Eine Spurensuche, Berlin 2009).

67 Päpstliches Schreiben an Kardinal Jean-Marie Lustiger, 14.12.2005, in:
    http://www.zenit.org/article-8719?l=german. Alle Versuche, den Brief im Vati-
    kan und über andere Kanäle zu bekommen, schlugen fehl. Vom vatikanischen
    Staatssekretariat lautete die Antwort knapp und zugeknöpft: Der Brief ist nicht
    (mehr) öffentlich verfügbar.

68 ADSS 8, Dok. 440, S. 610.

69 Näher dazu im Buch von Josef Müller: Bis zur letzten Konsequenz. Ein Leben
    für Frieden und Freiheit, München 1975, S. 80-145; Deutsch, H.C.: Verschwö-
    rung gegen den Krieg. Der Widerstand in den Jahren 1919-1940, München 1968
    (= Minneapolis 1968), ab Kap. 4; Chadwick: Britain and the Vatican, S. 86ff;
    Kühlwein: Warum der Papst, S. 175ff.

70 Müller: ebd., S. 83.

71 ADSS 9, Dok. 174, S. 274.

72 Z. B.: Raczkiewicz: ADSS 7; Dok. 82, S. 179ff; Burzio: ebd. 9, Dok. 85 u. 147, S.
    175ff/245ff; Roncalli: ebd. 7, Dok. 282, S. 473ff; Orsenigo: ebd. 9, Dok 74, S. 165;
    Bischof Preysing: ebd. 9, Dok. 82, S. 170f; Innitzer: ebd. 9, Dok. 131, S. 229f; Vale-
    ri: ebd. 9, Dok, 265 u. 279, S. 397f/415; jüdische Seite z.B.: Jewish Agency: ebd. 9,
    Dok. 96, S. 185ff (über Roncalli/Istanbul); Rabbiner-Vereinigung USA: 9, Dok.
    91; S. 182; Abraham Silberschein (Jüdisches Hilfskomitee): ebd. 9, Dok. 143, S.
    243f (über Nuntius Bernardini/Bern).

Kapitel 4: Die Razzia

1 Zum Vorfall „Celeste" siehe Prolog. Vgl. dazu auch die bestätigende Aussage von Hulda Campagnano im Eichmann-Prozess (Trial II, S. 658).

2 Zu den wenig dokumentierten Schüssen: Debenedetti: Am 16. Oktober, S. 28; Campus: Il Treno, S. 11; Katz: Black Sabbath, S. 165.

3 Doku. von Kurzman: The Race for Rome, S. 63.

4 Debenedetti: Am 16. Oktober, S. 31.

5 Ebd., S. 32.

6 Kriegstagebuch Stahel, 16. Okt. 1943, S. 102.

7 Quelle: Die diversen Aussagen Beteiligter an der Razzia in den angegebenen Verfahrensakten.

8 Vgl. Eisenhut: Vermerk der StA Stuttgart über die Auswertung des Ermittlungsverf. gegen Eisenhut.

9 Fritsch: Vernehmung im *NS-Verfahren Italien:* LKA NW, Stuttgart 30.4.1964.

10 Maurer: Vernehmung im *NS-Verfahren Italien:* StA, LKA NW, Ingolstadt 28.4.1966.

11 Gehrcke: Vernehmung im *NS-Verfahren Italien:* LKA NW, Hamburg 14.4.1963.

12 Text nach Tagliacozzo: La persecuzione, S. 159.

13 Zugwachtmeister Klee: Vernehmung im *NS-Verfahren Italien*: LKA NW, Recklinghausen 18.11.1965.

14 Fritsch: Vernehmung im *NS-Verfahren Italien:* LKA NW, Stuttgart 30.4.1964.

15 Gering: Vernehmung im *NS-Verfahren Italien:* LKA NW, Groß Oesingen 18.1.1966.

16 Zum Triumphzug vgl. Flavius Josephus: Geschichte des Jüdischen Krieges, VII. Buch, Kap. 5,4. Deut. Ausgabe: z.B. Reclam, Stuttgart 2008.

17 Debenedetti: Am 16. Oktober, S. 36.

18 Aussage doku. in Tagliacozzo: La persecuzione, S. 156f.

19 Doku. in Morpurgo: Caccia all'uomo, S. 107f.

20 Ebd., S. 109.

21 Adriano Ossicini: Interview in: *Il Messaggero*, 16.10.2003, doku. z.B. in: http://www.storiaxxisecolo.it/Resistenza/resistenza2c6a.html (Testimonianze 16 ottobre 1943); ders.: Un'isola sul Tevere. Il fascismo al di là del ponte, Roma, 1999. (Die beiden ersten Zitate stammen aus dem Interview, die beiden letzten aus dem Buch, S. 219 u. 222).

22 Campus: Il Treno di Piazza Guidia, S. 11ff.

23 Tagliacozzo: La persecuzione, S. 157.

24 Debenedetti: Am 16. Oktober, S. 45.

25 Interview Angelo Di Porti, durchgeführt und doku. von G. Vento, in: L'oro di Roma, S. 167f.

26 Ebd., S. 167.

27 Debenedetti: Am 16. Oktober, S. 44f.

28 Leone Di Veroli, doku. in: Pezzetti: Il libro della Shoah italiana, S. 58; auch: Roma, 16 ottobre 1943. Gli occhi di Aldo Gay, S. 37.

29 Testimanoanza di Piero Terracina "Io deportato ad auschwitz", in: http://www.triangoloviola.it/terracina.html; und: http://www.lager.it/piero_terracina.html; Videointerview auf der Webseite der Shoa Foundation der Univ. Southern California (USCShoa): http://sfi.usc.edu/cms/?q=node/3422; andere Videobeiträge auch auf Youtube.

30 Tagliacozzo: La persecuzione, S. 158.

31 Das Massaker in den Ardeatinischen Höhlen ist eine tiefe und nicht heilen wollende Nachkriegswunde in der italienischen Gesellschaft. Die meiste Literatur darüber ist in Italienisch. Aus deutscher Feder vgl. z.B. Steffen Prauser: Mord in Rom? Der Anschlag in der Via Rasella und die deutsche Vergeltung in den Fosse Ardeatine im März 1944, in: *Vierteljahrshefte für Zeitgeschichte* 50 (2002), Heft 2, S. 269–301.

32 Die Zahl der jüdischen Opfer ist noch nicht endgültig geklärt. Von den 335 Erschossenen sind einige nach wie vor anonym. Die Bemühungen zur Identifizierung aller halten bis heute an. Nach der letzten Identitätsklärung von Michele Partito sind die Namen von noch neun Toten unbekannt. Nach Settimelli (Prozesso Kappler, Bd. 2, S. 165) waren 73 Juden unter den Opfern; zu den Identifizierungsbemühungen (vgl. Poalo Brogi: Strage delle Ardeatine Identificata una vittima. Michele, 30 anni. Ancora 9 i sarcofagi di ignoti, in: *Corriere della Sera*, 23.3.2012, S. 29). Die Communità ebraica di Roma zählt 75 jüdische Opfer.

33 Spizzichino: Gli anni rubati, S. 24ff.

34 Interview dok. in: Anatomia, S. 97ff.

35 Wachsberger: L'Interprete; S. 46f.

36 Interview Cesare Dal Monte, durchgeführt und dok. von G.Vento: L'oro di Roma, S. 169f.

37 Interview dok. bei Barozzi: I Percorsi della sopravvienza S. 110f.

38 Interview Mario Della Rocca, durchgeführt und dok. von G.Vento: L'oro di Roma, S. 174.

39 Tagliacozzo: La persecuzione, S. 158.

40 Interview durchgeführt und dok. von Campus: Il treno di Piazza Guidia, S. 66ff.

41 Testimonianza di Rina Pavoncello, zitiert in Majanlathi/Osti Guerrazzi: Roma occupata, S. 177; ursprünglich: *Shalom* Nr. 8, Sept. 1983.

42 Campus: Il treno di Piazza Guidia, S. 55f.

43 Zeugnis in: *Shalom* (Nov. 1983), zitiert nach Coen: 16 ottobre, S. 78.

44 Modigliani: I Nazisti a Roma, S. 20ff.

45 Breuer: Vernehmung im *NS-Verfahren Italien:* LKA, Neumünster 6.1.1966; doku. auch in: 16 ottobre 1943, S. 39.

46 Aussage dok. in: Tagliacozzo: La persecuzione, S. 160f und Barozzi: I Percorsi della sopravvienza, S. 114f.

47 Dokumentiert von Loy: La parola ebreo, S. 133f. Interviewdokumentation von Rosetta Seremoneta Ajò in Barozzi : I Percorsi della sopravvienza, S. 115f.

48 Interview von Marina Limentani und Ferdinando Natoni dok. bei Barozzi: I Percorsi della sopravvienza, S. 111ff.

49 Zum Text des Vollzugstelegramms vgl. Kap. 6.

50 Yad Vashem: http://db.yadvashem.org/righteous/family.html?language=en&itemId=4016577.

51 Gehrcke: Vernehmung LKA NW, Hamburg 14.4.1963, d*ers*.: Erklärung zur Überlassung eines Tagebucheintrags (einschließlich Tagebucheintrag), Hamburg 20.4.1965, in: ebd.

52 Debenedetti: Am 16. Oktober, S. 48.

53 Portelli: Non s´è presentato nessuno, S. 594.

54 CD-file:///E:/ascer/a2_con.htm, in: Anatomia (Beilage).

55 Coen: 16 ottobre 1943, S. 91.

56 Wachsberger: L´Interprete, S. 49f ; ders.: Testimonianza, S. 177.

57 Vgl. Vollzugstelegramm Danneckers/Kapplers (Kap. 6.); Überprüfung der Zahl durch das Archivio Storico della Comunità di Roma, in: Anatomia, S. 45f.

58 Die Verhaftung Folignos wurde schon am Tage der Razzia dem Staatssekretariat bekannt, vgl. Notiz Montinis an Kardinal Maglione: ADSS 9, Dok. 369, S. 507.

59 Wachsberger: Testimonianza, S. 178.

60 PA AA Inland II g 1105, 28.11.1944; Kopie im *Museo storico della Liberazione Roma* (Museum in der Via Tasso/Rom).

61 Wachsberger: Testimonianza, S. 178.

62 Picciotto: La deportazione degli ebrei di Roma, in: ders.: L´occupazione tedesca e gli ebrei di Roma, S. 37-82, hier: 45ff.

63 Picciotto: Il libro della Memoria, 1. Aufl., S., 816; 2. Aufl., S. 882.

64 Vgl. Anatomia, vor allem S. 46ff und S. 75ff.

65 Ebd., S. 45

66 Ebd., S. 48.

67 Ebd., S. 76ff.

68 Vgl. Ermittlungsverf. wegen Mordes, StA Landgericht Stuttg., Verfahrenseinstellung, Begrüdung, Stuttg., 13.1.1961; Vermerk der StA Stuttgart über die Auswertung des Ermittlungsverf. gegen Eisenhut.

69 In: Vermerk der StA Stuttgart, ebd., S. 53 (Prozessakten: S. 3233).

70 Zu Kaufmann Bonomi und zu Aussagen von Hotelangestellten auch: Christiane Kohl: Der Himmel war so blau. Vom Wüten der Wehrmacht in Italien, Wien 2004, S. 28f, 36-39 (Kohl gibt allerdings keinen Belege ihrer in Paraphrase vorgetragenen Bemerkungen an).

* * *

Kapitel 5: Hilfe vom Papst?

1 Vgl. TV-Interview Principessa Pignatelli-d'Aragona, in: Pius XII, der Papst, die Juden und die Nazis, (BBC, 1995). Auch Aussage gegenüber Graham: La strana condotta, S. 466 und Untersuchungsrichter Pater Gumpel: The General Beelitz Testimony.

2 Graham: La strana condotta, S. 467.

3 ADSS 9, Dok. 368, S. 505f.

4 Graham: La strana condotta, S. 465.

5 ADSS 9, Dok. 383, S. 519.

6 Pater Gumpel: z.B. The General Beelitz Testimony; persönliche Mitteilung Gumpels an mich; auch: Tornielli: Pio XII. Il papa degli ebrei, S. 288; Gaspari, Glie ebrei salvati da Pio XII, S. 22. Indirekt: ADSS 9, Dok. 383, S. 519, (Büronotiz zum Dok.).

7 Kriegstagebuch Stahel, 16. Okt. 143, S. 101f.

8 ADSS 9, Dok. 383 / Büroanmerkung, S. 519.

9 Ebd., Dok. 405, S. 538f.

10 KNA-Interview vom 7.11.2000. Es wurde in italienischer Übersetzung im *L'Osservatore Romano* (8.12.2000) veröffentlicht. Die Redaktion von KNA hat mir freundlicherweise den öffentlich nicht zugänglichen deutschen Originaltext zur Verfügung gestellt.

11 Der Hudalbrief ist auf Deutsch doku. in ADSS 9, Dok. 373, S. 509f; Orig.: ASMA, K 34, f. 373r.

12 Hudal, A.: Die Grundlagen des Nationalsozialismus. Eine ideengeschichtliche Untersuchung, Leipzig/Wien 1937 (Nachd. Faksimile: Bremen 1982).

13 ADSS 9, Dok. 373 / Anmerkung 3, S. 510. Hudal: Römische Tagebücher, S. 213f. Unter Historikern ist die Pacelli-Mission zu Hudal unumstritten.

14 PA AA Inland II g, 5789/E421 514.

15 Katz: Black Sabbath, S. 200f; vgl. auch: ders.: Rom, S. 136.

16 Weizsäcker-Prozess Case No. 11, Exhibit-No. 319, Weizsäcker Doc. No. 241. Signatur im Institut für Zeitgeschichte München: MB 26/119.

17 Z.B.: Rychlak: Hitler, the War and the Pope, 2.Ed., S. 233; Tornielli: Pio XII, S. 285f; Hesemann (zuletzt): Wie die jüdische Gemeinde Roms die Nazis überlebte, in: *Vatican-Magazin*; S. 32.

18 Gespräch mit Pater Gumpel am 17. Mai 2010.

19 Graham: La strana condotta, S. 465.

20 ASMA, K 34, f. 373r.

21 Ebd.

22 Harster to Berlin, via Rome, 20. Oct. 1943, decode 7732, NA, RG 226 Entry 122, Misc. X-2 Files, box 1, folder 5-Italien Decodes. Dannecker to RSHA IV B 4, 21. Oct. 1943, decode 7754, ibd.

23 ADAP, Serie E, Bd. 7; Nr. 48, S. 85.

24 Hill: The Vatican Embassy, S. 149f; Graham: La strana condotta (Graham setzte seinen Aufsatz unter die Gesamtüberschrift: „Das sonderbare Benehmen von E.v. Weizsäcker").

25 Vgl. die eidesstattliche Erklärung Gumperts Anm. 16 (Passage zitiert auch in: Notenwechsel II, S. XVIII, dort Anm. 11).

26 PA AA Inland II g , Nr. 192, K 212152.

27 Trial IV, S. 1504f.

28 Handschriftliche Vortragsnotiz von Horst Wagner (Verbindungsmann des Reichsaußenministeriums zum RSHA) vom 22.10.1943. PA AA, Inland II, (ADAP, Serie E, Bd. 7, Nr. 54, S. 102f).

29 ADAP, Serie E, Bd. 7, Nr. 66, S. 130f.

30 Lehnert: Ich durfte ihm dienen, S. 117.

31 Dok. in: Justiz und NS-Verbrechen (Strafurteilsammlung), Bd. 25, bearb. von C.F. Rüter u. D.W. De Mildt, Amsterdam/München 2001, S. 592; auch: Jakob Schlafke: Edith Stein. Dokumente zu ihrem Leben, S. 33f, Köln 1980.

32 Vgl. Bericht an das Auswärtige Amt Berlin vom 17.7.1942: Abtransport ausländischer Juden, Den Haag, 17.7.1942, in: Justiz und NS-Verbrechen, ebd., S. 550 und Aktenvermerk von Hanns Rauter (Höherer SS- und Polizeiführer Nordwest) an den BdS (Harster) von 18.7.1942, ebd., S. 551 (= BArch-L, B 162/14221, Urteil LG München II: Harster/Zoepf/Slottke, Dokumententeil/Einzelaktionen, laufd. Nr. 323 und 325).

33 Die fünf Bischöfe waren: De Jong (Utrecht), Hopmans (Breda), Lemmens (Roermond), Huibers (Haarlem) und Mutsaerts ('s-Hertogenbosch). Zum Druck auf die Bischöfe vgl. Theo Salemink: Bischöfe protestieren gegen die Deportation der niederländischen Juden 1942. Mythos und Wirklichkeit, in: *Zeitschrift für Kirchengeschichte* 116 (2005), S. 63-75, hier S. 67. Dem Druck Seyß-Inquarts beugten sie die protestantisch-refomierten Gemeinden, während die calvinistisch-refomierten Kirchen es mit der Auffassung der kath. Bischöfe hielten.

34 Das Hirtenschreiben der Bischöfe ist z.B. dok. in: E. Prégardier/A. Mohr: Passion im August (2.-9. Aug. 1942). Edith Stein und Gefährtinnen. Weg in Tod und Auferstehung, Reihe: Zeugen der Zeitgeschichte Bd. 5, Annweiler 1995, S. 41ff (einschließlich Telegramm).

35 Vgl. „Der Befehlshaber der Sicherheitspolizei und des SD für die besetzten niederländischen Gebiete, Den Haag, den 30.7.1942. Betr.: Evakuierung der christlich getauften Juden", dok. in: Justiz und NS-Verbrechen (a.a.O., Anm. 31), S. 593f (= BArch-L, B 162/14221, Urteil LG München II: Harster/Zoepf/Slottke, Dokumententeil/Einzelaktionen, laufd. Nr. 408).

36 Vgl. Bericht der Zeugin Mutter Priorin Antonia Engelmann, in: Prégardier/Mohr (ebd., Anm. 34), S. 85ff.

37 Zu den Tagen nach dem 2. August vgl. ebd., S. 90ff. Näher zu Edith Stein und zum "Edith-Stein-Archiv": http://www.karmelitinnen-koeln.de/.

38 Salemink: Bischöfe, a.a.O. (Anm. 33), S. 67ff.

39 ADSS 1, Dok. 313, S. 453ff.

40 Dokumentiert von Gariboldi: Pio XII, S. 152. Vgl. auch Aussage Scavizzis, in: *Summarium Documentorum*, S. 559, dok. von Manzo: Scavizzi, S. 137.

41 *The Tablet*, 11.4.1964, S. 418f; zweites Zitat S. 419.

42 Redetext in: *L'Osservatore della domenica* (große Sonderausgabe über Pius XII.), 26.6.1964, S. 68f.

43 Brief an Bischof Konrad Preysing vom 30.4.1943: ADSS 2, Dok. 105, S. 318-327, Zitat S. 324.

44 Traditionelle Namenstagansprache: AAS 35 (1943), S. 165-79, Zitat S. 168. In der Aktensammlung ADSS (Bd. 7, Dok. 255, S. 396ff) ist nur eine gekürzte Fassung der Ansprache abgedruckt. Warum die Herausgeber ausgerechnet u.a. die Passage mit dem wichtigen Zitat ausließen, ist nicht ersichtlich.

45 ADSS 2, Dok. 105, S. 324.

46 Brief an Kardinal Faulhaber vom 31.1.1943: ADSS 2, Dok. 92, S. 292-96, Zitat S. 293.

47 Brief an Erzbischof Frings vom 3.3.1944: ADSS 2, Dok. 119, S. 363-67, Zitat S. 365.

48 Brief an Bischof Landesdorfer: ADSS 2, Dok. 119, S. 354-57, Zitat S. 355f.

49 Vgl. Kühlwein: Warum der Papst schwieg, S. 195ff. Bemerkenswert auch der kurze, aber aufschlussreiche Hinweis von Thomas Brechenmacher: „Es gibt auch sehr viele Dokumente, die zeigen, dass Pius XII. persönlich über diese Dinge völlig hin- und hergerissen war." In: *Rheinischer Merkur*, Nr. 17 vom 23.4.2009 (Interview mit Brechenmacher).

50 Salemink: Bischöfe (a.a.O., Anm. 33), S. 76ff; S. 77 z.B.: „Der tapfere Protest Erzbischofs Jan de Jongs im Jahre 1942 ist nach dem Krieg für kirchliches Eigeninteresse missbraucht worden. Die Mythosbildung hinsichtlich dieses Protestes diente in einer bestimmten Phase der Verteidigung des vermeintlichen ‚Schweigens' Pius XII."

51 Zitiert nach Beate Beckmann-Zöller: Edith Stein als »Prophetin« und Mahnerin der Päpste Pius XI. und Pius XII. und die Bedeutung der Versöhnung mit dem Judentum für die Einheit der Kirche, in *Edith-Stein-Jahrbuch* Bd. 17 (2011), Würzburg 2011, S. 18-42, Zitat 35 (Aussage Wielek in: *De Tijd* 1952).

52 Richard Stern: Bericht vom 22.5.1987 über eine Begegnung mit Schwester Benedicta am 4. August 1942 im Lager Westerbork, in: Prégardier/Mohr (a.a.O., Anm. 34), S. 94f, Zitat S. 95.

53 Dieses Bild gebrauchte er einmal gegenüber Schwester Pascalina. Auf das Kreuz deutend sagte Pius: „Er ist angenagelt und kann sich nicht befreien, kann nur dulden und leiden. ... Auch der Papst ist angenagelt auf seinem Posten und muß stille halten." (Lehnert: Ich durfte ihm dienen, S. 118).

Kapitel 6: Allein gelassen

1 ADSS 9, Dok. 374, S. 511.
Auch die Bitte einer 65-jährigen kranken Frau aus dem Collegio fand keine Resonanz. Die unbekannte Signora wandte sich mit wenigen Zeilen hilfesuchend an Kardinal Maglione. Sie sei in einem außerordentlich schlechten Gesundheitszustand und erbitte Unterstützung. Wie der Brief am Sonntag ins Staatssekretariat gelangte, ist unklar. Möglicherweise brachte ihn Don Quadraroli mit (ADSS 9, Dok. 375, S. 512).
Samerski (Pancratius Pfeiffer, S. 124f) erwähnt eine Vorsprache Pater Pfeiffers bei Dannecker im Collegio Militare zur Freilassung von fünf Verhafteten – drei Schwestern und zwei Kinder. Das Datum sei zwar nicht belegt, aber es könne nur der 16. oder 17. Oktober gewesen sein. Pfeiffers Begehren wäre allerdings erfolglos geblieben. Samerski vermutet in diesem Zusammenhang weiter, dass Pater Pfeiffer zw. Dannecker und Mgr. Traglia (stellvertr. Kardinalvikar Roms) einen Kontakt vermittelte. Das gehe aus der Notiz auf einem Zettel aus dem Pfeiffer-Nachlass im römischen Salvatorianerarchiv hervor. Auf der Vorderseite stehe „Hauptsturmführer Danegger, Kadettenanstalt" und auf der Rückseite „Mons. Traglia". Samerski gibt nicht an, was dieser Kontakt bezwecken sollte. Gegen Samerski ist zu sagen, dass aus der bloßen Notiz der zwei Namen nicht auf eine Kontaktvermittlung geschlossen werden kann. In keinem Dokument und keiner Zeugenaussage ist davon die Rede. Ein Kontakt zwischen dem Razziaoffizier und dem Generalvikar-Stellvertreter ist sehr unwahrscheinlich. Falls Traglia an einem Kontakt zu deutschen Stellen interessiert war, dann zum Sipou. SD-Chef Kappler oder zu General Stahel. Diese hatten in seinen Augen die Befehlsgewalt. Eher ist zu vermuten, dass Traglia Pater Pfeiffer telefonisch gebeten hatte, für die erwähnten fünf Verhafteten vorzusprechen und eine Freilassung zu erreichen. Von daher erklärt sich auch die fehlerhafte Schreibweise „Danegger" (phonetisch!). Ob Pfeiffer den Hauptsturmführer Dannecker tatsächlich angetroffen hat oder schon an der Eingangstür vom Collegio abgewiesen wurde, ist nicht bekannt. Weder im Pfeiffer-Nachlass noch sonst wo gibt es Hinweise dazu.

2 Ebd., Dok 377, S. 513.

3 Ebd., Dok. 381, S. 517.

4 Ebd., Dok. 376, S. 512.

5 Der Brief hat die Signatur: AA.EE.SS. Italia (1939-1946), Pos. 1054 P.O., Fasc. 739 K, ff 66-67 im verschlossenen Archivbereich der Sektion „Rapporti con gli Stati" des Staatssekretariats. Aus Gründen des Personenschutzes nenne ich nicht meine Informanten und Helfer. In unvollständiger Form findet sich der Brief auch in der Studie »L'inverno più lungo« (1943-44) vom römischen Historiker und Karlspreisträger Andrea Riccardi. Wohl aufgrund seiner besten Kontakte und Vertrauenswürdigkeit hatte er den Brief zur Verfügung gestellt bekommen. Al-

lerdings kümmert sich Riccardi nicht um die Brisanz des Schreibens. Nicht die Judenrazzia, sondern die darauffolgenden Ereignisse bis zur Befreiung Roms sind das Thema seiner Studie.

6 Vgl. Kühlwein: Warum der Papst schwieg, S. 92ff; Tardini: Pius XII., S. 53f.

7 ADSS 9, Dok. 376, S. 512 (Fare sapere che si fa quello che si può).

8 Ebd. (Note d'office).

9 Im Interview am 5. Juni 2009 in Rom.

10 Bundesarchiv (Berlin-Lichterfelde): Persönlicher Stab Reichsführer SS (NS 19/1880).

11 Harster: Zeugenvernehmung im *NS-Verfahren Italien:* StA, München 14.10.1964.

12 Zu den Ereignissen rund um die Verhaftungsaktion katholisch getaufter Juden in Holland Anfang August 1942 (einschließlich der mittlerweile heiliggesprochenen Karmeliterschwester Edith Stein) vgl. Kap. 5/Schluss und Epilog.

13 Wachsberger: Testimonianza, in: Picciotto Fargion, L'occupazione, S. 178.

14 Wachsberger: L'Interprete, S. 60f, ders.: Testimonianza, S. 178f; Spizzichino: Gli anni rubati, S. 28f.

15 Campus: Il treno, S. 68f; Roma, 16 ottobre 1943, S. 56; Spizzichino: Gli anni rubati, S. 29; Bertoldi: I tedeschi in Italia, S. 127. Literarisch: "La Storia" von Elsa Morante (Torino 1974, hier: TB-Ausg., 4. Aufl., Mnch./Zürich 1988, S. 236ff.

16 Zeugenaussage Klapp: Vernehmung im *NS-Verfahren Italien:* LKA NW, Hamburg 8.12.1965.

17 Ebd.

18 Statistik nach der neuesten Erhebung des Archivs der jüdischen Gemeinde Roms (Roma, 16 ottobre 1943), S. 75ff.

19 Zeugnis Wachsberger, in: Pezzetti: Il libro della Shoah italiana, S. 161; auch: L'Interprete, S. 66.

20 Vgl. Wachsberger: ebd., S. 64f; Picciotto F.: Il libro della Memoria, S. 882; Coen: 16 ottobre 1943, S. 96.

21 Katz: Black Sabbath, S. 246f; Coen: ebd. 97.

22 Wachsberger: L'Interprete, S. 64; Zweitzeugnis in: Pezzetti, Il libro della Shoa italiana, S. 173.

23 De Marchis Tagebuch Archiv CDEC, Mailand (zitiert: Picciotto Fargion, L'occupazione, S. 43f).

24 Interview in: Pezzetti: Il libro della Shoah italiana, S. 162f, 171.

25 Ebd., S. 163 und: Gli anni rubati, S. 30.

26 Wachsberger: Testimonianza, S. 179; Zweitzeugnis in: Pezzetti, S. 173.

27 Sabatello-Interview in: Anatomia, S. 127-129, hier 129.

28 Aussage des Überlebenden und Mitfahrers im Wagon Cesare Efrati, in: Black Sabbath, S. 255; vgl. auch: Libro della Memoria, S. 882.

29 ADSS 9, Dok. 389, S. 525.

30 Ebd., Dok. 390, S. 525f.

31 Ebd., Dok. 370, S. 507.

32 Ebd., Dok. 390, S. 526.

33 Ebd., Dok, 394, S. 529.

34 Ebd., Dok. 402, S. 537.

35 Ebd., Dok. 416, S. 549f.

36 Ebd., Dok. 426, S. 559.

37 Wachsberger: L'Interprete, S. 65.

38 Ebd.

39 Ebd., S. 67f.

40 Ebd., S. 69; Zweitzeugnis in: Pezzetti, Il libro della Shoa italiana, S. 179.

41 Amati: Zeungis (s. Prozessakten); vgl. auch Katz: Black Sabbath, S. 270f .

42 Di Segni-Zeugnis in: Pezzetti, Il libro della Shoa italiana, S. 181.

43 Spizzichino: Gli anni rubati, S. 35.

44 Wachsberger-Zeugnis in: Pezzetti, Il libro della Shoa italiana, S. 179; auch: Wachsberger: L'Interprete, S. 71.

45 Die leicht erhöhte Zahl (839 bei Coen und Picciotto F.) erklärt sich durch ältere abweichende Ausgangszahlen.

46 Wachsberger: Testimonianza, S. 181f; auch: ders.: L'Interprete, S. 80f.

47 Katz: Black Sabbath, S. 275ff; Tagliacozzo: La Communità, S. 36.

48 Picciotto F.: L'occupazione (Dokumentenanhang).

49 Nach Coen: 16 ottobre 1943, S. 134, 149; Vgl. auch Picciotto Fargion, L.: L'occupazione, S. 45ff. Zuweilen wird Fernando Nemes nicht in der Liste der "Rückkehrer" geführt, da er nach seiner Befreiung aus Buchenwald nicht nach Rom zurückging.

50 Wachsberger: Testimonianza, S. 186; auch ders.: L'Interprete, S. 79f.

51 Coen: 16 ottobre 1943, S. 135.

52 Ebd., S. 135f.

53 Ebd., S. 149; auch Katz: Black Sabbath, S. 307.

54 Signora Spizzichino erzählt die dramatischen Ereignisse bis zum Wiedersehen in Rom in: Gli anni rubati, S. 63-91.

55 Ansprache bei der Audienz dok. in: OR (30.11.1945) S. 1. Vgl. nächstes Kap. (Schluss, Ausführung zu Maritain).

Kapitel 7: Ein Mythos entsteht

1 Opus Iustitiae Pax. Eugenio Pacelli – Pius XII. (1986-1958), S. 164.

2 FAZ, 16.02.2009.

3 Opus Iustitiae Pax, S. 162.

4 Titel: Von den Juden und ihren Lügen (1543), in: Martin Luthers Werke (Weimarer Ausgabe) Bd. 53 (ediert 1920). Sonderedition (Teil 5) der Ausgabe von 1920: Weimar 2007.

5 http://www.vatican.va/holy_father/john_paul_ii/speeches/1986/april/documents /hf_jp-ii_spe_19860413_sinagoga-roma_ge.html.

6 Dokumentiert auf http://www.romacer.org/17_01_2010/, (abgerufen: 1.8.2012).

7 http://www.vatican.va/holy_father/benedict_xvi/speeches/2010/january/docume nts/hf_ben-xvi_spe_20100117_sinagoga_ge.html# (mit Video-Dokumentation). Der OR über den Besuch Benedikts in diversen Artikel: http://vaticandiplomacy.wordpress.com/2010/01/19/la-visita-di-papa-benedetto-xvi-alla-sinagoga-di-roma/.

8 Alessandrini: Silenzi e omissioni al tempo della Shoah, in: OR, 14.8.2009.

9 Der Zweiteiler "Sotto il cielo di Roma" wurde von Lux Vide (Italien) in Co-Poduktion mit RAI Fiction (Itl.) und Tellux (München) mit dem Bay. Rundfunk 2010 produziert. Federführender Produzent war Luca Bernabei (Lux Vide), Regisseur: Christian Duguay.

10 Vatican Information Service. Holy See Press Office, 12.04.2010. Deutscher Ansprachentext: http://www.vatican.va/holy_father/benedict_xvi/speeches/2010/april/document s/hf_ben-xvi_spe_20100409_cielo-roma_ge.html.

11 Zu Hummel: KNA-Interview, veröffentlicht z.B. am 20.10.2010 (http://www.katholisch.de/Nachricht.aspx?NId=5145); der Medienbeauftragte der Deutschen Bischofskonferenz, Bischof Fürst (Rottenburg-Stuttg.) in der Erklärung vom 27.10.2010: Differenzierte Würdigung eines heftig umstrittenen Papstes.

12 ADSS 7, Dok. 406, S. 627ff, hier 627.

13 Vgl. dazu Kühlwein: Die Legende vom Retter der Juden, in *Frankfurter Rundschau*, 14.12.2010, S. 32f.

14 Zur heiklen Bundesfrage „alt - neu" vgl. z.B. die Franz-Delitzsch-Vorlesung 2010 von Herbert Vorgrimmler: Der ungekündigte Bund im Horizont der katholischen Theologie, in: http://egora.uni-muenster.de/ijd/pubdata/Vorgrimler_Der_ungekuendigte_Bund.pdf; Hans Hermann Henrix: Der nie gekündigte Bund: Basis des christlich-jüdischen Verhältnisses, in: http://www.nostra-aetate.uni-bonn.de/theologie-des-dialogs/der-

nie-gekuendigte-bund-basis-des-christlich-juedischen-verhaeltnisses/der-nie-gekuendigte-bund-basis-des-christlich-juedischen-verhaeltnisses; zur Auseinandersetzung im Vorfeld des II. Vaticanums bis zur Verabschiedung von »Nostra Aetate« vgl . Brechenmacher: Der Vatikan und die Juden, S. 257-269.

15 In: AAS 35 (1943) S. 5ff, Zitat S. 7,
(http://www.vatican.va/archive/aas/index_ge.htm).

16 S. 209f.

17 Josef Kardinal Ratzinger: Salz der Erde. Christentum und katholische Kirche im neuen Jahrtausend. Ein Gespräch mit Peter Seewald, TB-Ausg., 6. Aufl., München 2004, S. 267.

18 Pio XII: per la RAI è già santo, in: *Shalom*, Nr. 11 (Nov. 2010), S. 3f (http://www.shalom.it/_flip/2010_11/). Pressereaktion beispielhaft im *Corriere della Sera* (http://www.corriere.it/spettacoli/10_novembre_01/ebrei-polemica-pio_4281fbf4-e5fc-11df-b5c0-00144f02aabc.shtml).

19 Blet: Pius XII., S. 222.

20 Gumpel: Cornwell's Pope, ZENIT 16.09.1999. Vgl. dazu auch das einige Jahre später abgegebene Statement (o.Dat.) zur Abbruchfrage in englischer Übersetzung: http://ptwf.org/Downloads/Gumpel_tesimony.pdf.

21 Sale: Roma 1943, S. 242.

22 Kathpress (Österreich) vom 5.12.2003; Catholic News Service, 4.12.2003.

23 Sale: Hitler, la Santa Sede e gli ebrei, S. 195.

24 Gumpel: Statement (o.Dat.) zur Abbruchfrage in englischer Übersetzung: http://ptwf.org/Downloads/Gumpel_tesimony.pdf. Längere Variante im größeren Zusammenhang: Pope Pius XII and the attitude of the Catholic Church during World War II, Transkript eines längeren Video-Interviews, in: *The Angelus. A Journal of Roman Catholic Tradition*, Mai 2009. In mehreren persönlichen Gesprächen mit mir äußerte sich Pater Gumpel gleichlautend. Schüler Gumpels und nahestehende Autoren: Rychlak (vor allem: Righteous Gentiles, S. 130f); Gallo (sein Sammelband: Pius XII, the Holocaust and the Revisionists; darin vor allem sein Artikel: To Halt the Dreadful Crime, S. 126f); Hesemann (vor allem: Wie die jüdische Gemeinde Roms die Nazis überlebte, in: *Vatican-Magazin*, Nr. 11 (2010), S. 30-35; Der Papst, der Hitler trotze, S. 129f. Hesemann hat die Repräsentanz der Pave the Way Foundation (http://www.ptwf.org/) in Deutschland übernommen und ist seither äußerst rührig in Sachen Pius-Verteidigung; Tornielli (vor allem: Pio XII. Il Papa degli Ebrei, S. 289f); Gaspari (Gli ebrei salvati da Pio XII, S. 19, 22). Zum propagandistischen Aufwand, den die Pave the Way Foundation auch zu marginalen, längst geklärten Fragen betreibt vgl. etwa den breiten Blogbeitrag von Werner Kaltefleiter: Pius XII. und die Juden. Eine Meldung aus dem Hintergrund (vom 7. Jul. 2010), in:

http://blog.kath.de/kaltefleiter/2010/07/07/pius-xii-und-die-juden-%E2%80%93-eine-meldung-und-ihr-hintergrund/.

25 Gespräche mit Brandmüller in Rom: Juni 2010 und Mai 2012.

26 Riccardi: L'inverno più lungo, S. 135.

27 Ansprache dokumentiert auf verschiedenen Sprachen: http://www.vatican.va/holy_father/benedict_xvi/speeches/2008/september/documents/hf_ben-xvi_spe_20080918_pave-the-way_ge.html.

28 Deutlich z.B. der jüdisch stämmige Historiker Tagliacozzo, der sich zur Zeit der römischen Judenjagd in der Stadt versteckt halten konnte: „Auch nach der Maßnahme des 16. Oktober gingen die sinistren antijüdischen Aktivitäten Kapplers ohne Verzögerung bis zu den letzten Tagen der Nazi-Besatzung weiter." (Le responsibilità di Kappler nella tragedia degli ebrei di Roma, S. 398).

29 Die Judenverordnung wurde am 30. November von Innenminister Buffarini erlassen und sofort per Telegramm an alle Provinzführer verschickt.

30 Homepage von CDEC: http://www.cdec.it/. Dazu die umfangreichen Werke: Il libro della Memoria (Picciotto F.) und: Il libro della Shoah italiana (Pezzetti, M.). Mittlerweile sind die Opfernamen online auf der Webpräsenz des CDEC einsehbar: http://www.nomidellashoah.it/.

31 Z.B.: Coen, 16 ottobre, S. 133; Il protale dell'ebraismo italiano: http://moked.it/vita-ebraica/ebrei-in-italia/; Dal Ghetto alla Città. Il quartiere ebraico di Roma e le sue attività commerciali, hrsg. v. Claudio Rendina, Roma 2003, S. 69 (Rendina bestätigt die Zahl der jüdischen Gemeinde von 2091 Opfern).

32 Pater Gumpel erzählt von Stahels militärischer Argumentation bei seinem Himmler-Telefonat stets bereitwillig, wenn er darauf angesprochen wird. Seine Quelle „Oberst Beelitz" nannte er mir in einem Gespräch am 10. Mai 2010. Vgl. dazu Anm. 24.

33 Dokumentiert von Chadwick: Britain and the Vatican, S. 289 (= Foreign Office 371/37255/21).

34 Chadwick, ebd., S. 289.

35 Aufklärung kann das Buch von Samerski: Pancratius Pfeiffer (Erscheinung voraussichtlich Aug. 2013) bringen. Nach gegenwärtiger Faktenlage und vor allem nach Aussagen von Überlebenden, die von Samstag bis Montag im Collegio festgehalten waren, wirkte sich eine wie immer geartete Aktivität von Pater Pfeiffer nicht unmittelbar auf die Bedingungen im Collegio aus. Von einer Hilfsaktion von draußen oder von einem päpstlichen Emissär oder Ähnliches gibt es keinerlei Zeugenaussagen.

36 OR, 19.10.1943, Audienznotizen für 18. Okt.

37 Chadwick: Britain and the Vatican, S. 289 (= Foreign Office 371/37571/R10995.).

38 Pius XII., S. 362.

39 ADSS 7, Dok.. 442, S. 678.

40 Gebrochene Achse, S. 89.

41 ADAP, Serie E, Bd. 7, Dok. 66 (zweiter Teil), S. 132.

42 *OR*, 25./26. Oktober 1943, Seite 1: ... non si arresta davanti ad alcun confine nè di nazionalità, nè di religione, nè di stirpe.

43 Text in Barozzi: I Percorsi della sopravvienza, S. 119; Morpurgo: Caccia all'uomo, S. 109.

44 Aus der Rede von Gemeindepräsident Pacifici an Benedikt XVI. bei seinem Synagogenbesuch (siehe im Kap. weiter oben und Anm. 6).

45 ADSS 9, Dok 388, S. 524.

46 Marrus: A Plea Unanswered. Jacques Maritain, Pope Pius XII, and the Holocaust, in: *Studies in Contemporary Jewry* 21 (2005), S.3-11. In der Ansprache spielte Pius auf die politischen und territorialen Probleme der begonnenen Nachkriegszeit an. Doch die „weise Zurückhaltung" gilt grundsätzlich. Das war der rote Faden der Diplomatie des Vatikans in der Zeit von 1939-45. Auch davor, als Pius noch Kardinalstaatssekretär war (1930-39), hielt sich Pacelli an diese grundlegende Ausrichtung. Deutlich dazu H. Wolf (Papst und Teufel), der von einem „Rückzug in die Sakristei" spricht. Differenziert beleuchtet Brechenmacher (Pius XII. und die Juden; Der Vatikan und die Juden) die reservierte Diplomatie von Pius/Pacelli. In einem Geflecht von Dilemmata habe Pius einen sehr vorsichtigen Kurs steuern müssen. Er wollte bei allem Widerstand gegen Hitler und dem Nationalsozialismus keinen endgültigen Bruch mit Berlin riskieren.

* * *

Resümee: Alternativlos?

1 *The Tablet*, 29.6.1963 (= *OR*, 29.6.1963, italienischer Originaltext), dok. in: Rumi: Montini G.B. "Su Pio XII", S. 69-73 (engl. u. ital. Text). Übersetzung hier aus ital. Text.

2 Papst Franziskus über Himmel und Erde. Jorge Bergogolio im Gespräch mit dem Rabbiner Abraham Skorka, S. 191f.

3 Zu den Vorgängen rund um die US-Anfrage Ende September 1942 und der Antwort darauf, zu der Weihnachtsansprache, zu den verschiedenen Nachrichtenstränge über Massaker im Osten vgl. Kap. 3 ab Punkt 5.

4 Vgl. z.B: Dalin: The Mythe of Hitler's Pope (dort Kap. 4); Gaspari: Gli ebrei salvati da Pio XII; Loparco: Gli Ebrei negli istituti religiosi a Roma (1943-1944), in: Rivista di storia chiesa in Italia; Marchione: Did Pope Pius XII Help the Jews?; Riccardi: L'inverno più lungo (dort ab. Kap. VII.); Rychlak: Zuccotti's Lack of Evidence, in: Gallo (Hg.) und dokumentarische Zusammenstellungen in: Pope Pius XII and World War II. The Documented Truth., hrsg. von G. L. Krupp (Pave the Way Foundation);

5 Die Verfügung Stahels wurde noch vor seiner Ablösung Ende Oktober erwirkt. Der zweisprachige Text lautete (deutsch): „Dieses Gebäude dient religiösen Zwecken und gehört dem Vatikanstaat. Haussuchungen und Beschlagnahmungen sind verboten." (Abdruck der Verfügung z.B. in: Tornielli: Pio XII. Il Papa degli Ebrei, S. 398).

6 Skeptisch: Susan Zuccotti: Under his very Windows; ders.: Pope Pius XII and the Rescue of Jews during the Holocaust: in: Jews in Italy under Fascist and Nazi rule, hrsg. von J.D. Zimmermann; vgl. auch Debatte zw. Zuccotti und Rychlak, in: Symposium on Pope Pius XII.

7 Z.B. aufgetauchter Tagebucheintrag der Klosterchronik von Augustinerinnen in Rom, dok. in: 30 Tage in Kirche und Welt. Internationale Monatszeitschrift (Aug. 2006), geleitet von G. Andreotti (vers. Sprachausg.): Die bisher unveröffentlichte Chronik der Augustinerinnen des Klosters „Santi Quattro Coronati" in Rom (http://www.30giorni.it/articoli_id_11110_l5.htm); Baglioni, P.: Die in den Klöstern versteckten Juden. Der Heilige Vater ordnet an ..., in: ebd. Von zwei kirchlichen Persönlichkeiten, die damals in Rom Juden versteckt haben, gibt es frühe Zeugnisse: Pater P. Dezza (Rektor der Päpstlichen Univ. Gregoriana) zitierte in einem Vortrag eine mündliche Bemerkung Pius XII.: „Pater, vermeiden Sie Militärangehörige aufzunehmen, denn die Gregoriana ist eine päpstliche Einrichtung und eng mit dem Heiligen Stuhl verbunden. ... Aber andere sehr gern: Zivilisten, verfolgte Juden." In: L'Osservatore della domenica (Sonderausgabe über Pius XII.), 26.6.1964, S. 68f. Und Mgr. John P. Carroll-Abbing: „Ich kann Ihnen persönlich bezeugen, dass mir der Papst direkt von Angesicht zu Angesicht die mündliche Weisung gab, Juden zu retten." In: Ders.: A Chance to live. The story of the lost children of the war, New York 1952, S. 77. Ders., (pauschal ohne persönliches Zitat Pius XII.): But for the Grace of God, New York 1965, S. 34ff.

8 Die Schätzungen schwanken. Nach der darüber forschenden Kirchenhistorikerin Loparco (a.a.O.) waren es rd. 4300 in den Klöstern, Pater Gumpel SJ gibt rd. 4500 an. Höhere Zahlen, die zuweilen genannt werden, sind weniger wahrscheinlich.

9 Mit den Lateranverträgen von 1929 zur Souveränität des Vatikanstaates ver-
pflichtete sich der Vatikan u.a. nichts zu unternehmen, was die Beziehungen zu
Italien oder die staatlichen Belange Italien beeinträchtigt. Nach der gültigen
Haager Landkriegsordnung zur Behandlung von Kriegsflüchtlingen war es zwar
dem Vatikan unter strengen Auflagen erlaubt, Kriegsflüchtlinge zu beherber-
gen, aber nur auf Souveränitätsgebiet. Die zahlreichen Konvente in Rom zählten
nicht dazu.

10 ADSS 9, Dok. 387, S. 524.

11 ADDS 9, Dok. 414, S. 546-49.

12 Zur Aktion im „Russicum" am 21. Dez. 1943 vgl. Bericht von Pater Herman an
Kardinal Maglione mit Bürobemerkungen (ADSS 9, Dok. 482, S. 623-28); zur
Aktion in St. Paul vor den Mauern in der Nacht zum 4. Febr. 1944 vgl. ADSS 11,
Dok. 24, S. 110-17.

13 ADSS 11, Dok. 27, S. 119-21.

14 Lehnert: Ich durfte ihm dienen, S. 117-119.

15 Leiber: Der Papst und die Verfolgung der Juden (FAZ-Artikel), abgedruckt in:
Summa iniuria oder durfte der Papst schweigen?

16 Sehr deutlich z.B. der Kirchengeschichtler Denzler. Auf der einen Seite anerkennt er das „Verantwortungshandeln" Pius XII., weil er stets die Folgen ab-
wog, um Schlimmeres zu verhüten, auf der anderen Seite aber lobt Denzler das
beherzte Eingreifen während der Razzia: „Als aber im Herbst 1943 die Razzia
der Nazis gegen die Juden in Rom einsetzte – etwa 1250 Juden wurden zusam-
mengetrieben –, fühlte sich Pius XII. direkt herausgefordert ... Die Razzia wurde daraufhin tatsächlich gestoppt [sic!]. Der Papst hatte jetzt als Bischof der Diözese Rom seine Verpflichtung zum Einsatz für die jüdischen Bürger Roms erkannt. Der Spruch des Gewissens gewann in diesem Fall den Vorrang vor seinem Verantwortungsdenken." (Ders.: Ein verhinderter Heiliger. Pius XII. und
die Shoa, S. 86f/Zitat und 94f). Dass Denzler hier eine Spannung, gar einen Widerspruch, zwischen Gewissen und Verantwortungshandeln aufbaut, ist merkwürdig. Nach katholischer Lehre ist eine echte Gewissensentscheidung immer
(inhärent) verantwortungsvoll. Vielleicht denkt Denzler als Kirchengeschichtler
eher an das Konfliktpaar »kluge, abwägende Diplomatie« (teleologische Ethik)
und kompromissloser Einsatz zur Verteidigung bestimmter Werte (deontologi-
sche Ethik). In diesem Fall trifft sich Denzlers Position fast mit der hier im Buch
vertretenen Schlussthese: Pius XII. hatte die chr.-ethische Pflicht, die Juden
Roms zu retten. Im Unterschied zu Denzler ist zu betonen, dass diese Rettung
nicht verantwortungswidrig war, sondern im hohen Maße verantwortungsvoll.

17 Im Gespräch mit Pater Gumpel am 2.11.2007.

18 Vgl. Kap. 5/letzter Punkt. Erwähnenswert ist auch der Entschluss Pius XII., im
Spätherbst 1939 und Frühjahr 1940 für den deutschen militärischen Widerstand

als Vermittler nach London zu fungieren. Trotz schwerster Bedenken hatte er sich entschlossen, den Bitten von Emissär Müller (Spitzname Ochsensepp) und dessen Auftraggebern (Oster, Canaris, Beck u.a.) nachzukommen und Verbindung mit London aufzunehmen. Der milit. Widerstand plante vor dem Westfeldzug einen Staatsstreich in Berlin; London (und Paris) sollten davon wissen und sich zurückhalten. Die Aktion war für Pius und den Vatikanstaat sehr riskant gewesen. Zu den Vorgängen vgl. z.B. Deutsch, H.C.: Verschwörung gegen den Krieg. Der Widerstand in den Jahren 1919-1940, München 1968 (= Minneapolis 1968), ab Kap. 4; Chadwick, Britain and the Vatican, S. 86ff; Peter W. Ludlow: Papst Pius XII., die britische Regierung und die deutsche Opposition im Winter 1939/40, *Vierteljahresh. f. Zeitgeschichte* 22 (1974), Nr. 3, S. 299-341.

19 Ansprache an die Teilnehmer des ersten Nationalkongresses der Vereinigung kath. Juristen Italiens, 6.11.1949; AAS 41 (1949), S. 597-604; zitiert nach deut. Übers.: Pius XII. Über Recht und Staat, hrsg. von der Arbeitsgem. kath. Juristen im kath. Akademikerverb. Österreichs, Wien 1957, S. 20-26, Zitat: S. 26.

20 ADSS 2, Dok. 92, S. 241-45, Zitat: 243f.

21 Blet, Pius XII, S. 65.

22 Radioweihnachtsansprache in: AAS 41 (1949), S. 5-15, Zitat S. 13.

23 Das liegt auf einer Linie mit Positionen der katholischen Moraltheologie. Da sich aber geschliffene Lehrsätze selten lupenrein in konkrete Situationen übertragen lassen, sind unterschiedliche Auslegungen vorprogrammiert. Zur Thematik der kompromisslosen Werteverteidigung, die nicht „konsequenzialistisch" argumentiert z.B.: Moralenzyklika *Veritatis Splendor* von Johannes Paul II. (1993). Zu den restriktiven Bedingungen und den „Problemen" bei der Frage einer Güterabwägung in Verbindung mit „doppelten Effekten" einer Handlung nach der klassischen (kirchl.) Moraltheologie vgl. z.B.: Honnefelder, L.: Güterabwägung und Folgenabschätzung. Zur Bestimmung des sittlich Guten bei Thomas von Aquin, in: Schwab, D. u.a. (Hg.), Staat, Kirche, Wissenschaft in einer pluralistischen Gesellschaft. Festschrift P. Mikat, Berlin 1989, S. 81-98; Mangan, J.T.: An Historical Analysis of the Principle of Double Effect, in: *Theological Studies* 10 (1949) S. 41-61; Rhonheimer, M.: Die Perspektive der Moral, Berlin 2001, S. 321-362; Schockenhoff, E.: Naturrecht und Menschenwürde. Universale Ethik in einer geschichtlichen Welt, Mainz 1996, S. 197-227; Spaemann, R.: Grenzen. Zur ethischen Dimension des Handelns, Stuttgart 2001, S. 193-248 (Sammelband); Wolbert, W.: Vom Nutzen der Gerechtigkeit. Zur Diskussion um Utilitarismus und teleologischer Theorie, Reihe: *Studien zur theologischen Ethik*, Bd. 44, Freiburg (D u. CH) u.a., 1992 (vor allem Kap. 3 und 4); ders.: Der gute Mensch und die bessere Welt. Zur Frage nach dem „Erfolg" des sittlichen Handelns, in: *StZ* 107 (1982), S. 539-48.

Epilog – Papst Franziskus und der 16. Oktober 2013

1   Der Text des Offenen Briefes mit dem Datum: Pfingsten, 19. Mai 2013 lautet:
»Lieber Papst Franziskus, Heiliger Vater,
am 16. Oktober 2013 gedenken die Juden Roms und viele andere Menschen der
SS-Razzia vor siebzig Jahren am 16. Oktober 1943. Damals wurde die altehrwürdige jüdische Gemeinde der Ewigen Stadt von Hitlers Häschern ergriffen
und nach Auschwitz verschleppt. Ihr Vorgänger Pius XII. konnte sich nicht entschließen, die Menschen zu schützen und zu retten.
Bitte gehen Sie an diesem Gedenktag zu den Juden Roms. Beten Sie mit ihnen,
weinen Sie mit ihnen und teilen Sie ihr Leid. Es ist auch das Leid der Kirche!
Noch nie hat einer Ihrer Vorgänger das Jahresgedächtnis gemeinsam mit seinen
älteren Schwestern und Brüdern begangen und mit ihnen getrauert.
Wenn nicht jetzt, wann dann? Wenn nicht Sie, wer dann?
In Ihrer ersten Generalaudienz sagten Sie den Versammelten auf dem Petersplatz: *„Gott denkt wie der Samariter, der an dem Unglücklichen nicht bedauernd vorü-
bergeht oder seinen Blick von ihm abwendet, sondern ihm zu Hilfe kommt, ohne etwas
dafür zu verlangen; ohne zu fragen, ob er Jude ist, ob er Heide ist, ob er Samariter ist, ob
er reich ist, ob er arm ist: Er fragt nichts. Er fragt nicht nach diesen Dingen, er verlangt
nichts. Er kommt ihm zu Hilfe: So ist Gott. Gott denkt wie der Hirte, der sein Leben
hingibt, um die Schafe zu verteidigen und zu retten.“*
In den Zeiten des Krieges und der Verfolgung glaubte Pius XII. auf zahlreiche
diplomatische Fragen Rücksicht nehmen zu müssen. Sie hinderten ihn daran,
die jüdische Gemeinde zu verteidigen und zu retten. Selbst ein verzweifelter
Hilferuf direkt an sein Herz gerichtet, konnte ihn nicht dazu bewegen die hilflosen Juden vom Wegesrand aufzunehmen. Pius fehlte es an Mut und Vertrauen,
seine Bedenken und Ängste hinter sich zu lassen.
Bitte gehen Sie am 16. Oktober zu den Juden Ihrer Bischofsstadt. Spenden Sie
Trost und schenken Sie ein Zeichen der Liebe. Die Menschen gedenken ihrer Eltern und Großeltern, ihrer Schwestern und Brüder, als sie verlassen den Weg in
den Tod antreten mussten. Damals haben die Verschleppten Hilfe und Trost
vom Stellvertreter Christi bitterlich vermisst. Öffnen Sie jetzt einen Weg zur
Vergebung.
Pius XII. hat auch in der Kirche ein Trauma hinterlassen. Es kann nicht heilen,
solange es ignoriert und solange der Schmerz verklärt wird.
Zu Ihrem Freund Rabbi Abraham Skorka haben Sie einmal gesagt, dass man
vor der Wahrheit keine Angst haben dürfe. Falls damals Fehler gemacht wurden, müsse das frei eingestanden werden. Wenn man anfange die Wahrheit zu
verbergen, eliminiere man die Bibel. Das antworteten Sie auf die Klage von
Skorka über das Schweigen Pius XII. zum Holocaust.
Bitte beenden Sie den im Vatikan unterstützten Mythos über Pius XII. als Retter
der Juden während der Razzia. Dieser Mythos verdrängt die Wahrheit, und er
verhindert die aussöhnende Erinnerung.
Eugenio Pacelli ist der Erste, der Ihnen aus dem Licht dafür dankt.«

2   Die aktuellen Gedenkfeierlichkeiten sind dokumentiert auf der Homepage der
     Gemeinschaft Sant'Egidio. Die mittlerweile weltweit agierende karitative Laien-
     Gemeinschaft führt seit 1994 jeweils am 16. Oktober zusammen mit der Jüdi-
     schen Gemeinde Roms einen Schweigemarsch durch – von Trastevere über die
     Tiberinsel bis zum Largo 16 ottobre 1943. Beim Gedenken zum 70. Jahrestag
     war die Anteilnahme aus der italienischen Politik sehr groß.
     http://www.santegidio.org/pageID/3/langID/de/itemID/7849/Gedenken_an_den
     _16_Oktober_1943.html (diese und folgende links abger. 20.10.13).

3   http://www.vatican.va/holy_father/francesco/speeches/2013/october/documents
     /papa-francesco_20131011_comunita-ebraica-roma_it.html.

4   Deutsche Übersetzung nach „Sant'Egidio", die sehr gut ist:
     http://www.santegidio.org/pageID/3/langID/de/itemID/7823/16_Okto-
     ber_1943_Botschaft_von_Papst_Franziskus_zum_70_Jahrestag_der_Deportatio
     n_der_Juden_Roms.html. Originalversion auf dem Vatikanserver (abger.
     17.10.13): http://www.vatican.va/holy_father/francesco/messages/pont-
     messages/2013/documents/papa-francesco_20131011_70-deportazione-ebrei-
     roma_it.html#

5   http://www.santegidio.org/pageID/3/langID/de/itemID/7847/Papst_Franziskus_
     hat_Enzo_Camerino_empfangen_einen_berlebenden_der_Shoah.html.

6   Radio Vatikan (deut.), Meldung vom 11.10.2012: Papst: „Möge der Antisemi-
     tismus verschwinden!";
     http://de.radiovaticana.va/news/2013/10/11/papst:_%E2%80%9Em%C3%B6ge_d
     er_antisemitismus_verschwinden!%E2%80%9C/ted-736339.

Allg. Abkürzungen

AK Rom:	Außenkommandostelle der SS-Sicherheit (Sipo/SD) in Rom
BdS:	Befehlshaber der Sicherheit (SS)
DELASEM:	Delegazione per l'Assistenza degli Emigranti Ebrei
Dok./dok.:	Dokument/dokumentiert
ERR:	Einsatzstab Reichsleiter Rosenberg
Ex aud. Emmi:	Ex audientia Eminentissimi
Ex aud. SSmi:	Ex audientia Sanctissimi
Gestapo:	Geheime Staatspolizei
fasc.:	fascicolo
LKA NW:	Landeskriminalamt Nordrhein-Westfalen
Mgr.:	Monsignore
Misc:	Vermischtes
OR:	L'Osservatore Romano
Orpo:	SS-Ordnungspolizei
Pol.Reg.:	SS-Polizeiregiment
RG:	Record Group
RSHA:	Reichssicherheitshauptamt
SD:	SS-Sicherheitsdienst
Sipo:	SS-Sicherheitspolizei
S.E.:	Sua Eccellenza
StA:	Staatsanwaltschaft

Quellen-Abkürzungen

AAS:	Acta Apostolicae Sedis
ADAP:	Akten zur deutschen auswärtigen Politik
ADSS:	Actes et documents du Saint Sièges relatifs à la Secondes Guerre mondiale

Anatomia :	Roma, 16 ottobre 1943. Anatomia di una deportazione, hrsg. v. Archivio Storico della Comunità Ebraica di Roma u.a.
ASMA:	Archivio Santa Maria dell'Anima (Rom)
ASV:	Archivio Segreto Vaticano
BArch:	Bundesarchiv (Berlin-Lichterfelde, Abtl. Deut. Reich/R)
BArch-MA:	Bundesmilitärarchiv (Freiburg i.Br.)
BArch-L.:	Bundesarchiv (Ludwigsburg / NS-Strafsachen) = Zentrale Stelle der Landesjustizverwaltungen zur Aufklärung nationalsozialistischer Verbrechen
CDEC:	Centro di Documentazione Ebraica Contemporanea (Mai-land)
Cronaca:	Comunitá Israelitica di Roma (Hrsg.): Ottobre 1943. Cronaca di un'infamia
FRUS:	Foreign Relations of the United States
IfZ:	Institut für Zeitgeschichte / München
Kriegstagebuch:	Der Deutsche Kommandant von Rom. Kriegstagebuch vom 10.9.1943-31.12.1943.
LArch NRW:	Landesarchiv Nordrhein-Westfalen, hier Staatsarchiv Münster
LArch Berlin:	Landesarchiv Berlin
NA:	National Archives and Records Administration (College Park, Maryland/USA)
Notenwechsel:	Notenwechsel zw. dem Heiligen Stuhl und der deutschen Reichsregierung
NS-Verfahren Italien:	Ermittlungsverfahren der Staatsanwaltschaft am Landgericht Dortmund zur Festnahme und Deportation der Juden in Mittel- und Oberitalien (Az.: 45 Js 12/63).
NS-Verfahren RSHA:	Ermittlungsverfahren der Generalstaatsanwaltschaft am Kammergericht Berlin gegen ehemalige Angehörige desReichssicherheitshauptamtes wegen des Verdachtes auf Teilnahme an Mord im Rahmen der "Endlösung der Judenfrage" (Az.: 1 Js 1/65).
OR:	L`Osservatore Romano (Vatikanstadt)
OSS	Office of Strategic Services (US-Geheimdienst 2. Weltkrieg)
PA AA:	Politisches Archiv des Auswärtigen Amts (Berlin)
Trial:	The Trial of Adolf Eichmann. State of Israel (Doku.)

Quellenverzeichnis
Veröffentlichete Dokumenteneditionen

Acta Apostolicae Sedis. Commentarium officiale, Città del Vaticano, ab 1909.

Actes et documents du Saint Sièges relatifs à la Secondes Guerre mondiale, hrsg. von Pierre Blet, Robert Graham, Angelo Martini, Burkhart Schneider, 11 Bde., Città del Vaticano 1965-81.

Akten zur deutschen auswärtigen Politik, hrsg. von Bußmann, W. u.a., Serie E: 1941-1945.

Akten Deutscher Bischöfe über die Lage der Kirche 1933-1945, Reihe: Veröffentlichungen der Kommission für Zeitgeschichte (= VKZG), 6 Bde, Mainz 1968ff.

Discorsi e radiomessaggi di Sua Santità Pio XII, 20 Bde, Indexb., Città del Vaticano 19xx.

L'Osservatore Romano. Giornale quotidiono politico religioso, Città del Vaticano.

L'Osservatore Romano della Domenica: Il Papa ieri e oggi (Sonderausgabe zu Pius XII.), Nr. 27, Juli 1964, Città del Vaticano.

Notenwechsel zwischen dem Heiligen Stuhl und der deutschen Reichsregierung, (VKZG), 3 Bde, bearbeitet von D. Albrecht, Mainz 1965ff.

Pope Pius XII and World War II. The Documented Truth. A Compilation of International Evidence Revealing the Wartime Acts of the Vatican, hrsg. von Gary L. Krupp (Pave the Way Foundation), 3. Aufl., o.Ort 2012.

Judenverfolgung in Italien, den italienisch besetzten Gebieten und in Nordafrika. Dokumentensammlung, hrsg. von United Restitution Organisation, Frankfurt 1962

Justiz und NS-Verbrechen. Sammlung deutscher Strafurteile wegen nationalsozialistischer Tötungsverbrechen 1945 - 2002; hrsg, von C. F. Rüter, D. W. De Mildt u.a.; bearbeitet im Seminarium voor Strafrecht en Strafrechtspleging *Van Hamel* der Universität Amsterdam, Amsteram 1968ff. Insbesondere: Bd. 25: Strafurteil des Landgerichts München über Dr. Wilhelm Harster (BdS Niederlande), lfd.Nr. 645, ebd., 2001 und Bd. 37: Strafurteil des Landgerichts Berlin über F. Boßhammer, lfd. 771, ebd., 2001.

Nizkor Project: Dokumentensammlung zum Holocaust im Netz: www.nizkor.org.

Picciotto Fargion, Liliana: L'occupazione tedesca e gli ebrei di Roma. Documenti e fatti, Milano 1979.

Ders.: Il libro della memoria. Gli Ebrei deportati dall'Italia (1943-1945), 1. Aufl., Milano 1991, 2. Aufl., Milano 2002.

Processo Kappler. La verità sulle Fosse Ardratine, hrsg. von Wladimir Settimelli, 2 Bde, Roma 1994.

Sale, Giovanni: Hitler. La Santa Sede e gli ebrei con i Documenti dell'Archivio Segreto Vaticano, Milano 2004.

Tagebücher von Joseph Goebbels: hrsg. von E. Fröhlich, im Auftrag des Instituts für Zeitgeschichte, 32 Bände, München 1993ff.

Topographie des Terrors. Gestapo, SS und Reichssicherheitshauptamt in der Wilhelm- und Prinz-Albrecht-Strasse. Eine Dokumentation: Herausgegeben von der Stiftung Topographie des Terrors, 3. Aufl., Berlin 2010.

Utz, Arthur/Groner, Josef: Aufbau und Entfaltung des gesellschaftlichen Lebens. Soziale Summe Pius XII., Bde. I/II, Freiburg (Schweiz) 1954.

Weizsäcker-Papiere 1933-1950: hrsg. von Leonidas E. Hill, Frankfurt 1974.

Archive

Archivio Segreto Vaticano: Germania 1933ff.

Bundesarchiv Berlin-Lichterfelde, Abtl. Deutsches Reich/R 58 (RSHA).

Bundesarchiv Ludwigsburg, NS-Strafsachen, B 162.

Bundesarchiv Freiburg, Militärarchiv, Stadtkommandantur Rom (RH 34/265), Personalakte Stahel (Pers 6/934).

Bundesarchiv Koblenz: Bestand RSHA (R 58); Persönl. Stab RFSS (NS 19).

Fondazione Centro di Documentazione Ebraica Contemporanea (CDEC), Soah in Italia, Mailand.

Institut für Zeitgeschichte München: Kurt Gerstein (Gerstein-Bericht), ZS-0236_1; Gerhard Gumpert: Eidesstattliche Erklärung, 2.4.1948, MB 26/119.

Landesarchiv Berlin: Ermittlungsverfahren der Generalstaatsanwaltschaft am Kammergericht Berlin gegen ehemalige Angehörige des RSHA wegen des Verdachtes auf Teilnahme an Mord im Rahmen der "Endlösung der Judenfrage" (1 Js 1/65), B Rep. 057-01, 73 Bände.

Landesarchiv NRW / Staatsarchiv Münster (StA Dortmund, Zentralstelle für NS-Verbrechen. Ermittlungsverfahren der Staatsanwaltschaft am Landgericht Dortmund zur Festnahme und Deportation der Juden in Mittel- und Oberitalien (45 Js 12/63), Bestand Q 234.

Zeitzeugnisse (Priebke-Interviews und P.-Briefe nicht veröff.)

16 ottobre 1943. Gli occhi di Aldo Gay, hrsg. v. M Pezzetti, U.G. Silveri u. Mitarbeit v. S. Gay, Roma 2007.

Debenedetti, Giacomo: Am 16. Oktober 1943. Eine Chronik aus dem Ghetto, Berlin 1993 (= 16 ottobre 1943, Roma 1945 und: Otto ebrei, Roma 1944; Neue Ausgabe: 16 ottobre 1943. Prefazione di Natalia Ginzburg, Torino 2001).

Di Segni, Lello: Zeugnis, Rom 14.6.1945, hier in: LArch NRW/Münster, Nr. 3092 (der StA zur Verfügung gestellt vom CDEC).

Dollmann, Eugen: Dollmetscher der Diktatoren, Bayreuth 1963.

Eichmann, Adolf: Götzen; in: z.b. Mazal Holocaust Library. A Holocaust Resource (http://www.mazal.org/various/Eichmann.htm.

Eichmann-Protokoll. Tonbandaufzeichnungen der israelischen Verhöre, TB-Ausgabe (ungek.), hrsg. von Jochen von Lang, München 2001 (= Wien 1991).

Foà, Ugo: Relazione del Presidente della Communità Israelitica di Roma Foà Ugo circa le misure razziali adoltate in Roma dopo l'8 settembre (data dell' armistizio Badoglio) a diretta opera delle Autorità Tedesche di occupazione, in: Ottobre 1943. Cronaca di un'infamia, S. 9-29 (= Foà: Bericht).

Hudal, Alois: Römische Tagebücher. Lebensbeichte eines Bischof, Graz 1976.

Kessel von, Albrecht: Der Papst und die Juden, in: Summa iniuria oder: Durfte der Papst schweigen. Hochhuths »Stellvertreter« in der öffentlichen Kritik, hrsg. von Fritz J. Raddatz, Reinbeck 1963, S. 167-171 (= *Die Welt*, 6.4.1963).

Kesselring, Albert: Soldat bis zum letzten Tag, Bonn 1956.

Ders.: Eidesstattliche Erklärung vom 10.4.1953 und Ergänzung vom 23.7.1955, in: Aschenauer, R.: Der Fall Kappler, München 1968, S. 55-61.

Kunkel, Nicolaus: KNA-Interview vom 7.11.2000. Veröffentlicht in italienischer Übersetzung: *OR* (8.12.2000); deutscher Originaltext bei KNA.

L'oro di Roma di Carlo Lizzani, hrsg. von Giovanni Vento, Rocca San Casciano 1961.

Leiber, Robert SJ: Der Papst und die Verfolgung der Juden, in: Summa iniuria (a.a.O./Kessel), S. 101-107 (= *FAZ*, 27.3.1963).

Ders.: Pius XII. und die Juden in Rom, in: *Stimmen der Zeit*, 167 (1960/61), S. 428-436.

Loy, Rosetta: La parola ebreo, Torino 1997.

Moellhausen, Eitel Friedrich: Eidesstattliche Erklärung vom 15.5.1953, in: Aschenauer, R.: Der Fall Kappler, München 1968, S. 39-42.

Ders.: Die gebrochene Achse, Alfeld 1949 (orig.: La carta perdente, Roma 1948).

Montini, Battista (Kardinal): Leserbrief zu den Angriffen auf Pius XII. im Drama „Der Stellvertreter" von R. Hochhuth, in: *The Tablet* 217 (1963), 29. Juni 1963, S. 715f (= *OR*, 29.6.1963; deut. Text im *Osservatore Romano* in der deut. Ausg. vom 15. September 1989, S. 7).

Morpurgo, Luciano di: Caccia all'uomo. Vita sofferenze e beffe. Pagine di diario 1938-1944, Roma 1946.

Modigliani, Piero: I Nazisti a Roma dal diario di un ebreo, Roma 1984.

Ottobre 1943. Cronaca di un' infamia, hrsg. v. Comunitá Israelitica di Roma, Roma 1961, (= Cronaca).

Pezzetti, Marcello: Il libro della Shoah italiana. I racconti di chi è sopravissuto. Una ricerca del Centro di documentazione ebraica contemporanea, Torino 2009.

Priebke, Erich: Autobiografie.»Vae Victis«, Roma 2003.

Ders.: Interview mit dem Autor am 5. Juni 2009 und 30. Mai 2012 in Rom; Briefe an den Autor: 3.5.09/25.3.09/18.01.09.

Rahn, Rudolf: Ruheloses Leben. Aufzeichnungen und Erinnerungen, Düsseldorf 1949.

Ripa di Meana, Fulvia: Roma clandestina, 3. Aufl., Milano 2000 (= Milano 1944).

Roma, 16 ottobre 1943. Anatomia di una deportazione (mit Daten-CD), hrsg. v. Archivio Storico della comunità Ebraica di Roma unter Federführung von S. H. Antonucci, D. Procaccia, G. Rigano, G. Spizzichino u.a., Roma 2006 (= Anatomia).

Sorani, Rosina: Dal diario di Rosina Sorani, impiegata della Communità di Roma nel periodo dell'occupazione; in: Comunitá Israelitica di Roma (s.o.), S. 35-43 (= Cronaca). Nachdruck: M. Avangliano, M. Palmieri: Gli ebrei sotto la persecuzione in Italia. Diari e lettere 1938-1945, Torino 2011, S. 177-183.

Spizzichino, Settimia; di Nepi Olper, Isa: Gli anni rubati. Le memorie di Settimia Spizzichino, reduce dai Lager di Auschwitz e bergen-Belsen, 2. Aufl., Cava de' Tirreni 2001.

Ders.: Quella notte del'43, Intervista di Barbara Bertoncin, in: *Una Città*, Nr. 77/ 1999(http://www.unacitta.it/newsite/intervista_stampa.asp?rifpag=homesto rie&id=365&anno=1999).

Wachsberger, Arminio: Testimonianza di un deportato di Roma, in: Picciotto Fargion, L'occupazione, S. 173-207.

Ders.: L'interprete. Dalle leggi razziali alla Shoah, storia di un italiano sopravvissuto alla bufera di Arminio Wachsberger, Milano 2010.

Weizsäcker, Ernst von: Erinnerungen. Augsburg 1950.

Zolli, Eugenio: Der Rabbi von Rom. Autobiografie, München 2005 (= Prima dell'alba. Autobiografia autorizzata, hrsg. von Alberto Latorre, Milano 2004).

Ders.: Before the Dawn, New York 1954.

Aus Ermittlungs- und Prozessakten / veröffentlicht

Boßhammer, Friedrich: Urteil des Kammergerichts Berlin (11.4.1972), Ks 1/71, in: BArch-L., B 162/14464; veröffentlich in: Justiz und Verbrechen, Bd. 37, lfd. 771, S. 143-174, (a.a.O).

Foà, Ugo: Aussage im Militärgerichtsprozess Kappler am 11.6.1948, dok. in: Processo Kappler (siehe Dokumenteneditionen), Bd. 1, S 127-129.

Kappler, Herbert:: Vernehmung für seinen Militärgerichtsprozess in Rom 1948: doku. in: Archivio Storico della comunità Ebraica di Roma (Hg.): 16 ottobre 1943 Roma (siehe Zeitzeugnisse), S. 151-71 (Interrogatorio di Herbert Kappler tra il 20 e il 28 agosto 1947).

Ders.: Aussage im Gerichtssaal seines Militärgerichtsprozesses (1948) am 31.5./1.6.1948, doku. in: Processo Kappler, Bd 1, S. 61-115; Textfile auch im Netz.

Ders.: Urteil des Militärgerichts Rom (20.7.1948), in: BArch-L., B 162/20741; (in Italien veröffentlicht auf der Webseite des Ministeriums für Verteidigung: http://www.difesa.it/GiustiziaMilitare/RassegnaGM/Processi/Kappler_Her bert/Pagine/default.aspx (Übersicht zum Justizvorgang Kappler mit Unterlink zum Urteil).

Ders.: Urteil des Berufungsgerichts Rom (25.10.1952), in: ebd.

Ders.: Befragung zum Eichmann-Prozess am 27.6.1961 (Militärgefängnis Gaeta), veröffentlicht in: The Trail of Adolf Eichmann, Bd. V, S. 1963-69. Autorisierte deutsch Übers. in: BArch.-L, B 162, Bd. III, (518 AR - Z 4/63), S. 514-22.

Moellhausen Eitel F.: Aussage im Militärgerichtsprozess Kappler am 11.6.1948, dok. in: Processo Kappler, Bd. 1, S. 129-132.

The Trail of Adolf Eichmann. Record of Proceedings in the District Court of Jerusalem, hrsg.: State of Israel. Ministry of Justice, Vol. I und IV, Jerusalem 1992f.

Ders.: Notariell beglaubige und beschworene Niederschrift über Besprechungen mit Adolf Hitler Sept.-Dez. 1943 zur Vatikanbesetzung und Verschleppung Pius XII. Für: Seligsprechungsprozess Pius XII., Ordinariat München, 28.3.1972.

Aus Ermittlungs- und Prozessakten / unveröffentlicht

Die mit Asterisk gekennzeichneten Namen sind aus Datenschutzgründen Pseudonyme. Der Klarname ist den Untersuchungsakten zu entnehmen.

Amati, Michele: Zeugnis, Rom 17.6.1945, hier in: LArch NRW/Münster, Nr. 3092 (der StA zur Verfügung gestellt vom CDEC).

Boßhammer, Friedrich: Verfahren wegen Beihilfe zum Mord/italienische Judenverfolgung, Anklageschrift (23.4.1971), Kammergericht Berlin, 1 Js 1/65 in: BArch-L., B 162/4161; LArch Berlin, B Rep. 057-01, Bd. 121.

Bach, Heribert*: Vernehmung im *NS-Verfahren Italien:* LKA NW, Kiel 24.6.1964, in: LArch NRW, Nr. 3032.

Bergmann, Wilfried*: Vernehmungen *NS-Verfahren Italien und RSHA:* LKA NW, Wolfsburg 7.8.1964 und 5.10.1964 und 15.1.1968, Hannover 25.6.1970 in: LArch Berlin, B Rep. 057-01, Nr. 3878 (Zeugenaussagen BdS Italien).

Börner, Karl*: Vernehmung im *NS-Verfahren Italien:* LKA NW, Duisburg 24.11.1965, in: LArch NRW, Nr. 3048.

Bode, Karl-Heinz*: Vernehmungen im *NS-Verfahren Italien:* LKA NW, Hannover 24.3.1964, in: LArch Berlin, B Rep. 057-01, Nr. 3878 (Zeugenaussagen BdS Italien).

Ders.: Vernehmungen im *NS-Verfahren RSHA:* StA, Hannover 13.9.1971, in: LArch Berlin, B Rep. 057-01, Nr. 3878 (Zeugenaussagen BdS Italien).

Boßhammer, Friedrich: Bericht der Staatsanwaltschaft über das Ergebnis des Ermittlungsverfahrens gegen F. Boßhammer, in: LArch Berlin, B Rep. 057-01, Bd. XLIII.

Breuer, Engelbert*: Vernehmung im *NS-Verfahren Italien:* LKA, Neumünster 6.1.1966, in: LArch NRW, Bd. XXXIII, Nr. 3084.

Ders: Vernehmung im *NS-Verfahren Italien:* StA, Hamburg 29.4.1965, in: LArch NRW, Bd. XXII. (Nr. 3082).

Busche, Walter*: Vernehmung im *NS-Verfahren Italien:* LKA NW, Hamburg 16.7.1965, in: LArch NRW, Nr. 3045.

Eisenhut, Albert*: Erklärung zur Sache zum Haftbefehl wg. Mordes durch das Amtsgericht Wiesbaden, Wiesbaden 21.11.1959, in: LArch Berlin, B Rep. 057-01, Nr. 3878 (Zeugenaussagen BdS Italien).

Ders: Beschuldigten-Vernehmung: LKA Wiesbaden, Wiesbaden 24.11.1959, in: LArch Berlin, B Rep. 057-01, Nr. 3878 (Zeugenaussagen BdS Italien).

Ders.: Vermerk der StA Stuttgart über die Auswertung des Ermittlungsverf. gegen Eisenhut mit wörtlichen Aussagepassagen (15 Js 118/60 StA Stuttg.), in: BArch-L., B 162 (518 AR-Z 4/63, Bd. XIV).

Ders.: Ermittlungsverf. wegen Mordes, Staatsanwaltschaft Landgericht Stuttg., Verfahrenseinstellung, Begrüdung, Stuttg., 13.1.1961, in: ebd., Bd. XII).

Ders.: Vernehmungen im *NS-Verfahren Italien*: StA, Stuttgart 18.9.1963, in: LArch Berlin, B Rep. 057-01, Bd. LVIII; und: StA, Wunsiedel 21.11.1964, in: ebd.

Ders.: Beschuldigten-Vernehmung wg. NS-Gewaltverbrechen: Untersuchungsrichter, Wunsiedel 13.5.1965, in: LArch Berlin, B Rep. 057-01, Bd. LVIII; und Zeugenvernehmung in Strafsache gegen Bergmann wg. NS-Gewaltverbrechen, (ebd), in: ebd.

Ders.: Vernehmung im *NS-Verfahren Italien*: LKA NW, Wunsiedel 24.11.1967, in: LArch Berlin, B Rep. 057-01, Bd. LVIII.

Ders.: Vernehmung im *NS-Verfahren RSHA*: Untersuchungsrichter, Wunsiedel 29.9.1970, in: LArch Berlin, B Rep. 057-01, Bd. LVIII.

Dollmann, Eugen: Vernehmung im *NS-Verfahren Italien*: StA, München 23.2.1965, in: LArch NRW, Nr. 3037.

Fritsch, Kurt*: Vernehmung im *NS-Verfahren Italien*: LKA NW, Stuttgart 30.4.1964, in: LArch NRW, Nr. 3032.

Gabler, Helmut*: Vernehmung im *NS-Verfahren Italien*: Untersuchungsrichter, Waiblingen 20.5.1965, in: LArch Berlin, B Rep. 057-01, Nr. 3879 (Zeugenaussagen BdS Italien).

Gehrcke, Wilhelm: Vernehmung im *NS-Verfahren Italien*: LKA NW, Hamburg 14.4.1963, in: LArch Berlin, B Rep. 057-01, Nr. 3879 (Zeugenaussagen BdS Italien).

Ders.: Erklärung zur Überlassung eines Tagebucheintrags (einschließlich Tagebucheintrag), Hamburg 20.4.1965, in: LArch Berlin, B Rep. 057-01, Nr. 3879 (Zeugenaussagen BdS Italien).

Ders.: Vernehmung im *NS-Verfahren Italien*: Untersuchungsrichter, Hamburg-Bergedorf 11.5.1965, LArch Berlin, B Rep. 057-01, Nr. 3879 (Zeugenaussagen BdS Italien).

Gembicki, Anna: Vernehmung im *NS-Verfahren RSHA (Boßhammer)*: StA, Wiesbaden 29.10.1971, in: BArch-L., B 162/4166/RSHA Vernehmungsschriften.

Gering, Heiner*: Vernehmung im *NS-Verfahren Italien*: LKA NW, Groß Oesingen 18.1.1966, in: BArch-L., B 162 (518 AR-Z 4/63, Bd. XI); LArch NRW, (45 Js 12/63, im Bestand Q 234).

Hack, Helmut*: Vernehmungen im *NS-Verfahren Italien*: StA, München 14.8.1963 und Kehlheim 26.11.1964, in: LArch Berlin, B Rep. 057-01, Nr. 3879 (Regionalordner Italien).

Ders.: Beschuldigten-Vernehmung im Untersuchungsverfahren gegen Hack, Helmut wegen Beihilfe zum Mord: Untersuchungsrichter, Kehlheim

30.4.1965, in: LArch Berlin, B Rep. 057-01, Nr. 3879 (Regionalordner Italien); Zeugenvernehmung im *NS-Verfahren Italien*: Untersuchungsrichter, (ebd.), in: ebd.

Harster, Wilhelm: Dienstbefehl Nr. 13 vom 29.7.1944 (betrifft Auflösung des *AK Rom*), in: LArch Berlin, B Rep. 057-01, Nr. 3950 (Regionalordner Italien).

Ders: Vernehmung im *NS-Verfahren Italien*: StA, München 14.10.1964, in: LArch Berlin, B Rep. 057-01, Bd. LVIII.

Ders.: Vernehmung im *NS-Verfahren RSHA*, München, 21.11.1966, in: LArch Berlin, B Rep. 057-01, Bd. XVI.

Holzapfel, Hans*: Vernehmung im *NS-Verfahren Italien*: LKA NW, Hamburg 15.7.1965, in: LArch NRW, Nr. 3045.

Jünger, Friedhelm*: Vernehmung im *NS-Verfahren Italien*: LKA NRW, Berlin 14.9.1966, in: LArch NRW, Nr. 3053.

Kappler, Herbert: Befragung im *NS-Verfahren RSHA (Verfahren Boßhammer)*: Amtsrichter u. Staatsanwalt, Militärgefängnis Gaeta 21.5..1971, in: LArch Berlin, B Rep. 057-01, Bd. CXXVII (deut. Übersetzung).

Kessel, Albrecht von: Vernehmung im *NS-Verfahren RSHA*: Untersuchungsrichter, Essen 4.5.1964, in: LArch Berlin, B Rep. 057-01, Bd. XXIV.

Klee, Emil*: Vernehmung im *NS-Verfahren Italien*: LKA NW, Recklinghausen 18.11.1965, in: LArch Berlin, B Rep. 057-01, Nr. 3880 (Zeugenaussagen BdS Italien).

Klapp, Georg*: Vernehmung im *NS-Verfahren Italien*: LKA NW, Hamburg 8.12.1965, in: LArch Berlin, B Rep. 057-01, Nr. 3880 (Zeugenaussagen BdS Italien).

Maurer, Mathis*: Vernehmung im *NS-Verfahren Italien*: StA, LKA NW, Ingolstadt 28.4.1966, in: LArch NRW, Nr. 3052.

Neumann, Erich*: Vernehmung im *NS-Verfahren Italien*: LKA NW, Gelsenkirchen 19.5.1965, in: LArch NRW, Nr. 3045.

Niemeyer, Anton*: Vernehmung im *NS-Verfahren Italien*: LKA NW, Dortmund 18.8.1965, in: LArch NRW, Nr. 3046.

Nitschke, Heiner*: Vernehmung im *NS-Verfahren Italien*: LKA NW, Seershausen 7.9.1965, in: LArch NRW, Nr. 3046.

Pilz, Jürgen*: Vernehmung im *NS-Verfahren Italien*: LKA NW, Düsseldorf 28.12.1965, in: LArch NRW, Nr. 3050.

Quedling, Jürgen*: Vernehmung im *NS-Verfahren Italien*: StA, Mannheim 20.9.1963, in: LArch NRW, Nr. 3026.

Schlinge, Werner*: Vernehmung im *NS-Verfahren Italien*: StA, Dortmund 12.9.1963, in: BArch-L., B 162/29659f, Bd. VI. (518 AR-Z 4/63).

Schütz, Karl: Vernehmungen im *NS-Verfahren Italien*: StA, Dortmund 27.8.1963 und 9.6.1965 in: LArch Berlin, B Rep. 057-01, Nr. 3881 (Zeugenaussagen BdS Italien).

Seiler, Ernst*: Vernehmung im *NS-Verfahren Italien:* StA, Dortmund 8.2.1966, in: LArch NRW, Nr. 3052.

Thadden, Eberhard v.: Vernehmungen im *NS-Verfahren RSHA:* Untersuchungsrichter, Essen 26.7. und 20.9.1962, in: LArch Berlin, B Rep. 057-01, Bd. LXXIII.

Wagner, Horst: Vernehmungen im *NS-Verfahren RSHA:* Untersuchungsrichter, Essen 18.10.1962, in: LArch Berlin, B Rep. 057-01, Bd. LXXI; Vernehmung StA, Düsseldorf 22.5.1967, in: ebd., Bd. XXII..

Wuth, Ralf*: Vernehmungen im *NS-Verfahren Italien und RSHA:* Gruppe Staatspolizei Bundesministerium für Inneres/Österreich, Wien 5.11.1963, in: LArchiv Berlin, B Rep. 057-01, Nr. 3881 (Zeugenaussagen BdS Italien); Vernehmung LKA NW, München 28.11.1964, in: ebd.; Vernehmung (StA), München 30.8.1971, in: ebd.

Wolff, Karl-Friedrich: Vernehmung im *NS-Verfahren Italien*, München, 1.6.1965, in: LArch Berlin, B Rep. 057-01, Nr. 3881 (Zeugenaussagen BdS Italien).

Zeugenliste

(Aussagen in juristischen Verfahren / Memoiren / Zeugnisse)
Die Aussagen finden sich in den angegebenen Dokumenteneditionen, Zeitzeugnissen und Verfahrens- u. Prozessakten.

Deutsche

Bergmann, Willi:	SS-Hauptscharführer; Mitarbeiter Danneckers im Judenreferat beim BdS Gen. Harster in Verona.
Breuer, Engelbert:	Wachtmeister, 11. Polizeikompanie/SS-Pol.Reg. 12; Razziateilnehmer.
Börner, Karl:	Wachtmeister, 11. Polizeikompanie/SS-Pol.Reg. 12; Razziateilnehmer.
Bauer, Hubert:	Zugwachtmeister; 11. Polizeikompanie/SS-Pol.Reg. 12; Razziateilnehmer.
Busche, Walter:	Wachtmeister, 11. Polizeikompanie/SS-Pol.Reg. 12; Razziateilnehmer.

Dollmann, Eugen:	SS-Standartenführer; Verbindungsmann Himmlers in Rom.
Eichmann, Adolf:	SS-Obersturmbannführer, Referatsleiter (Judenreferat) im RSHA, Abtl. IV B 4a.
Eisenhut, Albert:	SS-Untersturmführer; Kommando Dannecker in Rom; Kommandoführer bei der Ghetto-Razzia.
Fritsch, Kurt:	SS-Hauptscharführer; Sipo/SD Rom; Razziateilnehmer.
Gehrcke, Wilhelm:	SS-Hauptscharführer, Sipo/SD Verona, Razziateilnehmer.
Gering, Heiner:	Polizeisoldat, 5. Polizeikompanie/SS-Pol.Reg. 15; Razziateilnehmer.
Gumpert, Gerhard:	Legationssekretär an der Deut. Botschaft Rom.
Hack, Heinz:	SS-Unterscharführer; Kommando Dannecker in Rom; Razziateilnehmer.
Harster, Wilhelm:	SS-Brigadeführer (General); Sipo- u. SD-Chef in Italien (BdS, ab Sept. 1943); zuvor: Niederlande.
Holzapfel, Hans:	Hauptmann, Kommandierender Offizier der 11. Polizeikompanie/SS-Pol.Reg. 12.
Hudal, Alois:	Bischof an der deutschen Nationalkirche Santa Maria dell'Anima in Rom und Rektor des angeschlossenen Kollegs.
Jünger, *Friedhelm*:	Rottenwachtmeister, 5. Polizeikompanie/SS-Pol.Reg. 15; Razziateilnehmer.
Kappler, Herbert:	SS-Obersturmbannführer; Sipo- u. SD-Chef in Rom.
Kessel, Albrecht von:	Gesandtschaftsrat; Deutsche Botschaft beim Hl. Stuhl.
Kesselring, Albert:	Generalfeldmarschall, OB Südwest.
Klapp, Georg:	Zugwachtmeister, 5. Polizeikompanie/SS-Pol.Reg. 15; Razziateilnehmer und Begleitwache Deportationszug Rom.
Klee, Emil:	Zugwachtmeister, 5. Polizeikompanie/SS-Pol.Reg. 15; Razziateilnehmer.
Kunkel, Nikolaus:	Leutnant, im Stab General Stahels, Rom.
Maurer, Mathis:	Sipo/SD Rom, Abt. VI., Dienstgrad unbekannt, Razziateilnehmer.
Moellhausen, Eitel F.:	Konsul; Deutsche Botschaft Rom.
Müller, Josef:	Rechtsanwalt; Verbindungsmann des militärischen Widerstands zu Pius XII. (Spitzname: Ochsensepp).

Neumann, Erich:	Hauptwachtmeister, 11. Polizeikompanie/SS-Pol.Reg. 12; Razziateilnehmer.
Niemeyer, Anton:	Hauptwachtmeister, 11. Polizeikompanie/SS-Pol.Reg. 12; Razziateilnehmer.
Nitschke, Heiner:	Rottwachtmeister, 5. Polizeikompanie/SS-Pol.Reg. 15; Razziateilnehmer.
Pfeiffer, Pancratius:	Prior der Salvatorianer/Rom; Verbindungsmann Pius XII. zu deut. Dienststellen
Pilz, Jürgen:	Zugwachtmeister, 11. Polizeikompanie/SS-Pol.Reg. 12; Razziateilnehmer.
Priebke, Erich:	SS-Hauptsturmführer, Sipo/SD Rom; inoffizieller Stellvertreter Herbert Kapplers und Verbindungsmann zu Pius XII.
Quedling, Jürgen:	SS-Hauptscharführer, Sipo/SD Rom; Referat IV.
Rahn, Rudolph:	Deutscher „Botschafter" (genau: bevollmächtigter Vertreter der Deut. Reiches), Rom-Salò.
Schlinge, Werner:	SS-Hauptscharführer; Sipo Rom.
Schütz, Karl:	SS-Hauptsturmführer; Leiter der Abtl. IV (Gestapo) Sipo/SD Rom.
Seiler, Ernst:	Hauptmann, Kommandierender Offizier der 5. Polizeikompanie/SS-Pol.Reg. 15.
Stahel, Rainer:	Generalmajor der Luftwaffe, Stadtkommandant Roms während der Razzia.
Weizsäcker, Ernst von:	Botschafter beim Hl. Stuhl ab Juni 1943; vormals Staatssekretär im Auswärtigen Amt Berlin.
Wuth, Ralf:	Persönlicher Referent des BdS Itl. General Harster.
Wolff, Karl:	SS-Obergruppenführer und General; Höchster SS-Polizeiführer in Italien.

Italiener

Ajò, Gabriela:	Römische Jüdin, der Razzia entgangen
Anticoli, Lazzaro	Römischer Jude; Razziaopfer 16. Okt.
Amati, Michele:	Römischer Jude; Razziaopfer 16. Okt.
C., A. (Signor):	Mitarbeiter im römischen Justizministerium; Augenzeuge der Ghettorazzia
Camerino, Luciano:	Römischer Jude; Razziaopfer 16. Okt.
Campus, Gianni:	Augenzeuge bei der Ghettorazzia
Dal Monte, Cesare:	Römischer Jude; der Razzia entkommen
De Marchi, Lucia:	Rot-Kreuz-Schwester am Bahnhof Padua; Augenzeugin des Deportationszuges
Debenedetti, Giacomo:	Schriftsteller, röm. Jude; der Razzia entkommen
Della Rocca (Signora):	Römische Jüdin; der Razzia entkommen
Di Porti, Angelo:	Römsicher Jude, der Razzia entkommen
Di Segni, Lello:	Römischer Jude; Razziaopfer 16. Okt.
Di Veroli, Leone:	Römsicher Jude, der Razzia entkommen
Finzi, Sabatino:	Römischer Jude; Razziaopfer 16. Okt.
Foà, Ugo:	Präsident der jüdischen Gemeinde Roms; der Razzia entkommen
Limentani, Marina:	Römische Jüdin; der Razzia entkommen
Limentani, Mirella:	Römische Jüdin; der Razzia entkommen
Loy, Rosetta:	Schriftstellerin, zur Zeit der Razzia in Rom
Modigliani, Piero:	Römischer Jude; der Razzia entkommen
Natoni, Ferdinando:	Römischer Faschist, der am Razziatag Juden rettete
Odoardi, Francesco:	Römer; Augenzeuge bei der Ghettorazzia
Ossicini, Adriano:	Römischer Partisan, Praktikant im Krankenhaus auf der Tiberinsel, Augenzeuge bei der Ghettorazzia
Pavoncello, Rina:	Römische Jüdin; der Razzia entkommen
Pignatelli d'Aragona, Enza (Principessa):	Gute Bekannte Pius XII.; Augenzeugin der Razzia
Piperno Grego, Pina	Römische Jüdin; der Razzia entkommen
Ripa di Meana, Fulvia:	Römerin, Mitglied der Resistenza in Rom
Sabatello, Leone:	Römischer Jude; Razziaopfer 16. Okt.
Scavizzi, Pirro:	Priester; Bekannter Pius XII.; Holocaust-Informant

Sedde (Signor):	Römischer Jude; der Razzia entkommen
Sorani, Rosina:	Angestellte der Jüd. Gemeinde Roms; der Razzia entkommen
Spizzichino, Settimia:	Römische Jüdin; Razziaopfer 16. Okt.
Tagliacozzo, Michael:	Historiker, röm. Jude, der Razzia entkommen
Terracina, Emma:	Römische Jüdin; der Razzia entkommen
Terracina, Piero:	Römischer Jude; der Razzia entkommen
Wachsberger, Arminio:	Römischer Jude; Razziaopfer 16. Okt.
Zolli, Israel (Eugenio):	Oberrabbiner Roms; bei der Razzia schon im Untergrund

Andere

Osborne, D'Arcy:	Britischer Gesandter (im Ministerrang) beim Hl. Stuhl
Kravat, David:	Tschechischer Jude im Sonderkommando Auschwitz-Birkenau
Tittmann, Harald:	Mitarbeiter (Stellvertreter) des US-Gesandten Myron Taylor beim Hl. Stuhl

Sekundärliteratur

Literatur, die hier nicht auftaucht, ist in den Anmerkungen vollständig angegeben.

Bemerkungen von Papst Benedikt XVI. zu Pius XII.:

- Licht der Welt. Der Papst, die Kirche und die Zeichen der Zeit. Ein Gespräch mit Peter Seewald, Freiburg u.a. 2010 (=Città del Vaticano 2010), S. 134-137.

- Ansprache nach der Uraufführung des neuen Filmwerks *Sotto il cielo di Roma* in Castel Gandolfo vor Kurienvertretern und Beteiligten am Film, in: http://www.vatican.va/holy_father/benedict_xvi/speeches/2010/april/docu ments/hf_ben-xvi_spe_20100409_cielo-roma_ge.html.

- Ansprache beim Besuch der Synagoge in Rom am 17.1.2010, in: http://www.vatican.va/holy_father/benedict_xvi/speeches/2010/january/doc uments/hf_ben-xvi_spe_20100117_sinagoga_ge.html.

- Ansprache an die Teilnehmer des Kongresses *Das Erbe des Lehramtes Pius' XII. und das II. Vatikanische Konzil*, veranstaltet von der päpstlichen Lateranuniversität und der päpstlichen Gregoriana, 8.11.2008, in: In memoria di un predecessore, hrsg. von Vian, G.M., In difesa di Pio XII. Le ragioni della storia, Venedig 2009, S. 159-163 (italienisch); deutsche Fassung (Vatikanserver): http://www.vatican.va/holy_father/benedict_xvi/speeches/2008/november/ documents/hf_ben-xvi_spe_20081108_congresso-pioxii_ge.html.

- Homilie während der feierlichen Gedenkmesse zum 50. Todestag Pius XII. am 9.10.2008 in St. Peter; in: ebd., S. 151-159 (ital.); deutsch: Vatikanserver (ebd.).

- Ansprache an Gary Krupp und die Teilnehmer eines Symposiums der *Pave the Way Foundation* über Pius XII. (Sept. 2008), 18.9.2008; in: ebd. (ital.); deutsch: Vatikanserver (ebd.).

Bemerkungen von Kardinal Jorge Bergoglio (Papst Franziskus)

- Papst Franzsikus über Himmel und Erde. Jorge Bergoglio im Gespräch mit dem Rabbiner Abraham Skorka, hrsg. v. D. F. Rosemberg (orig.: Sobre el cielo y la terra, Random House Mondadori, Barcelona 2010), aus dem Spanischen von S. Kleemann/M. Strobel, München 2013, (Kap.: Holocaust), S. 187ff.

Andere:

Alessandrini, Rafaele: Silenzi e ommissioni al tempo della Shoah, in: *L'Osservatore Romano*, 14.8.2009.

Augias, Corado: Die Geheimnisse des Vatikan. Eine andere Geschichte der Papststadt, München 2011 (= I segreti del Vaticano. Storie, luoghi, personaggi di un potere millenario, Milano 2009).

Avagliano, Mario/Palmieri, Marco: Gli ebrei sotto la persecuzione in Italia. Diari e lettere 1938-45, Torino 2011.

Barozzi, Frederica: I percorsi della sopravvivenza, salvatori e salvati durante l'occupazione nazista di Roma (8 settember 1943 - 4 giugno 1944), in: *Rassegna mensile di Israel*, 1998, Heft 1, S. 95-144.

Becker, Winfried: Pius XII. und sein „Schweigen" über den Holocaust im Kontext seines Pontifikats, in: Christen und Nationalsozialismus (Andechser Betrachtungen), hrsg. v. R. Graf Strachwitz, München 2011, S. 99-144 (überarb. und ergänzte Fassung von: ebd.: *Kirchliche Zeitgeschichte* 18 (2005), S. 40-67).

Bendel, Rainer (Hg.): Die katholische Schuld? Katholizismus im Dritten Reich. Zwischen Arrangement und Widerstand, 2. Aufl., Münster 2004.

Berger, Sara: Selbstinszenierung eines 'Judenberaters' vor Gericht - Friedrich Bosshammer und das 'funktionalistische Täterbild', in: *Jahrbuch für Antisemitismusforschung* 17 (2008), S. 243-268.

Bertoldi, Silvio: I tedeschi in Italia, Milano 1964.

Bertone, Turcisio, (Kardina)l: Eugenio Pacelli segretario di Stato eromano pontifice, in: In difesa di Pio XII- Le ragioni della storia, hrsg. von Giovanni Maria Vian, Venezia 2009, S. 127-148, auch:
http://www.vatican.va/roman_curia/secretariat_state/card-bertone/2008/documents/rc_seg-st_20081106_convegno-pio-xii_it.html

Ders.: The Victim of a "Black Legend", Rede zur Präsentation des Buches von A. Tornielli: Pio XII (a.a.O.), in: ZENIT 7.6.2007 (aus dem Italienischen ins Engl. übersetzt); auch auf diversen Netzseiten abrufbar.

Besier, Gerhard: Der Heilige Stuhl und Hitler-Deutschland. Die Faszination des Totalitären, München 2004.

Blet, Pierre: Papst Pius XII. und der zweite Weltkrieg. Aus den Akten des Vatikans, 2. Aufl., Paderborn 2000 (= Paris 1997).

Bottazzi, Matteo: Da Roma ad Auschwitz, in: Liberi. Storie, luoghi, e personaggi della Resistenza del Municipio Roma 16, hrsg. von A. Pompeo, Archivio Storico Culturale del Municipio, Roma 2005, S. 124-140.

Brandmüller, Walter: Ein neuer Streit um Pius XII. Zum Desaster der katholisch-jüdischen Historikerkommisson, in: *Die neue Ordnung*, 55 (2001), Nr. 5, S. 371-81.

Brechenmacher, Thomas: : Pius XII. und die Juden, in: Die kath. Kirche in Dritten Reich, hrsg. v. Ch. Köster/M.E. Ruff, Freiburg u.a. 2011, S. 123-141, (basiert auf: ders.: Der Vatikan und die Juden, insb. Kap. 8, S. 202ff).

Ders.: Pius XII. und die Juden, in: Eugenio Pacelli – Pius XII. (1876-1958) im Blick der Forschung, Schriften des Archivs des Erzbistums München und Freising, Bd. 12, hrsg. v. P. Pfister, Regensburg 2009, S. 65-86.

Ders.: Katholische Kirche und Judenverfolgung (erweitertes Manuskript eines Vortrages, am 11.11.2008/Erfurt); in: www.bistum-erfurt.de/upload/2008/thomas-brechenmacher_katholische-kirche-und-judenverfolgung.pdf.

Ders.: Der Vatikan und die Juden. Geschichte einer unheiligen Beziehung, München 2005.

Ders.: Pius XII. und der Zweite Weltkrieg. Plädoyer für eine erweiterte Perspektive, in: Hummel, K.-J. (Hg.), Zeitgeschichtliche Katholizismusforschung (VKZG), Reihe B, Bd. 100), Paderborn 2004, S. 83-99.

Breitman, Richard: New Sources on the Holocaust in Italy, in: *Holocaust Genocide Studies* 16 (2002), S. 402-414.

Ders./Goda, N. J.W/Naftali, T./Wolfe, R.: U.S. Intelligence and the Nazis, Washington, DC (National Archives Trust Fund Board), 2004.

Burkard, Dominik: Pius XII. und die Juden. Eine Analyse des Pontifikats Pius' XII., in: *Christ in der Gegenwart*, 61 (2009), Nr. 2-4, S. 25f; 33f; 41f.

Chadwick, Owen: Weizsäcker, the Vatican and the Jews of Rome, in: *The journal of ecclesiastical history*, 28/2 (1977), S. 179-99.

Ders.: Britain and the Vatican during the Second World War, Cambridge 1986.

Chenaux, Philippe: Pio XII. Diplomatico e pastore, Torino 2004.

Coen, Fausto: 16 ottobre 1943. La Grande razzia degli ebrei di Roma, Firenze 1993.

Concutelli, Antonio: Roma, Città aperta?, in: http://daniele.apicella.com/novecento/libro/concutelli.htm

Cornwell, John: Pius XII. Der Papst der geschwiegen hat, München 1999 (= London 1999).

Dalin, Rabbi David G.: The Mythe of Hitler's pope. How pope Pius XII rescued jews from the Nazis, Washington 2005.

Denzler, Georg: Ein verhinderter Heiliger? Papst Pius XII. und die Shoa, in: Christen und Nationalsozialismus (Andechser Betrachtungen), hrsg. v. R. Graf Strachwitz, München 2011, S. 75-98.

Della Seta, Fabio: L'incendio del Tevere, Udine 1996.

Eckert, Astrid M.: Nazi War Crimes Disclosure Act, in: http://hsozkult.geschichte.hu-berlin.de/beitrag/essays/ecas0600.htm.

Falconi, Carlo: Das Schweigen des Papstes. Hat die Kirche kollaboriert? München 1966 (= Milano 1965).

Fornari, Salvatore: La Roma del Ghetto, Roma 1984.

Feldkamp, Michael F.: Pius XII. und Deutschland, Göttingen 2000.

Foa, Anna: Portico d'ottavia. Una casa del ghetto nel lungo inverno del '43, Roma-Bari 2013.

Friedländer, Saul: Pius XII. und das Dritte Reich. Eine Dokumentation, München 2011, (Neuausgabe mit einem Nachwort); Erstauflage: Reinbek 1965 / Paris 1964).

Ders.: Das Dritte Reich und die Juden, Bd. 1: Die Jahre der Verfolgung 1933-1939, Tb-Ausg. (dtv), München 2000 (= New York 1997), Bd. 2: Die Jahre der Vernichtung, München 2006.

Gallo, J.: Beyond The Deputy. Origins of the New Revisionism, in: Pius XII, The Holocaust and the Revisionists. Essays, hrsg. von J. Gallo, Jefferson (North Carolina) 2006., S. 9-42.

Ders.: To Halt the Dreadful Crime, in: ebd., S. 110-135.

Gariboldi, Giorgio A.: Pio XII, Hitler e Mussolini. Il Vaticano fra le Dittature, Milano 1988.

Gaspari, Antonio: Gli ebrei salvati da Pio XII, Roma 2001.

Gilbert, Martin: The Holocaust: A History of the Jews of Europe During the Second World War, New York 1985.

Goldhaken, Daniel J.: Die katholische Kirche und der Holocaust. Eine Untersuchung über Schuld und Sühne, Berlin 2002 (= New York 2002).

Gotto, Klaus / Repgen, Konrad (Hg.): Kirche, Katholiken und Nationalsozialismus, Mainz 1980.

Graham, Robert A.: How to Manufacture a Legend. The Controversy over the Alleged "Silence" of Pope Pius XII in World War II, in: Pius XII and the Holocaust, hrsg. v. Catholic League for Religous and Civil Rights, Milwaukee 1988, S. 15-23.

Ders.: Pius XII's Defense of Jews and Others: 1944-45, in: ebd., (© 1987), S. 27-91.

Ders.: La strana condotta di E. von Weizsäcker, Ambasciatore del Reich in Vaticano, in: *La Civiltà Cattolica* 121 (1970), S. 455-71.

Guerrazzi, Amedeo O.: Kain in Rom. Judenverfolgung und Kollaboration unter deutscher Besatzung 1943/44, in: *Vierteljahreshefte für Zeitgeschichte* 54/2 (2006), S. 231-268.

Gumpel, Peter SJ: Pope Pius XII and the attitude of the Catholic Church during World War II, Transkript eines längeren Video-Interviews, in: *The Angelus. A Journal of Roman Catholic Tradition*, Mai 2009 (Copyright: *Pave the Way Foundation*, Transkript auf deren Homepage abrufbar).

Ders.: The General Beelitz Testimony, in: http://www.ptwf.org/index.php?option=com_content&view=article&id=115 :investigating-the-papacy-of-pope-pius-xii&catid=90&Itemid=593 (*Pave the Way Foundation*, ohne Jz).

Ders.: Interviewpassagen in: War Schweigen Gold? Meinungskampf um Papst Pius XII. (von Stefan Ulrich, *Süddeutsche Zeitung*, 8.10.2008, online: 17.5.2010).

Ders: Wer hat mehr Dank von der jüdischen Seite erhalten? Interview von Jens Mersch in: *Kirchliche Umschau*, Nr. 11, Nov. 2000, online: http://www.domus-ecclesiae.de/tractatus/gumpel.html.

Ders.: Pius as he really was, in: *The Tablet* (13.2.1999).

Ders.: Cornwell's Pope. A Nasty Caricature of a Noble and Saintly Man, in: ZENIT (intern. Nachrichtenagentur, Rom), 16.9.1999.

Hesemann, Michael: Wie die jüdische Gemeinde Roms die Nazis überlebte, in: *Vatican-Magazin* 4. Jahrg., Nr. 11 (2010), S. 30-35.

Hill, Leonidas: The Vatican Embassy of Ernst von Weizsäcker, 1943-1945, in: *The Journal of Modern History 39 (1967)*, S. 138-159.

Hitler, Adolf: Mein Kampf, ungekürzte Ausgabe, 651./655. Aufl., München 1941.

Hochhuth, Rolf: Der Stellvertreter. Ein christliches Trauerspiel, TB-Ausg., 38. Aufl., Reinbek 2005 (erstmals 1963).

Ders.: Ein Gesamtbild gibt es nicht. Antwort an Wilhelm Alff, in: Raddatz (Hg.) Summa iniura (a.a.O.), S. 133-39.

Hürten, Heinz: Deutsche Katholiken 1918 bis 1945, Paderborn 1992.

Hummel, Karl-Josef: Eugenio Pacelli / Pius XII.: Vom Vor-Urteil zur historischen Gerechtigkeit. Anmerkungen zum Wandel eines Geschichtsbildes, in: Pfister, P. (Hg.): Eugenio Pacelli – Pius XII. (1876-1958) im Blick der Forschung, Schriften des Archivs des Erzbistums München und Freising, Bd. 12, Regensburg 2009, S. 13-36.

Israel, Saul: Evocazione, in: Vian, G.M., (Hg): In difesa di Pio XII. Le ragioni della storia, Venezia 2009, S. 33-41.

Kaltefleiter, Werner/Oschwald, Hanspeter: Spione im Vatikan. Die Päpste im Visier der Geheimdienste, München 2006.

Katz, Robert.: The Möllhausen Telegram, the Kappler Decodes, and the deportation of the Jews of Romes: the New CIA-OSS Documents, 2000-2002, in: J.D. Zimmerman (Hg): Jews in Italy under Fascits and Nazi Rule 1922-1945, New York 2005, S. 224-242.

Ders.: Rom 1943-1944. Besatzer, Befreier, Partisanen und der Papst, Essen 2006 (= The Battle of Rome, New York 2003).

Ders.: Pius XII protests the Holocaust, in: The collected What If? Eminent Historians imagining what might have been, hrsg von Robert Cowley, New York 2001, S. 719-732.

Ders.: Black Sabbath. The Politics of annihilation. The harrowing story of the Jews in Rome 1943, London 1969.

Konstantin Prinz v. Bayern: Papst Pius XII., Stein a. Rh. 1980 (Aufl.38.-42. T.).

Kertzer, David I.: Die Päpste gegen die Juden. Der Vatikan und die Entstehung des modernen Antisemitismus, Berlin/München 2001 (= New York 2001).

Knigge, Jobst: Der Botschafter. Weizsäcker und Pius XII. Die deutsche Vatikanbotschaft 1943-1945, Hamburg 2008.

Körfgen, Peter: «Das ist dir nicht erlaubt», in: ebd., S. 107-110.

Kühlwein, Klaus: „Die armen Juden" – als Papst Pius XII. weinte, in: Das Heilige Nichts. Gott nach dem Holocaust, S. 122-135, hrsg. von T.D. Wabbel, Düsseldorf 2007.

Ders.: Warum der Papst schwieg. Pius XII. und der Holocaust, Düsseldorf 2008.

Ders.: Die Legende vom Retter der Juden, in: *Frankfurter Rundschau*, 66. Jahrg., Nr. 291 (14. Dez. 2010, S. 32f).

Kurzman, Dan: A Special Mission. Hitler's Secret Plot to Seize the Vatican und Kidnap Pope Pius XII, Cambridge, Mass. 2007.

Ders.: The Race for Rome, New York 1975 (deutsch = Fällt Rom? Der Kampf um die Ewige Stadt 1944. Dokumentarbericht, München 1978).

Lapide, Pinchas E : Rom und die Juden. Papst Pius XII. und die Judenverfolgung, Bad Schussenried, 3. Aufl., 2005.

Laqueur, Walter: Was niemand wissen wollte. Die Unterdrückung der Nachrichten über Hitlers »Endlösung«, Ffm u.a. 1981 (= London 1980).

Lau, Meïr Israel: „In einem Meer von Blut". Der Oberrabbiner Israel Meïr Lau über die Holocaust-Erklärung des heiligen Stuhls (*Spiegel-Interview*), in: *Spiegel* 52 (1998), Nr. 13 (23.3.1998), S. 42f.

Levai, Jenö: Interventions by the Pope and the Nuncio, in: Gallo (Hg.) a.a.O., S. 104-109.

Lawler, Justus G.: The Pope and the Shoah, in: Gallo (Hg.) a.a.O., S. 79-83.

Lehnert, Pascalina, Sr.: Ich durfte ihm dienen. Erinnerungen an Papst Pius XII. 5. Aufl., Würzburg 1983.

Leiber, Robert: Pius XII. +, in: *Stimmen der Zeit* 163 (1958/59), S. 81-100.

Ders.: Pius XII. und die Juden in Rom, in: ebd., 167 (1960/61), S. 428-436.

Ders.: Der Papst und die Verfolgung der Juden, in: Raddatz (Hg.), Summa iniura (a.a.O.), S. 101-107.

Ders.: „Mit brennender Sorge", in *Stimmen der Zeit* 169 (1962), S. 417-426.

Lewy, Guenther: Die katholische Kirche und das Dritte Reich, München 1965 (= New York/Toronto 1964).

Lierde van, Petrus Canisius J.: Eindrücke von Person und Wirken Pius' XII., in: H. Schambeck, Pius XII. Friede durch Gerechtigkeit, Kevelaer 1986, S. 68-85.

Longerich, P.: Politik der Vernichtung. Eine Gesamtdarstellung der nationalsozialistischen Judenverfolgung, München 1998.

Ders.: »Davon haben wir nichts gewusst!« Die Deutschen und die Judenverfolgung 1933-1945, München 2007.

Longhi, Silvano: Die Juden und der Widerstand gegen den Faschismus in Italien (1943-1945, Münster u.a. 2010.

Loparco, Grazia: Gli Ebrei negli istituti religiosi a Roma (1943-44). Dall'arrivo alla partenza. in: *Rivista di storia della chiesa in Italia*, Bd. 58 (2004) S. 107-210.

Lops, Carmine: Gli ebrei romani dispersi nei Lager nazisti, in: *Quaderni del Centro di Studi sulla deportazione e l'internamento*, Bd. 6 (1969-71), S. 73-82.

Majanlahti, Anthony/Osti Guerazzi, Amedeo: Roma occupata. Itinerari, Storie, Immagini, Roma 2010.

Marchione, Margarita: Did Pope Pius XII Help the Jews? New York 2007.

Ders.: Consensus & Controversy. Defending Pope Pius XII, New York 2002.

Ders.: Pio XII. Attraverso le immagini, (Libreria Editrice Vaticana), Città del Vaticano 2002.

Marrus, M.R: A Plea Unanswered. Jacques Maritain, Pope Pius XII, and the Holocaust, in: Jews, Catholics, and the Burden of History. *Studies in Contemporary Jewry. An annual* Vol 21 (2005), S. 3-11, hrsg. von Lederhendler, E., Oxford Univ. Press 2006.

Mayda, Giuseppe: Storia della deportazione dall'Italia 1943-1945. Militari, ebrei, politici nei lager del terzio Reich, Torino 2002.

McInerny, Ralph: The Defamation of Pius XII, South Bend 2001.

Miccoli, Giovanni: I dilemmi e i silenzi di Pio XII. Vaticano, Seconda guerra mondiale e Shoah. Nuova edizione aggiornata, Milano 2007.

Michaelis, Meir: Mussolini and the Jews. German-Italian Relations and the Jewisch Question in Italy 1922-1945, Oxford 1978.

Milano, Attilio: Il ghetto di Roma. Illustrazioni storiche, Roma 1964.

Minerbi, Sergio: Pio XII, il Vaticano e il »sabato nero«. Le responsibilità nell'arresto e nella deportatione degli ebrei romani, in: *Nuova storia contemporanea* Bd. 6,3 (2002), 27-45.

Napolitano, Matteo/Tornielli, Andrea: Il papa che salvò gli ebrei. Dagli archvi segreti del Vaticano tutta la verità su Pio XII, Casale Monferrato 2004.

Nassi, Enrico: Pio XII la politica in ginocchio, Milano 1992.

Neuhäusler, Johann: Kreuz und Hakenkreuz. Der Kampf des Nationalsozial. gegen die kath. Kirche und der kirchliche Widerstand, 2 Teile, München 1946.

Opus Iustitiae Pax. Eugenio Pacelli – Pius XII. (1986-1958). Im Auftrag des päpstlichen Komitees für Geschichtswissenschaft, hrsg. von Ph. Chenaux, G. Morello, M. Valente, Città del Vatiacano 2009.

O´Shea, Paul: A Cross to heavy. Pope Pius and the Jews of Europe, New York 2011.

Pacelli, Emilia, Poala: Pius XII. – das Martyrium des Schweigens, in: *L'Osservatore Roma* (Wochenausg. deut. Sprache), Nr. 2, 12. Jan. 2001, S. 6 (Org. = *OR*, 13.10.2000).

Padellaro, Nazarena: Pius XII. 3. Aufl., Bonn 1957 (= Roma 1949).

Perrone Capano, Renato: La resistenza in Roma, 2 Bde, Napoli 1963.

Persico, Alessandro Angelo: Il caso Pio XII. Mezzo secolo di dibattito su Eugenio Pacelli, Milano 2008.

Phayer, Michael: Pius XII. The Holocaust and the Cold War, Bloomington 2008.

Ders.: The Catholic Church and the Holocaust. 1930-1965, Bloomington 2000.

Picciotto Fargion, Liliana: The Persecution of the Jews in Italy 1943-1945. A Chronicle of Events, in: The Jews of Italy. Memory and Identity, Reihe: Studies and Texts in Jewish History and Culture, Bd. VII), hrsg. von B.D. Cooperman/B. Garvin, Univ. Press Maryland Bethesda 2000, S. 443-54.

Ders.: La ricerca del Centro di documentazione ebraica contemporanea sugli ebrei dall'Italia, in: Italia Judaica. Gli ebrei nell'Italia unita 1870-1945, Atti del IV convengo internazionale Siena 12-16 giugno 1989, Ministero per i beni culturali e ambientali. Ufficio centrale per i beni archivistici, Roma 1993, S. 474-86.

Poliakov, Leon / Wulf, Josef: Das Dritte Reich und die Juden. Dokumente und Aufsätze, 2. Aufl., Berlin 1955.

Ders.: The Shoah in Italy: Its History and Characteristics, in: Zimmermann, J.D.: Jews in Italy under Fascist and Nazi rule, 1922-1945, New York u.a. 2005, S. 209-223.

Portelli, Alessandro: Non s'è presentato nessuno: I due giorni dei deportati ebrei romani al Collegio Militare di piazza Della Rovere, in: Storia dItalia. Roma, la città del papa. Vita civile e religiosa dal giubileo di Bonifacio VIII al giubileo di papa Wojtyla, Reihe: Anali 16, hrsg. von L. Fiorani/A. Prosperi, Torino 2000, S. 585-601.

Raddatz, F.J. (Hg.): Summa iniuria oder Durfte der Papst schweigen? Hochhuths «Stellvertreter» in der öffentlichen Kritik, rororo-TB, Reinbeck 1963.

Rhonheimer, Martin: Katholischer Antirassismus, kirchliche Selbstverteidigung und das Schicksal der Juden im nationalsozialistischen Deutschland. Das „Schweigen der Kirche" zur Judenverfolgung im NS-Staat: Ein Plädoyer für eine offne Auseinanderssetzung mit der Vergangenheit, in: Laun, A. (Hg.), Unterwegs nach Jerusalem. Die Kirche auf der Suche nach ihren jüdischen Wurzeln, Eichstätt 2004, S. 10-33.

Riccardi, Andrea: Un tempo drammatico, in: Vian, G.M., (Hg): In difesa di Pio XII. Le ragioni della storia, Venezia 2009, S. 45-73.

Riccardi, Andrea: L'inverno più lungo. 1943-44: Pio XII Gli ebrei e i Nazisti a Roma, Roma 2008.

Rittner, Carol/Roth, John, K. (Hg.): Pope Pius XII and the Holocaust, London/New York 2002.

Romano, Giorgio: La persecuzione e le deportazioni degli ebrei di Roma e d'Italia nelle opere di scrittori ebrei, in: Scritti in Memoria di Renzo Sereni. Saggi sull'Ebraismo Romano, hrsg. v. Carpi, D. u.a., Jerusalem 1970, S. 314-39.

Rumi, Giorgio: Montini, G.B. "Su Pio XII", in Reihe: *Notiziario* 17 (1988), S. 21-76, hrsg. vom L'Istituto Paolo VI. Centro Internazionale di Studi e di Documentazione, Concesio-Brescia.

Rychlak, Ronald J.: Hitler, the War and the Pope, Second Edition (revised and expanded) Huntington 2010.

Ders.: Righteous Gentilies. How Pius XII and the Catholic Church Saved Half a Million Jews from the Nazis, Dallas 2005.

Ders.: Zuccotti's Lack of Evidence, in: Pius XII, the Holocaust and the Revisionists. Essays, hrsg. von J. Gallo, Jefferson (North Carolina) 2006, S. 138-149.

Sale, Giovanni: Roma 1943: Occupazione nazista e deportazione degli ebrei Romani, in: *La Civiltà Cattolica* 154 (2003), S. 417-29.

Ders.: Hitler, la Santa Sede e gli ebrei. Con documenti dell'archivio Segreto Vaticano, Milano 2004.

Sarfatti, Michele: Gli ebrei nell'Italia fascista. Vicende, identità, persecuzione, Torino 2000.

Ders.: La Shoah in Italia. La persecuzione degli ebrei sotto il fascismo, Torino 2005.

Samerski, Stefan: Pancratius Pfeiffer, der verlängerte Arm von Pius XII. Der Salvatorianergeneral und die deutsche Besetzung Roms 1943/44, Paderborn 2013 (Erscheinung vorauss.: Aug. 2013).

Schad, Martha: Gottes mächtige Dienerin. Schwester Pascalina und Papst Pius XII., München 2007.

Schneider, Burkhart (Hg.): Die Briefe Pius' XII. an die Deutschen Bischöfe 1939-1944, (VKZG), Reihe A: Quellen Bd. 4, Mainz 1966.

Spinosa, Antonio: Pio XII. Un papa nelle tenebre, Milano 2004.

Statman, Daniel: Moral Dilemmas, Amsterdam/Atlanta 1995.

Steur, Claudia: Theodor Dannecker: ein Funktionär der "Endlösung", Essen 1997.

Symposium on Pope Pius XII and the Holocaust in Italy. Debates: in: *Journal of Modern Italien Studies* 7(2) 2002, S. 215-268 (Debatten zw. Rychlak / Zuccotti / Cotta).

Tagliacozzo, Michael: Le responsibilità di Kappler nella tragedia degli ebrei di Roma, in: *Rassegna mensile di Israel*, 36,7/9 (1970), S. 389-414.

Ders.: La Communità di Roma sotto l'incubo della svastica – La grande razzia del 16 ottobre 1943, in: Gli ebrei in Italia durante il Faschismo, Quaderni del Centro di Docum. Ebraica Contemporanea, Nr. 3, (Centro di Documentazione Ebraica Contemporanea), Milano 1963, S. 8-37.

Ders.: La persecuzione degli ebrei a Roma, in: Picciotto Fargion, L'occupazione, S. 149-172 (siehe Dokumentened.)

Tardini, Domenico (Kardinal): Pius XII. Als Oberhirte, Priester und Mensch, Frb. u.a. 1961 (= Città del Vaticano 1960).

Thomas, Linda: Die Juden im faschistischen Italien. Die Razzien im römischen Ghetto und im Ghetto von Venedig, Frankfurt/M. u.a. 2009.

Tittmann, Jr.: Inside the Vatican of Pius XII. The Memoir of an American Diplomat during World War II, ed. von Harold Tittman III, New York u.a. 2004.

Tornielli, Andrea: Pio XII. Eugenio Pacelli. Un uomo sul throno di Pietro, Milano 2007.

Ders.: Pio XII. Il Papa degli Ebrei, TB, Casale Monferrato 2002.

Waagenaar, Sam: Il Ghetto sul Tevere. Storia degli Ebrei di Roma, Milano 1972.

Wolf, Huber / Unterburger, Klaus: Pius XII. und die Juden. Zum Stand der Forschung, in *Theologische Revue* 105 (2009), 265-280.

Wolf, Hubert: Papst und Teufel. Die Archive des Vatikan und das Dritte Reich, München 2008.

Whitehead, Kenneth D.: The Pope Pius XII Controversy: A Review Article, in: Gallo (Hg.), a.a.O., S. 84-103.

Zuccotti, Susan: Under his very Windows. The Vatican and the Holocaust in Italy. TB-Ausg., New Haven (Yale Univ. Press) 2002.

Ders.: Pope Pius XII and the Rescue of Jews during the Holocaust: Examining Commonly Accepted Assertions, in: Zimmermann, J.D. (Hg): Jews in Italy under Fascist and Nazi rule, 1922-1945, New York u.a. 2005, S. 287-307.

Rumi, Giorgio: Montini, G.B. "Su Pio XII", in Reihe: *Notiziario* 17 (1988), S. 21-76, hrsg. vom L'Istituto Paolo VI. Centro Internazionale di Studi e di Documentazione, Concesio-Brescia.

Personenregister

Bildnachweis